LA REVOLUCION GRANADINA DE 1810

RAFAEL GOMEZ HOYOS, Pbro.

De las Academias Colombianas de Historia y de
Jurisprudencia, de la Real Academia de Historia
de Madrid, y del Instituto Gonzalo Fernández
de Oviedo.

LA REVOLUCION GRANADINA DE 1810

IDEARIO DE UNA GENERACION Y DE UNA EPOCA. 1781 - 1821

TOMO II

EDITORIAL TEMIS BOGOTA, D. E.

1 9 6 2

QUINTA PARTE

LOS CUATRO GRANDES DE LA REVOLUCION

CAPITULO I

CAMILO TORRES, LA CONCIENCIA JURIDICA DE LA REVOLUCION

1.— *Su formación humanística. El primero de los jurisconsultos.*

La vida diamantina de Camilo Torres, entregada al culto de los más altos ideales —patria, familia, libertad, enseñanza de la verdad y defensa de la justicia— se proyecta en el escenario de la historia colombiana con la dignidad eximia y la heroica grandeza de uno de los claros varones que inmortalizó Plutarco.

Nadie como él encarnó el espíritu de su pueblo y se compenetró con las cualidades de su raza: sentido legalista, amor a las letras, pasión por lo justo, austeridad y pobreza en el poder, valor civil y entereza de ánimo en la desgracia, fidelidad al honor y a los valores religiosos. Por manera que muy pocos y con mayores títulos pueden ser evocados e invocados como símbolo y paradigma de los más nobles atributos de la gente colombiana.

Hijo de español y americana, educado en el ambiente aristocrático de Popayán a la sombra del sabio magisterio de José Félix de Restrepo y de Mariano Grijalba y en las aulas prestigiosas del Colegio del Rosario de Santa Fé, en él se acendraron los más ricos jugos de la estirpe y de la cultura de las dos ciudades letradas, y quedó destinado a ser el mejor intérprete y defensor de las reivindicaciones de los criollos de América.

Su voz es la más alta y la más pura expresión de su momento histórico, y es eco que arranca de la genuina entraña de la tradición hispánica, prostituída por los autócratas Borbones de acá y de allá, de la cual extrae los materiales de su pensamiento jurídico y político.

Su función, como de auténtico intelectual, fue la de estar al servicio de su pueblo. Servicio sin flaquezas ni adulaciones serviles ante las despóticas autoridades. Pero sin concesiones fáciles a la demagogia, sin lisonjas vanas al pueblo, al cual hablaba un lenguaje duro, adoctrinador, severamente monitorio de sus deberes y responsabilidades ante la posesión de la libertad.

Sin estridencias ni gritos, en medio de la furia huracanada del trópico y del fermento de las pasiones, y sin dejarse arrastrar de la corriente romántica, ejerció un magisterio jurídico, social y político entre sus contemporáneos que se dejaron guiar por la fuerza intelectual de aquel profesor tímido, silencioso e introvertido que sólo en los estrados judiciales vertía el torrente de su elocuencia, animado por el fulgor relampagueante de las ideas.

El dominio del griego y del latín, y el conocimiento perfecto del francés e italiano, del inglés y del alemán, le abren las puertas del clasicismo greco-latino y le facilitan el contacto directo con las literaturas modernas.

Su formación humanística le había de llevar al cultivo del derecho —ciencia y arte a la vez— que regula, estudia y aplica las normas sobre las cuales descansan el orden y la paz, la justicia y la seguridad de la convivencia humana. La definición que da Ulpiano de la jurisprudencia cómo eleva la ciencia jurídica por encima de las otras ramas del saber humano. "Divinarum atque humanarum rerum notitia, iusti atque iniusti scientia". Es la ciencia de las cosas divinas y de las cosas humanas. Porque sin el conocimiento de lo divino —ha enseñado Pío XII— el panorama humano quedaría privado de ese fundamento que trasciende a toda humana vicisitud en el espacio y en el tiempo, y descansa en lo Absoluto, que es Dios. El derecho se mueve, por consiguiente, entre lo infinito y lo finito, entre lo divino y lo humano, y en ese movimiento necesario y continuo reside la grandeza y la belleza del mundo jurídico, infinitamente más rico y viviente, más complejo y armonioso que el mundo de la naturaleza.

Hablo de las letras humanas —escribía Cervantes— que es su fin poner en su punto la justicia distributiva y dar a cada uno lo que es suyo, y entender y hacer que las buenas leyes se guarden. Fin por cierto generoso y alto y digno de gran alabanza.

Esta es la razón por la cual el príncipe de nuestros humanistas, Miguel Antonio Caro, hallaba en ese orden legal deleite a su inteligencia y regocijo al corazón. Leyes solicito, cualesquiera que sean —escribía— porque legalidad es forma de justicia y justicia realización de derecho; y cuanto más antigua la ley que descubro, más me satisface, porque por su antigüedad miro la alteza de su origen y lo benéfico de su institución. No sólo con el jurisconsulto aclamaré a la legalidad justa, sino con el filósofo la reconoceré luminosa y con el teólogo la acataré divina. Cuando de lo casual pasamos a lo provindencial, cuando de lo que es subimos a lo que debe ser, cuando del caos, en fin, salimos para entrar en el orden, que es calor y es luz, el corazón naturalmente se regocija, sosiega y descansa el entendimiento (1).

Esta cita es por demás oportuna. López de Mesa ha ensayado un breve y afortunado paralelo entre Torres y Caro, fértil para un ulterior desarrollo en múltiples aspectos de la mentalidad de estos dos eximios humanistas (2).

Camilo Torres brilló como astro de primera magnitud en el cielo de la jurisprudencia. Graduado de doctor en 1790, recibido en 1794 como abogado de la Real Audiencia de Santa Fé, es galardonado en 1797 con el título, conferido en Madrid, de Abogado de los Reales Consejos y de las Audiencias de Indias.

Como abogado de pobres y protector de esclavos tuvo ocasión de poner en práctica sus ideas humanitarias. Yo hablo de los esclavos —dice en la defensa de la esclava Petrona Vivanco— que, privados del más precioso don de la naturaleza, viven bajo el yugo de la servidumbre, regularmente la más cruel. Nuestras leyes, ya que no pudieron restituírlos a aquella antigua y primitiva libertad de que los privó, contra todos los derechos de la naturaleza, una Constitución de Gentes, quisieron suavizarles, por lo menos, cuanto fue posible, este estado desgraciado... (3). No se transparentan en estos párrafos las mismas ideas de su maestro de Popayán José Félix de Restrepo?

En 1794 se encargó de la defensa de su amigo del alma Francisco Antonio Zea, comprometido en la conjuración de los Pasquines, y más tarde defendió al Dr. Eloy Valenzuela, el sabio botánico, víctima de una infame calumnia. En tal ocasión desplegó sus profundos conocimientos del derecho canónico y de las leyes disciplinarias de la Iglesia.

Tenemos a la vista —escribe Alvarez Bonilla— muchos de sus trabajos jurídicos y podemos asegurar que todos ellos son modelos en el ramo por lo correcto de la exposición, lo metódico del alegato, la riqueza de erudición jurídica, la limpieza del estilo, la fuerza de la dialéctica y la probidad de la defensa. El amor de la

---

(1) Manuel Antonio Bonilla, *Caro y su obra*, Bogotá, 1948, p. 285.

(2) Luis López de Mesa, *Elogio de Camilo Torres*, discurso leído el 20 de Julio de 1960, al inaugurar la estatua del prócer en Bogotá, en *Homenaje a los Próceres*, (Bogotá, 1961), p. 35-49.

(3) Enrique Alvarez Bonilla, *Los tres Torres*, en *Boletín de Historia y Antigüedades*, N. 27 (1905), p. 134.

justicia inspiraba sus labores forenses: jamás defendió una causa injusta, nunca apeló al sofisma...; no se puso en pugna con sus principios morales a fin de acomodarse a las circunstancias propicias a sus propósitos (4).

El poeta y jurista José María Salazar, su contemporáneo, afirma expresamente que fue tenido por el primer jurisconsulto de la Nueva Granada. Y en realidad era tan respetada su autoridad en este campo, que todos sus coetáneos se refieren a él con los términos más encomiásticos. Juan Nepomuceno Niño, García de Toledo, Castillo y Rada, Miguel Tadeo Gómez, etc., dejan escapar en su correspondencia la admiración más profunda por el gran jurisperito. No sé por qué se manifiesta vuestra merced —escribía en 1803 Tadeo Gómez a don Joaquín Camacho— desafecto a una profesión que es la única entre nosotros que proporciona un crédito distinguido y donde puede hacerse uno de los mejores conocimientos políticos y de literatura. El verdadero mérito es conocido y aprobado en todas partes. El mérito de don Camilo es una prueba decisiva de esta verdad (5).

Su biblioteca particular es reflejo de sus aficiones humanísticas y especialmente jurídicas. Al lado de Recopilaciones de Leyes, campean los mejores tratadistas de derecho romano, español e indiano, y canónico: Azevedo, Gutiérrez, Solórzano, Antonio Gómez, Donat, Herocourt, Bobadilla, Matienzo, Manzano, Castillo, Velasco, Heineccio, Llorente, Muratori, Tranquenau (Juan Lucas Cortés), Grenovio, Cañada, Rivadeneyra, Salgado, etc. El Padre Molina figura con su tratado *De Iustitia et Iure*, y Cayetano Filangieri con su *Ciencia de la Legislación*. El *Antilucrecio* del Cardenal de Polignac y el *Espectáculo de la Naturaleza* de Plucke, tan conocidos de Nariño y de Félix de Restrepo, así como las obras de Bossuet, llaman también la atención. Y los clásicos griegos y latinos en su lengua original (6).

La Biblioteca Real y la del Colegio del Rosario, ofrecieron a su inagotable afán de saber la riqueza imponderable de sus obras, y su discreta soledad proporcionó a su espíritu esquivo el más dulce abrigo y la más grata compañía. Ahí pudo él verificar la perfecta verdad de la sentencia de Gracián: "Oh fruición del entendimiento, tesoro de la memoria, realce de la voluntad, satisfacción del alma, paraíso de la vida!... para mí no hay gusto como el leer ni centro como una selecta librería".

---

(4) Enrique Alvarez Bonilla, o. c., p. 132.

(5) *Noticia biográfica del prócer Don Joaquín Camacho*, por Luis Martínez Delgado, Bogotá, 1954, p. 277.

(6) Revista *Bolívar*, N. 46 (1957), *La Biblioteca de Camilo Torres*.

2.—*Sequedad de condición y melancólica gravedad.*

Convenían por maravillosa manera a su temperamento las cualidades que el mismo autor del *Criticón* señalaba como característica de los españoles: sequedad de carácter y melancólica gravedad.

Un recóndito sentimiento de orgullo basado en la conciencia del propio valer y en el mérito de las propias acciones, le hizo reaccionar contra los prejuicios de casta y de nobleza que había observado desde niño en su ciudad natal y que en Santa Fé hallaban manifiesta ostentación. En carta a sus padres para pedir las ejecutorias de hidalguía que eran exigidas en el Claustro rosarista para vestir la beca, se expresa en una forma desacostumbrada en un hijo de español.

"Conozco la vanidad de los blasones y títulos de nobleza que se funda en mérito ajeno y en lo que no hemos hecho nosotros mismos. Sé que la verdadera hidalguía consiste en la rectitud de las acciones y conducta de cada uno; pero me exigen, además de las informaciones ya presentadas, las pruebas de mi limpio linaje, y es preciso darlas: vivimos entre gentes alucinadas y llenas de preocupaciones, que desprecian, que insultan y que atropellan a quien ha fiado más su estimación y su concepto de sus propias operaciones, que de exagerados y tal vez supuestos méritos de sus mayores" (7).

La energía de estas frases, escritas por un joven de 22 años, nos revela con elocuencia la rectitud de su carácter y la independencia y lucidez de su criterio. Ahí se muestra toda una personalidad. Se somete a tales exigencias sociales, pero no sin una arrogante protesta. Y ésta será la actitud que durante años observará frente a las arbitrariedades del gobierno español, hasta que le sea dable dirigir el movimiento que lo habría de derrumbar.

El mismo nos define su absoluta carencia de ambición y su íntima tendencia a la soledad y al estudio. En 1792 el Claustro de Fray Cristóbal lo elige Vice-Rector pues "por su juicio, arreglada conducta, constante aplicación a las letras y demás prendas de que se hallaba dotado, daba esperanzas nada equívocas de que su gobierno sería muy útil en este Colegio para la observancia de una moral cristiana-política en la juventud, e ilustración y aprovechamiento en los estudios". Ni un instante se deja vencer por las

---

(7) *Noticia Biográfica y Literaria de Don Camilo Torres*, por José María Cárdenas, Bogotá, 1832. El autor, yerno del prócer, escribió un brevísimo y muy hermoso boceto biográfico como introducción a la Representación del Cabildo de Bogotá.

halagüeñas perspectivas de tal posición rectora en aquella pequeña república, y el provinciano de 26 años rechaza el insigne honor
con estas enfáticas palabras:

"Mi genio naturalmente opuesto a cuanto suena superioridad
y amante hasta el extremo del silencio y el retiro, me haría abrazar este partido que ahora tomo, aun cuando no tuviese los justos
motivos que he alegado. No creo que se pueda violentar el genio
y la naturaleza que dio a cada hombre su destino y sus inclinaciones: el mío no es ciertamente el de mandar, y en breve lo acredi-
taría sobradamente la experiencia" (8).

Igual desinterés y desprendimiento supo mantener ante los
oficios públicos, pues se abstuvo de aceptar los cargos de Alcalde
y Síndico Procurador General para los cuales fue elegido, y jamás
los Virreyes recibieron un memorial de solicitud de empleos —tan
frecuentes en la época entre personajes connotados— suscrito por
aquel brillante abogado que ejercía su profesión al margen de toda aspiración burocrática. Más aún, cuando ya en el apogeo de
su fama fue excitado por el Virrey Mendinueta a la pretensión de
una toga de Oidor que bien se merecía, se negó rotundamente.
Sirvió sí con fervorosa dedicación las cátedras de filosofía, de derecho civil, de derecho real español y de canónico, todas en el Colegio del Rosario. Sólo en 1809, en las postrimerías del régimen
español, cuando ya estaba en marcha la máquina de la Revolución
que él impulsaba como motor principal, se avino a aceptar el destino de Asesor del Cabildo de Santa Fé, desde el cual ejerció una
labor política de importancia definitiva.

Era, pues, absolutamente sincero cuando le escribía a su tío
el Oidor Tenorio al final de la célebre carta política de 1810: "Nada apetezco, a nada aspiro, y viviré contento con un pan y un libro".

Consciente de su modo de ser, seco y austero, buscó el equilibrio
indispensable en la dulce y alegre sonrisa de una mujer ideal. La
mujer buena es un don del cielo —escribió a sus hermanas en
1802, al anunciarles su próximo matrimonio con doña Francisca
Prieto— La mudanza de estado suavizará mi corazón y tendré mucho qué aprender en la amabilidad de las costumbres de mi mujer.

Aquella melancolía natural de su espíritu le acompañaba aun
en los días felices de su luna de miel, transcurridos en una hacienda de Fusagasugá. Apresuro mi marcha —escribía— porque se
acerca el invierno. La parroquia de Fusagasugá es triste, sus gen-

---

(8) Guillermo Hernández de Alba, *Crónica del Muy Ilustre Colegio Mayor de
Ntra. Sra. del Rosario*, Libro Segundo, p. 248.

tes melancólicas, y la soledad de su monte aumenta el tedio aun de quien sea menos melancólico que yo (9).

La constancia y la firmeza fueron su carácter peculiar, al decir de José María Salazar, quien fue su leal adversario político y supo apreciar sus prendas. Cualidades que llegaron a convertirse en defectos, pues a más de orgulloso se mostró inflexible y duro ante quienes no participaban de sus opiniones (10).

Y pensar que un hombre de tales condiciones temperamentales, ajeno a toda ambición de mando, esquivo al rumor de muchedumbres, tímido y taciturno, vendría a ser el eje y el centro, el cerebro y corazón del Movimiento de 1810. Porque su presencia en la escena política como personaje principal en el tremendo drama, más que a impulsos de emoción y a estímulos de la *cupido imperandi*, debióse a meditada decisión y a convicciones hondamente arraigadas en su espíritu. Por ello hablará siempre un lenguaje severo y rígido, escolar y académico, que era fiel trasunto de su propio sér. No era ni podía ser el caudillo desatado que se compenetra con los anhelos del pueblo, sino el conductor sereno, el guía equilibrado que aprovecha el enorme prestigio entre colegas y discípulos para dar vuelo a las ideas concebidas en largas horas de estudio y reflexión.

Era tan fascinante el brillo de su ilustración y la fuerza de su personalidad, que personajes como el barón de Humboldt no podían escapar a su influencia. "Es hombre verdaderamente grande —escribía desde Santafé, al iniciar su amistad con él—, extraordinario, gigante de inteligencia, genio de extensos talentos, gran saber y de virtudes sólidas y rígidas, distinguido Abogado de la Audiencia de Santa Fé y de los Reales Consejos de España. Célebre ya en varias materias, en el foro por su ciencia en todos los múltiples ramos de la jurisprudencia, y como orador, por su elocuencia hablada y escrita. Respetado, atendido y a las veces consultado para asuntos graves por el virrey, por los ministros de la Real Audiencia y otros; muy erudito en ciencias exactas, protector de las bellas letras; sobresaliente en el conocimiento y versación de su idioma, del griego, latín, francés e italiano, y bien pronto lo será también en el inglés y alemán que estudia con tesón..."

Las cualidades de su carácter se reflejan en la imponencia de su figura física, admirablemente captada por el sabio alemán: "La

---

(9) Fabio Lozano y Lozano, *Novela de Amor de un Prócer*, conferencia leída en la Academia de Historia de Bogotá, y publicada, casi íntegramente, por M. J. Forero en su obra *Camilo Torres*, p. 350.

(10) *Don Camilo Torres*, por José María Salazar, breve semblanza biográfica publicada en *Revista de Bogotá*, dirigida por José María Vergara y Vergara, Tomo I, N. 9 (abril de 1870), p. 603.

serena y amplísima frente, los rasgos severos de su rostro y la actitud varonil y casi atlética, su gentileza, revelan a primera vista la
energía y rectitud de un carácter inquebrantable en la vía del bien
y de la justicia. Sin embargo, en el fondo de todo su sér, se descubre
un alma noble, benévola, dulce y un corazón de finísimo oro; cari-
tativo, desinteresado, sincero y constante amigo." Y termina con
un vaticinio que tuvo realidad cumplida: "Los fastos de la historia
recogerán su nombre con honor" (11).

Toda esta respetuosa admiración que sentían los contemporáneos por ese egregio varón ha quedado resumida en el tratamiento universal que le fue dado: don Camilo. Así le llamaron como en
ademán de inclinarse ante su nombre. Y así le llamó Bolívar que
en él concentró el respeto y aprecio que le merecieron —salvo ra-
ras ocasiones— los letrados de la Nueva Granada.

3.— *Antecedentes históricos del pensamiento político de
Torres.*

Ya vimos en el capítulo de los Comuneros cómo la política de
la Corona española se había ido apartando de los cauces trazados
por las concepciones jurídicas de los primeros Monarcas de Castilla, los cuales querían hacer de las Indias partes integrantes de
aquellos Reinos. La aberrante desigualdad que se había establecido sistemáticamente por el absolutismo borbónico, se manifestaba
ante todo en la provisión de los cargos de gobierno civiles y
eclesiásticos en los nacidos en España, con exclusión de los naturales de América. Pero en un principio la legislación de Indias no establecía distinción alguna entre españoles europeos y americanos
en cuanto a su condición jurídica, la cual, para los criollos, se ori-
ginaba de su nacionalidad castellana antes que del accidental lugar
de su nacimiento.

Efectivamente, en el Reglamento de 12 de diciembre de 1619
quedó establecida la preferencia que desde el comienzo de la colonización España daba a los nacidos en América:

"Primeramente, que en todos los dichos oficios, provisiones y
encomiendas sean antepuestos y proveídos los naturales de las dichas mis Indias, hijos y nietos de los conquistadores dellas, personas idóneas, de virtud, méritos y servicios conforme a la naturaleza del uso y ministerios y oficio en que fueren proveídos, y lo mismo sea y se entiende en favor de los pobladores naturales y origina-

(11) *Carta del Barón de Humboldt* desde Santafé, a un prusiano residente en Lima, en Alvarez Bonilla, *Los Tres Torres*, o. c., B. de H. y A., N. 27, p. 143.

rios de los reinos y provincias de las dichas mis Indias, nacidos en ellas, *los cuales como hijos patrimoniales* deben y han de ser antepuestos a todos los demás en quien no concurrieren estas calidades y requisitos".

Jaime Delgado hace notar agudamente la expresión "como hijos patrimoniales", que indicaba cómo la Monarquía era un patrimonio real formado por reinos y señoríos iguales entre sí, pero independientes unos de otros, en la posesión jurídica de sus fueros, privilegios, franquicias y libertades. No existía entonces el concepto de súbditos iguales de la misma Corona, sino que cada uno de los reinos trató de gobernarse mediante la acción de sus propios naturales. Así se explica que los criollos no se contentaran con las preferencias que se les otorgaban y llegaran a querer excluír de los oficios a los peninsulares (12).

Estas concepciones político-jurídicas fueron expuestas por los grandes jurisconsultos del derecho indiano como Puga, Aguiar y Acuña, Encinas, Diego de Zorrilla, León Pinelo, y sobretodo el príncipe de los juristas, Solórzano y Pereyra en *De Iure Indiarum* y en su *Política Indiana*, en cuya escuela se formaron nuestros letrados.

Precisamente en 1667 se publicó en Madrid un curioso Memorial en favor de los naturales de las Indias por don Pedro de Bolívar y de la Redonda, de la ciudad de Cartagena de Indias y abogado de la Real Cancillería de San Carlos de Lima. En él se sientan y prueban con vigorosa dialéctica y profusión de citas, las siguientes tesis: a) Por derecho natural deben ser preferidos en los puestos honrosos de un Reino los que en él nacen y sirven. b) Por Derecho de las Gentes también deben ser preferidos. c) Por el Derecho Real de estos Reinos deben ser preferidos los naturales y *excluídos* los que no lo son. d) Por el Derecho Real y Municipal de Indias deben ser preferidos. e) Del desconsuelo que padecen los españoles que nacen y sirven en las Indias de no verse preferidos en ellas en ejecución de lo que está dispuesto. Y con igual erudición refuta el autor de este precioso opúsculo los argumentos de la tesis contraria (13).

---

(12) Jaime Delgado, *La Independencia Hispanoamericana* (Madrid, 1960), p. 20.

(13) *Memorial, Informe y Discurso, legal, histórico y político al Rey Nuestro Señor en su Real Consejo de las Indias, en favor de los españoles que en ellas nacen, estudian y sirven, para que sean preferidos en todas las provisiones eclesiásticas y seculares que para aquellas partes se hicieren,* por Don Pedro de Bolívar y de la Redonda, natural de la ciudad de Cartagena, Reyno de Tierra Firme, Licenciado y Doctor en Cánones por la insigne y Real Universidad de San Marcos, Abogado de la Real Cancillería, etc., de la Ciudad de los Reyes de Lima. Impresa en Madrid por Mateo Espinosa, Año de 1667.

Con razón observa Konetzke que la oposición de los naturales de América contra los nacidos en Europa tiene su origen en la estructura del Estado patrimonial, en el cual cada natural de un territorio particular se considera vinculado a la persona del Monarca, pero no se siente unido con los súbditos de los otros reinos que forman la monarquía, en los cuales ve, en materia de cargos y oficios, a intrusos y extranjeros (14).

Los Borbones tienden a transformar semejante estructura estatal, y a darle las funciones de un Estado moderno de tipo unitario. El máximo representante de esta tendencia fue Carlos III.

En 1768 el Consejo Extraordinario presidido por Aranda, oye el concepto de los Fiscales, Campomanes y Moñino sobre la necesidad de buscar una mayor unión de las Indias a España y "prevenir el espíritu de independencia" por medio de una progresista reforma, ya que no pueden mirarse "aquellos países como una pura colonia, sino como unas provincias poderosas y considerables del imperio español".

Para lograr que españoles europeos y americanos formaran un solo cuerpo de nación, el gobierno de Carlos III tomó varias medidas económicas y culturales de reconocida importancia. En cuanto a los cargos de gobierno, se determinó "guardar la política de enviar siempre españoles a Indias con los principales cargos, Obispados y Prebendas, y colocar en los equivalentes puestos de España a los criollos; y ésto es lo que estrecharía la amistad y la unión, y formaría un solo cuerpo de nación..."

Estas reformas, tímidamente realizadas en lo que miraba al gobierno de los criollos —y que explica su presencia en la Metrópoli y principalmente en Virreinatos distintos del lugar de su nacimiento— y llevadas a la práctica en todo su rigor en cuanto a los españoles que venían a mandar en América, no iban a satisfacer, ni con mucho, las aspiraciones de los criollos a los cuales sólo importaba ejercer influencia política en su propia nación. Los programas de Aranda eran incapaces de contener el desarrollo de un nacionalismo que tenía un arraigo tan profundo en la naturaleza de las cosas, y en la tradición política y jurídica del Derecho castellano aplicado a las Indias.

Como índice de esta persistencia de la tradición que no se acomodaba a los programas reformistas de Carlos III, está la *Representación al Rey del Cabildo de la Ciudad de México*, enviada en 1771, la cual demuestra la clara conciencia que los americanos

---

(14) Richard Konetzke, *La condición legal de los criollos y las causas de la Independencia*, edición separada de *Estudios Americanos* (Sevilla, 1950, páginas 33-37).

tenían de sus derechos y la voluntad decidida —a pesar del tono respetuoso— con que los reclamaban. Con brillantes motivaciones de utilidad pública, de necesidad política, de conveniencia espiritual y de justicia distributiva, solicitaban los memorialistas la *exclusiva posesión* de los empleos en favor de los naturales. "Debiendo por ahora quedar anotado —decía la *Representación*— que la provisión en los naturales con exclusión de los extraños, es una máxima apoyada por las leyes de todos los reinos, adoptada por todas las naciones, dictada por sencillos principios que forman la razón natural e imperan en el corazón de los hombres. Es un derecho que si no podemos graduar de natural, es sin duda común a todas las gentes, y por ello de sacratísima observancia". En cada línea se considera a los españoles de Ultramar como extranjeros y se aviva la idea y el sentimiento tradicionales de la autonomía. Y esto se escribía seis años después de iniciadas las reformas de Aranda (15).

Diez años después de firmada esta Representación, las mismas exigencias de los mexicanos —apoyadas en idénticas motivaciones— serían objeto en Zipaquirá de una de las principales cláusulas de las Capitulaciones, propuestas e impuestas por los Comuneros.

En 1789 don Francisco Silvestre, Secretario del Virreinato y Visitador de la Provincia de Antioquia, nos deja al respecto un testimonio precioso. Previendo con clarividencia que la rivalidad entre españoles europeos y americanos podría crear inquietudes que llevaran a la pérdida de las colonias para España, agrega esta observación: "La colocación recíproca de unos y otros en los empleos políticos, militares y eclesiásticos es el medio más regular y sencillo y el que tiene por base *el derecho natural, racional y político;* y lo contrario mantendrá constante la envidia, la desunión y rivalidad..." (16).

Así, pues, mientras en Europa merced al absolutismo de los Borbones, se va configurando con definidos perfiles la unificación de las monarquías, América continúa apegada a la concepción fuerista y a la idea del Estado patrimonial, y al producirse la abdicación de Bayona, el vínculo de unión quedará desatado y se procla-

---

(15) Rafael Gómez Hoyos, *Representación humilde que hace la Imperial, Nobilísima y Muy Leal Ciudad de México, en favor de sus naturales* (2 de Mayo de 1771), en *Boletín de Historia y Antigüedades*, Volumen XLVII (1960), páginas 425-476. Este notable documento ciertamente fue conocido en Santafé pues fue enviado al Cabildo y a los vecinos principales, y el hecho de que una copia de él haya sido catalogada en el Archivo Nal. indica que circuló profusamente.

(16) Francisco Silvestre, *Descripción del Reyno de Santa Fe de Bogotá.* Bibl. Popular de Cultura Colombiana, Bogotá, 1950, N. 204, p. 136.

mará la emancipación de las provincias indianas. Dentro de la
Historia universal —escribe acertadamente Konetzke— se presenta la emancipación hispanoamericana como un ejemplo de
otros, donde un Real patrimonio se resiste a participar en la necesaria transformación que sufre la Monarquía del antiguo régimen al constituírse en un moderno Estado unitario (17).

4.— *Las ideas jurídicas de Camilo Torres.*

Hay que estudiar necesariamente desde este enfoque los escritos de Camilo Torres, si se aspira a una exégesis exacta y total
de su contenido jurídico y político. Si no se avaloran suficientemente estos antecedentes, su pensamiento puede resultar confuso,
porque la problemática que plantea y la dialéctica que maneja
—con un estilo que hace de él un clásico de la lengua y con una
frescura de forma que lo sitúa en su siglo— corresponden en plenitud al ambiente jurídico tradicional de que estaba empapado.
Pretender descubrir en sus documentos principios de la Revolución francesa, equivaldría a arrancar su pensamiento de su marco natural y a violentar las tesis, por manera que el conjunto sis-
temático se oscurece y se torna incomprensible.

Sus ideas fueron expresadas con calurosa elocuencia en las
múltiples reuniones que presidió en el Observatorio astronómico
y en su casa de habitación situada al frente, y de las cuales quedan huellas en las crónicas y en la correspondencia de la época.
Su pensamiento escrito se salvó para la historia en dos documentos, uno de orden público y otro de carácter privado: La Representación del Cabildo de Bogotá a la Suprema Junta Central de
España el 20 de noviembre de 1809, y la Carta a don Ignacio Tenorio, Oidor de Quito, escrita el 29 de mayo de 1810.

El célebre voto escrito que dio en las Juntas convocadas por
el virrey Amar los días 6 y 11 de septiembre de 1809 con motivo de
la revolución de Quito, y que su autor hizo circular en copia manuscrita entre los letrados del Nuevo Reino, se perdió al parecer
definitivamente. Fue en realidad su primer documento político,
y en él abogó abiertamente por el establecimiento de una Junta
Suprema para el gobierno de la nación. En tales reuniones exigió
con energía el retiro de la tropa ahí presente por orden del virrey.
"Ya Ud. ve —escribe a un amigo— el vicio de nulidad que ésto
podía inducir a cualquier deliberación". A este voto hará referencia en los dos documentos que entraremos a analizar.

---

(17) Richard Konetzke, *La condición social de los criollos*, o. c., p. 37.

a) *Memorial de Agravios: los fueros de Castilla en América*

La Representación del Cabildo de Bogotá, firmada el 20 de noviembre de 1809, llamado por López de Mesa con razón "el día más jurídico de nuestros próceres", pasó a la historia colombiana, no se sabe por obra de quién, con el afortunado nombre de Memorial de Agravios, pues en realidad es la voz de América que depone sus quejas ante la Monarquía hispana y le reclama sus derechos de igualdad política (18).

Empieza por manifestar el acatamiento con que fue recibida la Suprema Junta Central, "centro de la común unión", si bien el ayuntamiento sintió profundamente que en la representación nacional de diputados de todas las provincias de España no se tuviera en cuenta para nada la América, tan necesaria para la consolidación del gobierno y para la formación de un verdadero "cuerpo nacional".

---

(18) El primero que intentó publicar la Representación fue el Dr. José Gregorio Gutiérrez Moreno, Síndico Procurador, de aquel año, amigo y admirador de Torres, de cuyas ideas participaba plenamente. Envió el original a Londres a Blanco White con destino a *El Español*, pero llegó tarde o se extravió. En todo caso la Representación se publicó, aunque truncada, en Cádiz y se reprodujo en México en 1820. Don José Manuel Restrepo insertó algunos extractos en la primera edición de su *Historia de la Revolución* (Tomo VIII, *Documento* 6, p. 101, París, 1827). Sólo vino a imprimirse íntegramente en Colombia en 1832 en *El Constitucional de Cundinamarca* por uno de sus redactores, don Ignacio Gutiérrez Vergara, hijo de don José Gregorio, quien la dio a luz utilizando una de las copias escritas con la propia letra del Síndico Procurador, y precedida de una noticia biográfica escrita por don José María Cárdenas, yerno de Torres. El folleto apareció en la imprenta de N. Lora. Más tarde, en 1893, el escrito fue reeditado, junto con la Carta al Oidor Tenorio, en un opúsculo de la Biblioteca Popular que lleva por título *Documentos Históricos por Don Camilo Torres*, Don Cecilio Cárdenas en el *Repertorio Colombiano* (Vol. XVII, N. 3, 1898), en un artículo titulado *Los dos Escritos más notables de Camilo Torres*, confundió la Representación con la Instrucción para el Diputado del Reino, y la daba por perdida. La confusión que con él han padecido varios autores, aún modernos, se originó del *Diario Político* de Camacho y Caldas, el cual en el N° 3 abría una suscripción de amigos de la patria para imprimir "esa grande, enérgica y profunda Instrucción para el Diputado del Reino, esa pieza maestra de elocuencia y de política". No obstante, en el N. 13 (Octubre 5 de 1810), el error fue rectificado: "El título de la obra de Torres es: *Representación a la Junta Central*. La *Instrucción para el Diputado del Reino* es de Herrera". Esta famosa Instrucción del Dr. Ignacio de Herrera existe y en esta obra le hacemos un amplio análisis. Posteriormente la *Representación* fue nuevamente editada en el *Boletín de Historia y Antigüedades* (Vol. III, N. 27, 1905, p. 198-217). Desde entonces se han multiplicado las ediciones. Manuel José Forero insertó el famoso documento en su obra *Camilo Torres*, en las dos ediciones que lleva en Bogotá, en 1952 y 1960. También lo contiene el libro *Proceso Histórico del 20 de Julio. Documentos* (Banco de la República, 1960). Finalmente la Librería Voluntad de Bogotá, en conmemoración del Sexquicentenario de la Independencia, reprodujo en 1960, en facsímile, la edición de 1832.

La orden real por la cual se regresa a la tradición al declarar que los reinos y provincias de América, como parte esencial e integrante de la monarquía española, debían tener representación nacional y constituír parte de la Junta Central, causó un gozo extraordinario en los cabildantes de Santafé, pues "la verdadera unión y fraternidad entre los españoles europeos y americanos no podría subsistir nunca sino *sobre las bases de la justicia y de la igualdad*".

Este es el tema central, el *leit motiv* constante de la disertación, y el arco toral que mantiene enhiesta la soberbia arquitectura jurídica del alegato:

"América y España son dos partes integrantes y constituyentes de la monarquía española, y bajo de este principio, y el de sus mutuos y comunes intereses, jamás podrá haber un amor sincero y *fraterno,* sino sobre la *reciprocidad e igualdad de sus derechos.* Cualquiera que piense de otro modo, no ama a su patria, ni desea íntima y sinceramente su bien".

"Sólo así las Españas —es expresión del Siglo del Oro, de rico contenido político— podrán caminar de acuerdo al bien común". Y el recuerdo oportuno de las Colonias inglesas por haber pretendido el cuerpo legislativo de la nación, "dictarles leyes e imponerles contribuciones que no habían sancionado con su aprobación", tenía un valor de ejemplaridad que era menester no echar en olvido.

Empero, la representación dada de dos diputados por cada Provincia de España —36 en su total— y de uno solo por cada reino y capitanía general de la América —9 en conjunto— violaba la justicia y rompía la igualdad que se proclamaban. Partiendo de la base de que todas las provincias son *"partes constituyentes de un cuerpo político* que recibe de ellas el vigor y la vida"*,* debe desaparecer toda desigualdad y superioridad de una respecto de la otra. "Establecer, pues, una diferencia en esta parte, entre América y España, sería destruír el concepto de provincias independientes, y de partes esenciales y constituyentes de la monarquía, y sería suponer un principio de degradación".

Para reforzar su argumentación, apela orgullosamente al origen hispano de los criollos:

"Las Américas, Señor, no están compuestas de extranjeros a la nación española. Somos hijos, somos descendientes de los que han derramado su sangre por adquirir estos nuevos dominios a la corona de España; de los que han extendido sus límites y le han dado en la balanza política de la Europa una representación que por sí sola no podía tener... Tan españoles somos como los descendientes de Don Pelayo, y tan acreedores, por esta razón, a las distinciones, privilegios y prerrogativas del resto de la nación...; con esta diferencia, si hay alguna, que nuestros padres, como se ha dicho, por medio de indecibles trabajos y fatigas descubrieron, conquistaron y poblaron para España este nuevo mundo".

La diferencia de las provincias, en cuanto al número de diputados, no podía provenir sino de su población, extensión de su territorio, riqueza del país, importancia política o de la ilustración de sus moradores. Al analizar cada una de estas cualidades con datos geográficos, económicos y demográficos, acumulados en impresionante desfile, resulta la desigualdad en favor de las Américas, cuyo brillante porvenir exalta con fervoroso entusiasmo. Sólo en cuanto a la ilustración, "la América no tiene la vanidad de creerse superior, ni aún igual a las provincias de España. Gracias a un gobierno despótico, enemigo de las luces, ella no podía esperar hacer rápidos progresos en los conocimientos humanos, cuando no se trataba de otra cosa que de poner trabas al entendimiento".

Al tratar este punto capital de la cultura, hay una queja que brota de una herida abierta en la mente del eximio jurisconsulto hace más de catorce años. En 1795 el virrey don José de Ezpeleta había suprimido del pensum de estudios la cátedra de Derecho natural, considerada peligrosa para la juventud, y la sustituyó por la de Leyes del Reino. Era el colmo de la arbitrariedad. Prohibir la docencia del Derecho Natural y de Gentes en cuyas especulaciones los tratadistas españoles habían llegado a cimas jamás alcanzadas por la ciencia hispana! Pero no se puede arrancar de cuajo lo que es entraña y esencia de una cultura. El Ministro don Luis Chaves al señalar el plan general de estudios —de conformidad con las disposiciones de Ezpeleta— recomendaba para la Cátedra de Leyes, "como obras de público saber y escogida doctrina", entre otros autores, a Covarrubias y a Vásquez de Menchaca, máximos expositores de los principios del Derecho natural! (19).

La protesta por estos actos de barbarie, contenida durante años, surge de la pluma de Torres con los cálidos acentos de una ira santa:

"No há muchos años que ha visto este Reino, con asombro de la razón, suprimirse las cátedras de derecho natural y de gentes, porque su estudio se creyó perjudicial. Perjudicial el estudio

_____

(19) Guillermo Hernández de Alba, *Crónica del Colegio Mayor de Ntra. Señora del Rosario*, T. II, p. 297.

de las primeras reglas de la moral que trazó Dios en el corazón del hombre! Perjudicial el estudio que le enseña sus obligaciones para con aquella primera causa como autor de su sér, para consigo mismo, para con su patria y para con sus semejantes! Bárbara crueldad del despotismo, enemigo de Dios y de los hombres, y que sólo aspira a tener a éstos como manadas de siervos viles, destinados a satisfacer su orgullo, sus caprichos, y sus pasiones!".

Al acusar con tamaña valentía los desafueros del gobierno español, tiene la audacia de citar una Ley de Partidas, en que don Alfonso el Sabio, siguiendo las líneas de Santo Tomás, señala los ardides de que se vale el tirano: "Pugnan siempre los tiranos que los de su señorío sean necios o medrosos, porque cuando tales fuesen no osarían levantarse contra ellos, ni contrastar sus voluntades". Se cuida mucho de echar la culpa del atraso cultural al genio de la nación, y sólo considera responsable al gobierno: "Estos no son defectos de la nación cuyo genio y cuya disposición para las ciencias es tan conocida. Son males de un gobierno despótico y arbitrario, que funda su existencia y su poder en la opresión y en la ignorancia".

En la argumentación fundamentada en el concepto de la ley, aparecen expresiones típicamente rusonianas —lógicas concesiones al espíritu de la época— pero que entrañan un sentido conceptual propio de las doctrinas escolásticas del siglo XVI acerca de la necesidad del consentimiento del pueblo para la formación de la norma jurídica:

"Bajo de otros principios, vais a contradecir vuestras mismas opiniones. La Ley es la expresión de la voluntad general, y es preciso que el pueblo la manifieste. Este es el objeto de las Cortes: éllas son el órgano de esta voz general. Si no oís, pues, a las Américas, si ellas no manifiestan su voluntad por medio de una representación competente y dignamente autorizada, la ley no es hecha para éllas, porque no tiene su sanción. Doce millones de hombres con distintas necesidades, en distintas circunstancias, bajo diversos climas y con diversos intereses, necesitan de distintas leyes. Vosotros no las podéis hacer, nosotros nos las debemos dar...".

La desigualdad en el tratamiento a los americanos con respecto a los oficios públicos, la trata muy de paso y como una mera consecuencia de las tesis generales que ha venido sosteniendo: "España ha creído que deben estar cerradas las puertas de todos los honores y empleos para los americanos. Estos piensan que no ha debido, ni debe ser así: que debemos ser llamados igualmente a su participación... Debemos arreglarnos, pues, también en esta parte a lo que sea más justo".

Las Leyes castellanas y de Indias vienen a servir de apoyo a la doctrina del establecimiento de relaciones entre España y América sobre bases de justicia. La primera ley que cita se refiere a los viejos fueros de Castilla que exigían la aceptación de los tributos por parte de los procuradores de las villas y ciudades, derecho que fué implantado en la Conquista y reclamado entre nosotros por los diversos movimientos revolucionarios de la Colonia:

"Está decidido por una ley fundamental del reino 'que no se echen ni repartan pechos, servicios, pedidos, monedas ni otros tributos nuevos, especial ni generalmente, en todos los reinos de la monarquía, sin que primeramente sean llamados a Cortes los procuradores de todas las villas y ciudades, y sean otorgados por los dichos procuradores que vinieren a las Cortes'. Cómo se exigirán, pues, de las Américas, contribuciones que no hayan concedido por medio de diputados que puedan constituir una verdadera representación y cuyos votos no hayan sido ahogados por la pluralidad de otros que no sentirán estas cargas? Si en semejantes circunstancias los pueblos de América se denegasen a llevarlas, tendrían en su apoyo esta ley fundamental del Reino".

La otra ley invocada es la de convocatoria a Cortes, caída en desuso en el régimen de los Austrias y por cuya vigencia clamaba ardorosamente en España Jovellanos:

"Porque en los hechos arduos y dudosos de nuestros reinos, dice otra, es necesario consejo de nuestros súbditos, y naturales, especialmente de los procuradores de nuestras ciudades, villas y lugares de los nuestros reinos, por ende ordenamos y mandamos que sobre los tales fechos grandes y arduos, se hayan de ayuntar Cortes, y se faga con consejos de los tres Estados de nuestros reinos, según lo ficieron los reyes nuestros progenitores.

"Qué negocio más arduo que el de la defensa del reino y del soberano, la reforma del gobierno y la *restitución de la monarquía a sus bases primitivas y constitucionales, cuyo trastorno ha causado los males que hoy experimentamos?*".

La postura de Torres, en América, coincidía plenamente con la de Jovellanos en España: la restauración de la Monarquía sobre los fundamentos de las libertades civiles, de las franquicias y fueros municipales y los presupuestos del Estado de derecho.

En la designación de los diputados deberá volverse a la tradición democrática castellana, también pisoteada por la política borbónica que había hecho de los Cabildos —genuina representación del pueblo— un simple comercio de influencias. Aquí también, como en el caso de la docencia del derecho natural, el jurista deja escapar su protesta por la muerte de las libertades municipales:

"Estos diputados (los 36 propuestos para representar equitativamente a América) los deben nombrar los pueblos para que merezcan su confianza, y tengan su verdadera representación, de que los Cabildos son una imagen muy desfigurada, porque no los ha formado el voto público, sino la herencia, la renuncia o la compra de unos oficios degradados y venales. Pero cuando ellos sean los que nombren, no debe tener parte alguna en su elección otro cuerpo extraño conforme a la prevención de la ley".

Al final vienen las propuestas más avanzadas y revolucionarias, pero cimentadas siempre en las tradiciones de Castilla: "Si, en fin, no puede ir un número competente de diputados de América a España, que se convoquen y formen en estos dominios Cortes generales, en donde los pueblos expresen su voluntad que hace la ley, y en donde se sometan al régimen de un nuevo gobierno o a las reformas que se mediten en él, en las Cortes de España, precedida su deliberación; y *también a las contribuciones que sean justas y que no se pueden exigir sin su consentimiento...*". Y el establecimiento de las Juntas provinciales: "Por los mismos principios de igualdad han debido y deben formarse en estos dominios Juntas provinciales compuestas de los representantes de sus Cabildos, así como las que se han establecido y subsisten en España. Este es un punto de la mayor gravedad... Si se hubiese dado este paso importante en la que se celebró en esta capital el 5 de septiembre de 1808, cuando vino el diputado de Sevilla para que se reconociese la Junta, que se dijo Suprema, hoy no se experimentarían las tristes consecuencias de la turbación de Quito...".

Largamente expone los beneficios que traerían tales Juntas, vínculo de unión entre las provincias ya divididas, propuestas formalmente en las reuniones de Santa Fé del 6 y 11 de septiembre de 1809 y en plena conformidad con las leyes de la monarquía, "porque como se dijo en muchos de los votos de la última sesión, está prevenido por la de Castilla, que en los hechos arduos se convoquen los diputados de todos los cabildos, como se ha expresado arriba; y por la de Indias, que el gobierno de estos reinos se uniforme en todo lo posible con los de España".

Para concluir resume su pensamiento político-jurídico en los siguientes reclamos, si es que se aspira de veras a consolidar la unión entre América y España:

"Representación justa y competente de sus pueblos, sin ninguna diferencia entre súbditos que no la tienen por sus leyes, por sus costumbres, por su origen, y por sus derechos: juntas preventivas en que se discutan, se examinen y se sostengan éstos contra los atentados y la usurpación de la autoridad, y en que se den los debidos poderes e instrucciones a los representantes en las Cortes nacionales, bien sean las generales de España, bien las particulares de América que se llevan propuestas. Todo lo demás es precario".

Y termina con una imprecación a la igualdad y a la justicia, fundamentos de aquella maravillosa construcción jurídica, levantada con los más genuinos materiales de la cultura castellana:

"Igualdad! Santo derecho de la igualdad! Justicia que estribas en esto, y en dar a cada uno lo que es suyo; inspira a la España europea estos sentimientos de la España americana; estrecha los vínculos de esta unión: que ella sea eternamente duradera, y que nuestros hijos dándose recíprocamente las manos, de uno a otro continente, bendigan la época feliz que les trajo tanto bien..."

El Memorial de Agravios es un documento perdurable en la histórica lucha contra la arbitrariedad y el despotismo: en él alientan profundamente el espíritu de los fueros de Castilla y la altivez de los viejos hidalgos que en la tierra de las franquicias y de las libertades municipales reclamaban ante el Rey sus derechos de igualdad. Los acentos de justicia y de igualdad que en él resuenan, se inspiran antes que en las doctrinas del filósofo ginebrino, en el acervo jurídico hispano-romano. Sin necesidad de aportar nuevos elementos dialécticos, con motivaciones derivadas del mismo orden legal que se quería defender y restaurar, América vencía a España en franca lid y con las mismas armas que ella misma había forjado en siglos anteriores (20).

Razón sobrada tenía Torres —escribe el mejor de sus biógrafos— cuando erguía la hidalga persona y alzaba el vibrante acen-

---

(20) No entendió el espíritu del *Memorial de Agravios* el profesor español Francisco Elías de Tejada que lo llama "verdadera codificación de los principios inspiradores de la emancipación americana". Porque en vez de destacar la raíz castellana que nutre su pensamiento, dio demasiada importancia a frases sonoras y en ellas se basó para señalar el origen rusoniano de las tesis mantenidas. Lejos de "renegar de los padres", pretendió volverlos a los cauces anchurosos de la tradición común, y marchar con ellos por los caminos de la reconciliación y de la paz. Véase *Trayectoria del pensamiento político colombiano*, Conferencia pronunciada en el Paraninfo de la Universidad de Salamanca y publicada en *Revista del Colegio Mayor de Nuestra Señora del Rosario*, Vol. 47 (1951), p. 70.

to para invitar a sus compatriotas a definir la vida pública de conformidad con lo previsto en los fueros venerables de la Madre Patria (21).

No llegó el Memorial a su destino, no obstante los esfuerzos hechos por el Síndico Procurador Gregorio Gutiérrez Moreno, acérrimo defensor de sus ideas, quien no logró vencer la timidez de algunos cabildantes y la tozuda oposición de los españoles partidarios del régimen. Aunque ello habría sido inútil, pues la ceguera del Gobierno de la Metrópoli era incurable. En cambio sí abrió los ojos de multitud de patriotas que no estaban bien convencidos de la legitimidad de sus derechos de igualdad y se inclinaban a aceptar como un dogma la superioridad de España y la imprescindible necesidad de su tutoría política.

El escrito circuló de mano en mano, y —agrega el historiador Restrepo, testigo excepcional de aquella época— tuvo una influencia poderosa para desarrollar en la Nueva Granada los gérmenes de la Revolución. Porque Torres —observa justamente un exégeta del Memorial— es quien justifica y explica la revolución y también la impulsa al justificarla y explicarla (22).

Como Asesor del Cabildo el mismo año en que redactó la Representación, tocóle rechazar con su arrogancia y energía características, uno de los mayores desacatos cometido por el Virrey Amar contra los fueros del Ayuntamiento. Estos actos impolíticos del Jefe de la Administración fueron censurados aún por realistas de tan reconocida fidelidad como el Pbro. Torres, el cual los describe con absoluta objetividad e imparcialidad:

"Pero a mayor abundamiento hizo el Virrey que con toda la repugnancia y oposición del Ayuntamiento, sin que valiesen sus reclamaciones y sin dignarse de oir sus razones, que parecían demasiado justas, se recibiese de Alférez Real a don Bernardo Gutiérrez, que anteriormente no había podido lograr este empleo, compeliendo a los Regidores con multa y obligándolos a congregarse para darle posesión el día de Nuestra Señora de la Concepción; temeridad que desazonó a todos mucho. Y como si esto no bastase, nombró por su propia autoridad, sin elección del Cabildo, otros cuatro Regidores, que aunque eran dignos y hombres de bien, no sólo se hacía el agravio al Ayuntamiento de intrusarlos en él, contra ley, sino que los dejaba comprometidos con la sos-

(21) Manuel José Forero, *Camilo Torres*, o. c., p. 72.
(22) Andrés Holguín, *Camilo Torres*, en *Revista de las Indias*, Tomo XIX, p. 21.

pecha de ser sus agentes para oprimir la voz y libertad del cuerpo municipal" (23).

El desafuero del Virrey desató durante el año de 1810 una serie de incidentes que agrietaron en forma definitiva el régimen imperante, y demostraron el temple moral y las convicciones ideológicas de los patriotas, resueltos a no tolerar tales abusos. Don Ignacio de Herrera, Síndico Procurador de aquel año, provocó choques verbales y hasta actos de violencia física con el Alférez intruso, que los llevaron a ambos a la cárcel y abrieron las puertas a un ruidoso proceso.

La declaración de Torres en este proceso es una nueva y clara demostración de la intransigencia frente a las violaciones de la ley, moderada por su caridad cristiana. Hace notar, en efecto, "que como Asesor que fué del Muy Ilustre Ayuntamiento en el año pasado, fué uno de los individualmente atropellados, multados y arrestados con privación de comer y beber hasta que no recibiesen al señor Alférez Real don Bernardo Gutiérrez el día 10 de diciembre, en virtud de las providencias ejecutivas del Superior Gobierno; pero que no por esto ha faltado a la verdad, ni profesa mala voluntad, como cristiano que es, al citado don Bernardo Gutiérrez, aunque sí conoce que no ha debido ni debe estar en el Cabildo; *que no ha sido ni debe ser Alférez Real, conforme a las leyes*, y que si le ha dado este tratamiento en su declaración, se entiende sólo porque está haciendo oficio de tal, pero no porque en realidad crea que lo es" (24).

b) *Carta Política de 1810: las doctrinas suarezianas sobre el pacto social y la soberanía popular.*

Muchos eran los americanos eminentes que en vista de la irremediable situación de la Metrópoli, caída en manos de Napoleón, proponían la formación de un Gobierno Supremo elegido por los votos de las provincias de América para que los gobernase, en calidad de Regencia, a nombre de Fernando VII. Don Ignacio Tenorio, Oidor de Quito, tío carnal de Torres y varón de ilustrado patriotismo, le escribió sometiéndole sus planes y consultando su parecer.

_____

(23) José Antonio de Torres y Peña, *Memorias*, o. c., p. 100.

(24) *Documentos sobre el 20 de Julio de 1810*, por Enrique Ortega Ricaurte (Bogotá, 1960), Bibl. de Historia Nal., Vol. XCIII, p. 76

La respuesta de Torres es otro documento político de pri-mordial importancia para seguir el proceso de sus ideas y com-prender plenamente su actitud revolucionaria (25).

Desde el comienzo hace expresa referencia a la conducta —ca-si solitaria— que observó desde 1808 cuando Pando Sanllorente vino a Santa Fé en actitud arrogante a pedir la sumisión a la Junta de Sevilla y a recaudar caudales para la guerra: "Y bien, cuál será entonces nuestra suerte? Qué debemos hacer, qué me-didas debemos tomar para sostener nuestra independencia y li-bertad, *esta independencia que debíamos disfrutar desde el mes de septiembre de 1808?*".

Porque él había sido el primero en ver objetiva y directa-mente la situación y en oponerse a la autoridad de las Juntas de España. Esta postura merece destacarse, porque indica que sin lugar a dudas la conciencia jurídica de la Revolución fué Cami-lo Torres. Ninguna posición fué más definida que la suya —anota con justicia Forero— en lo tocante a señalar como un abuso de las provincias españolas el constituirse y erigirse como gobierno general del reino.

La situación sicológica y moral de los criollos queda expues-ta con meridiana claridad: "Hay buenos patriotas, ciudadanos ilustres y de virtudes, que conocen sus derechos y saben soste-nerlos; pero es muy considerable el número de los ignorantes, de los egoístas y de los quietistas. Fluctuamos entre esperanzas y temores. Nuestros derechos son demasiado claros, son derechos consignados en la naturaleza, y sagrados por la razón y la justi-cia... Está muy cerca el día en que se declare y reconozca que somos hombres, que somos ciudadanos y que formamos un pue-blo soberano".

Las dificultades provenían del espíritu dominador de los go-bernantes peninsulares, "los mandones, estos enemigos domésti-cos, estos sátrapas crueles, que miran con horror estas ideas; y éllos quisieran sellar eternamente nuestra esclavitud y evitar a todo riesgo nuestra independencia".

---

(25) Esta carta, firmada en Santafé el 29 de mayo de 1810, fue publicada por pri-mera vez en *El Repertorio Colombiano*, Tomo X, N. V (Enero de 1884). Fue to-mada de un manuscrito original del mismo Torres, proporcionado por Don Jacinto Arboleda, nieto del prócer. Pero le faltaban las hojas 8 y 9. Encontradas más tarde, don Jorge Roa publicó el documento completo en un tomito de la Biblio-teca Popular titulado *Documentos Históricos por D. Camilo Torres*. Fue reprodu-cida en el *Boletín de Historia y Antigüedades*, N. 29 (1905), p. 260-271, y reciente-mente en el libro editado por el Banco de la República, *Proceso Histórico del 20 de Julio de 1810* (1960), p. 54-68.

A la pluma de Torres afloran todos los sentimientos de protesta y de horror que albergaba su ánimo desde aquella mañana de 1794 en que el apacible profesor vio allanada su alcoba en el Colegio del Rosario por el inquisidor Hernández de Alba quien le revolvió todos los libros y papeles y violó el secreto de su correspondencia y de sus apuntes íntimos, hasta el 13 de mayo del año en que escribía, en que Santa Fé supo conmovida la llegada de las cabezas de los socorranos Rosillo y Cadena, los revolucionarios de los Llanos que fueron ejecutados sin piedad:

"La conducta de estos hombres ciegos, ya sabe Usted cuál ha sido estos años. Terror ha sido su sistema; terror y opresión han sido los medios con que han hostigado y exasperado a este inocente pueblo. Pesquisas, prisiones, calabozos, cadenas, destierros, y últimamente la efusión de sangre de nuestros hermanos, son los medios de que se han valido para ahogar el grito de la razón, para intimidarnos y llevar a cabo sus inicuos proyectos".

Y el hombre de leyes, austero servidor de la justicia, se estremece de indignación al relatar las atrocidades judiciales cometidas con aquellos infelices, "ambos muchachos y ambos mártires de la libertad".

El plan propuesto por el Oidor Tenorio que coincidía con el de varios Oidores de Santa Fé, le merece el más enfático rechazo en un dictamen franco y respetuoso, dado "sin perder de vista los sagrados deberes que me impone la patria".

A más de las múltiples razones de orden práctico, Torres apela a las teorías populistas que le han de servir para justificar la revolución. Ninguno de los escritores políticos anteriores a la Independencia expresó con mayor rigor jurídico las tesis de la escuela tradicional española sobre la soberanía popular y sobre el pacto entre pueblo y gobierno y las aplicó con mayor elocuencia a la situación política que vivía América al perder Fernando VII el cetro de las Españas. El pacto estaba roto, el juramento de fidelidad al Rey ya no obligaba, y desaparecido el Soberano español, el poder revertía al pueblo, titular habitual de la soberanía.

Cualquier comentario nuestro apagaría el fuego de las frases candentes de Torres:

"Además, yo no puedo conciliar la independencia de la América que usted confiesa, perdida la España, con la necesidad que se quiere imponer a las Cortes de que nombren una Regencia y con la necesidad también de que ésta gobierne a nombre de Fernando VII. Serán compatibles estas restricciones con los derechos sagrados de un pueblo libre que se reune por medio de sus representantes para formar y organizar el gobierno que mejor convenga a sus más preciosos intereses? Si Fernando VII existe para nosotros, si vivimos todavía bajo su imperio, entonces que no se altere el orden de cosas; que continúen las autoridades y demás funcionarios públicos, y no diga usted que éstos han cesado en sus funciones y no proponga usted medios para evitar la anarquía. Pero si Fernando VII no existe para nosotros, si su monarquía se ha disuelto, *si se han roto los lazos que nos unían con la Metrópoli,* y últimamente, si en *lugar de la dinastía que habíamos jurado,* éntre a reinar otra a quien detestamos, por qué quiere usted que nuestras deliberaciones, nuestras juntas, nuestros congresos y el sabio gobierno que elijamos se hagan a nombre de un duende o un fantasma?

"Si somos libres e independientes, no necesitamos de cubrirnos con el nombre de un rey para formar la mejor, la más conveniente constitución, ni mucho menos necesitamos para esto de una ley bárbara hecha en tiempos bárbaros y que no es aplicable al caso presente... La Ley de Partida habla de minoridad o fatuidad del Príncipe y no de un caso como el presente, *en que se disolvió la monarquía. En este caso la soberanía que reside en la masa de la nación, la ha reasumido ella y puede depositarla en quienquiera, y administrarla como mejor acomode a sus grandes intereses.* Pero sería destruir esta libertad y este derecho sagrado de la nación convocarla para cierta y determinada cosa y precisarla a nombrar necesariamente una regencia, es decir, a que elija un gobierno que tal vez no acomoda a sus intereses y que siempre ha sido funesto a las naciones, como lo manifiesta la historia".

Los autores del plan de regencia para América se basaban en la Ley 2ª T. 15, Partida 3ª que habla de la minoridad y fatuidad de los reyes, y cuya disposición creían aplicable al caso. El Oidor Tenorio la llamaba "ley constitucional". De nuevo las doctrinas suarezianas inspiran a Torres suficientes argumentos para refutar tal interpretación y abogar por la total independencia:

"Sobretodo la ley de Partida en que se quiere fundar el gobierno de la Regencia para la América, o fue hecha por algunos de los antiguos *Reyes sin consentimiento de la nación,* y entonces ella no es ley fundamental del Estado, o *fue hecha por la misma nación, y entonces ésta puede revocarla, si trata de reformar su constitución o de establecer otro orden de cosas* con que creía conseguir más fácilmente las ventajas que se propone toda sociedad política en su establecimiento. *Las naciones, los pueblos libres tienen derecho a todo aquello que es necesario a su conservación y perfección, y en virtud de este derecho pueden mudar el gobierno y reformar la constitución, siempre que de estas formas y mutaciones resulte su felicidad.* Y será posible que todas las naciones gocen de este derecho esencial e imprescriptible... y que la España americana, en el momento feliz de su independencia, no goce del mismo derecho y se le haya de sujetar a la forma que le prescribe una ley que se hizo ahora quinientos años...?"

Hé aquí la suprema motivación moral y jurídica de la emancipación americana, derivada no de Rousseau —contrato social entre todos los ciudadanos— sino de las tesis de Suárez y de la Escuela española, pacto del pueblo con el rey que había terminado, y derecho de aquél a reasumir la autoridad política suprema para transferirla al nuevo gobierno por él constituído.

El corresponsal proponía la formación provisional de Juntas Supremas mientras se establecía la Regencia, presididas por el Virrey o Capitán General de cada reino. Torres había sido el propulsor de esta idea, pues "una Junta suprema en cada Reino o Provincia concentraría allí todas las miras políticas, todos los recursos y todos los beneficios de la asociación civil; se lograría ver realizada la sabia máxima de que el centro político no debe estar fuera del centro físico; los sabios, los hombres de mérito y de virtudes serían los miembros de dichas juntas, y esto sería un nuevo motivo para hacer amar las ciencias y la virtud, y últimamente nos iríamos acercando a la forma de gobierno de los norteamericanos, a esta Constitución que según sentir del Dr. Price, es la más sabia que hay bajo el cielo..."

Pero esas Juntas quedarían pervertidas y entrabadas en su acción por los Virreyes y Capitanes Generales si fueren llamados a ser sus presidentes. Las razones de Torres para rechazar esta propuesta están fundamentadas en un espíritu netamente democrático, ajeno al estilo autoritario del antiguo régimen: "Unos jefes nacidos y criados en el antiguo despotismo, imbuídos en sus perversas máximas y acostumbrados a considerar a los pueblos como viles esclavos y a mandarlos al son del tambor; estos jefes, digo, no son buenos para gobernar hombres libres ni para presidir a unas juntas compuestas de los representantes de un Reino a quien ellos habían oprimido..."

Continúa luego tratando de la necesidad de constituír las Juntas provinciales, "que debieron establecerse en las Provincias desde el momento que éstas supieron el estado de revolución en que se hallaba España", exigidas por las leyes de Castilla y de Indias y por las imperiosas circunstancias políticas. Pero cuál sería el modo práctico de formarlas? No por convocación de las autoridades españolas, pues "el Virrey y demás funcionarios públicos no pueden hacer la convocación porque su autoridad ha cesado enteramente y los pueblos ya no querrían reconocerla. *Todo poder, toda autoridad*

ha vuelto a su primitivo origen, que es el pueblo, y éste es quien de-
be convocar".

Por otra parte, la participación directa del pueblo, aún no
acostumbrado al ejercicio del sufragio traería gravísimos inconvenientes: "Pero como sus deliberaciones serían hechas en medio del
tumulto y del desorden... es preciso y mientras se organiza una
verdadera representación nacional, que los cabildos levanten la
voz y convoquen a los padres de familia y a los hombres de luces
de sus respectivos distritos..."

Este tránsito prudente del despotismo a una democracia que
se iría perfeccionando lentamente —y que al fin de cuentas fue el
proceso desarrollado pocos meses después por Torres y el grupo
que lo siguió— era ciertamente el más aconsejado. El recurso a
los Cabildos —último reducto y sombra de la vieja democracia castellana— era el más útil desde el punto de vista institucional y
práctico:

"Convengo con usted en que los individuos que hoy componen
nuestros Cabildos no son unos verdaderos representantes de los
pueblos, porque éstos no los han nombrado y deben sus oficios a
la compra que han hecho de ellos, o a la elección de los demás capitulares. Sinembargo aquí es preciso olvidar el origen de la cosa
y atender solamente a sus efectos. Nada importa que los Cabildos
no sean unos verdaderos Cuerpos municipales, con tal que los pueblos los consideren, por ahora, *como depositarios de sus derechos
y como único órgano* por donde pueden explicar su voluntad. Con-
sigamos los fines, y no nos paremos en unos medios que, aunque
no son legales, no son injustos, y que, por otra parte, nos redi-
men de grandes males..."

Finalmente don Ignacio Tenorio consideraba que si el Gobierno español se trasladaba a América, se debería continuar prestán-
dole obediencia. Esta idea subleva a Torres que siempre fiel a las
doctrinas jurídicas expuestas, la rechaza con admiración y con triste-
za: "Las Américas han reconocido y jurado la Suprema Junta Central, mientras era subsistente este Gobierno, mientras había esperanzas de que la Nación podría resistir al tirano, y en fin,
mientras la América y la España podrían llamarse una sola e indivisible nación, sujeta a un mismo Soberano. Pero desde que la suerte de la una y de la otra es tan diversa, y después que la fuerza del
destino ha separado la una de la otra, disolviendo los vínculos políticos que las unían, sería ciertamente un error funesto creer que
después de este rompimiento debía la América admitir como soberanos unos simples particulares que ya no tienen representación
alguna, y a quienes sólo podemos mirar como a unos hermanos que
en su desgracia imploran nuestra ayuda y protección..."

La conclusión, después de una trabazón tan coherente y maciza de motivos, se imponía con fuerza soberana:

"No hay, pues, remedio: perdida la España, disuelta la monarquía, rotos los vínculos políticos que la unían con la América, los Reinos y Provincias que componen estos vastos dominios son libres e independientes y ellos no pueden ni deben reconocer otro gobierno ni otros gobernantes que los que los mismos Reinos y Provincias se nombren y se den libre y espontáneamente según sus necesidades, sus deseos, su situación, sus miras políticas, sus grandes intereses y según el genio, carácter y costumbres de sus habitantes. Cada Reino eligirá la forma de gobierno que mejor le acomode, sin consultar la voluntad de los otros... Este Reino, digo, puede y debe organizarse por sí solo..."

Tánta raigambre tenían estas ideas en aquella mente esclarecida, y en aquel corazón tan generoso que, "ni el temor, la esperanza ni el respeto me harán jamás abandonar". Su visión penetraba en el futuro que presentía muy cercano: "Conozco que ha llegado el momento feliz de la libertad de mi Patria y que si se malogra ahora esta ocasión, nuestra esclavitud queda sellada para siempre. Si mi patria es libre, yo seré feliz...; si he de tener el dolor de verla todavía esclava de tiranos o hecha el juguete de hombres ambiciosos, huiré de ella, abandonaré el país en que comencé a respirar, los lugares en que me educaron, los sepulcros de mis mayores, los amigos y compañeros de mi juventud, para ir a buscar una patria donde encuentre un asilo y en donde pueda olvidar las desgracias de la mía".

5.— *La revolución en marcha. El ideario y el programa político del gobernante.*

Dos meses después estas ideas, hasta entonces patrimonio privado de un grupo de juristas insignes, se volcarán al pueblo que sintió recuperar sus primitivos derechos al conjuro de la voz de varones patricios, entre ellos el primero, Camilo Torres. El 20 de Julio fue en verdad, al decir de López de Mesa, el día más democrático de nuestros anales, cuando todo el pueblo gobernó en la plaza pública. Efectivamente, en ninguna otra fecha tuvo ocasión de ejercer tan directamente la soberanía recuperada y de transferir ese poder supremo a las nuevas autoridades republicanas.

El 19 de julio se reunió la junta de dirigentes políticos en las habitaciones de Caldas en el Observatorio astronómico, y una vez que se hizo la exposición de los preparativos y de los medios para dar el golpe definitivo, habló Camilo Torres, ya en un sentido pragmático:

—Y bien, todo está preparado, todo está bueno; pero para asegurar el éxito es necesario que la chispa incendiaria parta del vivac enemigo: ¿y quién le pone el cascabel al gato?

—Yo, contestó Francisco Morales, acentuando su afirmación con una palabra y con un gesto de energía (26).

Esta reunión trascendental en la culminación del proceso revolucionario, la conocíamos ya por el testimonio antiguo de Alvarez Bonilla, el biógrafo de los Tres Torres. Pero vino a confirmarla con autoridad indiscutible el eminente historiador Jules Mancini, quien se documentó amplísimamente para escribir su notable obra sobre Bolívar. La actitud y las frases de Torres, son idénticas a las descritas en el relato hecho por Alvarez Bonilla (27).

Al día siguiente, durante el mercado público, don Francisco Morales, en unión de sus dos hijos, Antonio y Francisco, provocó el incidente del florero, en la tienda del español Llorente, y el incendio revolucionario prendió en la capital del Virreinato.

Desde entonces el ideólogo se había transformado en estratega, y quien nada había aceptado de las autoridades españolas, no esquivaría en adelante los honores del pueblo, desde representante suyo en la Junta de Gobierno "depositaria de los derechos del pueblo", al de supremo gobernante de la primera República.

Este Torres —escribe Caldas, testigo y cronista de los acontecimientos del 20 de Julio— modesto, prudente, silencioso, pero profundo, firme, y digno de haber sido compañero de Catón y de Bruto, sostuvo con decoro y con prudencia nuestra libertad en esta noche memorable (28).

La posición de Torres en los días posteriores al 20 de Julio, como líder político y como Secretario de la Junta Suprema de Gobierno, fue la que correspondía a su mentalidad y a su pasado. Si antes condenaba los excesos de autoridad y reprobaba las arbitrariedades de los que él llamaba *los mandones*, ahora debía empeñarse en evitar que el nuevo soberano del poder fuera a caer en los abusos no menos reprochables de la libertad. Conservar el orden dentro de la libertad y moderar las impaciencias y los ímpetus de venganza de la muchedumbre, embriagada con el poder. Por imperativos de su alta responsabilidad intelectual y de su formación cris-

---

(26) Enrique Alvarez Bonilla, *Los Tres Torres*, op. cit., p. 257.

(27) Jules Mancini, *Bolívar y la emancipación de las colonias españolas, desde los orígenes hasta 1815*. Traducción de Carlos Docteur. Imp. de la Vda. de Ch. Bouret París, 1923, p. 291. El historiador colombiano que más ha insistido, con sagaz espíritu crítico, en la importancia de esta reunión política en vísperas de la Revolución, es Sergio Elías Ortiz, en varios ensayos, y últimamente en el libro *Génesis de la Revolución del 20 de Julio de 1810*, p. 140. Bogotá, 1960.

(28) *Diario Político de Santa Fé de Bogotá*, Agosto 31 de 1810.

tiana, se constituyó en defensor de los caídos —que ayer apenas conspiraban contra su propia vida— ante las turbas que despertaban a una nueva vida y se agitaban en medio de tumultuantes pasiones.

Desde un principio firmó con el Dr. José Miguel Pey, Vice-Presidente de la Junta, una serie de bandos, proclamas y manifiestos que revelan su inconfundible estilo y la maravillosa continuidad de sus ideas.

El 23 de julio aparece el primer Bando de la Junta Suprema. Con rigurosa técnica jurídica se dice que ella obra en nombre *del pueblo que reasume sus derechos parciales*, sin perjuicio de la representación nacional interinaria del Supremo Consejo de Regencia... bajo la augusta representación y soberanía del señor don Fernando VII, arreglada a los principios constitucionales del derecho de gentes y leyes fundamentales del Estado español".

Se prescribe que el pueblo haga sus reclamos por intermedio del Síndico Procurador, en el entendimiento de que la Junta sólo busca el beneficio público y de que tomará decisiones y sentencias "por los términos regulares y examinando con la posible brevedad los descargos de los reos para que no sean condenados sin haber sidos oídos" (29). Era el predominio de la legalidad sobre las vías de hecho, la proclamación de un orden jurídico basado en la justicia y el anuncio de un auténtico Estado de derecho.

El mismo día Pey y Torres dan una Proclama para exigir la obediencia a la autoridad establecida por el pueblo. "Si les queréis imponer la necesidad de suscribir a todas vuestras demandas, y en el momento que las hacéis, entended que destruís vuestra obra: no existe la autoridad que habéis creado. Pero si ella es la depositaria de vuestros derechos y de todas vuestras facultades, si ella es ese pueblo mismo, porque no representa otra cosa, hacéis un monstruo de dos cabezas, queriendo a un tiempo obedecer y mandar... Si tenéis pretensiones que hacer, sabed que en el tumulto no pueden ser escuchadas, y si lo son, no son bien concedidas, porque las arranca la sorpresa y las conceden el fastidio y la necesidad".

Los consejos dados eran los más apropiados para la hora que se vivía: "Volved a vuestras ocupaciones domésticas. Evitad la confusión y el desorden que nace de las grandes reuniones... Retiraos y que no se oiga en adelante las tumultuarias voces *del pueblo pide, el pueblo dice, el pueblo quiere*, cuando tal vez no es más que un individuo, una pequeña facción, un partido que se aprovecha de vuestra reunión para usurpar vuestro nombre" (30).

---

(29) *El 20 de Julio,* por Eduardo Posada, p. 168-171.
(30) *El 20 de Julio,* por Eduardo Posada (Bogotá), 1914, p. 172.

Es el funcionamiento difícil de una democracia inicial que no se podía dejar asfixiar por la demagogia ululante.

El 26 de julio en una Acta redactada por Frutos Joaquín Gutiérrez y Camilo Torres, la Junta Suprema en la habilísima estrategia que venía siguiendo, quiso dar un paso más definitivo hacia la independencia al romper el juramento del 20 de Julio de fidelidad al Consejo de Regencia, pues consideraba que "los sentimientos manifestados por el grito uniforme de la numerosa multitud de gentes congregadas en la noche del día 20, no fueron otros que *los de reasumir los derechos que a pesar de su inviolabilidad le habían sido usurpados, y entrar desde luego en posesión de aquella potestad"*.

Hay una cláusula en esta famosa Acta que nos manifiesta con absoluta claridad la prudente cautela con que los dirigentes intelectuales procedieron en la noche del 20 de Julio, cuando hicieron el juramento de fidelidad a la Regencia, sometidos "por el momento al imperio de las circunstancias, pues los representantes del pueblo estaban obligados por la fuerza de las armas a ceder y por la interna de sus sagrados deberes a obrar con discernimiento y proceder como por una escala hasta lograr la adquisición de aquello en pos de lo cual debían conforme al progreso de las cosas caminar con la lentitud del perezoso o correr con la velocidad del ciervo" (31).

De aquí en adelante ya se habla en los documentos oficiales de que el pueblo ha recuperado la plenitud de sus derechos, pues la hipotética autoridad de Fernando VII —un paso más en la táctica sabiamente fijada— no era más que una sombra que muy pronto debía desaparecer completamente.

La Proclama del 18 de septiembre de 1810 es un nobilísimo documento en que Torres expone todos sus anhelos por un gobierno justo, basado en la unión de todas las voluntades, en "el amor al orden y en el deseo de hacer la felicidad común".

Como en el orden físico —así empezaba— no pueden subsistir los cuerpos sin que sus partes se reúnan, así en el orden político la permanencia de las sociedades consiste en la inteligencia y buena armonía de los individuos que la componen.

El origen de la sociedad política lo adscribe, conforme a la doctrina suareziana, a un pacto sancionado por la ley natural: "Pacto sagrado, que se ha transmitido a la posteridad por esta acción natural de unos seres inteligentes y morales que se avisan de sus necesidades, se participan sus placeres y se corresponden por sus sentimientos... Así esta ley divina es la que ha formado las

---

(31) *El 20 de Julio*, o. c., p. 178.

sociedades y se ha mirado como base y fundamento de los cuerpos políticos" (32).

La división y espíritu de partido es la ruina de las repúblicas y el mejor camino para las dictaduras: "Cuando las gentes han formado tumultos que se han dividido en facciones y que han perdido de vista el interés común de la patria, cuando se han puesto divisas odiosas entre los conciudadanos, entonces ha sido cuando las leyes han perdido su vigor, que han desaparecido las costumbres y que despedazándose la patria, ha perecido en convulsiones por la crueldad de sus mismos hijos".

De las frases de Torres va surgiendo la imagen borrosa de un nuevo Estado en gestación que quiere ver estabilizado sobre bases sólidas: "Quisiera Dios que nuestra *nueva República* fuese cimentada sobre unos principios que asegurasen su duración". El sociólogo apela a las leyes de la historia para clamar por la unión, porque "si las repúblicas se acaban por la división y espíritu de partido, es claro que se deben formar y alimentar por la estrecha amistad y alianza de todos los que van a cooperar con su influjo a fijar y establecer el nuevo orden de cosas".

La lección histórica era demasiado reciente para olvidarla. El éxito de las jornadas gloriosas del 20 de Julio debióse a que "formábais un solo cuerpo, os animaban unos mismos sentimientos, un mismo odio hacia los opresores; si por desgracia os hubiérais apartado de la unidad, todo se hubiera perdido, la patria hubiera sido sumergida en mayores desgracias y se hubiera doblado el peso de nuestras cadenas. Si queréis, pues, lograr en lo venidero iguales sucesos, *y que el progreso de la libertad sea igual al de su nacimiento*, estrechaos como lo hicistéis en aquel memorable día, mirad como único objeto la felicidad común".

La misma pluma que había escrito sobre la fraternidad hispanoamericana, basada en la comunidad de sangre, de religión y de costumbres, vuelve ahora en favor de los españoles: "Desterrad para siempre esa rivalidad injusta, y escandalosa entre los españoles europeos y americanos. Somos unos mismos, y en el orden de las generaciones sólo estuvo que no hubiésemos nacido en la Península, donde nacieron nuestros padres... Hay entre ellos muchos hombres de virtud y mérito, muchos buenos patriotas... Muchos de ellos condenaban el despotismo y corrupción del antiguo gobierno, y se han hecho honor de contribuír con sus facultades y sus personas al restablecimiento del orden, no teniendo menor aversión que vosotros a la tiranía..."

---

(32) Eduardo Posada, *El 20 de Julio*, o. c., p. 205-210.

En el caso de que hubiese entre los españoles, al igual que en los americanos, enemigos de la libertad y de la felicidad de la nueva patria, tocaría al gobierno aplicarles el rigor de la ley: "No quitéis la acción al gobierno, porque esto cedería en vuestro daño, y nos precipitaría en los horrores de la anarquía. Descansad sobre las leyes y sobre los magistrados, que perseguirán al culpado y protegerán al inocente. Sí; los Magistrados velan sobre vuestra seguridad, y castigarán a los que lo merezcan. Que nadie confíe en la impunidad, porque el brazo de la justicia está levantado para castigar a los malvados que aborrezcan nuestra libertad y que quieran vender la patria".

Al pueblo que feliz en su inconciencia creía haber llegado al pináculo del movimiento revolucionario, debió sonarle extrañamente la severa advertencia de su máximo conductor, la cual, sinembargo, traducía fielmente la realidad política del momento y la clara conciencia que de sus deberes tenían los dirigentes: "Porque no creáis, ciudadanos, que está ya completa nuestra revolución; apenas la hemos comenzado..."

Y termina con esta preciosa máxima, resumen de su ideario filosófico cristiano, que vale por todo un tratado de filosofía política:

"En fin, os aconsejamos que respetéis la dignidad del hombre, de este sér augusto, la obra maestra de la creación, que lleva en su frente, en su actitud, en su marcha, rasgos expresos de la Divinidad. No violéis su sagrada persona..." (33).

Empero, a medida que pasaba el tiempo, y la gente, desconcertada con las divisiones intestinas y con las ambiciones regionales, y excitada por la activa propaganda de los ricos e influyentes regentistas españoles, empezaba a languidecer en su lucha y su fervor por la libertad, la voz ardiente de Torres se dejó oír en mil mensajes para propugnar la necesidad absoluta de una independencia total de España. De las razones antes mesuradas y prudentes, fue pasando a invectivas duras y términos acres que eran verdaderos latigazos de fuego para el despotismo español, ansioso de recuperar su dominio perdido.

---

(33) Eduardo Posada, *El 20 de Julio*, o. c., p. 210. El 12 de Septiembre se había dado por la Junta un enérgico Decreto en favor de los españoles injustamente vejados, el cual se apoyaba en los siguientes considerandos, acordes con los principios de Torres: "Persuadido íntimamente este Gobierno de que la conservación de los derechos naturales, y sobre todo de la libertad y seguridad de las personas y haciendas, es incontestablemente la piedra fundamental de toda sociedad, debiendo proteger y respetar eficazmente los derechos de cada individuo, lo hará con los buenos europeos..." Cfr. Eduardo Posada, o. c., p. 241.

Nó, no es ya tiempo de que España —exclamaba— venga a darnos la ley. Sufriránla sus pueblos si quisieren; pero la América será libre y los hombres degradados en ella por tanto tiempo, recobrarán los derechos que les dio la naturaleza, y que sólo la tiranía más completa, el poder más abusivo y opresor y la injusticia más escandalosa y reprobada, les han podido quitar (34). Y agregaba con énfasis que "sólo en un gobierno representativo se puede salvar la libertad y la dignidad del hombre, comprendida de otro modo a merced y a los caprichos de un tirano".

Aquí Torres enjuicia el absolutismo de la monarquía española en nombre de la doctrina escolástica que repudiaba el ejercicio tiránico de la soberanía: "En España no ha habido otra cosa que tiranía, desde *que se alzaron los reyes con un mando absoluto, que la nación no ha querido ni podido concederles.* Nada importa que se sienten en los tronos príncipes buenos o malos, si ministros corrompidos, aduladores o depravados, como son casi todos los que ha tenido la España de muchos siglos a esta parte, abusando de una autoridad ilimitada, han sacrificado siempre los pueblos..." Este último concepto lo había expresado siglos antes Quevedo y Villegas, y también lo vimos oportunamente invocado por los Comuneros.

Toda la paciencia y toda la prudencia de Torres se habían agotado ante el giro que habían tomado los acontecimientos, y así no es de admirar que broten de su pluma párrafos tan encendidos que más parecerían propios de un caudillo militar que de un hombre de toga:

"Antes de continuar sufriendo esta ignominia estamos resueltos a aventurarlo todo; y sea lo que fuere lo que tengamos que esperar de Europa, España dominará antes sobre las fieras de nuestros bosques y sobre las ruinas de nuestros edificios que sobre los americanos. Ya la América se abrasa en su incendio, que nosotros atizaremos, hasta que no queden sino escombros y cenizas... Tal es nuestra resolución..." (35).

La dialéctica de sus razonamientos va más lejos, pues hasta en el supuesto de la bondad del régimen español, América tendría siempre derecho inviolable a la autonomía. La América no es libre —decía— porque el gobierno español sea cruel; lo sería y lo debe ser del mismo modo si fuese humano y compasivo. Lo es,

---

(34) *Mensaje del Congreso General del Reino al gobernador y Cabildo de Santa Marta* de 9 de octubre de 1811, en *Congreso de las Provincias Unidas,* Biblioteca de Historia Nal, Vol. XXXIII, Bogotá, 1924, p. 217.

(35) Comunicación de Camilo Torres, Presidente del Congreso, al Príncipe Regente de la Gran Bretaña, fechada en Tunja el 9 de Abril de 1814, en *Congreso de las Provincias Unidas,* o. c., p. 260.

porque ningún otro pueblo tiene derecho a hacerla esclava; lo es, porque quiere y debe ser gobernada por sí misma; porque sus pueblos no se acomodan con el gobierno monárquico de España; porque ama más bien la libertad que las cadenas" (36).

Y haciendo gala de una tremenda ironía, llega hasta condescender con algunos sentimientos de gratitud para con España: "Tengamos, si se quiere, con España, a pesar de sus violencias y crueldades, las consideraciones de una aya que por su interés y bien pagada, tal vez nos cuidó, pero su maternidad adoptiva y violenta ha cesado ya; este es el orden de la naturaleza y la razón".

En la tarea que se propuso de amaestrar a gobernantes y gobernados en los principios del orden y de la libertad rectamente aplicada, y de infundirles las virtudes cívicas que inclinan a los ciudadanos a sacrificarse por el bienestar común, no tuvo vacilaciones ni se dio reposo. Al nombrar a un ilustre Sacerdote para la difícil comisión de procurar el sometimiento a Tunja de varias villas y poblaciones de su antigua jurisdicción, hablaba de que "el Gobierno y la Patria los convidan al goce de los beneficios que no *producen el desorden, sino el recto uso de una verdadera y bien entendida libertad*. Que para reducir las cosas a este último sistema y arreglarlas al que inspiran la religión, las leyes y el amor que todos debemos profesar a la Patria, sacrificando a ella todo interés y sentimiento personal, el comisionado haga entender los deseos de que se halla animado el Gobierno... El Comisionado devolverá su comisión con todas las diligencias que practicare, para que el Gobierno tome las providencias más oportunas *en beneficio común de los pueblos...*" (37).

El mismo federalismo que ya brota nítidamente de sus documentos políticos anteriores al 20 de Julio, bebido en las fuentes de la legislación y organización administrativa de las Indias y de los fueros de las provincias, y tan admirado en las leyes constitucionales de los Estados Unidos; ese federalismo que mantuvo como un ideal político para la Nueva Granada con una persistencia que nunca se doblegó, lo quería ver practicado pero quedando a salvo el centro de unidad y evitando el fraccionamiento de las provincias. Por ello, cuando surgieron aspiraciones a soberanías por parte de ciudades y regiones que no habían tenido bajo el antiguo régimen categoría de provincias, se opuso con toda la energía de que era capaz, alegó razones inobjetables, y se retiró del primer

---

(36) Comunicación de Camilo Torres, Presidente del Congreso, al Teniente General don Toribio Montes, fechada en Tunja el 9 de Julio de 1814, en *Congreso de las Provincias Unidas*, o. c., p. 300.
(37) *Boletín de Historia y Antigüedades*, Vol. VI, p. 468, *Documento importante para la Historia de Tunja*.

Congreso que estaba abriendo la puerta a tales peligros. Pues con tal ejemplo —argüía— iba a disolverse la sociedad hasta sus primeros elementos (38).

Dejaríamos incompleto el esquema ideológico de Torres si no hiciéramos expresa referencia a sus concepciones político-religiosas. Todas sus ideas religiosas que presidieron rígidamente los actos de su vida privada —ceñida a las normas del cristianismo más puro— inspiraron y orientaron también su vida pública con aquella continuidad, armonía y lógica que estructuraron su personalidad y le dieron un sello inconfundible a su carácter. En esta materia, los postulados que él preconiza no eran inspirados por oportunismos políticos o por el simple reconocimiento del hecho social granadino. Nó, eran la medida exacta de su pensar y su sentir.

La Religión —decía— ha sido siempre el principal apoyo de los Estados, y una tan santa, tan pura y tan verdadera como la de Jesucristo que dichosamente profesan Venezuela y Nueva Granada, es seguramente la más propia para sus nacientes gobiernos y para la futura grandeza y prosperidad que les espera. Pues si las costumbres, la moralidad y las virtudes son y deben ser el precioso cimiento de este edificio, ella las enseña y las prescribe de un modo que no han podido conocer los legisladores humanos, ni la filosofía del siglo (39).

Después de enunciar estos principios de política cristiana, el antiguo profesor de filosofía se muestra entero en esa máxima: "La felicidad de esta vida es pasajera, y el hombre debe extender sus miras a lo eterno". Y el gobernante que ya había recibido todos los embates de las pasiones, y había estado en contacto con las mezquindades de los hombres, contrapone bellamente los bienes que aquí ofrece el gobierno temporal con los que da la religión: "Cuando el gobierno temporal, pues, proporciona a los ciudadanos los bienes de que pueden disfrutar en esta vida, la religión santa nos encamina a una patria eterna, donde las pasiones humanas, la ambición, el despotismo, el furor que aquí despedaza a los míseros mortales, no pueden tener lugar, sino para recibir el justo castigo de los males y las calamidades que han derramado sobre el género humano".

Al pedir a las autoridades eclesiásticas su apoyo y cooperación al gobierno republicano, recuerda el origen divino del poder legítimo, pues "el que se desvía de él, no menos se aparta del camino que nos ha enseñado Jesucristo".

---

(38) *Sobre la admisión en el Congreso del representante de Sogamoso, Voto de Camilo Torres*, en Eduardo Posada, *El 20 de Julio*, p. 420.
(39) Carta de Camilo Torres, Presidente del Congreso, al señor Arzobispo de Caracas, del 15 de Nov. de 1813, en *Congreso de las Provincias*, o. c., p. 293.

6.— *La línea recta de su vida y de su postura ideológica. Su martirio.*

No hay en nuestra historia un ejemplo más vivo de constante fidelidad a las ideas, así en la oposición como en el gobierno. Su postura ideológica como su conducta política —podría decirse insular dentro de la generación de los próceres— es una línea recta que jamás conoció oscilaciones ni supo de altibajos. No hay un solo documento, público o privado, en que su pluma deje escapar alguna frase o palabra lisonjera al "amado Fernando" o al Virrey. Nunca tuvo más que palabras duras para reprobar los excesos del despotismo y los abusos del poder. Y su acción fue reflejo exacto de su pensamiento.

Lo mismo se diga de sus ideas como gobernante. Al final de la Carta a su tío Tenorio, exponía sus aspiraciones: "Trabajemos, pues para formar un gobierno igual en un todo al de aquellos republicanos (de los Estados Unidos). Para conseguirlo, cultivemos nuestra razón, perfeccionemos nuestras costumbres; *porque la razón y las costumbres son en un pueblo libre lo que las cadenas y los calabozos son en un pueblo esclavo.* Sin costumbres privadas, no hay costumbres públicas, y *sin éstas, no puede llegar la sociedad al estado perfecto, que es la libertad.* Pero ante todas cosas, ilustremos al pueblo, hagámosle conocer sus derechos sagrados... Fraternicemos con todos los hombres, abjuremos las preocupaciones que el celo de la metrópoli ha sembrado en nuestros espíritus: despreciemos toda idea de guerra, y sólo pensemos en abrirnos camino de una confederación universal".

Todos los documentos y todos los actos de su corta pero intensa gestión política, son la aplicación estricta del anterior programa. Y cuando estaba próxima a morir la República niña que él había orientado y encaminado en sus primeros pasos vacilantes, recibió el encargo de dirigirla nuevamente. Habló entonces a los habitantes de la Nueva Granada el mismo lenguaje austero y humilde, pero enérgico y lleno de confianza en el pueblo. En medio de tantos peligros, "no su moderación sino la fuerza de su convencimiento le ha hecho confesar francamente que no es el hombre a quien debiera estar confiada esta empresa. Sin embargo, la patria ha exigido de él este sacrificio, y a su voz imperiosa nadie debe resistir..." Y agregaba esta máxima democrática que es toda una lección de historia política: "Un gobierno, por débil que sea, todo lo tiene cuando cuenta con el apoyo de los pueblos; un imperio, el más firme de la tierra, vacila y cae cuando le falta aquel fundamento".

Al final de esta Alocución que es un grito de esperanza en la resurrección de la República, leemos unos párrafos, profundamente reveladores de su sicología y que nos dan la clave de todo su obrar como ideólogo y como político:

"...Estamos en los principios de nuestra carrera, nada hay perfecto en su origen y es preciso ir con el torrente de mil circunstancias que alteran, modifican, paralizan las más bien meditadas medidas, y el Gobierno tiene que acomodarse a ellas. Aun los errores suelen ser útiles para afirmarse en los buenos principios... Tiempo nos queda de ir corrigiendo nuestras formas y dando al gobierno cada día la más perfecta... No todo puede verificarse en un solo momento" (40).

Esa actitud suya de rebeldía frente al gobierno español, que nunca conoció debilidades, pero tampoco hizo demostraciones y alardes de temerario e inútil valor, que preparó los acontecimientos y dirigió las voluntades con prudente energía, había sido descrita con sumo elogio por Tácito en la *Vida de Agrícola*, una de sus lecturas preferidas. "Que todos los aficionados a exagerar —decía el clásico latino— aprendan que la moderación y la obediencia, cuando las acompañan el talento y la energía, merecen tanta gloria como esa temeridad que se precipita al azar sin provecho para la república, y corre en pos de la honra de una muerte famosa".

José María Salazar, quien trazó con breves líneas maestras la fisonomía espiritual de muchos de los próceres, sus contemporáneos, enfocó agudamente la acción política de Torres, atribuyéndole sus fallas a defectos temperamentales. "Yo no sé si me engaño —escribió— pero me parece que el señor Torres no había nacido para ser gran político, no porque le faltasen las luces de muchos libros excelentes de esta materia que hicieron parte de su escogida biblioteca, ni porque careciese de datos estadísticos o topográficos de nuestro país: mas no conocía por experiencia las pasiones humanas. No era lo que se llama un hombre de mundo, ni tenía las miras atrevidas de un ministro de Estado. Su inflexible carácter tocaba en tenacidad, y no cedía a las circunstancias siempre que la prudencia lo requería, como si se grabasen en su alma las impresiones que recibía, con caracteres indelebles" (41).

El más respetable ciudadano de la antigua República de la Nueva Granada, dijo de él Bolívar, cuando ya era Presidente de Colombia, en frase de verdad glorificadora. Y Morillo, implacable vengador de los caudillos revolucionarios, conoció perfecta-

---

(40) Alocución de Camilo Torres, Presidente de las Provincias Unidas, el 20 de noviembre de 1815, en Alvarez Bonilla, *Los Tres Torres*.

(41) José María Salazar, *Don Camilo Torres*, en *Revista de Bogotá*, op. cit., p. 604.

mente el papel que había desempeñado Torres. Ante el buen español que venía a pedirle perdón para "el sujeto más digno del Reino", el Pacificador lo consagró para la fama: "Torres, el Catón granadino, el ideólogo que es la causa de la Revolución. Es imposible perdonarlo". Era el máximo homenaje que podía rendir el hombre de armas y de la fuerza física al varón de la idea y del poder moral, que al fin terminarían por vencer.

Imposible perdonar a aquel hombre bueno, que poco antes de caer en poder del tirano pudo escribir con ingenua verdad estas palabras: "A nadie he hecho mal, y antes sí a todos he hecho todo el bien posible".

Y el jurisconsulto eximio, el hombre de leyes, el gobernante respetuoso de todos los derechos, el que con más ardor había protestado por las monstruosidades judiciales cometidas con Cadena y con Rosillo, fue víctima del mismo procedimiento atroz, bárbaro e inhumano!

Marchó al patíbulo —depone J. M. Salazar— conservando siempre la firmeza de su carácter y llevando impresa en su frente la serenidad de la inocencia.

Alma grande —comentó don Ignacio Tenorio al pie de la Carta de su sobrino después del sacrificio—, tu memoria será inmortal, y siempre honrada por la posteridad; en mi pecho he erigido un templo para celebrar el cuidado que has tenido de los sagrados intereses del pueblo, la firmeza que manifestaste en los peligros, y el desprecio de la amistad de los grandes!

Muy difícil habría sido resumir más felizmente, en tan pocas palabras, todo el mérito moral e intelectual del máximo conductor de la Revolución granadina de 1810.

CAPITULO II

DON JOAQUIN CAMACHO, EL TEORICO DEL DERECHO PUBLICO Y DE LA ECONOMIA

Entre el grupo de intelectuales de la Revolución, descuella este varón consular, émulo de Torres en la fama y compañero suyo en los esfuerzos para orientar el nuevo gobierno, republicano y justo, y en las campañas de adoctrinamiento del pueblo en el uso recto de la libertad. Ambos nacieron el mismo año —1766—, ambos estudiaron y enseñaron en el Colegio del Rosario, sobresalieron en la ciencia jurídica y representaron fielmente los intereses de las provincias en que habían nacido. Las mismas tendencias federalistas e idénticas aficiones filosóficas y científicas los ligaron y hasta el mismo carácter melancólico les fue común. Sólo que si el payanense dio pruebas de mayor energía y dureza en su lucha con el gobierno español, el tunjano en cambio —de ascendencia hispánica más remota— representó la suavidad y blandura características del temperamento americano, que lo indujeron a actitudes de mayor condescendencia y colaboración con el régimen imperante. Finalmente, la gloria del martirio los cobijó a ambos el mismo año —1816— con el breve intervalo de cinco días.

1.—*Su curriculum vitae. Profesor y Gobernante. Su repugnancia por la abogacía.*

El mismo año en que Torres llegó de su ciudad natal al Claustro del Rosario, Camacho, que ahí cursaba sus estudios desde los trece años, se graduó en Jurisprudencia y en Derecho Canónico, y por la misma fecha —1787— fue designado Profesor de Filosofía en el histórico plantel. En 1791 se encargó de la cátedra de Derecho Público, sustituída por la de Derecho Real cuando en el 94 el Virrey Ezpeleta la prohibió, y al año siguiente fue recibido como Abogado de la Real Audiencia.

Muy apreciado fue su magisterio, pues según certificado de los Superiores del Colegio "tuvo un crecido número de discípulos de que se distiguieron muchos por sus adelantamientos científicos... y en todo el tiempo de sus estudios manifestó una conducta irreprensible, talento e instrucción nada común" (1).

Su vocación de intelectual le pone en contacto con los maestros y discípulos de la Expedición botánica —Mutis, Valenzuela, Zea, Tadeo Lozano, Caldas— en cuyas investigaciones toma parte activa, y le impulsa a frecuentar las tertulias de Nariño. Su nombre suena como sospechoso en boca de testigos durante el célebre proceso de la impresión de los *Derechos*, y aparace como poseedor de un ejemplar manuscrito de la *Defensa*. Como abogado defensor de don Diego Espinosa cumple su oficio con sagacidad y prudencia hasta obtener para su defendido una sentencia lo menos rigurosa posible.

Todo en él respiraba dignidad. "Perecía en su porte —escriben Scarpetta y Vergara en su *Diccionario*— costumbres y lenguaje, un filósofo antiguo, y no se podía verle sin pensar que así sería Sócrates".

Su prestigio moral y científico se sobrepuso ante las autoridades virreynales a la sospechosa amistad con Nariño, pues el año siguiente al ruidoso proceso, Ezpeleta lo nombró Teniente Gobernador Letrado de Tocaima, con residencia en La Mesa. De esta manera entra a la burocracia a que podía aspirar un criollo de merecimientos, y al abandonar el ejercicio independiente de su profesión de abogado, compromete no poco su libertad de acción y entraba el libre vuelo de su pensamiento político.

Siete años desempeña su cargo dando muestras de una gran capacidad administrativa, pero la pérdida de su salud lo obliga a renunciar en 1802 "bajo protesta que hace de servir en cualquier otro destino que se me diese donde no padeciese mi salud".

Sus aspiraciones se ven colmadas, pues en 1805 Amar y Borbón lo nombra Corregidor Justicia Mayor o sea Gobernador de la Provincia de Pamplona, por ser "sujeto de idoneidad, celo, conducta y desinterés, por cinco años más o menos, a arbitrio de este superior gobierno".

Sus actuaciones merecieron el aplauso sincero de los gobernados, quienes testimoniaron que se había mostrado en todo "celoso del bien público, dictando aquellas providencias que han si-

---

(1) Expiden este hermoso testimonio, en 1805, el Rector don Andrés Rosillo, el Vice-Rector don Santiago Pérez y Valencia, don José María Cuero y Caycedo, Consiliario y Profesor de Filosofía, y el doctor José María Castillo y Rada, Consiliario. Véase *Noticia biográfica del prócer don Joaquín Camacho*, por Luis Martínez Delgado, p. 100.

do oportunas al mejor arreglo, policía y buen orden de los lugares de la Provincia". En nombre del Ayuntamiento se certifica, además, que el doctor Camacho "administró justicia con acierto, desinterés, imparcialidad y mucha prudencia, oyendo con particular atención a los pobres miserables, concediéndoles los derechos que justamente les corresponden, aún en competencia con personas visibles y poderosas". Los Cabildantes también dejan la constancia de la alegría del pueblo que "se sintió muy feliz en la consecución de un jefe cuya literatura, prudencia, celo, desinterés e integridad mantienen a todo el vecindario en una paz y tranquilidad inalterables, porque todos los vecinos están satisfechos de que sus sentencias son justas, y sus consejos, que no rehusan, los más seguros" (2).

Dos años apenas le duró el puesto, ya que de Madrid le llegó el reemplazo en la persona del oscuro, inepto y orgulloso español don Juan Bastús y Falla, el mismo contra el cual se sublevaron el Cabildo y el pueblo de Pamplona el 4 de julio de 1810.

Vése obligado, por las duras necesidades de la vida a escribir el 5 de enero de 1807 una carta al Rey cuyos términos suplicantes causan verdadera lástima. Un hombre de tan singulares méritos se dirige a un monarca a quien íntimamente detestaba y le dice en adulones términos: "El amor paternal de V. M. se derrama igualmente sobre todos sus vasallos y los habitantes de sus remotos dominios de América experimentamos las bondados de V. M. como la experimentan los moradores del Ebro y del Tajo. V. M. es el padre común a quien debemos todos nuestra felicidad". Y luego de traer a cuenta sus servicios en la cátedra, en el foro, y en la gobernación de las provincias que le fueron confiadas, solicita las liberalidades del rey "cuyo influjo he sentido desde mi nacimiento, las que me han sostenido y recreado en la juventud y que no me pueden desamparar en la edad madura en que necesito mayor apoyo".

Para terminar en tono suplicante: "Dígnese V. M. por un afecto de su inmensa benignidad compadecerse de mí, haciéndome gracia de uno de los corregimientos de este Virreinato... para continuar de este modo en el servicio de V. M. y proporcionarme medios con que subvenir a la mantención de mi familia..." (3).

El crítico honrado no puede prescindir de tales situaciones sicológicas ni ocultar documentos de este orden que se hacen necesarios para enjuiciar con exactitud un personaje y una época.

(2) Luis Martínez Delgado, *Noticia biográfica del prócer don Joaquín Camacho Documentos*, p. 117.
(3) Luis Martínez Delgado, o. c., p. 360.

Tres años después, cuando ya la pluma podía moverse libremente, el Vocal de la Junta Suprema y Director del *Diario Político*, nos da la clave de su obrar en una nota hondamente significativa que descubre toda la tragedia espiritual de aquella generación de jurisconsultos, impotentes para levantar el vuelo que estimulaba su genio e inhibidos en el ejercicio de su noble profesión:

"La mañana de este día —23 de julio— se presentó el Cuerpo de Abogados a la Suprema Junta, felicitó su instalación, y muchos de sus individuos arengaron sobre las circunstancias. *Esta fue la primera vez que el abogado recobró su dignidad* y que comenzó a hablar con firmeza y con energía. Cuando ocupaban el solio los Albas, los Frías, los Carriones... cuando llenos de elación y de orgullo disponían estos sátrapas de nuestros bienes y de nuestras vidas a su antojo, entonces nuestros ilustres abogados, nuestros sabios conciudadanos, apenas se atrevían a presentar sus razones y la ley; *sus discursos, no medidos sino encadenados*, se hallaban embrollados en señorías y en altezas, y si algunos tenían valor para decir verdades sin temor, el fruto eran represiones, humillaciones, ultrajes. Estos hombres, de quienes los togados apenas merecían ser discípulos, cuántas veces no se vieron amenazados por estos bárbaros! Recordamos solamente las crueles opresiones de don José Antonio Ricaurte por haber defendido al perseguido Nariño en 1794 con un poco de firmeza. Quién podía sufrir con paciencia esas atenciones asiáticas, esas humillaciones serviles, esos irrespetos y esa esclavitud de los ciudadanos en presencia de esos funcionarios corrompidos? Qué hombre no se irritaba al ver a los Flores, a los Castillos, a los Sanmigueles, a los Gutiérrez, a los Herreras, a los Tenorios y a tántos otros abogados virtuosos y doctos, alegando los derechos de nuestros conciudadanos en presencia de los ignorantes Herreras, Carriones, Mansillas?" (4).

Y el antiguo defensor de Espinosa de los Monteros, después de dejar escapar la vehemente expresión de los resentimientos acumulados durante años, termina con esta frase reparadora: "Que estas cláusulas venguen a lo menos los ultrajes que por el espacio de 300 años ha recibido nuestro ilustrado Cuerpo de Abogados!".

Esto mismo explica su notorio desafecto al ejercicio de la jurisprudencia por la cual no ocultaba una profunda repugnancia,

---

(4) *Diario Político*, Nº 13 (Octubre 5 de 1810).

y su tendencia a la melancolía. Su grande amigo el doctor Miguel Tadeo Gómez le escribía desde el Socorro en 1802: "Yo considero que V. M. habrá formado la resolución de continuar en la abogacía. Esta profesión para los hombres de talento y conocimientos es de utilidad y de honor". En 1803 le insistía: "No sé por qué se manifiesta V. M. desafecto con una profesión que es la única entre nosotros que proporciona un crédito distinguido". En 1807 le hace este amistoso comentario: "También veo que V. M. se va dejando poseer de la melancolía".

El memorial al rey no surtió efecto, pero a fines de 1808 el virrey Amar que lo apreciaba de veras, "en consideración a los servicios de V. M. y a su buen desempeño en el Corregimiento de Pamplona, he tenido a bien destinar a V. M. interinamente para el del Socorro, respecto a no haberse presentado aún el sujeto provisto por S. M." (5). El 6 de febrero de 1809 tomó posesión de un empleo concedido tan precariamente.

En 1809 se verificaron las elecciones en los Cabildos para el Diputado del Reino a la Junta Central en obedecimiento a lo mandado por dicha Junta. Por el doctor Camacho votaron los Ayuntamientos de Santa Fé, Antioquia, Tunja, Santiago de las Atalayas y el Socorro. Fue, pues, el candidato más popular en las provincias, después de Torres quien obtuvo los votos de seis Cabildos: Santa Fe, Antioquia, Pamplona, Santiago de las Atalayas, Socorro y Popayán.

El 20 de octubre de 1809 firma con los regidores del Cabildo del Socorro la *Instrucción al Diputado*, y terminado su gobierno interino regresa a Bogotá. En el célebre *Manifiesto* de 25 de septiembre de 1810 de Gutiérrez de Caviedes y de Torres, se trasluce el resentimiento de los criollos por el tratamiento que le habían dado las autoridades españolas. "Desconfiados de que los americanos entrasen en sus ideas —decían los autores— arrancaron de los Gobiernos y Corregimientos a todos los Patricios para sustituirles europeos de su partido. Así fué que el benemérito Camacho se vió arrojado de Pamplona y poco después de la Provincia del Socorro".

---

(5) El 6 de febrero de 1808 don Juan Manuel García del Castillo le daba cuenta de la visita hecha al virrey para urgirle el despacho a la Corte del Memorial de Camacho: "Tuvo la bondad de escucharme largo rato y la de añadir a las expresiones que yo hice otras muy honoríficas a usted sobre el cabal desempeño de ese gobierno, de las asesorías que le había pasado en el tiempo que permaneció usted aquí y sobre la probidad y literatura de que lo conceptuaba adornado". Carta de febr. 6 de 1808 en Martínez Delgado, o. c., p. 231.

Los Regidores de Santa Fé lo eligieron entonces Asesor del Cabildo, cargo desde el cual contribuiría eficazmente a la creación de la República.

2. *Su itinerario intelectual antes del 20 de Julio*

El inventario, que creemos incompleto, de sus libros, fue hecho por las autoridades españolas después del sacrificio del prócer. Sobresalen en su biblioteca todas las obras de Covarrubias en tres ediciones, lo cual manifiesta el aprecio que tenía por el célebre jurisconsulto hispano. Villadiego y Bobadilla en su *Política*, Salas en sus *Instituciones Romano-Hispánicas*, Solórzano, Rivadeneyra, Murillo y otros civilistas y canonistas están al lado de las *Leyes de Partida*, de Castilla y de Indias. No podían faltar Suetonio, Tácito y otros clásicos latinos. También hay varios tratados de medicina, y llama la atención un tomo de *Poesías* de Metastasio (6).

De su correspondencia se desprende la generosidad intelectual con que hacía circular los libros entre sus amigos. Condillac, los *Viajes* de Ciro, Molina y Jovellanos fueron prestados a Tadeo Gómez del Socorro y a Miguel Velenzuela de Girón. Este último le manifestaba el aprecio que sentía por Jovellanos: "Es cierto que tengo para remitir a V. M. el Jovellanos, pero será en aprendiéndolo de memoria".

a) Relación territorial de la Provincia de Pamplona

Este es el primero de sus escritos, aparecido en el *Semanario* de Caldas, redactado en estilo claro, sencillo y correcto. El juicio del sabio payanés y editor del notable periódico es exacto: "Cuántas noticias interesantes al gobierno, al agricultor, al comerciante! El mérito de la simplicidad es tan raro, tan difícil de adquirir y tan poco conocido, que ésto solo distinguirá la descripción de Pamplona de todos los escritos del *Semanario,* a los ojos de los verdaderos sabios".

Cuatro capítulos ostenta la *Descripción* en que se deja ver al botánico, al geógrafo y al naturalista, alumno de la Expedición Botánica. Es un estudio optimista que empieza por la sabia máxima "Ninguna cosa es grande al nacer", y termina, después de relatar las dificultades que opone nuestra naturaleza física al pro-

---

(6) Martínez Delgado, o. c., p. 176-178.

greso y los pocos siglos que llevamos entregados al trabajo, con un augurio sobre el porvenir de nuestra tierra: "Llegará el día en que la América será el país más delicioso del mundo" (7).

b) Memoria 2ª sobre las causas y curación de los Cotos

Caldas abrió en su *Semanario* una campaña para fomentar los estudios destinados a combatir el flagelo del coto que azotaba inmisericordemente la población del Reino. Don Manuel Tanco ofreció desde Cartagena un premio para el mejor trabajo sobre esta materia, y Camacho se hizo acreedor a él con su *Memoria* que demuestra su espíritu observador y conocimientos serios en medicina (8).

c) Instrucción del Cabildo del Socorro al Diputado del Reino a la Junta Suprema

Esta célebre Instrucción dirigida al General don Antonio de Narváez, Diputado electo por el Nuevo Reino de Granada fué firmada el 20 de octubre de 1809 por el ilustre Ayuntamiento del Socorro, presidido por Camacho. Sin lugar a duda es obra suya principalísima, pues así lo revelan el estilo y los temas económico-sociales que trata, muy propios de sus estudios y de su experiencia de gobernante (9).

Está dividida en 14 puntos. En el primero se expone la situación geográfica, económica, demográfica y social de la Provincia del Socorro en forma sintética y comprensiva. El segundo es esen-

_____

(7) *Semanario del Nuevo Reino de Granada*, Números 13. 14, 15, páginas 97-116. *El juicio de Caldas*, en la página 384.

(8) Año de 1810. Continuación del *Semanario del Nuevo Reino de Granada*. *Memoria Segunda sobre las causas y curación de los cotos*, en 16º. La *Memoria 6ª* del mismo año, es también sobre el coto y tiene por autor a don José Fernández Madrid.

(9) La *Instrucción* fue publicada por primera vez en el año de 1852 en el periódico *Discusión*, con el título de *Recuerdo Histórico*, y reproducida el mismo año en la *Gaceta Oficial* de Bogotá. Tuvo el mérito de editarla nuevamente don Belisario Mattos Hurtado en el *Boletín de Historia y Antigüedades*, Vol. XXVIII, páginas 417 a 423. Horacio Rodríguez Plata la insertó en su obra *Andrés María Rosillo y Meruelo* (Bogotá, 1944), páginas 48-55. Ostenta las firmas siguientes: "El Corregidor Presidente del Cabildo, doctor Joaquín Camacho. El Alcalde Ordinario de Primer voto, doctor Joaquín Plata Lobregón. El Alcalde Ordinario de segundo voto, Alberto José Montero. El Procurador General, Juan Antonio Azuero Gómez Plata. El Regidor Alférez Real, doctor Francisco Ardila. El Regidor Fiel Ejecutor, Ignacio Magro Joaquín de Vargas. El Alguacil Mayor, Pedro Ignacio Vargas. El Regidor Alcalde Parroquial, Marcelo José Ramírez González".

cialmente político y en su brevedad compendia admirablemente las ideas de Camacho sobre derecho constitucional. La influencia de Jovellanos en estos párrafos es notoria. En la persuasión de que "la felicidad del Estado depende esencialmente de la inviolabilidad de las leyes constitucionales", el Cabildo expresa que el Diputado concurra con los demás "a echar los fundamentos de la opinión pública, de la confianza y patriotismo, que son el más seguro baluarte contra la ambición usurpadora, y cuyas virtudes producirán infaliblemente *aquella constitución que tenga por base la ley eterna,* que destina al hombre a vivir del sudor de su frente, y señala la tierra como su patrimonio. Supresión de clases estériles, reducción de empleos improductivos, libertad de las tierras y del trabajo, imposición de tributos, recaudación y distribución según las leyes de la justicia en que se apoya el pacto social: hé aquí una pequeña parte de los bienes que naturalmente emanarán de una tal Constitución".

El tercer artículo referente a la propiedad de los indios revela las mismas preocupaciones de los Comuneros, de Fermín de Vargas, Nariño, Herrera y Miguel Pombo, y entraña una reforma jurídica y social de innegable trascendencia:

"Por un principio de política conforme con las ideas de humanidad y de justicia, que los resguardos de indios se distribuyan entre estos naturales por iguales partes, para que como propietarios puedan enajenarlos o trasmitirlos a su posteridad, según las leyes de sucesión, quedando exentos de los tributos que actualmente pagan, pero sujetos a las contribuciones de los demás habitantes. Con esta providencia se olvidará la idea de conquista, tan odiosa para ellos y que los tiene siempre abatidos; y pagarán mayor cantidad a la masa general de rentas públicas, que lo que hoy producen los tributos por razones que son bien obvias".

El cuarto punto se refiere a la esclavitud, y refleja las ideas de justicia natural que irradiaba José Félix de Restrepo. Por ello se explica la acogida entusiasta que el Congreso de Cúcuta dio al proyecto del Libertador de los esclavos, pues sus ideales alentaban en la conciencia de los criollos granadinos. Como es la primera manifestación que hallamos, en el orden cronológico, en favor de los esclavos, no nos pesa la mano para reconocer que la iniciativa en este campo partió, como tántas otras redentoras, de la ilustre ciudad del Socorro, siempre lista a iniciar las grandes reformas políticas y sociales.

Que siendo el comercio de negros —dice la *Instrucción*— una degradación de la naturaleza humana, y causando el envilecimiento de todas aquellas profesiones a que son destinados estos miserables africanos, se suplica al Señor Diputado, solicite se prohiba perpetuamente tal comercio; y se libren las providencias que se consideren oportunas a fin de que, conciliando el interés de los propietarios, se proporcione la libertad de los muchos esclavos que hay en todo el virreinato, y entren éstos en sociedad como las demás razas libres que habitan las Américas.

Luego se reclama la libertad de agricultura e industria y el libre comercio por todos los puertos de América y de España con las naciones amigas y neutrales. Así mismo que se prohiba la esclavitud de las propiedades territoriales. En favor de esta medida se cita expresamente a Jovellanos y Campomanes: "Los escritos de estos grandes hombres, sin embargo de su elocuencia y de las miras profundas de humanidad que contienen, no han hecho en los pueblos la impresión que debía esperarse".

Es interesante observar cómo las preocupaciones democráticas habían abierto brecha en la conciencia criolla. Ante las dificultades que oponía la autocracia para las reformas, se apelaba a la fuerza de la opinión pública: "La barbarie opone obstáculos, y no hay otra autoridad que pueda superarlos si no es la opinión pública, y se cree que el medio de establecerla o fijarla será el de las luces que sobre un objeto tan interesante esparza en el vulgo la parte más ilustrada de la nación, reunida en Cortes".

Se propone nuevo sistema de rentas menos dispendioso, con menor número de gentes, y en el cual "las aduanas sean el termómetro que gradúe la protección de la industria nacional y el contrarresto de la extranjera", y se propende por la contribución única. Para contribuir más eficazmente al fomento de la agricultura, del comercio y de las artes, se solicita la reducción de los días de fiesta y la supresión de tántos derechos eclesiásticos, de tal manera que queden reducidas las rentas de la Iglesia a diezmos y primicias solamente. Y para fomentar todos los ramos de la prosperidad nacional y aumentar la riqueza pública, se reclaman mejores comunicaciones entre las provincias por medio de apertura de caminos y construcción de puentes.

En el punto 12 dedicado a la instrucción pública palpitan todos los anhelos de renovación intelectual de aquella generación que se había levantado bajo el signo de la Expedición Botánica y del magisterio del sabio Mutis:

"El Cabildo considera que nada contribuye tanto a la felicidad de la patria como la educación de la juventud; no en aquellos estudios que por su tendencia natural aumentan las clases estériles

y gravosas a la sociedad, sino en las ciencias exactas y que dispó-
nen al hombre al ejercicio útil de todas las artes. Tales serán en
esta provincia el estudio de la filosofía, aritmética, geometría y
dibujo, y en las capitales grandes, donde hay colegios y universidades, que se añadiese al plan de estudios uno o dos años de
economía política...".

Finalmente el sabio profesor de derecho se queja de la mul-
tiplicidad de leyes, ordenanzas y reglamentos "que componen el
derecho extravagante cuyo laberinto no es dado recorrer sino a
uno u otro hombre de juicio y de grandes facultades", y solicita
una nueva codificación que facilite a los súbditos la obediencia
de las leyes y no dé ocasión a "los magistrados y jueces para exce-
derse en su ejecución y precipitarse en el abismo de la arbitrariedad".

Combina admirablemente esta estupenda *Instrucción* las reformas políticas, sociales y económicas con el respeto a la tradición legalista del país, pues solicitaba la inviolabilidad de la Constitución para ponerla al abrigo del absolutismo de los gobernantes. La pluma sabia de Camacho, jurista, economista y filósofo,
dio expresión felicísima a las aspiraciones de la patria de los Comuneros. Hágase un cotejo superficial de las Capitulaciones de
Zipaquirá con los artículos de la *Instrucción* y saltará a la vista
la identidad de intereses e ideales que los unía. Son las mismas
exigencias de una justicia natural que estaba hondamente clavada
en la conciencia del pueblo granadino.

3. *Su acción política el 20 de julio*

Al regresar de la gobernación del Socorro y ser elegido para
el año de 1810 Asesor del Cabildo de Santafé, Camacho entra en
contacto con Torres y con el grupo dirigente revolucionario, dentro del cual ocupa un puesto de primera línea.

El 19 de junio el Ayuntamiento se dirigió al Virrey para repe-
tirle su petición sobre la necesidad de organizar una Junta para
hacer frente a los peligros creados por la situación existente en
Cartagena y Mompox. Desde el principio —escribía— temió este
Ayuntamiento la división de sus provincias, que es precursora de
una guerra civil entre unos vasallos que siguen unas mismas banderas; y para prevenirla instó sobre la instalación de una Junta
que, compuesta de los Diputados todos del Reino, reconcentrara
y mantuviera la unión. Ahora son más urgentes las circunstancias,
porque ya palpamos lo que antes se tuvo por imposible, y por lo

mismo repetimos nuestra solicitud para que sin pérdida de tiempo se señale el día de la convocación (10).

Era la persistente idea de Torres y demás patricios que ya se había adueñado de los espíritus. Camacho, como Asesor, impulsó cuanto le fué posible la creación de esta Junta que era el preludio de la independencia. En vista del 16 de julio decía al Cabildo:

"Habiéndose retardado notablemente la llegada a esta capital del Sr. Comisario Regio, y siendo cada día más urgentes los motivos que impelieron a este Ayuntamiento a pedir al Excmo. Sr. Virrey la convocación de una Junta de Autoridades, cuerpos y vecinos de esta capital, para que en ella se tratase de los medios de conservación y defensa en el actual estado de cosas, siendo probable que si nos dilatamos en tomar las providencias oportunas se nos dificulten después o tal vez se imposibiliten del todo, como es de temer en vista de la agitación en que se hallan los pueblos, recelosos de su futura suerte... Considera no deberse suspender por más tiempo la celebración de dicha Junta, que V. S. debe promover, dirigiendo de nuevo sus oficios al Sr. Virrey, a fin de que se digne convocarla a la mayor brevedad...".

Noticias de los motines de Pamplona y del Socorro habían llegado a su antiguo gobernador, y el 18 de julio recurre nuevamente al Cabildo en términos perentorios, advirtiendo que el estado de turbación de las nuevas provincias "confirma la necesidad de la Junta propuesta, por cuya formación ha clamado incesantemente el Cabildo.... Si hay algún medio de atraer a la unidad a los lugares que se hayan separado de ella, y de conservar en armonía el resto de la sociedad, es la convocatoria de una Junta de Representantes que concilie los intereses comunes y que tome medidas de seguridad en estos tiempos tan difíciles y borrascosos". Y después de advertir cuán precario era el lazo que unía las provincias y la necesidad de acrecentarlo por medio de la Confederación y amoldarse a las circunstancias del día en que parecían ser insuficientes los antiguos sistemas, concluye así:

"V. S., pues, debe instar para que sin pérdida de tiempo se llame a la Junta propuesta de Autoridades y vecinos, y que en ella se sancione la de Representantes del Reino, haciendo responsables a Dios, al Rey y a la Patria, a los que se opusieren a medidas tan saludables" (11).

---

(10) F. J. Vergara y Velasco, *Capítulos de una Historia Civil y Militar de Colombia* (Bogotá, 1905), p. 147.
(11) F. J. Vergara y Velasco, *Capítulos de una Historia Civil y Militar*, p. 148.

Ya se ve cómo la federación, que brotó del Acta misma de Independencia del 20 de Julio, obedecía a una dialéctica histórica y jurídica, y no a una servil imitación de los Estados Unidos, o a ficciones de ideólogos desconectados de la realidad ambiente. La autonomía provincial fué la base jurídica de que partieron nuestros dirigentes para negar la autoridad de las Juntas españolas y constituirse su propio gobierno y la federación de las provincias era el término lógico de aquel proceso político. De ahí que en los escritos de Torres y Camacho surja la idea de la confederación, mucho antes de la Independencia, como una consecuencia lógica y necesaria de la organización político-jurídica de América.

También aparece cómo, ante la tozudez del Virrey que se negaba sistemáticamente a constituir la Junta reclamada en todos los tonos por el Cabildo, —pues comprendía claramente que tal paso significaba la pérdida de su poder—, los patricios tuvieron qué acudir al motín popular como último medio para vencer la resistencia del superior gobierno.

El jueves 19 por la noche asistió Camacho a la reunión presidida por Torres en el Observatorio astronómico en la cual se ultimaron los detalles del movimiento, y el 20 dejó oir en el recinto del Cabildo y frente al pueblo congregado en la plaza, su voz elocuente y persuasiva. Camacho desplegó la profundidad de su genio, anota Caldas en su *Diario Político*. El pueblo lo aclamó directamente Vocal de la Junta Suprema.

Precisamente en la mañana antes de producirse el tumulto había sido comisionado para tratar con el Virrey sobre las medidas que debían tomarse. El mismo nos cuenta el resultado de esta reunión:

"...Cansado el ilustre Ayuntamiento de pasarle oficios respetuosos en que hacía ver la desconfianza de los pueblos para con los funcionarios del Gobierno, y de pedir una Junta compuesta de los diputados de los cabildos del Reino, le mandó el día 20 de julio, entre diez y once de la mañana, una Diputación para conferenciar verbalmente sobre las medidas que debían tomarse en unas circunstancias tan urgentes y tan críticas. El Asesor del Cabildo, don José Joaquín Camacho, fue el encargado de sostener esta conferencia. Así que se impuso Amar del objeto de esta misión, se denegó abiertamente; instado segunda vez con razones victoriosas, se indigna y con un aire feroz respondió: Ya he dicho... Desgraciado: no sabía que era el último ultraje que hacía al Cabildo y al pueblo!" (12).

Con una afortunada cita de Bossuet explica Camacho la obcecación de las autoridades: "Cuando Dios quiere trastornar los imperios, todo es débil, todo es irregular, ciega a los que mandan, los precipita, los confunde, los envuelve en tinieblas y en sus mismas sutilezas..."

En la Junta entró a prestar invaluables servicios como miembro de la Comisión de Gracia, Justicia y Gobierno. En verdad, ninguno como él llegaba con mayor preparación en las faenas del gobierno. No le cegaba el afecto a sus entrañable amigo Miguel Tadeo Gómez cuando le escribía en 1805: "Yo conozco pocos hombres que hayan meditado tan seriamente sobre las grandes verdades de la política y la moral y por consiguiente serán muy raros los que se dediquen con gusto a hacer la felicidad pública como lo esperan de vuestra merced cuantos le conocen..." (13). En la célebre Carta de Villavicencio al Consejo de Regencia escrita el 29 de mayo de 1810 desde Cartagena, en la cual hace un agudo examen de la situación política del Nuevo Reino y propone una serie de reformas urgentes, después de ensalzar los relevantes méritos de Torres, presenta a Camacho para una de las primeras Audiencias de América, pues "por su probidad y literatura ocupa el mejor concepto entre los abogados y por sus servicios en diferentes gobiernos del Reino manifiesta sus conocimientos políticos, económicos y sus luces en las ciencias naturales" (14).

Pero en medio de ese caótico gobierno plural, en que se representaban intereses encontrados, se dió cuenta de la necesidad perentoria de dirigir la opinión pública y formar la conciencia ciudadana en el goce de sus nuevas prerrogativas, y resolvió asociarse a su amigo y compañero de labores en la Expedición Botánica y en el *Semanario* para dirigir el *Diario Político de Santa Fe de Bogotá*, vocero del nuevo gobierno. En la licencia dada por el Vice-Presidente Pey se determinan muy bien las finalidades del periódico que debía "presentar al Reino los derechos de los pueblos conciliándolos con el decoro de la Soberanía que los representa".

Sus propósitos quedaron nítidamente fijados desde la primera página: "Difundir las luces, instruír a los pueblos, señalar los

---

(12) *Diario Político de Santa Fé de Bogotá*, N. 3. (Agosto 31 de 1810). Este precioso periódico, publicado hacía mucho tiempo en el *Boletín de H. y A.*, fue reproducido felizmente en 1960 en el volumen *El Periodismo en la Nueva Granada*, preparado por Luis Martínez Delgado y Sergio Elías Ortiz.

(13) Luis Martínez Delgado, *Noticia Biográfica*, o. c., p. 281.

(14) *Antonio de Villavicencio y la Revolución de la Independencia*, por J. D. Monsalve, T. II, p. 97.

peligros que nos amenazan y el camino para evitarlos, fijar la opinión, reunir las voluntades y afianzar la libertad e independencia..." (15).

El periódico alcanzó a salir normalmente en 46 números desde el 27 de agosto de 1810 hasta el 1º de febrero de 1811, pues hubo de clausurarse por falta de fondos. En esos días nebulosos de la naciente república fue verdadero "vehículo de las luces" y desempeñó admirablemente su cometido. La dirección dual fue un acierto, pues queda fácil distinguir los artículos y hasta los párrafos debidos a Caldas o a Camacho. Mientras que aquél llevaba al periódico un lirismo difícilmente contenido y un cálido temblor de emoción patriótica, éste precisaba los conceptos políticos y filosóficos con la propiedad, competencia y moderación propias del experto maestro, y difundía sus conocimientos económicos.

4.— *Sus ideas político-jurídicas.*

a) Su concepción de la libertad.

Con un sentido extraordinario de la responsabilidad, Camacho, al igual que Torres, se dedicó a la ardua empresa de echar aceite en ese mar bravío de la revolución desatada. Nosotros —decía en el primer Número— que hemos visto degenerar en furor al celo más ardiente y generoso; nosotros que hemos visto momentos de verdadera anarquía; que aún no nos hemos organizado; que confundimos las providencias provisionales con la constitución; que queremos reine la paz, el orden y la serenidad en medio de las olas de una tempestad política; que inadvertidos queremos coger ya los frutos de una larga independencia; que exigimos de la Junta operaciones que necesitan estudio, prudencia, meditación y tiempo... necesitamos de un Diario Político..."

No está descrita, con impresionante realismo, la situación sicológica del pueblo, y el deber de los dirigentes de frenar esos impulsos demagógicos que amenazaban ahogar la naciente libertad? Y elevando la vista por encima de la ciudad de Santa Fé, miraba a las provincias y advertía el peligro de la disolución: "La división, la rivalidad, ese necio orgullo de ser la primera, nos precipitará en los males incalculables de una guerra civil, y después de haber derramado la sangre preciosa de nuestros hermanos, seremos presa de cualquier potencia que quiera subyugarnos... Que cada provincia ocupe su lugar, que la capital sea capital y

_____

(15) *Diario Político*, N. 1º (Agosto 27 de 1810).

que la provincia sea provincia. Hagamos ver a esa Europa orgullosa que tenemos virtudes, y que somos dignos de formar una nación libre. Libertad, independencia, subordinación a las autoridades, patriotismo, humanidad".

Lo más indispensable era fijar con nitidez el sentido de la libertad política. Camacho, recoge toda la tradición cristiana y escolástica sobre el verdadero significado de la libertad en estos párrafos de calurosa elocuencia.

"Pero, ¿qué es libertad? ¿Es romper todo freno y respeto? ¿Es sacudir el yugo de toda obligación moral y civil? ¿Es dar curso y satisfacción a las pasiones? Nó, este es el libertinaje, esta es la suma de todos los vicios y de todos los males. El hombre libre es el que obedece sólo a la ley, el que no está sujeto a los caprichos y a las pasiones de los depositarios del poder. Un pueblo es libre cuando no es el juguete del que manda, y cuando sólo manda la ley somos esclavos de la ley para ser libres, dice Cicerón. Para ser libre es preciso ser virtuoso: sin virtudes no hay libertad; jamás se unió la libertad con las pasiones. Queremos, pues, ser libres? Seamos virtuosos..."

Quería que el pueblo uniera los conceptos de justicia y libertad: "Ya somos libres, seamos, pues, justos". Y más adelante repite con insistencia: "Si no somos justos no seremos libres".

Esta idea de que la libertad debía estar unida al ejercicio de las virtudes morales le obsesionaba. No hay libertad sin virtudes, es frase que se repite con voluntaria insistencia. No será, pues, extraño que al tratarse de fundar un nuevo sistema político se propusieran las máximas en que debía inspirarse la conducta de todo buen ciudadano. La mayoría de estas máximas constituyen la quintaesencia del cristianismo:

"El buen patriota conoce la dignidad del hombre y lo respeta en cualquier estado. Cumple con los deberes de nuestra sagrada religión. Perdona las injurias y cree que la venganza es el más vil de los sentimientos. Se olvida de sí mismo por el bien de la Patria... Es fiel en sus promesas, y su palabra es inviolable" (16).

Con candorosa ingenuidad quisieron estos patricios llevar al orden jurídico estos principios morales, y por ello se explica que los encontremos convertidos en cánones constitucionales en las Leyes Fundamentales de la primera República.

Debiendo, pues, marchar en armoniosa compañía la libertad y la justicia, se le enseñaba al pueblo a proscribir la venganza que quería ejercer por sí mismo sobre los antiguos *mandones* y sus paniaguados: "El Evangelio nos prohibe la venganza y sólo la

---

(16) *Diario Político*, N. 31 (Diciembre 11 de 1810). *Virtudes de un buen patriota.*

deja en las manos de los que mandan. Esta es la justicia, es la venganza pública, y es la única que puede ejercerse sobre la tierra..." Y continuaba el *Diario* en abundancia de razones para proteger la vida y los bienes de los españoles amenazados por la vindicta pública.

Una de las libertades que Camacho reclamó con mayor ahinco fue la de la prensa, defendida con brillantes argumentos como medio indispensable para evitar la recaída en el despotismo: "Nada importa que gritemos libertad, si tácitamente consentimos en ser esclavos; y lo seremos necesariamente, si no tenemos el uso de nuestros primitivos derechos". Después de párrafos candentes contra quienes pretendían *esclavizar la opinión*, terminaba con esta exhortación: "Seamos libres en el ejercicio de nuestros derechos, seamos libres en nuestra opinión, seamos libres en comunicar a los demás nuestras ideas, y entonces podremos decir verdaderamente que peleamos para mantener nuestra libertad" (17).

Otra de las máximas preocupaciones para constitucionalistas de los quilates de Camacho, era el normal funcionamiento de las instituciones existentes, pues temía con razón que de no hacerse reformas graduales en un sabio proceso evolutivo, la caída en el vacío era inevitable. Por ello clamaba porque "todos los tribunales del Reino, y las administraciones y todos los cuerpos constituídos continúen en sus funciones, hasta que en el Senado Constituyente se determine lo que se deba destruír, lo que se deba reformar y lo que convenga crear de nuevo".

Las lecciones de la historia le servían para deducir principios de prudente gobierno: "De nada se arrepintió tanto la Francia después de su funesta revolución como de haber intentado demoler el edificio que sólo se debía reparar; de haber querido trastornar todos los antiguos establecimientos, sin dejar piedra sobre piedra. No se debe desorganizar el gobierno, antes de haber meditado profundamente y trazado los planes que deban sustituír en su lugar" (18).

b) Sus conceptos sobre la ley.

Un alumno formado en las disciplinas jurídicas del Colegio del Rosario, fundado por Fray Cristóbal de Torres para difundir la doctrina del Señor Santo Tomás, necesariamente debía ser fiel a esa tradición secular.

(17) *Diario Político,* N. 15 (*Octubre* 15 de 1810). *Virtudes de un buen patriota.*

(18) *Diario Político,* N. 45 (Suplemento al *Diario Político,* Enero 29 de 1811).

El 5 de octubre de 1810 se deliberó en el seno de la Junta Suprema sobre el modo de dar una nueva forma al Gobierno. El doctor Camacho pronunció un sabio discurso con el consiguiente voto que con ligeras reformas fue adoptado por unanimidad. El tono de la oración es severo y está empedrado de conceptos de la más pura estirpe tomista:

"Nada hay más grande, más santo y venerable que las leyes. El que las dicta debe estar desnudo de pasiones, en el centro del reposo, rodeado de virtudes, como un Dios que revela los misterios del orden y de la paz, que truena y fulmina para comunicarse a los mortales. No permite que se le acerque ningún profano, y apenas llega el que debe conducir las tablas que incluyen los preceptos, cesa su acción y la divinidad desaparece. Otros deben ser los ejecutores de sus voluntades. Senadores, ved cuán augusto y grande es vuestro ministerio. Vosotros sois puras inteligencias, y como la fuente de la sabiduría, vosotros dais la ley, que es la regla general que se ha de aplicar por agentes inferiores a todos los casos en que deba gobernar. Si ella es justa, si está fundada en razón y equidad, no encontrará ningunos estorbos, será aplicable sin violencia a los hechos para que fue dictada, y todos se someterán con gusto a su imperio, haciendo el sacrificio de su libertad".

Cómo se expresa aquí con elocuencia la célebre definición que dio el Angélico Doctor sobre la ley, ordenación de la razón para el bien de la comunidad. La generalidad del precepto legal y la igualdad de todos ante la ley están bien definidas: "Para el legislador son iguales todos los hombres; él no los contempla sino bajo los vínculos sociales, que a todos los unen de un mismo modo... La legislatura no debe contraerse a hechos particulares, sino a hacer leyes que rijan en todos los casos posibles, prototipos de donde se puedan sacar ejemplares infinitos. Toda ley debe ser general..."

Las razones se amontonan en ordenado discurrir, y los conceptos tomistas sobre la naturaleza y fuerza de la ley se entremezclan sin mayor violencia con las doctrinas de Montesquieu sobre la división de los poderes. La Junta hasta entonces se hallaba entrabada en su acción gubernativa pues además de concentrar en ella la plenitud de la soberanía, despachaba corporativamente hasta los asuntos de menor importancia. Camacho fue muy explícito al respecto: "Os conjuro en nombre de esta patria que ha resucitado para nosotros, que en vuestra junta general no decidáis las contiendas de los particulares, porque además de que os expondríais a errar inevitablemente por el influjo de las pasiones, se harían eternas vuestras discusiones, lo que anularía ciertamente al Gobierno. Ya nos resentimos demasiado de este mal".

Después de haber demostrado que "la potencia legislativa no se debe mezclar en los juicios, porque su acción se confundiría con la de aplicar las leyes en las contiendas particulares" terminaba el sabio constitucionalista señalando las reformas que se debían introducir: "Reconcentrad el poder ejecutivo en un Cuerpo compuesto de pocos individuos, donde el pensamiento se acerque, y que padeciendo, como la luz que entra en un aposento, reflexiones repetidas, os ilumine en vuestras deliberaciones" (19).

Las ideas de Camacho fueron acogidas por la Junta Suprema la cual se reorganizó el 26 de octubre con la creación de un Cuerpo Ejecutivo en quien residía el alto gobierno, y de una Junta Legislativa, mientras que el Poder Judicial quedó enteramente separado. Este Poder Ejecutivo se constituyó además con dos Secretarios de Estado para el despacho universal, habiendo sido llamados a ocupar estos cargos Camilo Torres y Gutiérrez de Caviedes. A su vez Camacho entró a formar parte del Ejecutivo, elegido de la Sección de Gracia y Justicia.

De esta manera la Junta Suprema que se había estructurado al principio en gran parte sobre el modelo de las Cortes españolas, ya iba adquiriendo la fisonomía de un verdadero gobierno republicano.

c) La soberanía popular y el fin del gobierno.

El asiduo y devoto lector de Covarrubias no podía menos de profesar los principios clásicos de la reversión de la soberanía política. Y los expone no con los términos rusonianos sino con el lenguaje nítido y preciso de la Escuela política española.

Al comentar en el *Diario Político* una insolente carta del señor Obispo de Cuenca al Vice-Presidente Pey en la cual se refería a "la llamada Junta Suprema", Camacho defiende la soberanía del nuevo Gobierno con esta nota que vale por toda una tesis:

"Se llama Suprema Junta con muy justo título, *por la autoridad soberana que le ha depositado el pueblo,* en quien reside *originalmente* toda potestad civil. Este es un axioma político que sólo afectan ignorar los usurpadores de los derechos primitivos del hombre" (20).

---

(19) Este sabio Discurso que aparece publicado en el *Diario Político* sin atribuírsele a autor determinado, pertenece sin duda alguna a Camacho, quien por modestia se abstuvo de apropiárselo. Pero el mismo silencio es de suyo bien significativo, fuera de que las ideas y el estilo denuncian claramente la paternidad. Véase *Diario Político,* N. 19 (Octubre 30 de 1810).

(20) *Diario Político,* N. 29 (Diciembre 4 de 1810).

El Padre Suárez había dicho que la soberanía popular era un "egregio axioma de la teología católica", y Camacho habla de un *axioma político*. La coincidencia es perfecta.

El inteligente y cultísimo autor de la *Carta de un Americano al Español*, al comentar los artículos de la Constitución española aprobada por las Cortes de Cádiz, reivindicaba igualmente la conveniencia de usar la terminología clásica que precisaba con mayor nitidez el contenido jurídico de la tesis: "Cuánto mejor hubiera sido —escribía— adoptar en el artículo de la Soberanía de la nación, en lugar de *esencialmente*, el término *radicalmente*, como propuso el sabio Diputado de los indios de Tlaxcala" (21).

Ya se ve cómo los americanos —Camacho, el autor de la Carta, el Diputado de Tlaxcala— habían captado el verdadero sentido escolástico de la soberanía popular.

Camacho insiste en estos postulados fundamentales de los cuales resultaba la legitimidad del nuevo gobierno. La Revolución, para él, "estaba en el orden de la justicia. Desde el momento en que fue hecho prisionero nuestro Soberano, los pueblos reasumieron sus derechos, y auncuando la Junta Central hubiese sido un gobierno legítimamente reconocido, jamás pudo establecer otro gobierno sin igual reconocimiento" (22).

El derecho del pueblo a establecer autoridades cuando éstas faltan, ejercido por España, tenía su aplicación lógica entre los americanos. La argumentación *a pari* era concluyente:

"Conforme a estos principios, las Provincias de España, desde la prisión de su Rey, recobraron sus derechos, formaron sus juntas, trataron de su seguridad reconociendo que eran libres. Pero todo esto no se debía entender con los americanos, que son hombres de distinta especie, y respecto de quienes la falta del rey no podría producir otro efecto sino que se les declarase parte integrante de la nación, porque hasta allí se había tenido esto en duda, según los principios adoptados por Lorenzana y otros políticos que habían establecido por canon de gobierno, que a los americanos no se les debía dar empleos de representación, que en América no se debían permitir fábricas ni explotar las minas de hierro, que se les debía tener humillados..."

Estaba la revolución política tan fuertemente cimentada en incontrovertibles derechos, y tan metida en la conciencia de los

(21) *Carta de un Americano al Español*, y Contestación a una segunda Carta del mismo *Americano* por *El Español*. Impreso en Londres en 1811, reimpreso en Cartagena de Indias, año de 1813, en 8°, 65 páginas. *Notas interesantes*, p. 3. En Bibl. Nal. N. 13.039, Sala 1ª, Fondo Pineda, Pieza 16.
(22) *Diario Político* N. 23 (Nov. 9 de 1810).

juristas, que Camacho tan ponderado en sus juicios no temía darle el apelativo de *santa*:

"Santa revolución es la que restituye al hombre en sus derechos, la que va a destruír la usurpación, que va a hacer desaparecer la mendiguez en que se nos ha mantenido... Santa revolución es la que va a desterrar para siempre ese tráfico impudente que se ha hecho de la justicia y del gobierno... Santa revolución la que va a quitar las trabas de la industria y proteger la propiedad personal del trabajo (23).

El gobierno que el pueblo americano tenía la facultad de darse estaba igualmente justificado por los fines que buscaba de conformidad con el derecho natural:

"Que los empleos se obtengan como es justo y conforme a nuestras leyes, por los naturales del país; que éstos no se graven con injustas contribuciones, sino con lo preciso para mantener el orden público; que se puedan establecer libremente fábricas y manufacturas, conforme al derecho natural, que nos ha dado brazos lo mismo que a los demás hombres; que se puedan trabajar las minas de fierro y que no tengamos qué mendigar de otros este metal necesario para la agricultura y demás artes; que se ponga una fábrica de papel para que podamos comunicar nuestras ideas y extender nuestras relaciones, porque somos entes racionales, lo mismo que nuestros hermanos de Europa; que se abra el comercio a las naciones..."

El sabio profesor que conocía tan profundamente la tradición de la escuela política española, estaba excepcionalmente capacitado para sintetizar la doctrina de Covarrubias, Navarro, Castro y Suárez en esta máxima de oro: "La sociedad es esencialmente libre, y jamás puede hacer una abdicación total de sus derechos" (24).

d) Sus enseñanzas de economía política.

Propagó en su periódico Camacho una multitud de principios de economía política, inspirados evidentemente en la escuela de los fisiócratas que conoció muy bien a través de Jovellanos y Campomanes. Véanse algunos ejemplos: "La propiedad fija el destino del hombre y lo interesa en la conservación del orden público. Sobre la agricultura reposa todo el edificio de la sociedad. El go-

---

(23) *Diario Político* N. 37 (Enero 1º de 1810).
(24) *Diario Político* N. 38 (Enero 4 de 1811).

ce de la propiedad territorial es el más apreciable para el hombre. Las tierras baldías, que están sin usufructuar, se deben repartir en suertes proporcionales y sin interés alguno, entre los ciudadanos proletarios que puedan cultivarlas. El Gobierno debe favorecer la igualdad de fortunas y contrapesar por medios indirectos el interés individual, que propende a hacer grandes acumulaciones" (25).

Sobre materia tributaria enseñaba lo siguiente: "El impuesto debe proporcionarse en cuanto sea posible a las facultades de los contribuyentes. Una capitación igual y forzosa entre los ciudadanos no puede ser conforme a las reglas de justicia. Una contribución sobre el valor de las propiedades territoriales recaería proporcionalmente sobre todos los consumidores. Toda contribución pública es establecida para el bien general" (26).

Su espíritu democrático, consecuencia de la lucha emprendida contra las arbitrariedades del despotismo, brillaba en estas sentencias:

"Se debe cerrar todo camino a la arbitrariedad en el ejercicio de los poderes... Cuanto más se reconcentran los poderes en la persona o cuerpo que los ejerza, tanto menor es la libertad pública. La perpetuidad de los poderes es odiosa y puede degenerar en tiranía. La fuerza armada debe ser subordinada a la autoridad civil. Esta debe contener el abuso que se pueda hacer de ella".

Estos postulados democráticos de tan noble abolengo no le estorbaban para estampar esta verdad, bebida en los escritos de Saavedra y Fajardo:

"Sin embargo, una democracia rigurosa, arratra a todos los desórdenes de la anarquía".

5.— *Sus luchas por el sistema federal. Su martirio.*

Asistió al primer Congreso de diciembre de 1810, y de él se retiró con Camilo Torres y León Armero en protesta por la admisión de los representantes de Sogamoso y de Mompox, que no eran provincias. Firmó en Santa Fé el 27 de noviembre de 1811 el Acta de Federación de las Provincias Unidas redactada por Torres, como Diputado por Tunja, y con igual representación asistió al Congreso de dichas Provincias en sus diversas sesiones de Iba-

(25) *Diario Político* N. 44 (Enero 25 de 1811).
(26) *Diario Político* N. 43 (Enero 22 de 1811).

gué, Villa de Leiva, Tunja y Santa Fé, y en él defendió con fervor y con mesura las ideas federalistas.

Nuestros grandes juristas llevaban el sistema federal en la sangre. Tanto es así, que Camacho, tan ponderado en sus juicios, no halló reato en estampar estas máximas: "El sistema federativo parece indicado por la naturaleza. El sistema federativo se funda en la igualdad".

No se puede afirmar con seriedad que los federalistas no tuvieran en mente el problema de la unidad e integración nacional. Precisamente para llegar a ella eligieron, con máxima preocupación patriótica, el camino de la federación. Por ello apelaban de continuo a los elementos constitutivos de esa unidad, e invitaban a las provincias a actuar de concierto para deliberar sobre la forma de gobierno más conveniente. Somos un cuerpo de nación —escribía el doctor Camacho—, los fondos, los intereses, son comunes; unas mismas leyes que nos gobiernan, la religión que dirige nuestras acciones. Sería un procedimiento el más impolítico, romper estos vínculos sagrados, separarnos cuando nos debemos reunir más estrechamente, tomar caminos diversos cuando debemos concurrir a un solo punto (27).

Todas las esperanzas de los patriotas se centraban en la reunión del primer Congreso. Camacho clamaba con angustia por la unión de principios y de sistemas, por la uniformidad del gobierno, establecido con respeto a "lo que opina la ley de la mayoridad" y teniendo en miras el bien común. Y hablando del Congreso, lo consideraba como el preludio de la unidad nacional: "Desde este foco de luz partirán rayos que iluminen hasta los rincones más retirados de la nueva república, *cuyas partes se reunirán con vínculos de amor y fraternidad para formar un todo, permanente e indisoluble*" (28).

Como en los primeros días de la Revolución, quiso propagar estas ideas por la prensa, y así fundó *La Aurora* de Tunja y colaboró constantemente en *El Argos*. El 5 de octubre de 1814, en virtud de la reforma del Acta Federal, fue elegido para presidir el Poder Ejecutivo, como triunviro, en asocio de Castillo y Rada y de Fernández Madrid.

Asociado a Torres en las labores legislativas y en el gobierno, también compartió con él la confianza y comprensión con que acogió, como Vice-presidente del Congreso en el 13, la solicitud de ayuda de Bolívar. La gloria de Torres al intuír el genio del Li-

---

(27) *Diario Político*, Suplemento, N. 45 (Enero 29 de 1811).
(28) *Diario Político*, ibídem.

bertador y entregarle la suerte de la patria en un gesto maravilloso de adivinación histórica, cobija igualmente a su ilustre colega en el foro y en la cátedra.

Ocupaba en Santa Fé su curul en el Congreso cuando se inició el régimen del Terror, del cual sería una de las primeras víctimas. Apenas contaba cincuenta años, pero tenía las apariencias de un anciano, pues estaba ciego y casi paralítico. Fue reducido a prisión en el Colegio del Rosario, su hogar intelectual donde había aprendido y enseñado un patriotismo, del cual iría a dar la más alta y la última lección. En la plaza de San Francisco, en aquel día gris y lluvioso —31 de agosto de 1816— una bala le despedazó el cráneo. Abrió los brazos, y sólo alcanzó a gritar "Viva la p..." antes de desplomarse.

Don José María Salazar trazó en 1819 una semblanza del político de una síntesis perfecta: "No me atreveré a darle el nombre de excelente político a pesar de sus vastas luces, pues en lo político tenía el defecto de creer a los hombres tan buenos como él; bello sentimiento para un filósofo, perjudicial para un hombre de Estado".

Y sin embargo la acusación fiscal lo trató de "rebelde acérrimo en seguir la independencia, y hombre perverso. Escribió varios papeles y periódicos con máximas contrarias a la causa del Rey Nuestro Señor y a la dignidad de la nación española".

Sus principios defensores de la dignidad humana y de la causa de su patria, jamás hirieron el honor de la nación hispana, y sí al contrario protegieron los derechos de los españoles. Sus enseñanzas de caridad y de justicia cristianas, alientan e iluminan la historia de Colombia.

CAPITULO III

FRUTOS JOAQUIN GUTIERREZ, EL CANONISTA DEL GOBIERNO REPUBLICANO

Gutiérrez de Caviedes es figura cimera en los cuadros intelectuales de la Revolución, y representa con máximo honor las ideas de la escuela bartolina.

Nacido en 1770 en el Rosario de Cúcuta, viste a los catorce años la beca de San Bartolomé, en donde obtuvo el doctorado en ambos derechos. Se recibió en 1794 como abogado de la Real Audiencia y el mismo año fue nombrado por el Virrey Ezpeleta Catedrático de Derecho Canónico en San Bartolomé, en donde antes había sido profesor de Leyes. Más tarde fue elegido Preceptor del mismo Claustro, Consultor del Santo Oficio y Alcalde Comisario del barrio de San Jorge. En 1804 desempeñó en la Real Audiencia el delicado cargo de Agente Fiscal de lo criminal y Protector de Indios.

En el *Calendario Manual y Guía de Forasteros* para 1805 de Santa Fé, se dibuja un excelente boceto caracterológico del Prócer: "Como hombre público y privado posee excelsas cualidades, muchos principios de religión y vasta doctrina. Espíritu sagaz, a veces demasiado sutil. Carácter muy condescendiente y siempre amable. Genio capaz de proyectar, pero tímido; grande afluencia para hablar en público; mucho agrado en la conversación; amigo de fiestas y tertulias particulares, que sabía divertir con sus chistes y con la instrucción propia del caso".

Gracias a tan esmeradas dotes morales e intelectuales, fue uno de los más notables contertulios de *El Buen Gusto*, centro literario que presidía en sus elegantes salones doña Manuela Santamaría de Manrique y que aunaba la flor y nata de la intelectualidad santafereña.

1.— *Sus escritos prerrevolucionarios.*

a) Discurso sobre los Obispados.

El título de este ensayo histórico-canónico revela suficientemente su contenido: *"Discurso en que siguiendo las piadosas intenciones de nuestros Católicos Monarcas, y consultando a la necesidad y utilidad de la Religión, del Estado y de los Pueblos, se propone la erección de Obispados en este Nuevo Reino de Granada"* (1). Ostenta una pasmosa erudición en historia de la Iglesia y de las instituciones canónicas, especialmente de España y de América, y está escrito en un estilo limpio y elegante que demuestra las cualidades literarias de su autor.

De su pensamiento jurídico sobre las relaciones entre la ley evangélica y la ley natural, da idea suficiente este párrafo: "No hay legislación que sea más a propósito que la de Jesucristo para los fines de la vida civil. Los principios del Evangelio abrazan todas las obligaciones del hombre. Si es preciso recurrir en ciertos casos a la ley natural para desenvolver todo el espíritu de la ley evangélica, aún es más necesario sujetarse a ésta para penetrar lo que se halla oscuramente indicado en aquélla. Jesucristo por la sublimidad de sus misterios, por el poder de los motivos, y por la multitud y facilidad de los medios, añadió infinita fuerza y elevación a las máximas de la naturaleza" (2).

Demuestra palmariamente el inmenso influjo civilizador que en las naciones americanas ejerció la Iglesia a través de los obispados, escuelas de religión y de cultura, y cómo el nacimiento y progreso de la fe se realizó alrededor de las sillas episcopales.

A cada página brotan los sentimientos de celo por el bien espiritual y material de su patria, y el plan completísimo que ofrece de creación de nuevas diócesis y división de las antiguas —con bases estadísticas muy firmes— indica que trataba de un tema largamente estudiado. Razones de conveniencia social y política, religiosa y civil aconsejaban la medida; pero al rededor de este problema específico, aprovecha para quejarse de la inercia e insensibilidad de los granadinos para emprender grandes campañas:

"Resolvámonos, pues, algún día a pelear con nuestra débil constitución, y haciendo esfuerzos contra los obstáculos que se oponen a la prosperidad de este Reyno, concibamos las empresas,

---

(1) Está firmado el 20 de octubre de 1808 y ocupa cien páginas del *Semanario del Nuevo Reyno de Granada,* desde el N. 42 (16 de octubre de 1808) al N. 53, Año 2º (1º de Enero de 1809).

(2) *Semanario del Nuevo Reyno de Granada,* N. 42, página 364.

y demos impulso a los proyectos con todo el valor que debe inspirarnos la beneficencia de un Monarca que quiere y puede hacernos felices" (3).

En medio de estas frases, así estén colmadas de adulación al rey, surge un ánimo de renovación y un espíritu de combate, muy propios de la época que se vivía y propicios a las grandes transformaciones políticas que estaban por venir.

b) Discurso sobre los Cementerios.

Se trata de un breve ensayo en el cual el autor clama por la necesidad de acabar con la práctica abusiva, que perduraba entre nosotros, de sepultar los cadáveres dentro de las iglesias y de las poblaciones. Aunque se apoya en claras prescripciones canónicas, sin embargo todo el estudio es menos científico que polémico, y está redactado en forma altisonante que él quizás consideraba acorde con las innovaciones que proponía.

Las razones que da para combatir tal práctica son convincentes. Fuera de las exigencias de la salubridad pública, trae a cuento el carácter específico de los templos, los cuales deben ser propicios al recogimiento y a las elaciones espirituales. La *Religión no quiere* que los templos —escribía— cuyo recinto hermoso debe convidar a los éxtasis, y a las dulces meditaciones, sean una mansión de horror, en donde bullendo la corrupción y la hediondez todo se presenta vestido de una melancólica perspectiva que atemorice y ahuyente (4).

Al lamentarse del atraso de nuestras costumbres en esta materia, exclamaba: "Ah! ¡Qué es posible que vamos tantos pasos atrás de los demás pueblos, y que el honor de la Religión, el decoro de las Leyes, y el interés de nuestra propia conservación tengan para nosotros tan débil atractivo, que no nos estimulen a imitarlos!"

c) Cartas de Suba.

En estas célebres cartas manuscritas, perdidas definitivamente, pues las pesquisas hechas por acuciosos investigadores han sido hasta ahora inútiles, Gutiérrez de Caviedes preparó los espíritus para la Revolución, ya que pidió públicamente el establecimiento de las Juntas de Gobierno. El primer paso, el paso más

---

(3) *Semanario*, N. 42, p. 413.
(4) *Semanario del Nuevo Reyno de Granada*, Año 2º, N. 44 (5 de Nov. de 1809), p. 321.

necesario —dirá él mismo en 1811— era zanjar los cimientos de la opinión pública, y difundir oportunamente las luces sobre un pueblo que no conocía sus derechos. Este fue precisamente el que ya dí por los meses de febrero y marzo de 1809, publicando las *Cartas de Suba*, que a muchos de los mismos que las celebraban parecieron una locura: primer grito que se lanzó en favor de nuestra libertad, reclamando los derechos de las Américas, y por el cual fuí atacado, denunciado y perseguido, valiéndose a un tiempo los Oidores de este documento para acusarme ante el virrey Amar, y hacer que se me mirase como el prototipo de los enemigos de la tiranía" (5).

Estas famosas *Cartas* le señalan un puesto de primer orden entre los promotores de la Independencia, pues cronológicamente precedieron a los escritos de Camilo Torres y a los votos dados en las Juntas de septiembre del mismo año. Su importancia fue reconocida por los mismos escritores realistas. El Prebendado Antonio León, en un sermón se expresaba en los términos más virulentos:

"Yo me enardezco al acordarme de las intrigas y felonía de que se valieron los sediciosos para inflamar a la rebelión un pueblo naturalmente pacífico y amante de su rey!... A esto parece que han tirado nuestros piadosos regeneradores, como se puede ver en las *Cartas de Suba*, que fueron precursoras de la Revolución..." (6).

Desde esta época se perfiló un perfecto acuerdo de pensamiento entre Gutiérrez y Torres que los llevó a librar las batallas hombro a hombro y a difundir con talento y energía los principios de la revolución. En las tántas veces mentadas Juntas del 6 y del 11 de septiembre de 1809, convocadas por el Virrey con motivo de los disturbios de Quito, Gutiérrez habló durante tres cuartos de hora y expuso claramente su voto en favor de una Junta Provincial. Como a estas Juntas —escribía en carta privada— están encomendadas la defensa y seguridad de sus respectivas Provincias, con relación a la defensa y seguridad del cuerpo común, la de Santa Fé será la que deba entenderse con los quiteños, y tirar las líneas para su pacificación, con lo que el Cabildo de Santa Fé no tendrá más que contestar, por ahora, a Selva Alegre que remitirse a lo que hiciese y dijese la Junta Provincial... *A estas venta-*

(5) *Al pueblo Soberano de Cundinamarca*, Santafé, 26 de septiembre de 1811, en 4º, 8 páginas. En este Discurso se queja de habérsele quitado la libertad de hablar y de defenderse como miembro del Congreso.
(6) *Discurso político-moral sobre la obediencia debida a los reyes y males infinitos de la insurrección de los pueblos*, N. Lora, año de 1816.

jas se seguirán otras que no es fácil describir en este lugar, y que presto expondré a V.M. una vez que, si el Señor nos da vida, he de tener el gusto de verlo... (7).

Que la propaganda revolucionaria se llevara a cabo desde las Cátedras, no nos queda la menor duda frente a testimonios de la mayor excepción. El General Santander nos habla de las lecciones oídas de sus maestros:

"Yo seguía la carrera de estudios en uno de los Colegios de Santa Fé de Bogotá cuando llegó el memorable 20 de Julio de 1810: felizmente estaba bajo la protección del Dr. Nicolás de Omaña, hermano de mi madre, y oía lecciones de derecho real del Catedrático Dr. Emigdio Benítez y de práctica forense del Dr. Frutos Joaquín Gutiérrez. Todos tres de los patriarcas de la Independencia, y de quienes aprendí a conocer la justicia, conveniencia y necesidad de que estos países sacudieran la dominación española. Con tan útiles lecciones no sólo adherí a la causa de la independencia, sino que presté el 20 de Julio y siguientes aquella cooperación que cabía en mi edad de 18 años y como estudiante" (8).

2.— *Su acción política el 20 de Julio.*

Dados estos antecedentes, no es de extrañar que el 19 de julio lo hallemos en la junta presidida por Torres, y que el 20 se constituya en uno de los personajes clave en el drama político. En la tribuna es uno de los más elocuentes oradores en aquella memorable ocasión en que, al decir de Acevedo y Gómez, se pronunciaron "discursos dignos de las tribunas de Atenas y de Roma en los tiempos felices de esas célebres ciudades, maestras del universo". Y agrega el famoso Tribuno del Pueblo: "La opinión pública dio el primer lugar a la filípica que pronunció el doctor Frutos Joaquín Gutiérrez de Caviedes" (9). También Caldas, relator de los hechos, destaca en primer plano la actuación de Gutiérrez quien "reveló los misterios del antiguo gobierno y puso en claro los derechos del pueblo" (10).

---

(7) *Memorias sobre la Independencia Nacional*, por J. A. Torres y Peña, p. 94. Nota de G. Hernández de Alba.

(8) *Apuntamientos para las Memorias sobre Colombia y la Nueva Granada*, por el General Santander, Bogotá, Imp. de Lleras, 1837, página 2.

(9) *Carta de Don José Acevedo y Gómez a Carlos Montúfar, Comisionado Regio en Quito*, escrita el 25 de julio de 1810, en *B. de H. y A.*, Vol. XX (1933), p. 396 Y en la carta del mismo Tribuno a Miguel Tadeo Gómez al día siguiente de la Revolución, repite el mismo ditirambo: "El Demóstenes Gutiérrez se hizo inmortal". Cfr. *Proceso Histórico del 20 de Julio* (Banco de la Rep., 1960), p. 163.

(10) *Diario Político de Santa Fé de Bogotá*, N. 3 (Agosto 31 de 1810).

En el seno de la Junta Suprema, para la cual fue elegido directamente por el sufragio popular, tuvo destacadas actuaciones al lado de Torres, quien apreció las excelencias humanas que enaltecían su egregia personalidad.

Ya Villavicencio, el Comisario Regio, tan bien informado, lo había recomendado al Consejo de Regencia para una de las Audiencias de Indias, con las frases más lisonjeras, llamándolo "sujeto de sobresalientes talentos, de grandes conocimientos, no sólo en la jurisprudencia civil y canónica, sino también en la política económica y en las ciencias naturales". Y agregaba que bien merecía los más altos honores por su "conducta arreglada, su conocido patriotismo, su moderación y prudencia" (11).

En obsequio a esta preparación intelectual, la Junta Suprema tuvo el buen acierto de encargarle delicadas misiones. El 28 de julio arengó al Clero de la Capital para convencerlo de la justicia del movimiento revolucionario y de la legitimidad del nuevo Gobierno: el ilustre canonista desempeñó su misión explicando a su auditorio las tesis del Derecho Natural y de Gentes, enseñadas precisamente por los Escolásticos, sobre el origen inmediato del poder político que era retenido radicalmente por el pueblo.

Al día siguiente una Comisión de la Junta visitó el Convento de Santo Domingo en donde fue citado el Claustro de profesores y alumnos de la Universidad de Santo Tomás. Ante esta respetable asamblea de doctores, "tomando la palabra sucesivamente don Camilo Torres y don Frutos Joaquín Gutiérrez, *desarrollaron en elocuentes discursos los principios de libertad y soberanía popular.* Se encargó a los Catedráticos la necesidad de inculcar en el ánimo de la juventud los principios liberales y el aborrecimiento a la tiranía, *enseñando que los pueblos tenían derecho para sacudir el yugo de los tiranos*, sin que para ello obstara la declaración del Concilio de Constanza" (12).

Salieron, pues, a flote las teorías populistas de Suárez y las ideas del Padre Mariana. El doctor Margallo, Catedrático de Teología de San Bartolomé, expuso con calurosa elocuencia los peligros del tiranicidio, que fueron tenidos en cuenta por la Comisión, la cual se retiró "reiterando su encargo a los catedráticos, con advertencia de prevenir a los jóvenes contra los abusos de esas doctrinas".

---

(11) Carta fechada en Cartagena el 24 de mayo de 1810, en J. D. Monsalve, *Antonio Villavicencio y la Rev. de Ind.*, T. I, p. 98.

(12) José Manuel Groot, *Historia eclesiástica y civil de la Nueva Granada*, T. III (Bogotá, 1953), p. 94.

3.— *Manifiesto sobre los motivos que obligaron al N. R. de Granada a reasumir los derechos de la soberanía.*

Dentro de esta campaña de divulgación doctrinaria encomendada a los dos maestros más connotados de la ciencia filosófico-jurídica de los Colegios del Rosario y de San Bartolomé, a los cuales pertenecía la casi totalidad de los miembros de la Junta de Gobierno, unidos por la profesión de las mismas ideas tradicionales que se habían echado en olvido, sobresale un famoso *Manifiesto*, aprobado por la Junta el 25 de septiembre de 1810 y publicado con la firma de los Vocales Secretarios Gutiérrez y Torres (13).

Se ha discutido sobre la paternidad de este documento, uno de los más sustantivos de la Revolución, y llegó a ser atribuído a fray Diego Padilla. En un ejemplar de propiedad del Museo del 20 de Julio de Bogotá, se encuentra la siguiente nota manuscrita, de letra del doctor Estanislao Vergara: "Este folleto, fue escrito por el venerable Pe. Padilla, uno de los patriarcas de nuestra independencia. El bárbaro Morillo lo llamaba *novena del mal ladrón*".

Pláceme insertar aquí la siguiente *Apostilla* inédita del historiador Guillermo Hernández de Alba:

"En el fondo *Imprenta e impresores*, legajo sin inventariar de nuestro Archivo Histórico Nacional, se encuentran varios documentos inéditos relativos a tan trascendental publicación, fechada en Santa Fé de Bogotá el 25 de septiembre de 1810, y autorizada con la firma de los dos ilustres Vocales secretarios, Frutos Joaquín Gutiérrez y Camilo de Torres. El número de ejemplares de este folleto en 12° y 135 páginas de texto fue de cinco mil, sin duda la cifra máxima alcanzada por ninguna otra publicación de su tiempo. El 20 de enero del año de 1812 se dió orden para entregar al impresor don Bruno Espinosa los ejemplares que aún

(13) El *Diario Político* en el N. 5 de 7 de septiembre de 1810 lo anuncia lacónicamente: "Se avisa al público que dentro de ocho días saldrá nuestro Manifiesto o los Justos motivos de nuestra Revolución". En el N. 11 se decía: "El sábado 29 se ponen en venta los ejemplares del Manifiesto en número de 4.000, repartidos en esta forma... a nueve reales... por el costo extraordinario del papel en que se han dispendido muchas resmas". El ejemplar que he consultado pertenece a la Biblioteca Nal., Miscelánea de Cuadernos del Fondo Pineda, N. 1277. Fue reproducida la obra por Eduardo Posada en 1910 en la *Revista de la Academia de Jurisprudencia*, y luego en 1914 en el libro *El 20 de julio*. El mismo historiador observa que "es éste el que se ha llamado *Memorial de Agravios*". Aunque este título se reservó a la *Representación del Cabildo a la Junta Suprema*, de Camilo Torres. El título completo del Manifiesto es: *Motivos que han obligado al Nuevo Reino de Granada a reasumir los derechos de la soberanía, remover las autoridades del antiguo gobierno, e instalar una Suprema Junta bajo la sola denominación y en nombre de nuestro soberano Fernando VII y con independencia del Consejo de Regencia y de cualquiera otra representación.*

se encontraban distribuídos para su venta, con el propósito de que recolectados pasasen a don Vicente de Roxas, secretario de la Sub-presidencia de Cundinamarca. El arqueo dio el siguiente resultado: En poder del doctor Frutos Joaquín Gutiérrez existían 802 ejemplares; en poder de don Bruno Espinosa, 2.300; en la tienda de don Francisco Pérez de Soto, 216 y en la de don Juan Ramírez Pérez 169. El total arrojaba la suma de 3.487 ejemplares.

"Muy lenta fue la venta del opúsculo en los años subsiguientes. El 30 de enero de 1816 el secretario Roxas recibió el siguiente oficio: "Su Excelencia el Ciudadano Gobernador me previene avise a Vmd. que entregue a las ordenanzas los Quadernos del Manifiesto del R. P. Padilla, y quantos ejemplares tenga Vmd. de las Constituciones pasadas, los quales ejemplares han estado en su poder como en depósito. Dios guarde a Vmd. muchos años. Nicolás Ballén de Guzmán".

"Rojas entregó entonces la cantidad de 3.300 ejemplares, de los cuales no se especificó cuántos correspondían al célebre *Manifiesto*.

"Del documento transcrito, así como de otros relacionados con el asunto, llama poderosamente la atención, la atribución hecha al erudito P. Padilla, del trascendental alegato político publicado por orden de la Junta Suprema.

"Deseosos de establecer la verdad acerca del documento, consultamos en la copia inédita que poseemos del resumen de las causas seguidas de orden del Pacificador Morillo a los eclesiásticos neogranadinos, juzgados por el delito de infidencia, la parte correspondiente al eminente Agustino Calzado Fray Diego Padilla, quien al ser interrogado sobre esta atribución contestó: '...que el otro impreso titulado *Motivos que obligaron al Nuevo Reino de Granada a reasumir los derechos de la soberanía*, ni era obra suya ni la mandó imprimir sino que la Junta le obligó por votos a que pusiese en orden las notas que ella misma le comunicaría; que no se hallaba en esta obra ningún pensamiento suyo, pues no había conocido ninguno de los actores que se nombran, ni se halló presente en las escenas que allí se refieren, como que al tiempo de la Revolución hacía tres años que no estaba en Santafé sino en su curato, y por lo mismo habiéndosele mandado firmar dicha obra se resistió y la rubricaron los Secretarios, que la habían publicado en otro papel impreso'. (Archivo Histórico Nacional de Madrid, España. Secc. Consejos. Leg. 21.364, N. 2.)".

De los datos contenidos en esta *Apostilla*, deducimos claramente que Padilla no redactó el *Manifiesto*, y que fuera de los ejemplares consignados en las tiendas de los vendedores, 802 aparecen en poder de Gutiérrez, por el motivo muy lógico de ser el autor.

El realista José Antonio de Torres y Peña parece confirmar estas conclusiones en su citada obra *Memorias sobre los orígenes de la Independencia Nacional*, en la cual varias veces polemiza con el autor del *Manifiesto*, tildado por él de frívolo y tachado de afirmar con ligereza varias asersiones. Pues bien, al tratar de los inmediatos antecedentes del 20 de Julio, cuenta la llegada a Santa Fé de don José María Cabal, el cual había estudiado química en París. "Estuvo hospedado —escribe— algunos días en casa del agente de lo civil don Frutos Joaquín Gutiérrez; y no dejaría de coadyuvar a *los planes de que éste se ha publicado por autor*".

Con Torres debió dialogar Gutiérrez y convenir los temas y argumentos, el orden y encadenamiento de los hechos y motivaciones, pero con toda certeza el notable documento se debió a la pluma de don Frutos Joaquín. La unidad de estilo que en él se advierte, la fluidez de la prosa, la notoria semejanza que guarda con los giros estilísticos de los demás escritos del abogado bartolino, están indicando sin lugar a duda, si es que los criterios intrínsecos tienen algún valor, que éste fue su verdadero autor. El mismo orden de precedencia en que aparecen las firmas al final, confirma mis asertos. Muy excelentes cualidades debió hallarle al escrito don Camilo Torres cuando se avino a autorizarlo con su ilustre firma en segundo lugar, y mucha importancia le atribuyó la Junta de Gobierno cuando en aquella penuria del fisco ordenó una edición tan enorme.

La anteportada ostenta un texto de San Agustín tomado de *La Ciudad de Dios* el cual ya expresa el espíritu del alegato; "Remota justitia, quid sunt regna nisi magna latrocinia? Si se suprime la justicia, ¿qué son los reinos, sino unos grandes latrocinios?" Y el título: *Motivos que han obligado al Nuevo Reino de Granada a reasumir los derechos de la Soberanía, remover las autoridades del antiguo gobierno e instalar una Suprema Junta*, revela con elocuencia su verdadero sentido doctrinario. Las tesis populistas suarezianas informan todo su contenido.

Después de anunciar la Revolución de Julio, se pregunta el autor: "¿Queréis saber cuáles han sido los motivos que nos han impelido a esta crítica y arriesgada empresa? Vamos a darlos para gloria de Dios, único autor de ella, para justificación de nuestra causa, y para satisfacción del mundo".

Aunque, según hemos observado varias veces, las doctrinas del origen popular de la autoridad, de la resistencia al gobierno despótico que no realiza el bien común, de la necesidad del consentimiento del pueblo para la imposición de tributos, están latentes en cada página e invocadas expresamente en muchos apartes,

sin embargo, el *Manifiesto*, al parecer por la voluntad expresa de
sus autores, no es una exposición ordenada de principios abstrac-
tos. Se propuso ante todo, siguiendo el genio español que ya relie-
vamos en el capítulo de los Comuneros, enhebrar y acumular una
serie de hechos históricos —sagazmente comentados— singular-
mente aptos para impresionar la imaginación de los granadinos e
inculcarles la absoluta necesidad y la justicia de la causa de la
independencia.

Resumiendo brevemente los agravios de los americanos durante los trescientos años de la dominación española, "tomamos
pues, el hilo desde que se erigió la Junta de Sevilla". Las contradicciones, engaños, falsías y desafueros cometidos contra los derechos de los americanos por la Junta de Sevilla, la Junta Central
y el Consejo de Regencia, y por las autoridades virreinales, "restos miserables de la tiranía", desfilan por estas brillantes páginas
en una trabazón maravillosa que la dialéctica inexorable de Gutiérrez torna más impresionante. No perdona ni omite en el orden
cronológico de "todos estos tiránicos y maliciosos procedimientos", el más mínimo agravio. "Veis aquí —comenta al exponer
uno de ellos— en un solo acto violadas las leyes sagradas de la
Iglesia, las leyes de la justicia y las leyes de la nación".

Al exponer la falsa postura del Virrey y de la Audiencia posteriormente a las mencionadas Juntas de septiembre de 1809, escriben los firmantes del *Manifiesto*:

"Clandestinamente fueron sumariados los vocales que abiertamente habían pronunciado dictamen pacífico: y se publicó un bando tan impolítico como el de la Junta central de Sevilla, abriendo
la puerta a los denuncios con la calidad de encubrir los nombres
de los delatores. Máxima nueva del despotismo que no ocurrió a
la inquieta imaginación de Tácito, ni al genio maldiciente de
Boccalini! Máxima detestable, que por sí sola y sin necesidad de
otra prueba, demuestra el exceso a que había llegado la tiranía!"

Cuando analizan las tremendas injusticias en el procedimiento penal contra los mártires de Pore, Rosillo y Cadena, se pregun-
tan: "¿Hay leyes? Ya aquí no había sino caprichos. ¿Qué más hicieron en Francia los asesinos marselleses asalariados por el infeliz egalité?"

La ironía y el sarcasmo, la indignación ante las injusticias,
la pasión por la libertad, el fervor por la legalidad, la altivez de
prosapia hispana, el sentido del honor, integran toda una ga-
ma de sentimientos en aquel escrito verdaderamente conmovedor.

Mirad —decían dirigiéndose a los americanos y a los pueblos
todos del mundo— una infinidad de injusticias, de violencias, de
atentados contra la humanidad; una espantosa infracción de to-

das las leyes, de todos los principios de la política, de todos los sagrados derechos del hombre! un cúmulo asombroso de procedimientos despóticos, de opresiones tiranas, y de pruebas auténticas del sistema caprichoso que se había formado el fatal gobierno.

Pero ya había surgido en esa noche negra la aurora brillante de la libertad. Era menester que el pueblo la apreciara y supiera sacrificarse por ella. "Ya dieron fin nuestros trabajos —terminan jubilosos— ya somos libres! Ya es el americano dueño de sus derechos, ya puede leer, escribir, estudiar, comerciar, trabajar, emprender, y gozar del fruto de su lección, de su estudio, de sus escritos, de su comercio, de sus trabajos y de sus intereses... Apreciad, pues, como debéis, el preciosísimo don de nuestra libertad; disponeos a morir, primero que perderla; y para conservarla eternamente, observad las siguientes máximas..."

Sabios y cristianos consejos —reflejo de la bondad del alma de Gutiérrez y de Torres—, cierran con broche de oro el *Manifiesto:* "Uníos en un solo cuerpo a fin de haceros fuertes e invencibles... Olvidad vuestros resentimientos... Amad a los buenos y fieles europeos, de los cuales hay muchos y muy conocidos entre nosotros que han cooperado a nuestra libertad... Desconfiad de los facciosos y enemigos de nuestro actual gobierno... *Sed justos en vuestras deliberaciones, porque la justicia consolida los imperios*... Desterrad el juego y la ociosidad, principios de cobardía y medios para la servidumbre..."

Y los sentimientos religiosos, sinceros y honrados, fluyen al final en un párrafo que señala con certeza inobjetable la postura histórica de los próceres:

"Pero la primera de las máximas que debemos observar, es postrarnos humildes delante del Dios de los ejércitos, darle toda la gloria, porque sólo Dios con repetidos prodigios nos ha dado la libertad, y a El solo debemos adorarle con afectuosa acción de gracias, y cuidar escrupulosamente de servirle, de honrar su santa Religión, la sola verdadera Religión, la Religión católica, y guardar su santa ley para que consolide la obra que ha empezado..." (14).

---

(14) Ya desde un principio brillaban con luz meridiana sus sentimientos religiosos, los objetivos espirituales de su acción política y su rechazo de los errores enciclopedistas: "En tal conflicto recurrimos a Dios, a este Dios que no deja perecer la inocencia, a este nuestro Dios justo que defiende la causa de los humildes, nos entregamos a sus manos, adoramos sus inescrutables decretos; le protestamos que nada habíamos deseado sino defender su santa fé, oponernos a los errores de los libertinos de Francia, y procurar el bien y libertad de nuestra Patria".

4.— *Sus principios políticos*

a) Sistema de gobierno para Santa Fé

El 13 de octubre de 1810 —a los pocos meses de iniciado el nuevo orden jurídico— pronunció Gutiérrez en el seno de la Junta Suprema un severo discurso ante el fenómeno de la división de las provincias que angustiaba su patriotismo. Mucho antes —empezaba— que este pueblo generoso me elevase al alto destino de representante suyo depositario de sus derechos, meditaba y trabajaba ya por su libertad y la del Reino entero... Ochenta días han corrido; nuestra libertad está en problema y la felicidad nos es desconocida... Veo perdidos mis sacrificios, mis desvelos y lo que es más, las esperanzas del bien común (15).

Lamentándose de la corta visión del hombre de provincia que "no ha mirado como límites de su patria los del Nuevo Reino de Granada, sino que ha contraído sus miradas a la provincia o acaso al lugar donde vio la luz", hace resaltar los méritos de la acción política de Santa Fé, la cual "ha cortado en su raíz el árbol de la tiranía... ha tomado sobre sus hombros la causa de todo el Reino, la ha justificado a la faz de todo el mundo, ha trabajado prodigiosamente en ligar todas sus partes, en formar un cuerpo robusto y darle un espíritu enérgico".

Mucho se habría adelantado en el proceso político de cimentar la libertad, si las provincias, "dejando todas las cosas (excepto los tiranos) en el estado en que estaban antes de la Revolución, hubieran mandado sus representantes a la capital, revestidos del poder soberano que comunica el depósito legítimo de los derechos sociales". Tal había sido el sistema propuesto por Santa Fé. Pero la división había calado muy hondo: "Todos opinan, todos sospechan, todos proyectan, todos temen; cada hombre es un sistema, y la división ha penetrado ya hasta en el seno de las familias... el gobierno va perdiendo la opinión, y todos permanecen en una expectativa cuyo fin será espantoso".

La inteligencia clarividente del cucuteño señalaba con patetismo impresionante el hecho social y la sicología de nuestro pueblo y anunciaba el inevitable desastre final. El remedio que recomendaba era la organización fuerte de Santa Fé, al margen de las provincias: "Santa Fé no debe aguardar más tiempo: bastante ha

---

(15) Este discurso se imprimió por orden de la Junta, y el impreso, existente en la Biblioteca Nal. en el Fondo Pineda, fue reproducido por don Eduardo Posada en *El 20 de Julio*, o. c., p. 306 y siguientes.

hecho por el bien común, y ya es preciso que se limite a sí misma y trate de fijar de la manera más sólida su existencia política".

El sistema que habría de adoptarse no debía ser complejo: "Fíjense tres elementos para organizar con sencillez esta masa que va a formar una sociedad o una pequeña potencia. La ley, única soberana de los hombres libres; su aplicación a las cosas que la exijan: su ejecución. El poder de aquélla puede residir en un cuerpo compuesto de un presidente y ocho vocales, quienes unidos, constituyan el sagrario de la soberanía, y separados dividan entre sí el despacho de los graves negocios exteriores e interiores. Otro cuerpo gubernativo intermediario entre el judicial y el ejecutivo, se clasificará no menos que estos dos últimos en departamentos de pocos individuos... Un instituto científico ordenado por asambleas ilustrará con sus trabajos continuos al cuerpo que se le recomiende la formación de un código eclesiástico, civil y militar..."

Los objetos principales de las leyes, que irán precedidas "de los derechos del hombre, del pacto social, y del concordato que se celebre con la potestad espiritual, y de los primeros tratados de alianza con las potencias extranjeras", también los determinaba don Frutos en una forma respetuosa de la doctrina católica: *"La tolerancia, en cuanto no sea incompatible con los sagrados respetos de las verdades reveladas*, el cuidado de la ilustración pública, y la sencillez y brevedad del orden forense".

Razón tenía el eximio jurisconsulto en querer aprovechar esos días nebulosos para plasmar la constitución del nuevo Estado, pues "nuestra sociedad es actualmente una masa informe en estado de regeneración, capaz de recibir la forma que se le quiera dar".

Como ya lo observamos al analizar las ideas políticas de Camacho, también se delinea en estos pensamientos de Gutiérrez el sistema de Montesquieu combinado y adaptado, en cuanto ello fuera posible, a la organización de las antiguas cortes españolas.

   b) Origen contractual de la sociedad política y soberanía
       popular.

Estas tesis que según hemos visto estaban contenidas explícita o implícitamente en el *Manifiesto* firmado con Torres, las expone don Frutos en un enérgico Bando expedido en calidad de Secretario del poder ejecutivo de la Junta Suprema de Gobierno, en 1811, destinado a mantener la fidelidad de las fuerzas militares al nuevo Estado.

Al hacer la comparación de las disposiciones de ánimo de los asociados en los primeros días de la Revolución con el decaimiento que se observaba en los espíritus con el paso del tiempo, escribía:

"En los primeros momentos de la gloriosa transformación de este gobierno, en la hora feliz que estos pueblos reasumieron por la primera vez los derechos de la soberanía que se les tenían usurpados... se apresuraron a ofrecer sus vidas y haciendas, en obsequio de una causa que entonces era común, y que a proporción que se descubre la nulidad del pretendido gobierno de España, lo es cada día más".

Esa libertad en cuya posesión ha entrado el pueblo, no podía confundirse con el libertinaje y la anarquía. Era "una libertad digna de la grandeza de los americanos, que al paso que proclaman odio eterno al despotismo que los oprimía, detestan los extravíos del libertinaje, sin aspirar a otra cosa que a establecer un justo medio entre los horrores de la tiranía y las funestas consecuencias de la disolución..."

Es la misma postura de Torres y de Camacho, moderadores de una democracia justa, que estaban muy lejos de concebir y proclamar las libertades absolutas de la Revolución Francesa.

La llama del amor a esa libertad rectamente entendida, permanecía luminosa y ardiente en el alma del pueblo que "justamente celoso de los derechos que recobró, nunca ha dejado de manifestar a la Suprema Junta en quien quiso depositarlos y los depositó, la adhesión a este gobierno que siendo la obra de sus manos, no desconoce ni desconocerá en ningún tiempo sus deberes..." Pero la blandura del gobierno para tratar a los que se manifestaban renuentes a aceptar el nuevo orden político, no debía interpretarse como debilidad, y la condescendencia con sus enemigos no había de llegar hasta poner en peligro la estabilidad social. Por ello, en un alarde de respeto a las ideas ajenas y a las exigencias de la justicia, el Gobierno se comprometía a garantizar la seguridad de las personas y de los bienes de quienes no aceptando el gobierno legítimamente establecido, preferían alejarse del país. Este párrafo está, en su noble entereza, empedrado de los principios jurídico-políticos que informaron la mente de Gutiérrez de Caviedes:

"Toda persona de cualquier estado, clase o condición que sea que por sus opiniones, intereses y otros motivos no haya comprendido, o afecte no comprender las sencillas *máximas del derecho de gentes, que confieren a los hombres la facultad de mirar por sí mismos y unirse en masa para rechazar las tentativas de los opresores de los pueblos,* exponga libremente sus sentimientos, en la segura inteligencia de que el gobierno les brinda el pasaporte con el cual podrán salir de la provincia, llevando consigo sus bienes, sin quebranto alguno de sus personas..."

Estas garantías se ofrecían por un plazo de quince días, pasado el cual se procedería a la confiscación de bienes y a la prisión de quien "ensordeciendo a este último aviso de la equidad del gobierno, y queriendo permanecer dentro de esta sociedad, no respete las bases fundamentales de su transformación, a saber: la legítima reasunción de los derechos de la soberanía, que hizo el pueblo en sí mismo, y que depositó en la Suprema Junta para su gobierno y defensa a nombre de Fernando VII, con absoluta independencia del Consejo titulado de Regencia, y de cualquiera otra autoridad que no sea libremente establecida y constituída por la representación y votos legales del pueblo mismo de esta provincia en unión legítima con las demás de este Nuevo Reino de Granada" (16).

Apenas habían pasado nueve días desde el comienzo de la Revolución, cuando Gutiérrez, en su calidad de Vocal-Secretario de la Junta Suprema, envió a las provincias una Circular digna de ser comentada por la riqueza de ideas que la informan.

Empieza por apelar al ejemplo del revolucionarismo español que influyó tan decisivamente en la mente y en la voluntad de los americanos:

"Dos años hacía que arrebatado del trono nuestro cautivo monarca por un pérfido enemigo, habían recobrado las provincias de España sus derechos primitivos. Cada una de ellas erigió entonces un gobierno supremo independiente de las demás. Este derecho sagrado que ninguno podrá disputar a unos pueblos libres, y que fue el primer baluarte que opuso la libertad española a la tiranía francesa, se revocó no obstante, a duda, para con los pueblos de América" (17).

Luego de referir la actitud ilógica del gobierno español en sus diversas Juntas para con los americanos, menciona el hecho de la diputación que el mismo día 20 de Julio envió el Ayuntamiento de Santa Fé al virrey Amar para reclamar con urgencia la constitución de una Junta, una vez recibida la noticia de los acontecimientos de Cartagena, Pamplona y Socorro, los cuales "amenazaban una desmembración y la disolución política de este cuerpo social". Pero a tal solicitud se enfrenta la obstinada obcecación

---

(16) Este Bando apareció primero en la *Gaceta de Caracas*, el 5 de abril de 1811, y fue insertado por E. Posada en *El 20 de Julio*, p. 401 y siguientes.

(17) Circular del 29 de Julio de 1810, en *El 20 de Julio*, op. cit., p. 183-188.

del Virrey, no obstante que se trataba de "un mensaje del cuerpo más digno que en la realidad existía en la capital, pues era su Cabildo el representante del pueblo revestido en el día de todas las altas facultades que le dan sus derechos, pues se trataba de los intereses más sagrados del bien común, de la pública tranquilidad y del orden social amenazado en sus fundamentos..."

Pero felizmente estalló "una revolución que no es precipitada, no es un tumulto popular en que el desorden precede a los estragos y a la carnicería: es un movimiento simultáneo pero pacífico de todos los ciudadanos..." Nueva comprobación de nuestra tesis sobre la preparación ideológica que precedió al Movimiento y la responsabilidad de los caudillos para no dejarla desviar de sus cauces legales y justos.

Tan justos principios deberán estrechar la unión de todas las provincias: "Nuestros hábitos, nuestras relaciones, nuestros usos, nuestras costumbres, todo es común y todo sufriría el mayor trastorno si no lo sancionase nuestra unión. Trescientos años de fraternidad y de amistad, de enlaces recíprocos de sangre, de comercio y de intereses y hasta de cadenas y de opresión iguales en el peso con que han abrumado nuestras cabezas, son hoy otros tantos motivos para entonar juntos los himnos de la libertad".

Este noble lenguaje de los dirigentes máximos de la Revolución está proclamando indubitablemente cuán grande era su preocupación por fortalecer la unidad nacional y cómo sabían pulsar las cuerdas más sensibles de ese nacionalismo que al llegar a la meta de la autonomía bordeaba el abismo de la disolución y la anarquía.

c) Juridicidad de la guerra con España.

Más tarde, en 1814, el gran jurista acudirá a las enseñanzas de Santo Tomás para justificar el estado de guerra con España, y por cierto que lo hace con una elegancia y competencia que hubieran envidiado muchos tratadistas modernos.

Desde luego plantea la tesis de la existencia de una guerra defensiva. No ignoramos —dice— cuáles sean los requisitos para una guerra justa. La defensiva en lo moral es menos peligrosa, y no es otro el género a que pertenece ésta a que nos obliga la obstinación de nuestros enemigos, pues los americanos jamás han ido a invadir el territorio español, como los españoles vienen a invadir el territorio americano. Tres condiciones exigen los teólogos para calificar de justa la guerra, a saber: autoridad pública de parte de quien la declara, justicia de parte de las causas que la motivan, y buena intención de parte de los que toman las armas (18).

Entra a comprobar la primera condición de una autoridad soberana, y para ello el Angélico Doctor le presta abundancia de argumentos:

"Baste citar sobre este punto la doctrina de Santo Tomás, y persuadirnos, con este esclarecido y sapientísimo Doctor, a que no hay potestad ninguna tan bien ordenada y legítima, como la que se constituye por la voluntad de los pueblos, y donde con sus votos se hace la elección de sus funcionarios..."

En este punto cita al pie de la página, en su texto latino, los mismos artículos de la *Summa Theologica* a que apelaban Suárez, para demostrar las raíces tomistas de la soberanía popular, y Nariño para defender las doctrinas de los Derechos del Hombre, traducidos y publicados por él: la *Cuestión* 40, artículo 1º de la *Secunda Secundae*, y las *Cuestiones* 90, art. 3, 95 art. 4 y 105, art. 1 de la *Prima Secundae*.

"Que no es sedición —sigue Gutiérrez aplicando las tesis tomistas— ni apareja reato de tal, el movimiento que se hace contra el gobierno tiránico en beneficio común". El texto que aquí le sirve de apoyo es el de la *Cuestión* 42, art. 2, de la *Secunda Secundae*. "Y que es lícito resistir a la violencia de los príncipes injustos, lo mismo sin diferencias que a los ladrones". Este aserto lo confirma con la cita de la *Cuestión* 69 art. 4 de la *Secunda Secundae* y con las glosas del Cardenal Cayetano a la *Cuestión* 64, art. 3 de la misma *Secunda Secundae*.

Continúa el experto polemista refutando las objeciones que a estas tesis podrían oponerse por parte de los adversarios de la Independencia, y con un vigor dialéctico maravilloso aplica tales principios a la situación americana:

"Puede ser que desgraciadamente haya entre los americanos quienes pretendan todavía desfigurar las sentencias del Doctor Angélico, y tomar de allí argumentos en contrario. Mas lo cierto es que las dos únicas excepciones que asigna, la una cuando de la resistencia se sigue escándalo, y la otra, cuando la reacción prepara mayores males, nunca serán exactamente aplicables a nuestro caso, mientras no se hagan desaparecer los escándalos del gobierno español y los males espantosos que la América ha sufrido, y tiene que esperar volviendo a su yugo. Los males se gradúan y comparan, no sólo por su intensidad, sino principalmente por la

---

(18) Informe sobre Diezmos, en *Congreso de las Provincias Unidas*, op. cit., p. 242.

injusticia de sus autores, por la inocencia del que los sufre, por el número de los pacientes, por su extensión y duración con respecto a la presente y futuras generaciones. El escándalo es un mal digno de evitarse cuando fuere posible, según sus especies; pero no tanto que indistintamente se sobreponga a la verdad. Debemos penetrarnos en las máximas del mismo Angélico Doctor, para arrostrar contra el escándalo, cuando nace de la injusticia de los otros, y cuando se trata de nuestro bien espiritual o de la defensa de los bienes temporales pertenecientes a la causa común" (19).

Y el eximio canonista concluye sus comentarios a Santo Tomás con un párrafo luminoso que es el compendio perfecto de cuanto venimos sosteniendo en este libro sobre los móviles doctrinarios de la Revolución de 1810. *"Esta balanza es la que propone Santo Tomás, la que dirige la moral de nuestra transformación política"*.

Insiste el doctor Gutiérrez en la idea de que la Nueva Granada no hacía sino que padecía la guerra, y estaba tan compenetrado de la justicia de la causa, que no dudaba en afirmar categóricamente:

"La Nueva Granada no es el autor de la guerra, pues por mucho que ella ha deseado la paz, los españoles no la suscriben mientras que no se someta a las más tristes consecuencias y a los sacrificios más ignominiosos. La voluntad de los americanos es pacífica; ellos no abrazan la guerra sino por la necesidad, y este es el caso en que San Agustín la ha juzgado tan lícita como inevitable. El que informa no cree que haya ningún hombre tan estúpido, insensato o preocupado, que dude el día de hoy de la justicia de nuestra causa, para lo cual sería necesario haberse endurecido el corazón, ensordeciendo a los clamores de la naturaleza y cerrando los ojos para no ver los más sensibles desengaños".

La guerra total empeñaba todos los intereses del Estado y de la Iglesia, requería el concurso de todos y exigía el empleo de todos los medios que fuesen justos. "Es pues justa —concluía— necesaria, e inevitable la guerra. Pero una guerra en que los intereses de la Iglesia y del Estado son indispensables, en que por parte de los pueblos se han hecho y están haciendo los más asombrosos sacrificios, y en que la importancia del suceso y la ejecución de los medios para conseguirlo, abrazan la suma de todas las necesidades".

---

(19) El texto a que hace referencia es el siguiente, tomado de la *Cuestión* 43, art. 7 y 8 de la *Secunda Secundae:* "Spiritualia bona Ecclesias vel Reipublicae, nobis commissa, non sunt propter scandalum dimittenda. Los bienes espirituales de la Iglesia o de la República que nos han sido confiados, no han de ser abandonados por razón del escándalo".

Bien sabían medir nuestros ideólogos la dimensión humana y moral de la guerra que habían desatado, y no iban a ella con ciegos impulsos pasionales o con mezquinos móviles de orden económico, sino guiados por luminosos principios doctrinarios, con una conciencia diáfana de los patrióticos fines que perseguían y de la trascendencia de su misión histórica.

5.— *Sus conocimientos teológicos y canónicos. La cuestión de los diezmos.*

La ciencia profunda de Gutiérrez de Caviedes en materias teológico-canónicas, quedó demostrada en el informe sobre Diezmos rendido el 10 de diciembre de 1814 al Congreso Federal, el cual quiso, antes de tomar medidas en cuestiones tan delicadas, asesorarse de personas de recto criterio y de probada ciencia.

El juez hacedor Dr. Nicolás Cuervo juzgó, de acuerdo con el Cabildo eclesiástico, que con la transformación política habían cesado los privilegios otorgados por el Papa a la Monarquía española, y en consecuencia que las rentas decimales debían reintegrarse a la Iglesia. En este sentido se dictó un decreto. La medida, desde el punto de vista económico era ruinosa para el Estado, cuya situación fiscal era ya de bastante gravedad, y desde el punto de vista jurídico revestía una trascendencia suma pues ya quedaba planteado el problema del Patronato eclesiástico y de las relaciones de los nuevos gobiernos con la Sede Apostólica.

El doctor Juan Marimón y Enríquez, cartagenero ilustre, Canónigo Penitenciario del Capítulo de su ciudad natal, antiguo bartolino y Abogado de las Audiencias de Santa Fé y de Caracas, era miembro del Congreso y el 13 de octubre de 1814 dió su voto en forma concisa y erudita, en favor de los derechos de la nueva República, mientras tanto no hubiera declaración expresa de la Santa Sede.

Gutiérrez de Caviedes fue luego consultado, y rindió su informe teniendo a la vista los documentos emanados del Cabildo eclesiástico de Santa Fé y el voto de Marimón. De esta manera el Congreso lo constituía en árbitro al encomendarle esa nueva comisión. Dióse perfecta cuenta de su grande responsabilidad y elaboró un verdadero tratado histórico-canónico sobre los diezmos que no dudamos en calificar de pequeña obra maestra de erudición, de sagacidad jurídica, de belleza formal, a pesar de lo adusto y seco del tema. Dividió el opúsculo en seis capítulos que contenían a su vez las proposiciones de Marimón. Acogió las doctrinas de su antiguo discípulo de San Bartolomé, y las revistió del ropaje científico y literario propio de tan experto maestro.

Causa verdadero estupor que en dos meses, y en medio de las actividades políticas que requerían sus cargos en el Congreso y en el Gobierno, haya redactado esta pieza magistral, que consideramos uno de los documentos más brillantes y profundos que hayan emanado de aquella generación admirable. Las fuentes bibliográficas son abundantísimas. La patrología magníficamente representada; ios Concilios antiguos y modernos, así ecuménicos como nacionales; los textos del Decreto de Graciano y de las Decretales, traídos a granel; las doctrinas de Santo Tomás citado con rigurosa precisión más de treinta veces; las enseñanzas de los grandes teólogos, canonistas y moralistas como Cayetano, Belarmino, Suárez, Benedicto XIV, Reiffenstuel, Lacroix, San Alfonso de Ligorio, etc.; las Constituciones de los Papas y decretos de la Curia Romana; las tesis de los grandes civilistas y jurisperitos como Covarrubias, citado con profusión, Navarro, Vásquez de Menchaca, Alfonso de Castro, sin contar los tratadistas indianos: todo este aparato científico empleado con habilidad dialéctica produce en el lector más desprevenido una fuerte inclinación en favor de su teoría y una fervorosa admiración por su ciencia. Y por su modestia que es ejemplar, pues termina con estas expresiones:

"Es sin embargo tan grande cuanto justa la desconfianza que tiene el informante de sí mismo para ofrecer este opúsculo al examen de Vuestra Alteza y al servicio de sus conciudadanos... Quiera el cielo que haya acertado a presentar las pruebas con orden y sin oscuridad, y que no haya pensamiento, ni expresión que no sea conforme a la piedad cristiana" (20).

Toda esta doctrina se sostiene dentro de la más pura ortodoxia y del respeto y veneración más acendrados por el Sacerdocio y la Iglesia, cuyos intereses pretendía conciliar con el bien público y las necesidades perentorias del nuevo Estado. Su conciencia de cristiano marchaba a la par de su conciencia de patriota.

Don José Manuel Groot que no ocultaba su admiración por Gutiérrez, de quien afirmaba que era "uno de los primeros talen-

---

(20) *Declaración del Congreso de las Provincias Unidas* mandada executar por su Gobierno general, sobre las cantidades de diezmos remisibles de dichas provincias a la de Cundinamarca, con motivo de las novedades intentadas por el Venerable Deán y Cabildo y por el Juez hacedor de Santa Fé. Santa Fé de Bogotá, en la Imprenta de C. Bruno Espinosa, por el C. Nicomedes Lora, año de MDCCCXV. Es un opúsculo lindamente editado en 4º, de 31 páginas de letra apretada, que existe en la Biblioteca Nal., Miscelánea de Cuadernos de Colombia, Fondo Pineda, Sala 1ª, N. 7457, Pieza 130. Fue incluído en *El Congreso de las Provincias Unidas*, página 224 y siguientes.

tos del país y una de las inteligencias más cultivadas" lo cree contagiado de filosofismo y de jansenismo. "Como muchos de los literatos de aquellos tiempos —escribe el historiador— parece que había bebido en las fuentes del filosofismo y jansenismo... Su ciencia política estaba tinturada de filosofismo y su ciencia eclesiástica de jansenismo" (21). Ni lo uno ni lo otro. El mismo *parece* empleado por el buen historiador indica la falta de convicción para tal aserto. Las tesis de Gutiérrez corresponden a las de un profesor formado en la rígida escuela del regalismo español, y antes bien su sólido criterio ortodoxo, su erudición histórica y su vinculación con el Colegio de San Bartolomé, saturado de la influencia de la Escuela jesuítica, adversaria acérrima del regalismo absorbente de las monarquías borbónicas, le libraron de caer en los excesos regalistas en que sí naufragaron tantos escritores españoles de la época.

En los escritos ya comentados, así como en la correspondencia oficial con el señor arzobispo Sacristán y con los miembros del Cabildo Eclesiástico de Santa Fé con ocasión de la convocatoria hecha por el Congreso de una Junta Eclesiástica para tratar de los problemas religiosos que debían someterse a la Santa Sede, no hay una sola frase que desdiga de su postura de católico convencido y ortodoxo.

En la Junta Suprema de Gobierno y en el Congreso de las Provincias Unidas, Gutiérrez de Caviedes representó, con suma dignidad y ponderación, la ciencia canónica puesta al servicio de las relaciones entre el nuevo Estado y la Iglesia Católica.

6.— *Su federalismo. Su sacrificio final.*

A pesar de la defensa que le vimos hacer de la política centralista de Santa Fé en los primeros meses de la Revolución, el rumbo de los acontecimientos, su condición de provinciano y su formación jurídica lo llevaron a las filas del federalismo presidido por Torres. Con él compartió la representación de Pamplona en el Congreso, y con él libró las más recias batallas en favor del sistema que creyó salvador para la nación.

Al producirse en 1816 la invasión de las tropas de Morillo, buscó el refugio en los Llanos Orientales, pero cayó en manos de las tropas realistas, y fue fusilado en Pore el 25 de octubre de aquel luctuoso año, veinte días después del martirio de Torres.

_____

(21) José Manuel Groot, *Historia Eclesiástica y Civil*, T. III, p. 44.

Por extraña coincidencia aquel mismo día en la plaza mayor de Santa Fé ardían en la hoguera, encendida por el absolutismo español, las publicaciones del Gobierno republicano y los escritos de los intelectuales que habían mantenido vivo el ideal de la patria independiente. Los opúsculos de Gutiérrez fueron consumidos por las llamas, al igual que su retrato, colocado tiempo atrás por sus discípulos agradecidos en las aulas bartolinas (22).

Pero ninguna hoguera material es capaz de superar el fuego inextinguible de las ideas.

(22) José María Caballero consigna en su *Diario* este acto de Morillo que era un verdadero homenaje a la campaña intelectual desarrollada tan intensamente por los dirigentes de la Revolución: "En este mismo día se hizo una hoguera en la plaza mayor y a las once vinieron todos los inquisidores y en medio de ellos traían un carro lleno de todos los papeles así manuscritos como todos los impresos que habían salido en tiempo de la patria, como fueron sermones, gacetas, bagatelas, boletines y demás. De estos papeles tengo algunos que liberté enterrándolos, aunque varios quemé, que después me pesó. En la punta de una vara traían el retrato de un colegial, que era el del doctor Frutos Gutiérrez, colegial de San Bartolomé, y lo echaron en la hoguera, junto con todos los papeles, y mientras se hizo este sacrificio tocaron las campanas a descomunión". José María Caballero, *Particularidades de Santafé, Diario*, op. cit., p. 246.

CAPITULO IV

DON IGNACIO DE HERRERA, EL PERSONERO DEL PUEBLO EN 1810

1.— *Su temperamento nervioso y beligerante.*

El caleño don Ignacio de Herrera y Vergara entregó al nacionalismo revolucionario, con el brillante aporte de sus ideas jurídicas, la fogosa impetuosidad de un temperamento nervioso y beligerante con el cual se enfrentó en el seno del Ayuntamiento a los cabildantes *intrusos* y a las autoridades virreinales que los habían impuesto y sostenido. La arrogancia varonil con que mantuvo vivos los conflictos entre criollos y españoles en los primeros meses de 1810, constituyó la mejor propaganda para que el pueblo —representado en su Procurador General— se diera cuenta cabal de la necesidad de un cambio de gobierno y se preparase sicológicamente a promoverlo.

Para que aquel equipo directivo fuera completo, era menester que al lado de la severa prudencia de Torres, del equilibrio sereno de Camacho, de la dulce bondad de Gutiérrez de Caviedes, surgiera la agresividad irritable e impulsiva del hijo del Valle del Cauca, la cual caldearía el ambiente y excitaría el ánimo de los tímidos e indecisos.

Además, por su contacto permanente con el pueblo que lo siguió con una fidelidad admirable, por su descontento con las actuaciones conservadoras de la Junta Suprema y lo avanzado de las reformas que desde antes del 20 de Julio propugnaba, podemos decir, en términos modernos, que representaba muy definidamente las tendencias políticas de izquierda.

Hijo de español y americana, nació en Cali en 1769 y cursó sus estudios de humanidades en el Colegio Seminario de Popayán bajo el magisterio de Félix de Restrepo. De 22 años viste la beca

de rosarista en Santa Fé en donde sigue el curso de jurisprudencia dictado por Torres y Camacho. En 1797 se gradúa de abogado
de la Real Audiencia, y se queda en la capital ejerciendo con lucimiento su profesión.

El inquieto abogado tomó parte activísima en las Juntas de
septiembre del año 9 y su voto fue naturalmente en favor de las
Juntas Provinciales de Gobierno. Pero aun antes se transparenta
su actitud revolucionaria en la correspondencia sostenida con su
ilustre pariente y compañero de aulas el doctor Manuel Santiago
Vallecilla, el Asesor y Teniente de Gobernador de Popayán. Es muy
elocuente, a este respecto, la carta de éste a Herrera, fechada el
5 de noviembre de 1808:

"No deje Ud. de circunstanciarme lo que haya resultado sobre la noticia de tratar el Reyno de juntarse en Cortes, y las demás de atención. A mí me parece sería esto convenientísimo en
las circunstancias actuales. Habría en el centro mismo del Reino
una contención para el despotismo de los que gobiernan, y pronto recurso para liberarse de la opresión y de la injusticia. Podría
esto traer todavía otras mil ventajas, que se dejan muy bien advertir, y que no pudiendo escaparse a la penetración de Ud., omito
su expresión que no puede tampoco fiarse a la pluma" (1).

Más aún. Por su próximo parentesco y amistad íntima con
el Ilmo. Señor José de Cuero y Caycedo, obispo de Quito, favorecedor de la Revolución quiteña de 1809, con quien mantuvo una
nutrida correspondencia política, Herrera entró en contacto con
sus promotores. Muchos de éstos le escribieron solicitándole su
influencia para que Santa Fé reconociera la Junta Suprema establecida en la capital de aquella provincia.

Nadie puede disputar —le decía un anónimo corresponsal—
la legitimidad de esta Junta y los derechos con que se ha formado,
pues son los mismos que tuvieron en España los reinos de Aragón,
Valencia, Sevilla, etc. para formar sus Juntas Supremas, de cuyos
diputados se compuso la Central de Madrid... En virtud de estas
consideraciones, y teniendo presente por otra parte la hombría de
bien y talento que le caracteriza, el amor y fidelidad a nuestro
Soberano y el deseo del bien público, no he balanceado un momento en poner ésta en sus manos para que inteligenciado a fondo
de los hechos y derechos de este asunto, desprecie con valor todas
las sugestiones de algunos sediciosos que procuran desanimar al
reconocimiento de la Suprema Junta de Quito, etc. (2).

_____

(1) Demetrio García Vásquez, *Revaluaciones Históricas para la ciudad de Santiago de Cali*, Tomo II, p. 78.
(2) Demetrio García Vásquez, *Revaluaciones...* Tomo III (Cali, 1960), p. 93.

Otro patriota quiteño lo hacía objeto de sus confidencias y de sus elogios: "Señor mío: estoy lleno de satisfacción sabiendo que Ud. piensa con honor y que los derechos del hombre y los sentimientos de la humanidad adornan su corazón; esto me obliga a franquearme y a descubrir mi pecho, para ver si las profundas heridas de mi corazón hallan algún lenitivo. Me explicaré por encima persuadido de que hablo con un hombre pensador, que sabrá penetrar aún lo que no se puede ni debe expresar. La independencia de nuestra patria la América ya es una obra de hecho. La organización y permanencia de ella sólo pende en la unión y en las ideas unánimes y conformes de nosotros mismos: si no pensásemos de este modo, bien podemos preparar nuestras gargantas al cuchillo" (3).

Sus concepciones políticas y sus ideas jurídicas sobre el antiguo régimen aparecen expuestas por primera vez en un valiente escrito de 1809 que fue aprobado oficialmente por el Cabildo y que entraremos a analizar.

2.— *Sus ideas jurídicas anteriores a 1810, en Reflexiones de un Americano o Instrucción al Diputado de este Reino.*

El 1º de septiembre de 1809, tres meses antes de que Torres redactara su Representación, el doctor Herrera escribió estas famosas *Reflexiones* que contienen una de las críticas más severas y razonadas a las instituciones políticas y jurídicas de la América española. El Cabildo de 1810, siendo ya Herrera Síndico Procurador, en sesión de 4 de abril refrendó este documento el cuál fue remitido al General Narváez "en calidad de Instrucciones por ahora". Hé aquí por qué aparece también con el nombre de *Instrucciones al Diputado al Reino,* y así se anuncia y alaba en el *Diario Político* de Caldas y Camacho. En él dejó Herrera la huella de su ingenio, de su sólida formación jurídica y de lo avanzado de sus ideas, pues las reformas que propone corresponden a una concepción altamente progresista de la organización estatal.

Su estilo es denso y conceptual. Su prosa fluída y cristalina. El párrafo corto, la idea ceñida, la imagen parca. Entre aquella pléyade de oradores, amantes de perífrasis y de sonoros períodos, Herrera desenvuelve su formación clásica en cláusulas breves y elegantes.

Luego de una breve y afortunada pintura de la situación de América en los siglos anteriores, se regocija, al igual que Torres, de la convocatoria a Cortes hecha por la Junta Central "que se

_____

(3) Demetrio García Vásquez, ibídem, p. 95.

compone de los Diputados todos de la nación. Los pueblos descansan sobre su acierto y los eligieron para que sean el Angel tutelar de sus derechos y acciones". El espíritu revolucionario de la Proclama de la Junta Central trasciende al escrito de Herrera, pues se ha convocado a Cortes "para que en ellas se trate de la extirpación de los abusos, y para que en lo sucesivo se ponga un antemural de bronce al despotismo y arbitrariedad. La América no se reputa ya por unas Colonias de esclavos, condenadas siempre al trabajo: se la abren las puertas, se la declara parte integrante del Estado y se la va a dar el lugar distinguido que le corresponde" (4).

En este nuevo estado de cosas, al Diputado del Nuevo Reino se le abre la más brillante ocasión de servir a la Patria con sus talentos y "exigir leyes sabias que nos pongan a cubierto de los males que sufrimos. Para obrar con acierto, es preciso que se halle radicalmente instruído de todos los abusos y que tenga presencia de ánimo para descubrirlos con libertad". Para ello, él se ofrece a comunicarle los conocimientos que le ha suministrado la experiencia de doce años de abogado en Santa Fé, a fin de que el diputado solicite las providencias más eficaces.

El primer mal que señala —en coincidencia perfecta con Camacho— es la diversidad del cuerpo legislativo, consecuencia de la desigualdad en que la Corona mantenía a los criollos y a los españoles a pesar de ser súbditos de una misma soberanía: "El español, aunque sea de la hez del pueblo, se presenta en nuestro suelo como Señor, abandona el oficio que tuvo en España, mira con desprecio aun a los hijos de sus paisanos, y no quiere que se le corrija. Este desorden ha dado motivo a la antipatía entre españoles y criollos que con el tiempo no puede menos que ser funesta: aun en los pleitos que ruedan en los Tribunales, se exordian los Circuitos anunciando que son naturales del Reino de Galicia o de otro de nuestra Metrópoli, para prevenir a los Jueces y recordarles mudamente la protección que exigen sobre los oriundos de Indias" (5).

---

(4) Este admirable alegato jurídico ha sido muy desconocido y muy poco citado. En 1894 fue publicado por Antonio B. Cuervo en *Colección de Documentos inéditos sobre la Geografía y la Historia de Colombia*, Tomo IV (Bogotá, 1894), con el título completo de *Reflexiones de un Americano imparcial sobre la legislación de las Colonias Españolas, 1810*, y llena las páginas 52 a 72. No lo hemos visto reproducido a pesar de que bien merecería serlo como demostración de la madurez del pensamiento jurídico de nuestros próceres.

(5) El doctor Manuel Santiago Vallecilla exponía el descontento común de los criollos en carta a Herrera del 5 de nov. de 1809 en la cual le comentaba el alzamiento de Quito: "Supongo que al Representante del Reino se le haya instruído o instruya lo conveniente para que pida que los americanos sean colocados con

La unficación de las leyes debe ser fruto de la igualdad jurídica entre España y América. En esta esfera es muy enfático el pensamiento de Herrera: "Una sana política prevé los males anticipadamente y los evita. Las costumbres más bárbaras se remedian con una buena legislación. El hombre se mueve por el premio o se contiene por el rigor de las penas: alegar que los usos de América no convenían con los de los españoles; decir que por esta discrepancia fue necesario un nuevo Código Municipal; defender el establecimiento de sus leyes, y sostener la desigualdad que notamos con las de la Metrópoli, es un absurdo no compatible con las luces de nuestro siglo".

Herrera rechaza semejantes desigualdades en nombre de la doctrina de la soberanía popular, y lo original y valiente de su postura al proclamar esta tesis, consiste en que no lo hace para justificar un cambio de gobierno, sino dirigiéndose al mismo Rey, al cual le señala con varonil entereza su origen popular y no divino:

"Los pueblos son la fuente de la autoridad absoluta. Ellos se desprendieron de ella para ponerla en manos de un Jefe que los hiciera felices. El Rey es el depositario de sus dominios, el Padre de la sociedad y el árbitro soberano de sus bienes. De este principio del Derecho de Gentes, resulta que todos los pueblos indistintamente descansan bajo la seguridad que les ofrece el poder de su Rey; que éste no puede sembrar celos con distinciones de privilegios, y que la balanza de la justicia la ha de llevar con imparcialidad..."

La lentitud de la justicia —viejo mal de la nación— le merecía las quejas y los comentarios más desobligantes: "El mayor defecto que descubrimos en nuestras leyes, son los términos con que se vuelven inmorales las causas. En mi estudio he visto pleitos de doce y veinte años. Las partes se hostigan al fin con las demoras, se arruinan con los crecidos gastos de papel sellado, procuradores, receptores y abogados, y abandonan su secuela. No es repugnante a una razón ilustrada que el hombre sacrifique su sosiego, sus intereses y el tiempo, para conseguir la declaratoria de su justicia? Los tribunales, bien lejos de cortar las discordias, las fomentan con las dilataciones que conceden. Conviene una reforma absoluta en la materia, que en pocos días reciba la parte de manos

---

preferencia en la América, o que entren igualmente que los españoles en los empleos de la nación sin distinciones ni excepciones odiosas que puedan causar gravísimo perjuicio. Esta es una de las quejas de Quito, y esto lo que debe presentarse sin rebozo al Soberano para su remedio. El disgusto en esta parte cada día va tomando cuerpo, y siendo mayor; y al fin es de temerse algún resultado de consecuencia, que pueda costarle caro o serle muy sensible a la Nación". Cfr. Demetrio García Vásquez, *Revaluaciones Históricas*, T. II, p. 84.

de los Jueces una decisión sobre que descanse sin el temor de nuevas inquietudes. El nuevo Código que se reforme ha de ser corto para que el vasallo se imponga por sí mismo y sepa lo que ha de obedecer".

La interpretación doctrinaria del precepto legal iba en detrimento y en fraude de la justicia, y por ello pedía que "se ha de prohibir cualesquiera glosas e interpretaciones. Son muchos los perjuicios que han ocasionado los intérpretes que tenemos. El Juez se separa del precepto de la ley, busca doctrinas, muchas veces contrarias a su espíritu, acalla los remordimientos de su conciencia con sólo el dictamen de un doctor, y protege a sus devotos. El rey es el autor de las leyes, y a éste es de consultarse cuando no aparezca bastante clara, según las circunstancias y casos que ocurran. Los escritores no tienen autoridad sobre la ley, y es un abuso adoptar sus opiniones en fraude de ellas".

A más de un nuevo Código, interpretado auténticamente, exigía ministros íntegros que administraran la justicia con imparcialidad:

"Aunque logremos, como espera toda la Nación, un nuevo Código bien confeccionado, nada adelantamos si no se conceden las togas y demás empleos de justicia a ministros íntegros, que la distribuyan con imparcialidad... Los americanos no pueden con facilidad elevar sus quejas hasta el trono por la mucha distancia, y sus togados se erigen en árbitros soberanos de sus bienes, de su honor y de su vida. Empleos tan delicados es preciso confiarlos a personas que sean capaces de llenar sus obligaciones". Hace referencia a una sabia ley de Carlos III, como siempre, incumplida, según la cual no se admitían pretendientes para estos puestos sino a abogados que acreditaran haber tenido estudio abierto durante diez años. Pero cuántos bachilleres de Salamanca o de Alcalá, sin principios jurídicos sólidos, sin haber abierto las Leyes de Indias, "vienen a tener pendiente de sus labios a una porción de la Monarquía la más vasta y la más apreciable... Los abogados de Indias que han encanecido en el trabajo, se postergan, y para que se atienda a su mérito es preciso que se acojan al favor, al empeño, y tal vez a la ruina de sus familias. ¿Por qué no se les ha de dar jueces sabios que los gobiernen, escogiendo de ellos mismos a los que sean acreedores por sus servicios?"

No pretendía, con espíritu de justicia, que fueran excluídos los españoles, pues reconoce que ha conocido muchos dignos de los cargos que han recibido: "Mi objeto es que se distinga al mismo tiempo a los americanos. Los españoles nos desacreditan para ser preferidos y arrancarnos el derecho que justamente tenemos. La historia de tres siglos ha convencido lo contrario, y el Ilmo. Señor don Benito Feijoo comenzó a desterrar este abuso perjudicial al nuevo mundo. Los americanos no ceden en talento a ninguna nación, y tienen aptitudes para servir cualesquiera Ministerios".

Siempre en salvaguardia de la recta administración de justicia, aboga también por la conveniencia de que los togados y asesores de los virreinatos no permanezcan mucho tiempo en las plazas, pues las amistades y conexiones les entraban la imparcialidad. La corrupción y venalidad de los jueces le merecen a su espíritu honrado y rectilíneo estas protestas:

"La recta administración de justicia es el más seguro apoyo de la soberanía. Los pueblos descansan en la confianza de poner sus causas en manos puras y nada temen cuando los Tribunales la aplican con firmeza. El pordiosero llega satisfecho y no le intimida el oro de su contrario. Pero el mayor azote con que en muchas épocas se nos ha afligido, es la corrupción de los jueces, y repetidas veces hemos visto que la justicia sigue atada al triunfante carro del dinero..."

¿No tiene toda esta doctrina de Herrera una permanente actualidad entre nosotros, y no es acaso cierto que voces inflamadas por el celo de la justicia, como la suya, resuenan con idénticos acentos y con impresionante persistencia a través de todos los tiempos?

Otro abuso introducido por la Corona era la venalidad de los empleos: "Los empleos vendibles y renunciables son indignos de una nación ilustrada. Un buen gobierno los concede a personas de reconocida aptitud y no los pone en pública subasta. El que compra es preciso que venda, decía un Emperador de la antigua Roma... La Real Hacienda tiene muchos recursos en los impuestos y contribuciones de los pueblos. ¿Por qué, pues, se han de pregonar los empleos? El dinero que ofrecen suple el talento necesario a su administración? Este abuso nos degrada y nos hace la burla de las naciones ilustradas, exige por lo mismo un remedio oportuno".

En materia penal las ideas de Herrera sorprenden por lo avanzado de sus teorías, al oponerse a la pena de muerte, al tormento y a las penas infamatorias de la familia del reo. Los principios en que basa las reformas propuestas son tan enfáticos y tan de acuerdo con el derecho penal moderno, que no nos resistimos a la tentación de transcribirlos íntegramente:

"Nuestras leyes criminales claman también por su reforma, y el nuevo Código ha de comprender esta materia. El primer cuidado que ha de ponerse es evitar los crímenes previniéndolos con disposiciones sabias. Si éstas no son bastantes, se fulminan penas para contener a los malhechores. Ellas han de tener relación con el delito y aplicarse con la prudencia que exige la razón. Destiérrese de nosotros la pena bárbara de la horca y la separación de los miembros del delincuente. La vindicta pública no pide el martirio del reo, y las sociedades se ponen a cubierto cortando de un golpe la cabeza del malhechor. La gangrena se suspende de este modo para que no inficione a los demás. El hombre no tiene más que una vida, y paga sobradamente con perderla; cuando sea necesaria la muerte es preciso decretarla con economía. La conservación del hombre trae consigo mil cuidados. En la infancia se dispone a cada paso a morir. Después entra su educación con no pocas dificultades. Esto es de tenerse *presente para fulminar la muerte si no es en los delitos enormes.* Siempre he mirado con horror las leyes de Castilla que facilitan al marido para que mate a la adúltera... En todas circunstancias es necesario meditar el corazón del hombre y las pasiones que más lo dominan. Con estos conocimientos se descubre más su debilidad, para acomodar con ella la pena".

En cuanto al tormento no es menos categórico: "Sería así mismo muy útil borrar de nuestros Códigos el tormento. Que los Anales de América no nos vuelvan a presentar jóvenes sobre el potro para arrancarles la confesión de un delito que no han cometido. Esta bárbara costumbre es de proscribirse en honor de la humanidad. El hombre fuerte resiste el tormento y niega todo; y el débil se condena para escaparse del dolor..."

Ninguna de las penas —continúa la pluma del inteligente jurista— ha de ser infamatoria y trascendental a la familia del reo. El vulgo de España y América mira con horror a los parientes del que ha sufrido el último suplicio, y con frecuencia recuerdan el hecho como una nota que tiene su reputación. Un padre cristiano a pesar de la más austera educación tiene un hijo infame entregado a los vicios. ¿Por qué se ha de doblar su aflicción con una injuria? Declárese, pues, que sólo el malhechor y no los suyos, es digno de la abominación pública..."

Uno de los medios más eficaces, en su sentir, para evitar la delincuencia es el desarrollo industrial fomentado por el Estado: "La protección en la industria es el camino seguro para prevenir muchos delitos. Con ella se minora el número de los vagos que es el más fecundo semillero de ellos. Aquí es preciso hablar con toda libertad para no hacer traición a los derechos de América. Sus fecundas tierras se brindan al labrador, provocándole con abundantes frutos; tenemos el lino, los algodones y abundancia de lanas. El reino vegetal es copioso en tintes y nada nos falta. ¿Por qué, pues, estamos tan atrasados?"

La política económica de España en el campo industrial y del comercio le merece las críticas más severas y razonadas en páginas escritas con ese nerviosismo que da calor a su pluma y le presta singular encanto a su estilo. Entre las diversas motivaciones para reclamar la protección de industrias propias en América y el fomento del comercio interior y exterior, aparecen las alegadas por los clásicos españoles como Mariana, Quevedo, Fernández de Navarrete y Feijoo, y por los fisiócratas modernos, especialmente Jovellanos, cuyo influjo se refleja claramente en las páginas de Herrera:

"Protéjase, pues, el comercio de Indias para felicitar a sus moradores. Todo el poder de un Soberano depende de la riquezas de sus vasallos; y aquél es más formidable a sus enemigos, cuantos más auxilios puedan prestarles éstos. Sólo un poder arbitrario establece su seguridad en la miseria de sus pueblos, y el Rey sabio descansa y se apoya en el amor que le prepara su protección".

Para facilitar el comercio, señala una serie de medidas relativas a las vías de comunicación terrestres y fluviales que indican el perfecto conocimiento que tenía del país. Solicita la libre entrada a la nación y aun la atracción oficial de maestros y oficiales extranjeros para la enseñanza de artes y oficios y para el aumento de la población. "Para remediar en su origen este daño —la despoblación por la falta de matrimonios— sería conveniente que se señalaran premios a los casados que tuvieran más hijos".

Pretendía contrariar el desafecto de los españoles y de sus hijos al trabajo manual que quería dignificar por las costumbres sociales y por medio de la ley. "Para esto sería muy útil que por una ley expresa se dictara que ningún maestro en cualesquiera oficios quedara excluído de los empleos, siempre que por su rango y buena conducta los mereciera. Ninguna nación sabia pone impedimentos a la industria y más bien abre las puertas provocando a todos con el honor a que es merecedora. ¿Por qué se ha de mirar con desprecio al hijodalgo que por su pobreza se ocupa en los oficios de curtidor o zapatero? Sólo la ociosidad debe ser odiosa y contra ella se ha de armar el rigor de la justicia".

Es este el lenguaje que habla un americano, hijo de español, pero que había sufrido la influencia benéfica de la nueva tierra, y proclamaba nuevos principios sociales, dignificadores del trabajo, que en los arraigados prejuicios de casta de España hubieran sido tachados de herejías.

El Tribunal de la Inquisición atraía también sus miradas de reformador, a pesar de reconocer que "no hay otro más a propósito para mantener en su pureza a la Religión". Lo acusaba de criterio demasiado estrecho, pues "los grandes hombres no se atreven a dar a la prensa sus escritos por el temor de que se los recojan con injuria". Por ello propone "que los empleos de Inquisidores se confieran a personas de consumada literatura, para que al paso que realzan la pureza de la fe, no se metieran en arrancar de manos de los lectores obras que son útiles a la humanidad. De este modo no servirá el Tribunal de la Inquisición de impedimento a las ciencias".

El problema indigenista es tratado con el criterio común a los escritores de la época, como Nariño, Fermín de Vargas, Camacho, etc., los cuales reclamaban la supresión de los tributos de los indios y su igualdad con los demás súbditos:

"Los tributos que pagan los indios, claman también por su reforma. Su conquista se hizo presentándoles el estandarse de la Cruz, que es la imagen de la Religión Católica. Esta es dulce y su yugo suave. Ellos se sujetaron con la esperanza de sacudir las preocupaciones del paganismo y de restituírse a la libertad que les había arrebatado el demonio. ¿Y por qué se les sujeta como esclavos a un tributo innecesario? Mejor es dejarlos libres, que paguen las alcabalas y demás impuestos del Estado. Entonces desenvolverán sus talentos, trabajarán con más utilidad en la labor de las tierras, pondrán telares y se destinarán a las artes útiles y necesarias de que ahora están separados... El hombre se deja arrastrar por la imagen linsonjera de su libertad, y huye de los que la oprimen o persiguen: gran parte de los indios se ha escondido entre los montes, de donde no saldrán mientras no se reforme el gobierno y se les atraiga con dulzura".

En materia eclesiástica, se queja de los religiosos, "verdaderos pordioseros que toman el hábito para asegurar el pan; son verdaderas víctimas de su necesidad y no del servicio de Dios", y de los abusos del clero. Una religión tan santa, escribe, y la única que nos puede conducir a la felicidad eterna, se ha convertido en una vergonzosa granjería. Para corregir estos males propone la convocación de un "Concilio Provincial que con un detenido examen de los abusos aplicara el remedio fulminando las más terribles penas contra los transgresores".

Con frases candentes ataca la burocracia inútil como perjudicial para el erario público: "Una República bien ordenada, vela sobre el ahorro de gastos que bien lejos de dar provecho acarrean nuevas contribuciones al pueblo. Una prudente economía es la que enriquece el Erario sin hacerse odiosa con sus muchos impuestos. La sangre del vasallo la recogen los empleados inútiles, y sin hacer cosa alguna insultan la miseria de los pobres".

Propone la abolición absoluta de los estancos de tabaco y aguardiente, clamor general que venía desde los Comuneros, no sólo por los abusos abominables cometidos por los guardas encargados de la recaudación, sino por serios principios de economía.

"Los estancos —decía—, son un mal imponderable como lo han demostrado los economistas, no sólo para la agricultura del Reino y su población, sino para la metrópoli, su navegación y aun para el mismo Erario... El grande Agente de la economía política, como el de la naturaleza, es el movimiento, que por medio de la circulación corrobora y renueva los cuerpos. Un tributo que ofende la primera mutuación y al cabo absorbe el valor de la cosa permutada, es sin duda el establecimiento más antisocial que se ha inventado".

Con hombres que habían llegado a tal madurez de pensamiento, a tal comprensión de los problemas y necesidades de la nación y a semejante preparación cultural para darles solución, como el doctor Ignacio de Herrera, se explica suficientemente la Revolución.

Este documento, justamente apreciado en los círculos intelectuales de Santafé, causó gran impresión en el Sur, donde los amigos de Herrera acataban sin vacilaciones su jefatura política. El 20 de abril de 1810 José Agustín Barona le escribía desde Popayán: "Los amigos de Ud. deseamos ver una Representación que corre hizo Ud. a la Junta Central, muy viva y enérgica como Procurador General, y también las *Instrucciones* para el Diputado. No deje, pues, de remitirnos estos papeles y mande lo que sea de su agrado..." Y el 29 de junio don Joaquín de Caycedo y Cuero desde Cali, en comunicación a don Santiago Arroyo, en Popayán, le habla del escrito de Herrera "lleno de fuego, de nobleza, de fidelidad, de patriotismo. Nosotros seguiremos las huellas de éste, y nuestra obediencia, si ha de prevalecer mi dictamen, será ceñida a las precisas capitulaciones siguientes, mientras subsista la Regencia en un punto de la Península libre del yugo francés, y haciéndoles guerra eterna: que disuelto el Consejo por las injurias del tiempo y de la fortuna, no tenga derecho a establecerse en nuestro continente ni pueda reclamar posesión; que nosotros entonces seamos árbitros para elegir la forma de nuestro gobierno, atemperándolo a nuestros usos, costumbres y carácter, y que luego, sin pérdida de un momento, se organice en el Reino una Junta Suprema de seguridad pública, cuyo principal instituto sea la defensa y salud de la patria y conservación de estos dominios para Fernando y su familia, según el orden prescrito por las leyes... Llegó la aurora! No despreciemos sus luces, respetemos la religión y seamos fieles a Fernando y a la patria..." (6).

---

(6) Demetrio García Vásquez, *Revaluaciones*... Tomo III, p. 28.

3.— Su acción política como Síndico Procurador del Cabildo en 1810.

El 15 de octubre de 1809 el virrey Amar presenta a la Audiencia, en calidad de muy reservada, la denuncia de una conspiración para deponer las autoridades, dirigida por el Canónigo Rosillo, "quien ha tenido estos últimos días conferencias con el abogado don Ignacio de Herrera y otro que se precisa sea el doctor don Joaquín Camacho". Esta acusación fue sostenida en el Real Acuerdo del 20 del mismo mes, en el cual se tuvo por cabezas principales "al Canónigo don Andrés Rosillo, el alcalde ordinario don Luis Caycedo, el Oficial real don Pedro Groot y los abogados don Joaquín Camacho y don Ignacio Herrera".

Por estas mismas circunstancias el Cabildo, que realizó elecciones en diciembre para el año siguiente, las hizo con un evidente significado político: nombró a Herrera Síndico Procurador General o Personero del Común, como también le decían, posición que fue definitiva para la culminación del proceso revolucionario.

Aprovecha su alta representación popular para firmar el 15 de enero de 1810 un Memorial dirigido al alto Gobierno de España, a través del Diputado del Reino Don Antonio de Narváez, en el cual pide el envío de un Juez investigador de los atropellos cometidos por los Oidores en contra de los criollos y de los desaciertos y fracasos de la administración del Virrey Amar. Acusa a éste y a los Oidores de un plan para entregar el Reino a Napoleón, y no teme señalarlos como traidores al Rey, a la Patria y a la Religión. Esta tremenda requisitoria que le habría de traer por parte de las altas autoridades y de los cabildantes sus amigos, una serie de sinsabores, la hace, pues "yo haría traición al Ministerio de Síndico Procurador si en tan tristes circunstancias enmudeciera: mi silencio sería criminal y abominable por lo mismo a todo el mundo" (7). Todo el fondo de las sospechas y acusaciones de traición está basado en que Amar "era hechura de Godoy", en que los Oidores seguían su partido, y estaban resueltos a que América corriera

---

(7) Este importante documento ha sido publicado en *Revaluaciones Históricas*, Tomo III, por el doctor Demetrio García Vásquez, quien lo encontró entre los papeles del archivo del prócer en forma de borrador con adiciones y correcciones al margen. Véase op. cit., p. 84-89. A esta misma época pertenece un plan de Herrera, hallado también en su archivo con el título de *Apuntaciones muy reservadas*, consistente en que el Virrey hiciera las veces de Soberano, "que constituya un Teniente en su lugar, y que éste sea un General. Don Antonio Narváez podría venir en este cargo, sujeto que por lo militar en caso necesario y por lo político llenaría la confianza del Reino y sería muy bien recibido. Una Junta Suprema debe sustituír a la falta del Consejo..." Op. cit., T. III, p. 82.

la suerte de la Metrópoli, si sucumbía y juraba la nueva dinastía de José Bonaparte.

Se vale igualmente de su investidura para recabar del Cabildo el 4 de abril la aprobación, con algunas leves modificaciones, de las *Instrucciones* que fueron enviadas el 9 al Diputado y se hicieron circular en copias manuscritas.

Se propuso además, con empeñoso, afán, descargar toda su agresividad contra los Cabildantes *intrusos*, impuestos por la autoridad arbitraria del virrey, y especialmente contra el Regidor Ramón de la Infiesta y el Alférez Real don Bernardo Gutiérrez, chapetones que aparecían como los más fieles representantes de la política oficial (8).

Sucedió por entonces, —relata en sus *Memorias* el sacerdote realista Antonio de Torres— un escándalo demasiado ruidoso en el mismo Ayuntamiento que acabó de descomponerlo todo.

Efectivamente la trifulca que se armó asumió caracteres de inusitada gravedad, a tal punto que no se explica uno cómo no ocurrió ese día el golpe de Estado. En la sesión del 26 de abril el Alférez Real don Bernardo Gutiérrez exigió copia de las *Instrucciones* al Diputado, junto con los capítulos que habían sufrido reformas. Herrera saltó inmediatamente a la liza y protestó con energía que dichas *Instrucciones* eran reservadas, pero que aunque conocía la intriga del Alférez, no se oponía a la solicitud, pues no temía expresar sus pensamientos y sostenerlos a la faz de todo el mundo. Ya había comenzado la votación cuando el Alcalde Mayor Provincial don José María Domínguez reclamó la ausencia de los contrincantes para votar con mayor libertad.

Al retirarse por los corredores del Ayuntamiento, ante las palabras injuriosas de Herrera, estalló la ira del español, y de un tremendo puñetazo lo derribó al suelo y sobre él siguió propinándole golpes hasta que fueron separados por los Cabildantes. Saliendo los Regidores de la Sala —escribe un historiador tan poco favorable como el Presbítero mencionado— acometió el Alférez Real, que era hombre robusto, a dicho Procurador general que iba descuidado, a más de ser un literato débil y cegatón, y lo derri-

---

(8) "Es de notar que la disensión comenzaba desde el Ayuntamiento, donde el Procurador General que estaba sostenido de la opinión pública, no dejaba de chocar con don Ramón Infiesta que con ardor se le oponía. Don Bernardo Gutiérrez, el Alférez Real, estaba malquisto con el público. Lo que se vertía en el pueblo era con motivo de las novedades que ocurrían en España y ocupación de las Andalucías por los franceses y disolución de la Junta Central, se trataba de que debía seguirse en todo caso la suerte de la Península; y que si los franceses la ocupaban se les debía entregar el reino sin resistencia. Tal decía ser el voto de Gutiérrez y el parecer de Frías, sin que hubiese quien dejase de dar crédito a estas voces". *Memorias* de Torres, o. c., p. 107.

bó en la galería. Acudió a su defensa el regidor don Jerónimo de Mendoza y saliendo a la misma galería los alcaldes ordinarios, juntaron a su voz toda la gente de la plaza, concurriendo sujetos de distinción (9).

De propósito, y para aumentar el conflicto y hacer más público el escándalo, los Alcaldes pidieron auxilio de tropa y de gente y muy pronto se congregó el pueblo lleno de ira contra el Alférez que así había irrespetado al Cabildo y a su Procurador.

La causa abocada por los dos Alcaldes, el doctor José Miguel Pey y don Juan Gómez y seguida con notoria benignidad para Herrera que salió muy pronto de la cárcel, mientras que Gutiérrez quedó en ella hasta su huída el 20 de Julio, constituye uno de los episodios políticos más apasionantes de la época inmediatamente anterior a la Revolución (10). Por el proceso desfilan todas las figuras del 20 de Julio, y ya el ambiente quedó caldeado y el pueblo prevenido y preparado para la decisión final que no podía tardar.

Herrera era demasiado avispado para no saber sacar partido de la situación. " La injuria no se ha hecho solamente a mi persona —escribía en un altanero memorial—, se dirige contra el Ayuntamiento, pues el Alférez Real pretende acriminarlo por las instrucciones que aprobó. El ultraje fue casi en la misma Sala Capitular. El pueblo, a quien represento como Síndico Procurador General, no ha sido menos ofendido; yo llevo con ardor sus causas y trato de perseguir a un hombre sospechoso en las circunstancias actuales" (11).

Los memoriales de Herrera que cursan en el proceso llevan las huellas de su altivo carácter que, como repetirá, no sabía quemar incienso ante los ídolos, y de su exquisita formación jurídica. No es raro encontrar en ellos la doctrina de la reversibilidad de la soberanía ya expuesta en las *Instrucciones*. Dirigiéndose al Virrey para expresarle el contenido de sus informes a la Junta Central de España, escribe: "Yo manifesté, es cierto, que había elevado mis

---

(9) Torres y Peña, *Memorias sobre los orígenes de la Independencia*, p. 110.

(10) Torres y Peña describe con sagacidad la personalidad de los dos Alcaldes escogidos por el Cabildo para 1810: "El doctor José Miguel Pey, hermano del Señor Arcediano, no sólo los cubría con el respeto y la autoridad de su hermano, sino que les granjeaba un gran partido en la gente plebeya que trataba dicho don José Miguel con mucha familiaridad y llaneza. Don Juan Gómez, que era mercader europeo, no sólo les proporcionaba un sujeto con quien continuar la alternativa, que regularmente se acostumbraba, sino que los proveía de un hombre de genio dócil y sencillo, ajeno de malicia y demasiado condescendiente a quien poder imbuír fácilmente a cuanto considerasen oportuno..." o. c., p. 104.

(11) *Documentos sobre el 20 de Julio de 1810*, por Enrique Ortega Ricaurte (Bogotá, 1960), p. 57.

informes al Cuerpo que reasume la soberanía por consentimiento unánime de la Nación..." (12).

Y consciente de su papel histórico, no duda en poner de relieve la importancia de sus actuaciones: "La capital y los pueblos todos de su distrito sabrán que he sido víctima por conservar su libertad, y mis hijos encontrarán un modelo de firmeza y de verdadero patriotismo".

Su actividad política es incansable. El 28 de mayo eleva una bien estructurada *Representación* al Cabildo para urgirlo a la convocatoria de la Junta Suprema. Medita en la lección que dieron los últimos acontecimientos de España, presa de los franceses, y quiere sacudir los espíritus con la amenaza del riesgo que acá se corría. "Por esto, pues, conviene que anticipadamente organicemos una Junta Provisional que nos ponga a cubierto en el caso de la absoluta pérdida de la Metrópoli, que no tenemos por difícil. La misma ciudad de Cádiz ha erigido la suya. Ella misma nos dice que procedió a petición del pueblo y propuesta de su Síndico, a formar una Junta de Gobierno que nombrada solemne y legalmente por la totalidad del vecindario reuniese los votos, representase las voluntades y cuidase los intereses. Verifícase así y sin convulsión, sin agitación, sin tumulto, con el decoro y cubierto que conviene, hombres libres y fuertes han sido elegidos por todos los vecinos escogidos de entre todos, y destinados al bien de Cádiz. Junta cuya formación deberá servir de modelo de los Pueblos que quieran elegirse un gobierno representativo digno de su confianza".

El Consejo de Regencia —continúa apoyándose en argumento tan valedero— se explica así en su Circular expedida en la Isla de León, en 14 de febrero de este año. Desde el principio de la revolución declaró la Patria estos dominios parte integrante y esencial de la Monarquía española. Como tal les corresponden los mismos derechos y prerrogativas que a la Metrópoli. Siguiendo este principio de eterna equidad y justicia fueron llamados esos Naturales a tomar parte en el Gobierno representativo que ha cesado. Por él la tienen en la Regencia actual, y por él la tendrán también en la representación de las Cortes nacionales, enviando a ellas diputados según el tenor del derecho que va a continuación del Manifiesto: Desde estos momentos, Españoles Americanos, os veis elevados a la dignidad de hombres... etc. (Aquí cita Herrera el célebre párrafo del Manifiesto pleno de sentido revolucionario, que fue arma de dos filos en manos de los patriotas).

Hé aquí el vigor dialéctico con que Herrera sabe sacar partido de la doctrina proclamada por el Consejo de Regencia:

_____

(12) Enrique Ortega Ricaurte, *Documentos sobre el 20 de Julio*, p. 114.

"Estas palabras no pueden ser vacías de sentido y la América las recibe como la prueba menos equívoca del amor y protección que nos dispensa el Consejo de Regencia. Sí, a él debemos la justa declaratoria de hombres libres puestos al nivel de los españoles europeos. No somos ya bestias de carga ni esclavos condenados al trabajo. La ilustración de nuestro siglo ha influído mucho más para que se haga todo el honor debido a la humanidad; y ella misma acabará de disipar las tinieblas, en que hemos estado envueltos para que se lleve hasta la perfección una obra maestra, digna de los grandes talentos de los Saavedras, de los Castaños, de los Escaños y de los Lardizábal. Comencemos, pues, a poner en uso los sagrados derechos de hombres libres, imitemos al Pueblo de Cádiz, y tratemos de organizar a la mayor brevedad una Junta Superior de Gobierno que nos sirva de fanal en nuestras deliberaciones. Las circunstancias son demasiado críticas y el tiempo que ahora tenemos tal vez se nos escapa y después no surte el remedio. Cuando se trata de la salud de la Patria que es la suprema Ley, cuando los vasallos desean conservar este reino para su suspirado señor don Fernando y su dinastía conforme a los llamamientos de las Leyes, y cuando sus hechos son el brote de la más asentada lealtad, ninguna precaución es imprudente ni extemporánea. Denegar a la capital de Santa Fe la organización de una Junta; resistir a los deseos que tienen todos sus vecinos de acogerse bajo la protección de las personas más bien acreditadas en todo el reino; y poner trabas para que no lo logre, es desmentir la declaratoria de hombres libres que acaba de hacer el Consejo de Regencia y es sembrar celos entre los españoles europeos y americanos, concediendo a los primeros una facultad que no se permite a los segundos..."

Luego expresa sus temores de una derrota total de la metrópoli, a pesar de las fanfarronadas de muchos españoles que terminaban por confiar en una salvación milagrosa, obtenida por la intercesión de la Virgen del Pilar. El poder de Dios —observa juiciosamente— es el mismo en todos tiempos, pero los Pueblos no son siempre unos, ni en toda época se hacen merecedores de los prodigios del Cielo. Aquí me ocurre el discurso de Foción, cuando vaticinaba la ruina de la antigua Grecia... Hé aquí la doctrina de un pagano que nos debe servir de modelo en estas circunstancias. Es muy justo confiar en la Divina Providencia, pero también lo es esperar el castigo de la relajación de las costumbres. El brazo de Dios se ha agravado sobre nuestras cabezas, y no sabemos si ya está satisfecha su venganza. Los imperios no son eternos y se trasfieren a las manos que Dios destina para su gobierno. La historia de España nos representa a ésta de colonia de los antiguos cartagineses, de los romanos, y posteriormente inundada de naciones bárbaras, que la dominaron muchos siglos. ¿Y sería imposible que ahora venga a ser presa de los franceses? ¿Está fuera de las cosas? ¿Hay alguno que se atreva a defender con seguridad que será inconquistable? Yo creo que nos conviene por lo mismo conservar la América para los mismos españoles que la conquistaron y tendrán un sable seguro, y nuestro amado el Señor don Fernando un imperio floreciente con que se hará respetar de todo el mundo. Lejos de nosotros estos celos, esta odiosa distinción de españoles europeos y españoles americanos. En la Junta Provincial ocuparán distintamente lugar todos, y se distinguirá el mérito. Este es el lenguaje de muchísimos hombres sensatos que de propósito han venido a mi casa a aconsejarme que como personero de la ciudad, pida la convocación de la Junta. Este ilustre Cabildo puede consultar con ellos, son eclesiásticos de conocida virtud y literatura y abogados sabios, que han encanecido en las ciencias. Yo haría traición a la confianza que de mí se tiene, si no manifestara sus sentimientos. No soy tan temerario que confíe en mis propias luces, y que me avergüence recibir de otros las que me faltan. En materias tan delicadas suspira el pueblo por el acierto, y para no comprometerlo es preciso un maduro examen, reunión de sanos principios, y una deliberación detenida. Esto es lo que exige el Síndico Procurador General de este Ilustre Ayuntamiento (13).

Quien no conociere las difíciles circunstancias históricas, la oposición cerrada del Gobierno virreinal a la constitución de la anhelada Junta de Gobierno, y la fuerza del partido español que lo apoyaba, se podría sonreír ante las protestas frecuentes de los patriotas en favor de Fernando VII, de su amor a la dinastía por la cual luchaban, y de su celo en pro de los intereses de los españoles para los cuales se pretendía conservar estos dominios. Pero los adversarios no se dejaban engañar de tales manifestaciones que sabían insinceras e inspiradas por la estrategia política. Los revolucionarios pisaban un terreno difícil y por ello apelaban a todos estos subterfugios, sabedores de que una vez dado el primer paso con la instalación de la Junta, la independencia sería un hecho irreversible. Mientras tanto debían vencer la timidez, los escrúpulos, las vacilaciones de aquellos que sin aferrarse completamente al destino del antiguo régimen, se asustaban sin embargo ante las novedades de un gobierno autónomo. Por ello el razonamiento de Herrera cobraba un valor especial y demostraba una habilidad política que en nada restaban mérito a sus arrestos revolucionarios.

---

(13) Demetrio García Vásquez, *Revaluaciones*, Tomo III, p. 423.

4.— *La reversibilidad de la soberanía en boca de Herrera el 20 de Julio.*

A más de haber asistido a la reunión preparatoria del Movimiento en la noche del 19 de julio, en el Observatorio astronómico, Herrera hizo circular el mismo día un manifiesto político incendiario que desgraciadamente no se ha conservado. En este año —nos dirá él mismo— pidió el Procurador General la instalación de la Junta, formó la Instrucción para el Diputado, y el 19 de julio, víspera de nuestra feliz revolución, presentó un escrito que tuvo parte en el ardimiento de los ánimos (14).

Cuatro meses después, en un célebre dictamen escrito, tendrá autoridad para proclamar estas verdades ante los testigos y actores de la Revolución: "El Personero de la capital de Santa Fe va a hablar con la misma firmeza que lo hizo ahora cuatro meses cuando existían los déspotas del antiguo gobierno. Ni la cuchilla repetidas veces prevenida para cortar su cabeza, ni las bayonetas preparadas para despedazarle le impusieron: su voz resonaba en la ciudad y ella sola hizo temblar a los tiranos en su Trono" (15).

Y todavía en 1828 recordará el encanecido político con inocultable orgullo los escritos de aquellos tiempos: "Hasta ahora retienen en la memoria muchos contemporáneos trozos de las Representaciones que dí al virrey don Antonio Amar..." (16).

El día 20 su actividad fue intensísima y su oratoria elocuente. Arengaba al pueblo y en su nombre iba al palacio virreinal a pedir cabildo abierto. En el calor de los debates —se puede leer en el *Diario Político*— se distinguió mucho don Ignacio Herrera... Con su carácter vigoroso y ardiente sostuvo nuestra libertad.

En el Acta de la acalorada sesión del cabildo abierto, dictada por Acevedo y Gómez a Melendro, queda clara constancia de las ideas de Herrera, decisivas para la determinación que se tomaba. Ya es tarde —pasadas las 10 de la noche— y en el recinto capitular están reunidos los Vocales elegidos por el Pueblo y todos los cabildantes. La asamblea quiere saber la opinión del Personero del Común:

"Se procedió a oír el dictamen del Síndico Personero doctor don Ignacio de Herrera, quien impuesto de lo que hasta aquí tiene

---

(14) *Memorial del Síndico Procurador al M. I. Cabildo de esta Capital,* de 8 de noviembre de 1810, en Ortega Ricaurte, *Documentos,* op. cit. p. 131.

(15) Discurso del 22 de septiembre de 1810. Bibl. Nal. Sala 1ª, N. 3283, pieza N. 667.

(16) *Representación dada al Excmo. Sr. Presidente Libertador* (Bogotá, noviembre 10 de 1828) en la Bibl. Nal., Sala 1ª, N. 7459, Pieza 190.

sancionado el pueblo y consta en el acta anterior, dirigida por especial comisión y encargo del mismo pueblo, conferido a su Diputado el señor Regidor don José Acevedo, *dijo que el Congreso presente,* compuesto del M. I. C., cuerpos, autoridades y vecinos, y también de los Vocales del nuevo Gobierno, *nada tenía qué deliberar, pues el pueblo soberano tenía manifestada su voluntad por el acto más solemne y augusto con que los pueblos libres usan de sus derechos, para depositarlos en aquellas personas que merezcan su confianza;* que en esta virtud los Vocales procediesen a prestar el juramento, y en seguida la Junta dicte las más activas providencias de seguridad pública..."

La Asamblea ratificó sus tesis, y el nuevo Gobierno se instaló en nombre y con la autoridad de las viejas doctrinas políticas de que todos se hallaban informados:

"En seguida —continúa el Acta— se oyó el voto de todos los individuos del Congreso, que convinieron unánimemente y sobre que *hicieron largas y eruditas arengas, demostrando en ellas los incontestables derechos de los pueblos, y particularmente los de este Nuevo Reino, que no es posible puntualizar en medio del inmenso pueblo que nos rodea".*

Aclamado por el pueblo Vocal de la Junta Suprema, hizo parte con Camacho, Emigdio Benítez y otros prohombres, de la Comisión de Gracia, Justicia y Gobierno. Pero el título que siempre ostentará con orgullo es el de Personero del Pueblo, y en sus arengas, discursos y votos jurídicos hablará con énfasis en nombre del pueblo y siempre actuará en favor de sus intereses. Con su acción intensa y sus escritos políticos se esforzará por dar cimientos jurídicos al movimiento revolucionario que había estimulado, de conformidad con el principio por él proclamado anteriormente, de que "a una revolución de hecho correspondía una reacción de derecho".

5.— *Sus actuaciones e ideas políticas en la primera República.*

Su labor de proselitismo político en favor del nuevo orden se hizo sentir en forma muy eficaz para promover la independencia de las Provincias del Sur, estimulando su separación de España y el reconocimiento de la Junta Suprema de Santa Fe. A él se debió en gran parte la energía con que la Confederación de las Ciudades del Cauca, presidida por la ilustre ciudad de Cali, mantuvo su unión con el centro y se enfrentó decididamente a la reacción del partido monarquista de Popayán, poderoso por sus fuerzas económicas, por el prestigio social de sus miembros y por la astucia y habilidad de su jefe, el Gobernador Tacón. La correspondencia con los prohombres de aquella región, los Caycedo y Cuero, Manuel Santiago Vallecilla, Miguel Cabal, etc., estuvo dirigida a tales fines, por manera que la Junta Suprema tuvo en Herrera un elemento de enlace que supo acrecentarle su prestigio y poderío.

En una famosa carta a su primo Vallecilla se trasparenta todo su fervor patriótico y su optimismo nunca vencido. Nuestra causa es santa —le dice— y no la hemos de abandonar aunque se nos presente la cuchilla y la muerte misma. Dios la protege visiblemente, pues en medio de los mayores precipicios nos ha dado la mano para que salgamos. Actualmente se van a dar dos golpes que consolidarán más al gobierno y nos permitirán auxiliar a los oprimidos (17).

En 1811 envió a la Junta Gubernativa de la Confederación del Cauca, instalada en Cali, un nobilísimo mensaje, tachonado de brillantes ideas que hacen honor al pensador y al político. Lo creo digno de ser insertado íntegramente:

"En el correo del 18 de este mes ha venido al Congreso la noticia de la instalación de una Junta gubernativa formada por las seis ciudades de la Confederación del Cauca. Cali es mi patria y tal vez la que más se ha distinguido en la presente época: esta circunstancia no puede menos que enloquecerme de alegría. Ni el respeto de los representantes reunidos en el Congreso, ni la seriedad del Tribunal, pudieron contenerme; mis labios pronunciaron en alta voz las siguientes palabras: mi patria es feliz y el paso que acaba de dar va a establecer su libertad. Me doy a mí mismo la enhorabuena y mañana tomaré la pluma para darla a mis paisanos. Esto es lo que ahora cumplo religiosamente. *Comenzar obras grandes es propio de todos los hombres, pero solo las almas grandes las llevan hasta la perfección. La libertad no se consigue sin sacrificios, que lejos de intimidar a los verdaderamente patriotas, los energiza más.*

"Espero, pues, que mi patria y las cinco ciudades sus amigas, se cubran de laureles con el complemento de la empresa; que el tirano Tacón tiemble y que los vecinos de esa ciudad su devota, reciban la ley del resto de la provincia a quien quisieron imponerla. Entonces conocerá todo el reino la justicia con que procede la Confederación del Cauca y confesará el distinguido mérito que ha sabido labrarse. Entonces enmudecerán los émulos y la infame gavilla de egoístas que pretenden asegurar su fortuna con la esclavitud de sus semejantes. Entonces podré vociferar a la faz de todo el mundo que Cali y las demás ciudades, sus confederadas, con-

(17) Demetrio García Vásquez, *Revaluaciones*, Tomo III, p. 42.

tuvieron al déspota de Popayán y dieron libertad al Nuevo Reino de Granada" (18).

Los méritos de Herrera fueron suficientemente valorados por sus paisanos. El prócer don Joaquín Caycedo y Cuero, líder con Vallecilla y los Cabales de la independencia del Sur, derrama en carta del 13 de agosto de 1810, una vez conocido el golpe de Estado del 20 de Julio, todos sus sentimientos de admiración por Herrera y por Santafé y de amor a la libertad: "La patria inmortalizará su nombre. Yo he dicho y lo promoveré, que se le erija a Ud. una estatua en esta ciudad como al héroe inmortal de la libertad del Reino, como a quien ha sostenido la Religión, la fidelidad debida a Fernando, la tranquilidad y seguridad de estos países afortunados y deliciosos. Viva Santa Fe, viva una y mil veces esa ilustre Capital que sin derramar la sangre de sus hermanos, ha sabido derribar a los tiranos, desbaratar la conjuración más infame y libertar a los Americanos de este nuevo Reino de ser víctimas del usurpador. La Patria bendecirá a Ud. como al principal instrumento de su felicidad: ella pagará a Ud. sus tareas, sus vigilias, y esa noble firmeza con que ha sostenido sus derechos... Esta ciudad, patria feliz de Ud., hizo su deber, apoyando los ilustres pensamientos de Ud. y yo tengo el honor de haber sido el órgano y un instrumento, aunque débil..." (19).

El 22 de septiembre da, en calidad de Síndico Procurador, un Dictamen provocado por la lectura de una proclama de un vecino del Socorro en que además de invitar a las provincias a la adopción del sistema federativo, lanzaba amargas invectivas contra los miembros de la Suprema Junta, acusados de déspotas que aspiraban a la tiranía y de oligarcas que "se empeñan en recoger los impuestos del Reino para dominar con ellos a los pueblos, que distribuyen los empleos entre los de su familia y que miran con desprecio a los que no han nacido en su suelo".

El polemista caleño no duda un momento en defender a los próceres de Santa Fé contra las injuriosas interpretaciones de sus contemporáneos que se adelantaron siglo y medio a los detractores de 1960. Y lo hace con su brío característico y con alto sentido del honor, pues "el hombre en particular debe reponer su honor ofendido, porque sin él pierde todo y en medio de las mayores riquezas nada vale. Esta obligación es más urgente en las circuns-

---

(18) La carta fue escrita el 21 de marzo de 1811, y fue publicada por Demetrio García Vásquez en *Revaluaciones*. Tomo II, p. 73.
(19) Demetrio García Vásquez, op. cit., p. 428.

tancias actuales, porque se hiere en sus representantes a todo un pueblo" (20).

Sus ideas sobre la libertad entendida en sentido escolástico y no al estilo de la Revolución Francesa, resaltan con meridiana claridad:

"La libertad que gozamos, esta facultad de obrar conforme a la razón y a la ley nos permite ser injustos con nuestros semejantes?... Mi corazón me dice que no, *porque la política no es destructora de las sagradas máximas del Evangelio*".

Ya en este escrito se perfilan sus inclinaciones adversas al federalismo. No fueron, pues, sentimientos de familia los que le hicieron enfilar al lado de Nariño —su próximo pariente político— sino convicciones intelectuales. Recuérdese que todavía por este tiempo Nariño estaba en Cartagena. La federación en las condiciones de la época le parecía perjudicial: "El sistema federativo sigue bien lejos de ser útil en las circunstancias actuales, prepara una ruina absoluta a todos los pueblos. El no se puede organizar sin una perfecta igualdad en las provincias que extirpe los celos y las asegure del poder de otra que aspire a conquistarlas. Exige fondos bastantes en cada una para sus propias necesidades... y una tropa reglada que la defienda de cualquier invasión... La conquista la adelantará el enemigo, y el sistema que ahora es inmaturo nos hará perder nuestra libertad..."

El Congreso general determinará por el mayor número de sufragios el sistema de gobierno más provechoso, tal como determinó la Junta Suprema desde el primer momento de su constitución. La política que al respecto ha realizado el pueblo de Bogotá y la Suprema Junta le parece la más democrática y respetuosa de todos los derechos:

"El pueblo de la capital se reunió el 20 de Julio en la plaza mayor para arrostrar con los funcionarios del antiguo gobierno, reponerlos del mando para reasumir sus propios derechos. En medio de la revolución eligió personas que depositaran la soberanía de su demarcación. Pudo en ese día elegir un solo jefe que lo gobernase, y no quiso practicarlo así porque abomina la tiranía que no se entroniza fácilmente en las manos de muchos. Con este procedimiento no ha querido sujetar a las provincias del Reino, y la Suprema Junta el primer paso que dio fue convocar a todos los

---

(20) Este Dictamen, impreso en 8º, en ocho páginas, se conserva en la Biblioteca Nal., Sala 1ª, N. 3283, Pieza 667, y fue insertado por Posada en el libro tántas veces citado *El 20 de Julio*, p. 312, aunque con la fecha equivocada, pues pone diciembre en vez de septiembre.

cabildos de las provincias para que nombren sus diputados y vengan a reasumir la autoridad soberana..."

Tras de la enunciación de estos principios profundamente democráticos, Herrera continúa en la defensa de la conducta generosa y del espíritu conciliador de Santa Fé "que sabe distinguir el mérito, aunque las personas no hayan nacido en su provincia". Y lo prueba sin lugar a duda, pues en la Junta cinco miembros pertenecían a Popayán, cinco eran del Socorro, tres provenían de Pamplona, uno de Coro, dos de Tunja y tres eran europeos. Y "el ilustre Cabildo antes de nuestra feliz revolución distinguió en sus elecciones para oficios concejiles a los oriundos de todas las provincias".

Para acabar con las menores sospechas, el fervoroso demócrata pide que "esta Suprema Junta declare a la faz de todo el mundo que nunca ha aspirado a la tiranía, y que desea con ansia la reunión de los vocales de todas las provincias, para poner en sus manos el poder supremo y sujetarse voluntariamente".

El 26 de octubre la Junta Suprema dictó un decreto reorgánico de sus funciones por el cual dio nueva forma al gobierno, con división de poderes. Se suprimió la Sección de Policía, y se determinó restaurar el Cabildo que había sido absorbido por la Junta, "volviendo a sus antiguos oficios los señores que lo componían, sin perjuicio de sus honores y vocalidades a la Junta Legislativa cuando puedan asistir sin hacer falta a otros oficios" (21). En esta reorganización se hicieron nuevos nombramientos, sin que Herrera hubiera sido tenido en cuenta. Regresó, pues, a sus funciones de Procurador en el seno del Cabildo, y el Gobierno halló seguramente el medio elegante de desembarazarse de la colaboración de un miembro que por su temperamento y sus ideas reformadoras no le resultaba muy grato.

El 22 de diciembre de 1810 se reunió en Santa Fé el primer Congreso del Reino, en el cual estaban puestas las esperanzas de todos, y a él concurrió Herrera como representante de la provincia de Nóvita. Muy pronto pronunció un discurso polémico con motivo de la discusión sobre la admisión del diputado por Sogamoso, el doctor Emigdio Benítez, tenazmente impugnada por Camilo Torres. En él campean sus conocimientos en el Derecho de Gentes, y salen a relucir las teorías suarezianas sobre el origen contractualista del poder y la reversibilidad de la soberanía.

Cita a Bossuet en el *Discurso sobre la Historia Universal* para exponer el origen histórico de las sociedades políticas y de los go-

_____

(21) Manuel Antonio Pombo y José Joaquín Guerra, *Constituciones de Colombia*, T. II, p. 106.

biernos. Ninguna villa o ciudad se puede erigir en soberano y dictar leyes a las demás: "Todas se componen de hombres igualmente libres y sólo un pacto voluntario da a algunas este derecho... La utilidad común, la mejor ubicación, las circunstancias, compelen a variar el Estado o a dividirlo, si lo permite su población".

Luego entra a aplicar estos principios al caso de Santafé. Su juicio en esta materia está en perfecto acuerdo con Torres y Gutiérrez al justificar la Revolución por la pérdida del Trono que sufrió Fernando VII y la recuperación de los derechos primitivos del pueblo americano:

"La capital del nuevo Reino es libre y sólo el pueblo puede constituírse, para sí mismo, jefes y tribunales... En este punto no hay más ley que el consentimiento general".

Basado en estos postulados de la libre autodeterminación de los pueblos, "convengo en que por ahora se admita al Diputado de Sogamoso en el Congreso mientras se arreglan las demarcaciones, se forman nuevas provincias y se dicta una ley que sirva de regla en lo sucesivo".

Comprendiendo muy bien este dialéctico consumado y centralista convencido que si llevaba a sus últimas consecuencias tales principios, llegaría a los extremos de una federación anarquizante, la que pretendía evitar Torres al darle representación únicamente a las provincias constituídas en el *statu quo* anterior al 20 de Julio los limitaba únicamente al caso de Sogamoso, y mientras el Congreso reglamentaba la materia.

El choque con Torres era inevitable, y se le enfrenta con el valor de siempre. El oráculo de Pamplona —dice entre otras cosas hirientes— habla, y es preciso que nosotros postrados de rodillas recibamos sus sentencias infalibles.

Se quejaba de no encontrar estabilidad en los principios y de las interpretaciones acomodaticias que de ellos se hacían, sin darse cuenta de que él mismo tenía qué realizar difíciles equilibrios para adaptarlos a la cambiante realidad política y a las nuevas situaciones (22).

El inquieto abogado se pone en pugna no sólo con Torres, sino con la misma Junta de Gobierno de la cual había sido excluído. Por la imprenta denuncia a la opinión pública los fracasos y vacilaciones del gobierno, sus contradicciones, la falta de atención para

_____

(22) Este famoso voto de Herrera, junto con los demás que se emitieron por diversos diputados, consta en el Cuaderno N. 2, *Sobre la admisión en el Congreso del Representante de Sogamoso*, opúsculo de 63 páginas en 8º, publicado por el Congreso en enero de 1811. Existe en la Bibl. Nal., Sala 1ª, N. 13039, Pieza primera.

resolver los problemas sociales, su incapacidad e ineptitud. Es el hombre de la oposición, pero una oposición razonada y patriótica, objetiva y crítica, que iba no contra las personas sino contra los sistemas y los procedimientos.

El primer Congreso Soberano de diciembre de 1810 no tuvo éxito y sus actos quedaron cubiertos en la bruma más impenetrable. Los celos de la Suprema Junta, ya acostumbrada al gobierno. y la coexistencia imposible de dos poderes soberanos tenían qué terminar en la clausura de una asamblea que en su debilidad debía perecer. En 1811 se publicaron algunos documentos por orden del mismo Congreso en los cuales se denunciaban las maniobras de "algunos individuos empeñados en que prevalezcan sus opiniones, aunque sea a costa de la libertad y de la sangre de los pueblos". La Junta mandó recoger los ejemplares, le siguió proceso al impresor, y reconvino enérgicamente al Diputado por Santafé, que era el doctor Manuel Bernardo Alvarez, presidente del Congreso. El acta de la sesión del 18 de enero que dio lugar al proceso mencionado, dice que "el Congreso ha visto con dolor turbada su tranquilidad por los preparativos militares que recela dispuestos contra él, y por las trabas que experimenta en sus funciones de parte de la Junta, pues habiéndole comunicado extrajudicialmente la Constitución que se ha formado y la necesidad de consultar a la necesidad común con su pronta publicación y con *separar de su seno los miembros regentistas y promotores de la división que se advierte,* no ha contestado siquiera a esto último, por lo cual mandaron se dé aviso a las respectivas provincias" (23).

Era imposible que Herrera guardara silencio ante este sabotaje dirigido por los regentistas que se habían incrustado en la Junta de Gobierno y que hacían todo lo posible por mantener la división y poner trabas a la administración, y da a luz un tremendo folleto de índole acusatoria. En su conocido estilo entabla con la opinión pública un diálogo lleno de atisbos y sugerencias, donde su inteligencia campea donosamente. La lectura de este opúsculo es indispensable para comprender bien aquellos tiempos caóticos de los primeros ensayos de gobierno autónomo y las dificultades que debieron vencer los verdaderos patriotas. "El dedo invisible de la Providencia —termina esperanzado en el gobierno de Tadeo Lozano ya proclamado— parece que nos guía, y a pesar de

---

(23) Eduardo Posada, *El 20 de Julio,* p. 497. La introducción y el Cuaderno N° 1, publicado por el Congreso, se hallan en la Bibl. Nal., Sala 1ª, N. 3283, Pieza 670, y los Cuadernos 2 y 3 en el N. 13039 de la misma sala.

los obstáculos que nosotros mismos ponemos quiere que seamos libres" (24).

Después de haber tomado parte en el Colegio Electoral Constituyente, y publicada la Constitución de Cundinamarca, fue Presidente de la Corte de Apelaciones, y luego Consejero del Poder Ejecutivo durante la Presidencia de don Manuel Bernardo Alvarez quien le dispensaba la más cordial amistad personal y política. En 1814 Bolívar lo nombró Auditor de Guerra.

Y sobrevino el derrumbe de la República que tánto había anunciado. El 2 de mayo de 1816, a requerimiento del Cabildo de Santa Fé, recibió las credenciales de don José Fernández Madrid, el último Presidente de las Provincias Unidas, para pactar con Morillo "una transacción que asegure a estos pueblos la paz y a todos sus individuos una absoluta garantía de vidas, haciendas y propiedades", en compañía del Provisor del Arzobispado don Domingo Duquesne y de Jorge Tadeo Lozano.

Su actitud la justifica con sentimientos de honor y razones de prudencia: "Su honor nunca le ha permitido obrar de otro modo: convino, pues, en morir en un patíbulo corriendo la suerte de todo el pueblo que el manchar su memoria con una vergonzosa fuga. ¿Y sería prudente empeñar al pueblo de la capital en una defensa estéril, cuando ni tenía armas ni municiones? Estas reflexiones que son bien obvias, satisfacen al hombre que obra por razón y no por partido. Defender la patria y la libertad con valor, comprometer, sin distinción de sexos, a todo el mundo con la voz de alarma, y no perdonar medio alguno para cantar la victoria: todo esto exige una esperanza racional de triunfo. Pero empeñarse una batalla sin auxilio alguno, ofrecerla sin armas y sin soldados, es la señal menos equívoca de la locura". (25).

A pesar de tan prudente actitud, "yo fuí arrastrado a Puerto Cabello en unión de Manuel Arrubla. Escapé la vida y no perecí en un patíbulo como otros que habían tenido menos parte en la Revolución del año 10, porque doña Ventura Herrera, hermana de mi padre, había sido casada con un hermano del General don Manuel Cagigal que me recomendó a los Oficiales y al mismo Morillo" (26).

---

(24) *Manifiesto sobre la conducta del Congreso*, por el Dr. Don Ignacio Herrera diputado representante de la provincia de Nóvita, Cundinamarca, 1811. El opúsculo está impreso en 16º y contiene 18 páginas de letra pequeña. No ha sido reproducido hasta ahora.

(25) *Verdadera Vindicación de la Ciudad de Bogotá y su Cabildo en la Persona del Procurador General y Padre de Menores en el año de 816*, en Biblioteca Nal., Sala 1ª, N. 7457, Pieza 131.

(26) *Representación dada al Excmo. Sr. Presidente Libertador*, por D. Ignacio de Herrera (Bog. 10 de nov. de 1828), Bibl. Nal., N. 7459, Pieza 190, Sala 1ª.

6.— *Sus escritos políticos y sus lecciones de Derecho internacional después del triunfo de Boyacá.*

Con el triunfo de las armas republicanas en Boyacá y la salida de Sámano de Santa Fé, en medio del desconcierto colectivo
Herrera actúa rápidamente: reúne al pueblo y al cabildo, hace
nombrar gobernador y organiza el gobierno. Es elegido él mismo
Presidente de la Alta Corte de Justicia, y en el ejercicio de este cargo recibe y arenga al Libertador cuando hace su entrada triunfal
a Bogotá. Dada la Constitución, fue nombrado Ministro de la Corte Suprema y posteriomente su Fiscal.

Veremos luego su combatiente y combatida personalidad medir sus armas —sin dejarse vencer por la edad— en la candente
arena política con los prepotentes amigos de Santander. Su mor-
daz ironía, la indiscreción con que en la cátedra del Rosario, en
los corrillos de la calle y en la prensa, se refería a sus enemigos,
y su nunca desmentida lealtad a la persona y a las ideas de Nariño, le hicieron objeto de los dardos envenenados de las nuevas
promociones políticas que trataban con cierto desprecio a los
pocos miembros sobrevivientes de la vieja generación de 1810.

El antiguo izquierdista ya se había moderado en sus ideas. Las
experiencias vividas, y el estudio asiduo, le hacían desconfiar de
las reformas demagógicas, apresuradas e imitativas de sistemas
foráneos, y propugnar en cambio una evolución social y política
acorde con la tradición, y "arreglar las leyes conforme a los usos
y costumbres de América y a su Religión".

Por ello enseñaba y escribía que "la justicia es el fundamento
de todos los Estados. Engañar al pueblo con palabras de libertad;
halagar la nación con dulces esperanzas y ofrecerle mil ventajas,
al mismo tiempo que se insulta el mérito por ojos que lo miran
como perjudicial al suyo, todo esto se dirige a preparar el foso en
que nos vamos a sepultar" (27).

Estaba tan penetrado de este pensamiento, que lo repite a
cada paso: "La justicia es el fundamento de los Gobiernos, y sin
ésta, no puede haber Colombia".

La conjura contra el *viejo Herrera*, el civilista de todas las
horas, el amigo de reformas avanzadas y el más severo censor y
opositor de los gobiernos, y calificado ahora de "godo fanático",
se llevó a cabo en 1824 para retirarlo de la Presidencia de la Cámara, por ser personaje incómodo que se oponía a proditorios
planes.

_____

(27) *Causa célebre de la separación del Presidente de la Cámara de Representantes Dr. Ignacio de Herrera en el año de 1824,* en Bibl. Nal., N. 12.926, **Pieza 17.**

Hé aquí cómo describe él mismo el sonado incidente: "En 24 fui Presidente de la Cámara de Representantes, época de las más célebres de toda mi carrera. Teníamos partidos encarnizados. Yo con el apoyo de representantes ancianos y llenos de experiencia, sosteníamos que se declarara dominante en Colombia la Religión de Jesucristo, sin perjuicio de la tolerancia... Me oponía igualmente a la mutación de los impuestos, respetando la autoridad de Montesquieu que recomienda la prudencia con que los legisladores deben obrar en estos puntos. Dice que "los pueblos habituados ya a ciertos impuestos, miran con odio los nuevos y nunca los reciben con agrado". Los contrarios a esta opinión temieron la decisión siendo yo Presidente y el día antes de la última discusión tendieron el lazo para separarme. Entonces renuncié sin demora la Representación. Todo esto consta del cuaderno impreso, y no se atrevieron a contradecir" (28).

Con esta ocasión escribió un folleto al que hace referencia en las líneas anteriores, en que la pluma del airado polemista no pierde nada de su vigor y agilidad. La misma frase incisiva y urticante. Las mismas ideas democráticas y religiosas. Su misma pasión por el primado de la justicia y del derecho, su mismo altivo patriotismo, ajeno a prebendas y granjerías en su orgullosa independencia. Al igual que Nariño cuando señalaba con dedo implacable las reducidas figuraciones de sus opositores, en nada comparables a su talla heroica de patricio, encanecido en el servicio de la República que había fundado.

Las maniobras ejercidas contra él —dice con firmeza— se explicaban porque "no convenía que Colombia tuviera sancionada su Religión por una Ley", y se dirigían "a deshacerse de un testigo incómodo que por su semblante reprobaba las expresiones que desde la legislatura pasada se vomitaban libremente y con escándalo de un pueblo virtuoso y amante de su Religión" (29). Con fina ironía se burla de los que proferían esas expresiones irreligiosas, "manojito de bellas flores, sacando todo del *Diccionario razonado* de Voltaire".

Sus ideas políticas en materias religiosas estaban informadas por un moderado regalismo aprendido en el Colegio del Rosario durante el régimen colonial. Antes de que el Gobierno se decidiera a promulgar la Ley del Patronato quiso oír la opinión de personas de reconocida ilustración y probidad. Su voto fue favorable a la tesis gobiernista. "Toda autoridad temporal —escribió— sea monárquica o aristocrática, es protectora del culto público del Esta-

(28) *Representación dada al Excmo. Sr. Presidente Libertador*, Bogotá, 1928, o. c.
(29) *Causa célebre de la separación del Presidente de la Cámara*, o. c.

do... Todas estas doctrinas no son sólo del Clero Galicano; antes de los Bossués y Fenelones, varones muy ilustres de España habían defendido las mismas. Con estos fundamentos mi voto es que no se haga novedad alguna en el Patronato, y que el Gobierno continúe en la libre presentación, ocurriéndose inmediatamente a la Silla Apostólica para la aprobación de esta conducta" (30).

Su civilismo nunca tuvo ocasos, así le trajera amarguras y persecuciones de los de arriba. En 1820 al protestar con energía por los desafueros cometidos por militares venezolanos en el Valle del Cauca, consideraba "el régimen militarista como el peor flagelo para la vida normal de un pueblo" (31).

Santander, celoso partidario de las prerrogativas de los militares y amigo por entonces de la presidencia vitalicia de Bolívar, no podía tolerar la oposición civilista de Herrera, y así le escribía al Libertador en carta de 26 de septiembre de 1820: "Tiene U. muy sobrada razón para temer servir entre unos hombres ingratos, interesados y enemigos de las casacas de dos colores. Yo tengo aquí seis u ocho de estos hombres que de buena gana los volvería godos para ahorcarlos. Todos van al Congreso de Cúcuta, y todos estamos temiendo lo que irán a hacer... El corifeo es el doctor Herrera, que desde niño es turbulento, sedicioso, vano, orgulloso, etc."

Mas cuando empezó y dirigió la campaña contra la dictadura del Libertador y las ideas monarquistas de sus amigos, iba a encontrar en el Procurador del pueblo un aliado poderoso y firme en sus convicciones republicanas.

En un Memorial escrito en 1831 Herrera, que nunca permitió trabas al vuelo de su pluma, en pleno gobierno de los amigos del Libertador, revela sin recelos las aspiraciones de éste a la monarquía y las actividades de sus ministros en favor de este descabellado propósito: "Mientras tanto se dirigía sordamente a la Corona el General Simón Bolívar, buscando al efecto devotos que auxiliaran su proyecto. En un banquete atraía a uno con palabras lisonjeras. En otro convite vomitaba expresiones para descubrir el espíritu de la persona a quien se dirigía. Apuradas las intrigas, propone por medio de sus satélites que se informara a las cortes de Francia e Inglaterra, que los pueblos de América eran harto estúpidos; que no tenían virtudes, que son el alma de las repúblicas; que su falta de ilustración los hacía incapaces del gobierno popular, representativo y alternativo, y que más bien les convenía un gobierno fuerte y vigoroso, que era de concederse a Simón Bolívar" (32).

(30) *Sobre Patronato*, Imp. de N. Lora, año de 1823. Opúsculo de 51 páginas en la Biblioteca Nal., Sala 1ª, N. 4.900, Pieza 721.
(31) Demetrio García Vásquez, *Revaluaciones Históricas*, T. II, p. 180.

El mismo que refiriéndose al despotismo de los Borbones había sostenido que "nunca los pueblos son el patrimonio del que manda, ni puede el jefe disponer de ellos como manadas de animales", expone sin reatos sus ideas sobre el absolutismo las cuales arrancaban desde muy atrás:

"Fatal ha sido la plenitud de jurisdicción de Bolívar en Colombia. Cuando dicto este párrafo me ocurren en tropel las doctrinas y fundamentos de los más célebres publicistas: poder sobre la constitución, que es el garante del que manda, y de las obligaciones de los ciudadanos, es un monstruo que hace irracional al hombre y lo constituye en pura bestia ¿En cuáles circunstancias se suspenderá la justicia que resulta de la aplicación de la ley? *No hay autoridad sin término.* Aún el absolutismo es abominado por las naciones cultas, pues la naturaleza nos suministra las reglas de lo justo y de lo injusto. Luego que la Constitución se destruye, desaparece el Gobierno y ninguno queda obligado a obedecer. Toda obligación viene de la ley fundamental, que es el pacto de los pueblos, y sin ella se ofrece un tirano".

El mismo nos cuenta las circunstancias de su reconciliación con Santander, en una junta convocada por éste: "Asistía a la concurrencia por llamamiento expreso del General Francisco de Paula Santander. Mi carácter no sufre bastardías, ni podía manchar mi conducta del año de 1810 por la libertad del Nuevo Reino de Granada con una infamia. Respondía, pues, que la mutación de gobierno debía ser obra de la voluntad general, por la voz de sus representantes; que la soberanía de la nación era indivisible y no resultaba de reuniones parciales de cuarenta y cincuenta hombres, y que en caso que la pluralidad convocada legítimamente se resolviera por la monarquía, jamás convendría en que fuese rey Simón Bolívar. Mejor era, añadí, un príncipe de España. Con esta oposición vigorosa se levanta el General Francisco de Paula Santander, me alarga su mano, y apretando la mía, grita: "Así hablan y proceden los hombres de honor, que no prostituyen la confianza pública por la esperanza de un empleo, o de un ducado o condado. Casi con las mismas expresiones me he explicado yo. Retirémonos para que estos locos acaben de perder la República".

La más genuina tradición hispanista, remozada con autores modernos, de que se había nutrido en sus estudios del Rosario sobre la soberanía popular y la resistencia al tirano que pierde el justo derecho al poder, inspiró toda la vida su pensamiento y di-

---

(32) *Memorial del doctor Ignacio de Herrera al Secretario de Estado y del Despacho de Hacienda,* junio de 1831, publicado por Luis Augusto Cuervo en *Notas Históricas* (Bogotá, 1929), p. 103-111.

rigió su pluma. En 1834 el anciano Profesor de Derecho Internacional en el claustro de Fray Cristóbal, en la cátedra para la cual
había sido nombrado por el mismo Bolívar, invitaba a la pública
defensa que en la capilla del colegio harían sus alumnos de las
siguientes tesis, las cuales en sus términos un tanto arcaicos reve-
laban indudablemente la ascendencia lejana:

"1ª Las naciones independientes gozan de la soberanía a que
pueden procurarse su felicidad.

"2ª Cada una de ellas tiene, por lo mismo, el derecho de establecer libremente su gobierno sin intervención de las otras y darse leyes fundamentales que caractericen la legitimidad del poder.

"4ª Si un tirano o bárbaro usurpador viola la ley fundamental
de la nación que gobierna, rompe con este hecho el lazo; ella no
debe obedecerle y puede castigarlo.

"5ª *Este derecho sagrado de la soberanía no corresponde a sediciosos* que en observancia la constitución, no tienen el alto poder de los pueblos; y como reos de alta traición merecen ser cas-
tigados con todo el rigor de las leyes penales".

Su regalismo, respetuoso de la libertad de conciencia, quedaba fijado en la última proposición: "Pertenece también a cada nación establecer la religión y velar sobre el culto exterior sin violentar las conciencias ni establecerse censor. Su objeto único en este
asunto es que no se turbe el orden público y que no se establezcan
ceremonias escandalosas o incompatibles a los usos y costumbres
del país" (33).

Y a los llamados de la honra acudió siempre este soberbio
ejemplar de hombre hispano. Al reclamar con el coraje de su
temperamento ante el Libertador por su destitución del cargo de
Fiscal de la Corte Suprema de Justicia, estampaba estos párrafos
magníficos:

"Tengo cinco hijos y carezco de lo necesario para su decencia y mantenimiento. Mis padres poseyeron bienes en la ciudad
de Cali; empero las tropas españolas y las de la Patria se apode-
raron de todo. Ya no me queda otra porción y patrimonio para
mis hijos que el honor. Exijo, pues, no la restitución del empleo,
sino la de mi buen nombre" (34).

---

(33) Biblioteca Nal., Sala 1ª, N. 6243, Pieza 6. "He sido Catedrático —escribía en
la citada *Representación*— durante 12 años, por oposición, en tiempo de los españoles, a la cátedra de Derecho Real que después se nombró Patrio y al fin de
Derecho Natural y de Gentes. Tengo discípulos bien acreditados en el foro y en la
Iglesia".

(34) *Representación dada al Excmo. Sr. Presidente Libertador*, o. c. En este mismo escrito estampaba estas afirmaciones: "Parado estoy sobre la arena, los de-

En 1840 murió ciego el último de los Próceres de la Revolución de 1810, quien supo defender con brío intelectual y entereza de ánimo nunca desmentidos, ante los nuevos, los valores de la vieja y gloriosa generación.

Ignacio Gutiérrez Vergara y Lino de Pombo —hijos de próceres, compañeros de lucha de Herrera— supieron rendir homenaje a sus méritos: "El doctor Herrera era venerado como un monumento vivo del patriotismo puro, generoso, ardiente y sin aspiraciones, de los días de nuestra transformación política, y la sociedad recibía de él todavía servicios de su ancianidad, en el ramo de instrucción pública. Su memoria será siempre grata para sus compatriotas" (35).

El fogoso tribuno y formidable polemista que actuó con el pueblo y con el cabildo de Bogotá en las tres grandes épocas cruciales de nuestra historia, el 20 de Julio de 1810 a la caída del régimen colonial, en 1816, al sucumbir la primera República, y en 1819 al cimentarse la Independencia, supo, como ninguno, calificar la exacta dimensión de aquella época y de aquella generación para siempre memorables:

"Todos los miembros del cabildo procedían de un mismo modo, y en ese tiempo fue desconocida la divergencia que posteriormente fue el origen de mil males. Los próceres y el pueblo todo estaban afines, y el Procurador General era el eco de su voz" (36).

De esta suerte él mismo, en forma insuperable, tejió el elogio de su propia grandeza.

---

safío, y vengan a medir sus fuerzas. No quiero rentas ni empleos, y desde ahora provoco a V. E. para que jamás me tenga presente. En ninguna de las Secretarías de Gracia y Justicia se encuentra memorial mío, porque no trabajé en la transformación política para buscarlos".

(35) El artículo necrológico fue publicado en *El Observador* de Bogotá, N. 26, de 15 de marzo de 1840.

(36) *Representación dada al Excmo. Sr. Presidente Libertador*, o. c. De los sentimientos cristianos que animaron a este noble ejemplar del hidalgo español, da idea la carta que el 9 de abril de 1811 envió a su antiguo adversario del Cabildo D. Bernardo Gutiérrez, con ánimo de ayudarle a salir de la cárcel: "En el mismo momento que se interpuso don Francisco Morales para que me reconciliara con usted, respondí que mi espíritu no conservaba odio alguno, y que las representaciones que había hecho dimanaban de mi empleo de Procurador General y no por la infame complacencia de vengar resentimientos particulares. En prueba de mi buena intención, luégo que pasé a la cárcel llamado por don José María Carbonell, abracé a usted y le di señales de mi buen afecto. El mismo conservo sin que tenga motivos para renovar un acontecimiento que borró la religión y por la que estoy obligado a dar a usted cuantos testimonios quisiere de mi buena voluntad. Con esto me ofrezco a servirle en lo que pueda serle útil". (Archivo Histórico Nacional, Salón de la Colonia, Sección Solicitudes, T. I, fol. 807.

SEXTA PARTE

EL CUERPO DIRECTIVO DEL MOVIMIENTO REVOLUCIONARIO

CAPITULO I

CAUDILLOS POLITICOS DE LA REVOLUCION

Al lado de los cuatro ideólogos ya estudiados, actuaron otros dirigentes de valía que tuvieron notable influjo en la formación de un ambiente propicio al cambio de gobierno y en la configuración del nuevo Estado.

Como sería labor interminable la de proyectar la imagen intelectual de una pléyade de claros varones, me limitaré en este capítulo a poner de relieve la ideología de quienes, a mi parecer, manifestaron mayor fuerza conceptual en sus escritos. Hay muchos nombres de los cuales prescindo, con deliberado propósito, por diversas razones: Jorge Tadeo Lozano, escritor literario y científico más que político; Miguel Tobar y Luis Eduardo de Azuola, cuyo pensamiento quedó consignado en Constituciones políticas; Crisanto Valenzuela, Emigdio Benítez, Camilo González Manrique, Joaquín de Hoyos, Manuel Rodríguez Torices, José Fernández Madrid, etc., porque no dejaron material escrito suficiente para un análisis detallado (1).

---

(1) Jorge Tadeo Lozano fue el autor, mientras ejercía la Presidencia de Cundinamarca, de un interesante proyecto de división del Reino en cuatro Departamentos. Los datos relativos están contenidos en un opúsculo de 102 páginas, en 8º, que tiene por título *Documentos importantes sobre las Negociaciones que tiene pendientes el Estado de Cundinamarca para que se divida el Reino en Departamentos*, Santafé de Bogotá. En la Imp. Real de Don Bruno Espinosa de los Monteros. Año 1811. (Biblioteca Nacional, Fondo Pineda, Sala 1ª, N. 13039, Pieza 5). Rodríguez Torices y Fernández Madrid dirigieron el *Argos de Cartagena de Indias* con gran dignidad de estilo y altura de ideas. "No parecía un periódico de manos tan nuevas —escribió J. M. Salazar— en escribir sobre política, sino de otras ya ejercitadas en este género de escritos". Véase *Don Manuel Rodríguez Torices* por J. M. Salazar, en *Revista de Bogotá*, T. I, N. 9 (1872), p. 605.

1.— *José María del Castillo y Rada, Procurador del Cabildo de Santa Fé en 1808.*

Este cartagenero profundamente vinculado al Colegio del Rosario del que fue alumno, profesor, consiliario, Vice-rector y Rector, compañero de campañas federalistas de Torres en cuyo estudio de abogado se ejercitó para obtener el título, tomó parte principalísima y aun cronológicamente fue uno de los primeros, en la transformación política de 1810.

Literato elegante y claro, orador brillante, economista y financista que descollaba como un gigante sobre el nivel de su época, al decir de Aníbal Galindo, jurisconsulto, maestro de juventudes, periodista, político de notable influencia en los gobiernos de la primera República, de la Gran Colombia y de la Nueva Granada, Castillo y Rada ilumina con el fulgor de sus virtudes las páginas de nuestra historia republicana.

Ejercía la profesión de abogado en Santa Fé cuando fue elegido Regidor del Cabildo, y en 1808 Síndico Procurador General, "oficio que —son sus palabras— en los años anteriores a la transformación política se encargaba con extrema escrupulosidad".

No quedaron frustradas las esperanzas del pueblo y del cabildo.

Desde la formación de las Juntas Provinciales de España para combatir a Napoleón, concibió la idea clara de la independencia. "Desde el momento —escribe— fuí uno de los que vieron llegado el día de separar estos países de la Corona de Castilla, para hacerlos marchar independientes por el camino de la libertad hasta la altura de la prosperidad y de la grandeza" (2).

Al llegar Pando Sanllorente a pedir el reconocimiento de la Junta de Sevilla y a colectar fondos para la guerra, en la Junta del 11 de septiembre de 1808, Castillo de acuerdo con Torres intentó audazmente precipitar la creación de la primera Junta Suprema del Reino, y lo hubiera logrado "si un incidente casual no hubiera alarmado al virrey quien tomó precauciones de naturaleza tal que frustraron el plan que se había trazado", según los datos precisos transmitidos por él mismo.

Al año siguiente asiste como Catedrático de Derecho Civil a las Juntas convocadas por Amar el 6 y 11 de septiembre para tratar de las noticias de la sublevación de Quito, y "mi dictamen que

---

(2) Memorias de Castillo y Rada, en *La Vida de Castillo y Rada*, publicación dirigida por Eduardo Rodríguez Piñeres, Bogotá, 1949, p. 80.

dí escrito, fue uno de los cinco que recogió la Audiencia y que, con nota criminosa, conservaba en su archivo secreto para juzgar algún día a sus autores".

Su cercano parentesco con el General Antonio de Narváez —elegido Diputado a Cortes y muy estimado del Virrey— lo libró de las persecuciones de éste. Escribió en efecto a su tío aconsejándole lo retirara del ambiente de Santa Fé y lo llevara a España:

"En la última sesión —decía en carta confidencial de 29 de septiembre— celebrada a mi presencia, se ha querido por algunos sujetar el Gobierno a una Junta Superior, cuyas resultas considero ser perjudiciales, y ha sido uno de los más acérrimos defensores de esta opinión el doctor José María del Castillo, sujeto por su persona, talento e instrucción muy recomendable... Me persuado que si lo llevase Vm. a su lado a España, se le proporcionaría sobresaliente carrera: y así me tomo la satisfacción de expresarlo a Vm. para más desviarme de cualquier incidente que me pueda obligar a su menos miramiento..." (3).

El plan del Virrey fue aprovechado por los dirigentes, los cuales convinieron en la ida de Castillo a Cartagena para iniciar ahí los primeros movimientos que tenían por fin paralizar las tropas españolas de aquella plaza fuerte, y favorecer de esta manera el levantamiento de Santa Fé. Su testimonio es decisivo: "Avisé a todas las personas que estaban en el secreto, a los primeros promovedores de la independencia de este país, en la capital, a aquellos hombres inmortales, cuya existencia fue el ornato de esta tierra, y se convino que yo anunciara un viaje voluntario a España, con el objeto de que acelerase los primeros movimientos en Cartagena, que se miraba entonces como el fuerte apoyo de los mandatarios españoles, y donde habían germinado las mismas ideas que acá".

Veremos así a Castillo en 1810 como Regidor del Cabildo de Cartagena, dirigir, en asocio de García Toledo y de Gutiérrez de Piñeres, las actividades del Ayuntamiento para la proclamación de una Junta de Gobierno a la llegada del Comisionado del Consejo de Regencia, don Antonio Villavicencio.

En la sesión extraordinaria del Cabildo del 12 de mayo, Castillo asumió idéntica actitud a la de Torres en 1809: "Que protesta —dijo enérgicamente— en lo sucesivo no exponer su concepto y dar su voto interin el Cuerpo Capitular no goce de la libertad que le conceden las leyes que ordenan no se celebren los cabildos en la casa que viven los Gobernadores, y que en ella no

---

(3) *La Vida de Castillo y Rada*, o. c., p. 81.

haya ministros militares, y mucho menos una guardia reforzada y con la fusilería cargada con bala..." (4).

Después de varias medidas que coartaron el libre ejercicio de la autoridad del Gobernador don Francisco Montes, en sesión del 14 de junio el Cabildo acabó por destituírlo y poner en el mando una Junta de "Coadministradores de la República". Cuando finalmente se estableció la Junta Suprema de Gobierno, Castillo figuró entre sus miembros principales.

Cumplida así la comisión recibida de los próceres de Santa Fé, éstos lo llamaron para que prestara sus servicios al nuevo Gobierno.

Miembro del Colegio Constituyente de Cundinamarca, fue encargado en compañía de Tadeo Lozano, Azuola y Tobar, de preparar el proyecto de Constitución. Pero él era partidario de una Constitución republicana, al contrario de los otros miembros que la querían monárquica y resolvieron presentar dos proyectos separados: del suyo sólo se adoptó la materia relativa a elecciones y a la organización del poder judicial.

Después se le abrieron todas las puertas de los honores republicanos y en todos los gobiernos sucesivos fue elemento moderador en las discordias, sabio legislador y prudente gobernante.

Sus ideas políticas, expuestas y defendidas siempre con diáfana claridad, estaban muy lejos de conformarse con los conceptos de libertades absolutas de la Revolución Francesa:

"La libertad con leyes, los derechos del hombre con acción de un buen gobierno, son los objetos que ansío, porque me parecen las bases más sólidas de la felicidad de las naciones. Siempre he estado persuadido de que la libertad no puede mantenerse sino con el concurso de la autoridad, de las leyes, y de un Gobierno enérgico. Yo hallo gran diferencia entre una República cuyos poderes están balanceados prudentemente, y una democracia tumultuosa, en la que frecuentemente una facción usurpa el nombre respetable del pueblo. La diferencia me parece todavía mayor entre un patriota y un demagogo..." (5).

Su formación cristiana le impelía a propender por "un orden regular apoyado por la moral y la virtud", y su espíritu civilista lo enfrentaba a los desmanes de los militares, cuya posición en una República ordenada era señalada en forma categórica:

"La virtud es el alma de la República y no puede existir si cada hombre no se reduce a su deber, si no se obedecen las leyes,

---

(4) *Antonio de Villavicencio y la Revolución de la Independencia*, por J. D. Monsalve, Tomo I, p. 78.
(5) *Memorias de Castillo y Rada*, o. c., p. 76.

si no se respetan los Magistrados, si no se conservan las propiedades, si se pisa la libertad y se desconoce la igualdad legal de los ciudadanos. Es preciso que el militar entienda que no es más que un ciudadano armado para defender los derechos de sus hermanos, y que no tiene derecho de oprimirlos, de vejarlos y de atropellarlos... Sólo en las monarquías déspotas hay la distinción de soldado y paisano; sólo en ellas el primero es enemigo del segundo. En las Repúblicas los soldados son ciudadanos armados y todos los ciudadanos son soldados, amigos que deben amarse..." (6).

Ese mismo respeto a la legalidad —de tan honda entraña en la tradición colombiana— le inspiraba la más profunda aversión a las vías de hecho.

"Estoy contra las vías de hecho —escribía— porque vivo convencido de que ellas no sirven sino para hacer el mal, y de que cuanto más se multipliquen más se complican y empeoran los negocios" (7).

La imprenta usada con razón y con justicia era para él elemento indispensable en la marcha de la República: "La imprenta es el vehículo de la razón pública, el más firme apoyo de la libertad y el arma digna de los verdaderos patriotas. Que se escriba con decencia, que se persuada por este medio, que se haga triunfar la razón y la justicia; y así se dará la idea de un pueblo culto y de ciudadanos liberales..."

2.— Don José Gregorio Gutiérrez Moreno, Síndico Procurador de Santa Fé en 1809.

Sucedió a Castillo en el cargo de Personero del Pueblo este patricio eminente, espejo de virtudes cívicas y cristianas, y tronco de una familia que ha dado a las letras y a la política figuras de primera magnitud.

Hijo de don Pantaleón Gutiérrez, verdadero patriarca de la Independencia, y nieto del célebre Fiscal don Francisco Moreno y Escandón, cursó sus estudios, al igual que todos los miembros de su familia, en San Bartolomé, y se recibió de abogado de la Real Audiencia. Luego de una breve incursión por los predios del comercio, se dedicó al ejercicio de la jurisprudencia, habiendo conseguido ponerse al nivel de la reputación de los Torres, Ca-

---

(6) *Vida de Castillo y Rada*, o. c., p. 343.
(7) *Vida de Castillo y Rada*, o. c., p. 379.

machos y Tenorios, con quienes contendía en los estrados judiciales, al decir de su primer biógrafo don Estanislao Vergara (8).

En una de sus cartas a su hermano Agustín, patriota benemérito, deja ver el motivo de la especial oposición por parte de los abogados granadinos al despotismo real: "La opinión general, desde que en España sentó su imperio el despotismo de los reyes, fue contra los letrados y doctores, porque éstos, como instruídos, no ignoraban los derechos del hombre y la usurpación que de ellos hacían los soberanos. Así fue que en América se prohibió el estudio del derecho público..." (9).

Eran tan conocidas en su ciudad natal sus ideas de libertad, que en 1809 fue elegido vocero del pueblo, justamente con su amigo don Camilo Torres. No fueron vanas las esperanzas de los electores. El Procurador General y el Asesor del Cabildo pensaron y actuaron en la unión más estrecha, con la misma lucidez de mente e idéntica entereza de ánimo.

Con ocasión de la Revolución ocurrida en Quito el 10 de agosto de 1809, el Virrey y los Oidores convocaron en septiembre, en el palacio virreynal, una Junta de notables, no sin antes haber doblado la guardia y dar orden a las tropas de los diversos cuarteles de mantenerse sobre las armas. El Voto de Gutiérrez Moreno, firme y sincero, hace honor a su cargo de personero del pueblo, en cuyo nombre expresó con sereno valor y claridad meridiana su sentir político.

Por haber permanecido prácticamente inédito y reflejar admirablemente las ideas de la generación revolucionaria, insertamos aquí ese famoso *Voto* en toda su integridad.

"La delicadeza y gravedad de la materia sobre que nos hemos reunido a tratar en este día, merece toda nuestra atención, y que se expongan con la mayor sencillez los sentimientos de cada uno, para que por este medio se arbitren los más oportunos para calmar unos disturbios que pueden acarrear las consecuencias más lamentables. La sinceridad y buena fe, que debe ser el carácter de nuestras operaciones, demanda que se hable con la mayor claridad en el asunto más arduo que jamás se ha ofrecido a este Reino y a toda la América por su trascendencia. Sin este previo requisito, serían ociosos todos nuestros dictámenes, porque carecerían de aquella libre ingenuidad tan necesaria en estos casos. Su-

---

(8) *José Gregorio Gutiérrez*, por don Estanislao Vergara. Breve biografía, publicada en la *Revista de Bogotá*, T. I, p. 26 y 91. Nació el prócer en Santafé, el 11 de noviembre de 1781.

(9) *Vida de Don Ignacio Gutiérrez Vergara y episodios históricos de su tiempo*, por su hijo Ignacio Gutiérrez Ponce, T. I, p. 46.

puesta, pues, la garantía y seguridad que se ofreció por el voto común de esta respetable Asamblea y que ha quedado sancionada con toda la formalidad que exige un acto tan solemne, paso a exponer mi modo de pensar sobre los asuntos cuya discusión nos ha congregado en este lugar.

"No hay que buscar otra causa en el procedimiento de los quiteños que la sospecha y desconfianza con que miraban al Gobierno de sus Magistrados. Este modo de pensar siempre ha sido característico de todos los pueblos, mucho más cuando median algunos motivos de consideración respecto de su seguridad. Ellos, como carecen de los conocimientos necesarios, y se ven por otra parte combatidos de terrores por las noticias alteradas que circulan, no pueden menos sino desconfiar mucho de los que tienen en sus manos las riendas del gobierno. Ellos como aman con un amor sensible y eterno a su Patria, a su Religión, y a sus hogares, tienen por motivo justo de temor cualquiera recelo infundado. Esta es la débil condición de todo pueblo; pero aunque fuere más indiscreta su conducta, siempre es preciso satisfacerlos plenamente y con mayor urgencia en el caso en que nos hallamos. Nadie ignora que la fidelidad, el patriotismo, y el verdadero honor han brillado generalmente en las familias populares de la Península, y que por el contrario, muchos de los Ministros públicos y personajes de alta representación, son los que se han declarado traidores contra la Religión, contra el Rey, y contra la Patria. ¿Cómo, pues, se desimpresionará a los pueblos de América, de que el mismo espíritu de ambición y de felonía no dominará también a sus Magistrados, mucho más siendo europeos como aquellos?

"Tal ha sido el temor de los habitantes de Quito, y tal será igualmente el que se vaya difundiendo en todos los ánimos en las demás provincias. Tanto más vehemente es esta sospecha, cuanto se ha visto con dolor que no se ha verificado el plan de las Juntas Provinciales mandado circularmente por la Suprema Central Gubernativa a nombre del Sr. D. Fernando VII (que Dios guarde) en su Real Cédula del 1º de enero de este año. Esta novedad habrá hecho persuadir a las Américas que, en caso de ser destruída la Suprema Junta de la Nación, se piensa en someterlas al dominio francés para asegurar así cada Magistrado su empleo y representación política.

"Yo, Señor Excelentísimo, protesto que cuanto acabo de decir no es una emanación de mi espíritu, ni un resultado de mis propios sentimientos. Yo pienso con honor de los Jefes y Magistrados que nos gobiernan: conozco su integridad, su actividad y buenas intenciones; pero al mismo tiempo no puedo prescindir de las obligaciones tan delicadas en que me ha constituído mi empleo. Soy el órgano del pueblo y su defensor nato: todo él está sobre mis hombros, y yo me haría responsable a Dios y al mundo, si no hablase por él en este día con aquel espíritu de justicia y de ingenuidad a que me obligué cuando se me exigió el juramento de defender sus derechos en presencia de este respetable cuerpo.

"Si se verificare el establecimiento de Juntas Provinciales en América, conforme al Reglamento inserto en la Real Cédula citada, entonces depondría el público sus temores, que aunque sean mal fundados, no dejan de tenerlo en continuo movimiento y observación. Entonces los funcionarios de su elección quedarían satisfechos de que se trataba de buena fe sobre la seguridad de todo el Reino, presentándole un monumento augusto de la existencia de la Suprema Junta central de España; y entonces también quedarían más asegurados en su respeto y representación todos los tribunales de la capital. Yo, Señor Excelentísimo, no encuentro otro medio de calmar la efervescencia de los ánimos, ni de disipar las sospechas, que se aumentarán cada día más contra el Gobierno. Como no se les puede presentar una positiva evidencia de que la Suprema Central de España e Indias existe con aquel mismo grado de autoridad y representación en que le juramos obediencia, sino que por el contrario, se dice, que su situación es precaria, vacilante y calamitosa, de aquí nace el temor que tienen los pueblos de ser repentinamente sometidos al gobierno tiránico del intruso José Bonaparte.

"Vuelvo a decir que el establecimiento de la Junta Provincial sería la prueba más convincente de que la Suprema Central existe en todo su poder y vigor. Ella sería mirada (para usar de la misma expresión de la Real Cédula) como una autoridad intermedia entre el Gobierno y el pueblo. Ella calmaría sus recelos y sería el testimonio más auténtico que podía ofrecerse a los de Quito, de la existencia de la Suprema Junta Central con toda su representación política, supuesto que la de aquí era erigida por su orden y permanecía en su obediencia. De otro modo, cualquiera otro arbitrio que se adopte, lo tendrán por sospechoso, particularmente si va dirigido por conducto del Gobierno y de los otros Tribunales.

"Este es un punto que en mi concepto merece la más detenida reflexión. En adoptar los medios más oportunos consiste el éxito feliz o desgraciado de la empresa, y tanto más se deben meditar éstos, cuanto es más interesante la materia. La segregación de la provincia de Quito, quizás no debe sernos tan dolorosa por la pérdida de la considerable suma de dinero con que se ocurría a las urgencias del Estado, como en consideración al pernicioso ejemplo que ha dado a las demás provincias con su no bien meditada conducta. El plan de su gobierno se funda sobre las ideas más seductoras de independencia y libertad, al mismo tiempo que a primera vista presenta un aspecto de justicia, capaz de alucinar aun a los más advertidos. En él se invoca el augusto nombre de nuestro Soberano el Sr. D. Fernando VII; se le protesta obediencia: que se le renunciará la autoridad luego que se restituya al trono; y que aquel procedimiento no tiene otro objeto, que el de sacudir el yugo del despotismo. ¿Y qué, no son estas especies capaces de difundirse por toda la América? Acaso llegarán muy cerca de nosotros, y aunque a nuestra capital le hagamos la justicia de pensar que se mantedrá constante en la fe prometida, como carecemos de fuerzas, de arbitrios y de recursos para sostenerla, nos veríamos constituídos en la dura alternativa, o de ser miserables víctimas del furor de los demás pueblos, o de condescender por fuerza con sus ideas, de un modo servil y vergonzoso.

"Estos graves inconvenientes podrían tal vez evitarse con el establecimiento de la Junta Provincial, cuyo temperamento tiene íntima conexión con el sistema de gobierno actual. En él se reconoce una autoridad suprema de la soberanía, y no se deniega la obediencia a los jefes y autoridades constituídas. Si la misma Junta Central ha declarado a las Américas partes integrantes de la monarquía española, con el goce de unos mismos derechos y privilegios; si allá se han conservado esas Juntas, y se han tenido por necesarias para la mejor armonía y defensa del Estado, ¿por qué este medio tan universal, tan útil y tan necesario no se adoptará en estos reinos, en que la distancia del trono, la extensión de las provincias y otras muchas necesidades notorias, hacen indispensable su establecimiento? Es verdad que nuestros países se han visto hasta ahora libres de los rigores de la guerra, que ha sido el objeto primario de la conservación de las Juntas; pero en el día la tenemos ya dentro de nosotros mismos, iniciada bajo un aspecto fatal y terrible. Hasta este momento, el más crítico y urgente, no hemos reclamado lo que tanto se nos debía de justicia, para acreditar en todo tiempo nuestra deferencia a las disposiciones del Gobierno, y poder presentar en cualquiera ocasión la prueba más sublime de nuestro respeto y fidelidad.

"Según estos principios yo no creo que pueda contradecirse un plan en que no se llevan otras miras que las de restablecer la mutua confianza entre el Gobierno y el pueblo; esta confianza, sin cuyo precioso y sagrado vínculo resultaría un horrendo desorden y la anarquía más lastimosa. Sólo así creerá el pueblo que el Gobierno se interesa en conservarle sus inmunidades y derechos, y sólo así podrá el Gobierno lograr que el pueblo respete sus pro-

videncias con toda subordinación, y sin repugnancia, como dictadas solamente para su felicidad. En esta virtud, resumiendo mi
concepto, soy de opinión que establecida en esta capital la Junta
Superior Provincial con todas las formalidades que exige el reglamento y en la que deben tener también la parte que les corresponde los Magistrados y Tribunales, a ella le toca conforme al artículo 6º arbitrar los medios que puedan tomarse para la pacificación de la Provincia de Quito. Ella también, según los que adop-
tare, podrá responder a los pliegos dirigidos por el Marqués de
Selva Alegre al Ilustre Cabildo quien deberá por ahora reducir
su contestación a los mismos oficios, defiriendo a lo que en particular resolviere la Junta.

"Tal es mi dictamen, Excmo. Señor, en el cual protesto no llevo
otras miras que las de la felicidad pública, el crédito del Gobierno y el desempeño de la obligación en que me ha constituído mi
empleo. Yo tendré la mayor complacencia y satisfacción en ver
que los medios que acabo de proponer son destruídos por otros
más bien fundados que merezcan la pluralidad de votos y la aprobación de V. E. Santafé, septiembre 11 de 1809" (10).

La habilidad dialéctica con que están expuestas las razones
para reclamar la constitución de una Junta de Gobierno, primer
paso a la independencia política, demuestra muy bien la táctica
seguida por los promotores de la revolución con las autoridades
peninsulares, las cuales se resistían, con claro instinto de supervivencia, a que América siguiera el ejemplo de España. Desaparecida la soberanía de Fernando VII y reasumida por el pueblo español en sus Juntas, era lógico pensar que las provincias americanas adoptarían idéntico sistema, máxime cuando las mismas
Juntas peninsulares incitaban a ello. Pero los altos funcionarios
—Virreyes y Oidores—, muchos de ellos nombrados por el odiado
Godoy, se empeñaban en conservar sus puestos, recelando con
razón que tales modificaciones, si se introducían en el régimen
de las colonias, llevarían necesariamente a su pérdida total.

De ahí una mutua desconfianza entre pueblo y gobernantes:
aquél veía con malos ojos la presencia de autoridades tildadas de
afrancesamiento y sospechosas de traición, y éstas a su vez man-
tenían su política de *statu quo* en medio de recelos y temores, pe-

---

(10) Voto del Procurador General del Cabildo de Santafé de Bogotá, Dr. José Gregorio Gutiérrez ante el Virrey y Audiencia del Nuevo Reino de Granada, sobre la
independencia política proclamada en Quito en 1809. Publicado por Estanislao
Vergara en *Revista de Bogotá*, T. I, p. 94-97. Los dos últimos párrafos fueron publicados por Hernández de Alba en *Memorias sobre los orígenes de la Independencia* de Torres y Peña, p. 92, Nota.

ro en forma tímida e indecisa, sin poder fijar una línea de conducta clara y precisa. Y los directores de la revolución —comenta sagazmente Torres y Peña— que no perdían menudencia que pudiese contribuír a sus planes, se aprovechaban ventajosamente de un motivo tan favorable para cubrir con un velo de honestidad sus designios (11).

Hé aquí por qué Gutiérrez Moreno, amparándose en su cargo de "órgano del pueblo y su defensor nato", plantea la desconfianza de ese pueblo ante los validos de Godoy y recalca el contraste entre la lealtad, patriotismo y honor del pueblo español y la ambición y felonía de sus magistrados, situación que podía repetirse en tierras de América. Con igual fuerza dialéctica se apoya en las órdenes y manifiestos de la Junta Central, cuya autoridad se haría más evidente por la presencia de Juntas Provinciales, única manera de evitar la sumisión de estas provincias al gobierno tiránico de José Bonaparte.

Ante estos planteamientos, en verdad que la actitud del Gobierno —Virrey y Oidores— tenía qué ser en extremo difícil y embarazosa. "Es preciso confesar —analiza certeramente el citado autor de *Las Memorias*— que el gobierno debía temer y recelarse mucho en estas circunstancias de cualquiera providencia enérgica que tomase para atajar el curso de la insurrección. Esta no se presentaba sino con un aspecto de seguridad pública que trataba de tomar medidas justas para conservar el Estado y los derechos del trono".

A la luz de este criterio es dable entender la entraña del Voto de Gutiérrez Moreno, que por otra parte coincide con el de Gutiérrez de Caviedes, el cual también conocemos, y seguramente con los de Torres, Castillo y Rada, Rosillo y Acevedo Gómez, pues que todo obedecía a un plan inteligentemente concertado y llevado a la práctica por la acción combinada de todos los dirigentes.

Don Ignacio de Herrera hace justicia a las valientes actitudes de su inmediato antecesor: "El día 11 de septiembre de 1809 será siempre celebrado en los fastos de la historia: en él supo el Procurador General don José Gregorio Gutiérrez oponerse a la tiranía de los funcionarios del antiguo gobierno..." (12). Y su hermano don Agustín le escribía el 5 de diciembre desde Santa Mar-

---

(11) José Antonio Torres y Peña, *Memorias sobre los orígenes de la Independencia*, op. cit., p. 85.

(12) *Memorial del Síndico Procurador General de Santafé al M. I. Cabildo*, de 8 de noviembre de 1810, en *Documentos sobre el 20 de Julio*, por Enrique Ortega Ricaurte, p. 131.

ta: "Sé que te has portado en todo con entereza, que has lucido mucho en todos los cabildos y Juntas, y que te has merecido el más alto concepto en todo el público. Hablan de tí no sólo con elogio sino con entusiasmo..." (13).

Con ardor luchó para que la *Representación* de Torres fuera aprobada por el Ayuntamiento, venciendo la resistencia de los realistas, y enviada oficialmente al gobierno de España. No habiéndolo logrado, se empeñó en mandarla por su cuenta y en hacerla publicar en Londres por Blanco White, editor de *El Español*. Pues bien, gracias a Gutiérrez Moreno, el inmortal escrito fue conocido en el exterior y vino a influír en el pensamiento americanista.

Efectivamente, en un opúsculo en 8º de 65 páginas, impreso en Londres en 1811 y reimpreso en Cartagena de Indias en 1813, titulado *Carta de un Americano al Español sobre su Número XIX, y contestación a una segunda Carta del mismo Americano por el Español en su Número XXVIII*, se hace honrosa referencia al Memorial de Agravios, cuyas ideas se resumen y se acogen con admiración.

El misterioso corresponsal de Blanco White, que se firma V. C. R., al menos en la edición de Cartagena, es un americano vastamente informado de la situación del continente y de la literatura revolucionaria, y escribe sobre los problemas jurídicos, económicos y políticos de la Independencia con una competencia y conocimiento de causa admirables. La forma literaria cautiva por su diafanidad y belleza.

Habiendo consultado la colección completa de *El Español*, en el Nº XXIV de 30 de abril de 1811, páginas 409-425, aparece la *Contestación a un papel impreso en Londres con el título de Carta de un Americano al Español sobre su Número XIX*, pero sin indicación del nombre del autor de la Carta.

Pensaba atribuír la paternidad de este escrito a don Andrés Bello, residente por aquellos días en Londres, pues en ambas Cartas se hace un cálida y razonada defensa de la declaración de independencia absoluta de Venezuela. Acudí entonces a las luces del ilustrado académico don Carlos Felice Cardot quien trabaja en Caracas con un magnífico equipo de investigadores en el estudio de los orígenes de la emancipación, y me envió los siguientes datos que dilucidan plenamente la cuestión. Al incluírlos doy especiales gracias al gentil colega y amigo.

El autor es el mexicano Fray Servando Teresa de Mier y Noriega y Guerra, nacido en Monterrey el 18 de octubre de 1765 y

_____

(13) *Vida de Don Ignacio Gutiérrez Vergara*, op. cit., p. 52.

fallecido en México el 3 de diciembre de 1827. Perteneció a la
la Orden de Predicadores y participó en el primer Congreso Constituyente de México. En 1811 se traslada a Londres en donde trabaja activamente por la independencia de América y traba amistad con don José María Blanco White. Alfonso Reyes dice lo siguiente: "Carta el *Español* (periódico que publicaba en Londres
Blanco White). Publicóse en el *Semanario Patriótico* y también
en el Número 6 de los *Documentos para la Historia del Imperio
Mexicano*, de Bustamante. Esta y otra carta al *Español* fueron
reimpresas en el Tomo IV, segunda parte, de las *Obras Comple-
tas* del Dr. J. E. González, de Monterrey, 1888. Mier la firma con
el seudónimo "Un Americano". La primera va seguida de catorce
notas y la segunda de doce notas, todas de manos de Mier. De
estas cartas existe además una edición londinense". (*Memorias*
de Servando Teresa de Mier, Prólogo de Alfonso Reyes. Biblioteca Ayacucho. Bajo la dirección de don Rufino Blanco Fombona.
Editorial América, Madrid).

El escritor norteamericano Morle E. Simmnos, en trabajo hecho en la Universidad de Harvard, bajo la dirección de Pedro
Grases, y con el título de "Una polémica sobre la Independencia
de Hispanoamérica" (*Boletín de la Academia Nal. de la Historia,
Caracas*, N. 177, año de 1947) habla largamente de la polémica
de Mier con Blanco White. Este sostenía la necesidad de la independencia pero la consideraba prematura, y afirmaba, al saber
que Venezuela se había pronunciado por ella, que no podría sostenerse. Mier reprochaba a Blanco su ingratitud y sostenía la tesis contraria. Decía Mier que "este pueblo es libre e independiente, y no puede ni quiere ser patrimonio de ninguna familia ni persona; y que en él reside esencialmente la soberanía, y por lo mismo
le pertenece exclusivamente el derecho de establecer sus leyes fundamentales y de adoptar la forma de gobierno que más le convenga; esta ha sido la doctrina constante de las Cortes desde el
24 de octubre de 1810, y son los artículos 2 y 3 de la Constitución
española que Fernando necesita jurar si quiere ser Rey. Ellas dieron en fin un decreto en 1 de enero y un Manifiesto a la Nación
española en 9 de mayo de 1811, declarando que de ninguna manera recibirían a Fernando napoleonizado, bajo su influjo o casado con una parienta suya".

Don Manuel Segundo Sánchez en su obra *"Bibliografía Ve-
nezolanista"* cita bajo los números 531 y 532, en la página 231, las
dos Cartas de Mier.

Y en realidad los criterios intrínsecos deducidos del examen
de la obra, se conforman plenamente con estos testimonios, de

manera que todos concurren a atribuír la paternidad de tan interesante escrito al padre Mier.

Después de enunciar las tesis de Camilo Torres de que "nunca fueron las Américas españolas colonia en el sentido de la Europa moderna", y probarlas con sus mismos argumentos, termina el escritor dominico: "No escapó esta inconsecuencia a los Americanos, y el Nuevo Reino de Granada reclamó enérgicamente del agravio". Y al pie de la página hace esta cita: "Véase su Representación en el *Político Imparcial* por un Cosmopolita, N. III y IV. Este periódico de Cádiz se escribe por los Diputados Americanos Suplentes y se ponen allí las cosas de América como han pasado, porque ningún otro periódico las admite, y así lo recomiendo mucho" (14).

En posteriores páginas haré referencia a las tesis sostenidas en estas dos Cartas que seguramente fueron publicadas en Cartagena gracias a las influencias de Juan García del Río quien pudo apreciar el valor de las doctrinas del fraile mexicano.

Podemos acercarnos más al denso pensamiento jurídico político de don José Gregorio al analizar el *Dictamen o Instrucciones para el Diputado del Reino* que presentó al Cabildo el 9 de octubre de 1809. Esta notable pieza jurídica, sobria pero rica de contenido, la hemos hallado manuscrita en la Biblioteca Nacional (15).

El preámbulo inicial justifica el tenor de las instrucciones que se proponen:

"Como el Representante de este Reino y de los demás de América, solo debe tener aquella autoridad y poder que le confieren las provincias y pueblos a quienes representa, es consiguiente que sus facultades solo se extiendan a los casos expresos en el poder e instrucciones que se le comuniquen; porque de otra manera, estas formalidades serían ilusorias y de ningún efecto, si a pesar de ellas fuese ilimitada su autoridad. Según este principio inconcuso y de que no puede dudarse sin oponerse al espíritu de la misma real orden, que haciendo a las Américas la justicia que merecen, les ha declarado la representación nacional que tiene España; es preciso que, para no exponerse el Cabildo a la respon-

---

(14) Este precioso opúsculo, testimonio de la influencia que fuera de las fronteras patrias tuvo el escrito de Torres, lo hemos hallado felizmente en la Biblioteca Nacional, Fondo Pineda, Sala 1ª, N. 13039, Pieza 16.

(15) Biblioteca Nal. Copiador 6, N. 12100, Sala 1ª, p. 234, Pieza 16. Don Estanislao Vergara incluyó el Dictamen en su breve biografía de Gutiérrez, en la ya citada *Revista de Bogotá*, T. I, p. 92, y sólo algunos párrafos fueron insertados en la *Vida de don Ignacio Gutiérrez Vergara*, obra a la cual nos hemos referido anteriormente.

sabilidad en que podía comprometerlo su Diputado si se le concediesen amplias facultades y sin restricción alguna, exprese los términos en que se las confiere y bajo las cuales es su voluntad que ejerza en su nombre la soberanía. Como no es posible al Cabildo prever todas las circunstancias y casos que pueden ocurrir y en que es necesario meditar con mucha reflexión para el acierto, soy de dictamen que debe reservarse en sí esta facultad, y conferir su poder al Excelentísimo Señor Diputado con las cláusulas siguientes".

La primera cláusula es restrictiva de los poderes otorgados: "Que se ceñirá escrupulosamente al tenor y artículos de las Instrucciones y del mismo poder, sin que le quede arbitrio para separarse un punto de ellos, pues en caso de duda o de que se ofrezca algún punto arduo y sobre que no se le haya instruído, deberá consultar con los Cabildos y aguardar su resolución particularmente si advierte que de ella puede resultar algún gravamen a estos reinos en perjuicio de sus derechos, privilegios, exenciones, etc."

Ya desde esta cláusula aparece una clara invocación a los fueros de América. Cuáles fueran éstos, se determinan específicamente en la segunda, al querer revivir las antiguas franquicias municipales provenientes del derecho castellano y que tuvieron aplicación en los primeros tiempos de la colonización de América: la imposición de tributos por el consentimiento popular: "Que en conformidad de la Ley 1ª, título 7º libro 6º de la Recopilación de Castilla no pueda consentir en que se echen ni repartan pechos, servicios ni tributos nuevos, pues esto sólo es privativo a las Cortes, otorgándolo los procuradores de las ciudades, villas y lugares que concurran a ellas legítimamente autorizados".

El tercer punto tiene un evidente sentido político conservador: en respeto del derecho constitucional del Estado, se rechaza toda dominación extranjera sobre el Reino, con lo cual ya se indicaba la voluntad de no aceptar a Napoleón, ni de seguir la suerte de la metrópoli. Ya surge, pues, el pensamiento de una futura autonomía nacional, basada precisamente en las normas antiguas de la constitución española:

"Que siendo el principal objeto del interés público y particular *el conservar en toda su integridad la constitución gubernativa jurada y seguida por nuestros mayores*, y en la que consiste la común felicidad, por ningún motivo ni acontecimiento podrá sujetarse al Reino a leyes ni dominación extranjera, sea cual fuere el Príncipe o Soberano que lo intente a excepción del Señor don Fernando VII, y en su defecto del que tenga en la familia real de Borbón un derecho claro, seguro e indisputable a la Corona, conforme a la ley de sucesión".

El cuarto artículo parecería dictado por una de las antiguas ciudades castellanas que imponían límites a la autoridad del soberano, y es aplicación clarísima de las antiguas doctrinas pactistas que establecían el contrato entre el pueblo y el monarca:

"Que siendo el origen funesto de las calamidades que sufre la Monarquía el abuso con que se ha depositado en los Ministros *toda la autoridad soberana que han ejercido tiránica y despóticamente en agravio de nuestras antiguas leyes constitucionales que lo prohiben,* el Señor Diputado pedirá el cumplimiento de estas leyes *con la protesta de que se reconoce y jura al Soberano bajo la precisa condición de que él también jura su observancia y se sujeta a las variaciones y adiciones que el tiempo y las circunstancias hagan conocer son necesarias a juicio de las Cortes".*

El mismo clamor de los juristas de España que como Jovellanos aspiraban al renacimiento de las antiguas Cortes —amparo de las libertades del pueblo— resuena en la quinta cláusula, la cual exige además igualdad de representación para España y América: "Que las Cortes deben quedar permanentemente establecidas con el objeto ya indicado, constituyendo un cuerpo que tenga una verdadera representación nacional y en que se le da igual parte a la América que a la España".

El funcionamiento de las Cortes debe hacerse con el mismo espíritu de justicia y de igualdad que aparecía en el *Memorial de Agravios.* Las frases de Gutiérrez respiran la misma dignidad y la misma esencia democrática que alentaban a las viejas Comunidades de Castilla y de Aragón:

"Que debiendo ser una, igual y uniforme la representación de ambas, no reconocerá el Señor Diputado de este Reino superioridad alguna respecto de las de la Península; antes por el contrario sostendrá su representación americana con igual decoro al de la española, reclamando al efecto la pluralidad de los votos de ésta, respecto de los de aquella, pidiendo que se uniformen en todo, y que vayan de acá tanto número de diputados cuantos basten a equilibrar a los de España, *cuya elección debe hacerse por los pueblos que les confieren sus facultades y de cuyo interés inmediato se trata,* así para que sirva en alguna manera de compensación al sacrificio que hacen de sus personas en beneficio de la patria, como para que puedan sostener con decoro su representación nacional".

A efecto de que las consultas hechas por el diputado a los cabildos que representaba no sufrieran demoras perjudiciales, proponía hábilmente una medida que debía precipitar la independencia: la creación de Juntas Provinciales. "Al efecto, pues, pedirá que se erijan en las capitales de los reinos y capitanías generales unos Cuerpos, o Juntas compuestos de los diputados de los Cabildos a quienes puede ocurrirse con facilidad y prontitud para su respuesta que por este medio se conseguirá más sencilla y clara, al mismo tiempo que podría conciliarse mejor el interés general y común, con el particular de cada cabildo". Ya que había sido imposible obtener del Virrey semejante providencia, se esperaba que las Cortes la autorizaran, y así se daba comienzo a la autonomía política de América.

Para mantener en las Cortes una auténtica representación popular, la última cláusula tendía a evitar el abuso de las Juntas de gobierno de España al nombrar directamente suplentes de los diputados, con mengua de su libertad de palabra y de voto, y a espaldas de los Cabildos, los cuales quedaban falsamente representados:

"Que siendo este poder conferido a la persona del Señor Diputado del Reino, no podrá otro individuo hacer uso de él en manera alguna, por muerte, ausencia, enfermedad o cualquiera otro impedimento del primero, pues en tal caso cesará la representación de este Reino, que obtenía por los votos públicos y será necesario entonces que inmediatamente que se reciba la noticia auténtica de su fallecimiento, se proceda a la elección del sujeto que debe sucederle en el oficio, reuniéndose los diputados de cada Cabildo según todas las formalidades establecidas, y que se puedan considerar por entonces necesarias para el mayor acierto de la elección, conforme a lo que en iguales casos se practica en España..."

Este precioso escrito, complemento de las ideas de Torres, manifiesta sin lugar a dudas ni tergiversaciones, cómo los promotores de nuestra Revolución, sumergidos en el ambiente jurídico de la España medioeval, querían hacer revivir las leyes fundamentales de Castilla, Navarra y Aragón, rebosantes de libertad política y civil, y en nombre de ellas y de la tradición de la Escuela del siglo XV y XVI, se oponían a los desmanes de las autoridades, a los abusos del absolutismo y al total olvido de los intereses y fueros del pueblo. Aquí resuena —en fórmulas más jurídicas— la voz de los Comuneros de 1781 que fundamentaban sus reclamos en idénticos principios.

Este dictamen del Procurador fue casi íntegramente aprobado por los miembros del Cabildo de Santafé en su sesión del 9 de octubre, según aparece de la siguiente Acta Poder que transcribo en su totalidad dada su importancia:

"En la ciudad de Santafé a nueve de octubre de mil ochocientos nueve, los Señores Muy Ilustre Cabildo, Justicia y Regimiento a saber: Don Luis Caycedo, Caballero de la Real y distin-

guida Orden del señor Carlos III, Alcalde Ordinario de primer voto, Don José Antonio Ugarte, Alcalde ordinario de segundo voto,
Don José María Domínguez de Castillo, Regidor Alcalde Mayor
Provincial, Don José Ortega, Regidor Fiel Ejecutor, Don Juan Nepomuceno Rodríguez de Lago, Don Francisco Fernández Heredia
Suescún, Don José Acevedo y Gómez, Don Jerónimo de Mendoza
y Galavís, Don Ramón de la Infiesta Valdés, Regidores, y los doctores Don José Gregorio Gutiérrez, Síndico Procurador General
y Don Camilo Torres, Asesor, congregados en Cabildo ordinario
para acordar el poder que se debe conferir al Excmo. Señor Diputado de este Reino en la Suprema Junta Central Gubernativa
de España e Indias, dijeron que se entienda con las cláusulas siguientes:

"Primera: Que es un poder especial y sin facultad de substituír-
lo por ser personalmente conferido al Excmo. Señor Don Antonio
Narváez y la Torre, y que por lo mismo quedará suspenso y re-
vocado siempre que no pueda por sí gestionar y cumplir con las
instrucciones que se le dieren.

"Segunda: Que será nulo y de ningún valor ni efecto cuanto
hiciere en contradicción directa o indirecta de las instrucciones
que el Cabildo le comunique.

"Tercera: Que no pueda obligar al Cabildo ni a la capital del
Reino a ninguno otro reconocimiento de semejantes sumisiones,
ni aun condicionalmente, si no es al Señor Don Fernando Sépti-
mo y su Dinastía, según la Ley de sucesión hereditaria de la Real
Casa de Borbón.

"Cuarta: Que en caso de que falte dicho Excmo. Señor Don
Antonio de Narváez, o le sea imposible por sí y personalmente
desempeñar el poder e instrucciones que se le comunicaren, se
entenderá suspenso dicho poder y nulos cualesquier actos, hasta
que impuesto el Cabildo se provea de sucesor constituído con iguales requisitos y solemnidades.

"Quinta: que debiendo ser una y uniforme la representación
de América y España, no reconocerá el Señor Diputado, etc. (es
exactamente a la letra la cláusula VI del Dictamen de Gutiérrez).

"Sexta: Que no teniendo arbitrio el Excmo. Señor Diputado
de este Reino para separarse, etc. (sigue exactamente la cláusula
VII del Dictamen).

"Que en estos términos daban y conferían el referido poder al
Excmo. Sr. arriba nombrado Don Antonio Narváez y la Torre,
electo y destinado en el último sorteo del Real Acuerdo de esta
Capital para la diputación de este Nuevo Reino de Granada en
la citada Suprema Junta Central Gubernativa de los de España

e Indias según se ha comunicado a este Cabildo por el Excmo. Señor Virrey en oficio de 18 de septiembre del corriente, y que arreglándose a ellos y a las más instrucciones que se le dieren, no contrarias a su tenor, de que en ningún caso podrá apartarse, habrá desempeñado bien y fielmente su comisión, como lo esperan del celo que debe animarlo por el bien de la Patria en general y de este Reino en particular.

"Que de esta Acta firmada de todos los Señores Vocales que han compuesto este Cabildo y autorizada del insfracrito Secretario, se compulsará testimonio por triplicado, que se tendrá por el referido poder bastante, sellándose con el sello de las armas de la Ciudad y comprobándose por tres Escribanos.

"Que se acompañará un ejemplar al Excmo. Señor Diputado para que lo lleve consigo y se detendrán los dos para remitírselos a España en precaución de cualquier extravío o contingencia. Esto dijeron, acordaron y firmaron. Doy Fe. (Siguen las firmas mencionadas al principio). Ante mí, Eugenio Melendro" (16).

Al año siguiente, en abril, se ampliaron las Instrucciones al Diputado cuando el Cabildo adoptó las *Reflexiones de un Americano* escritas por el nuevo Procurador Don Ignacio de Herrera, ya analizadas, con la oposición del Alférez Real Don Bernardo Gutiérrez, el Regidor Don Ramón de la Infiesta y el señor Don José Carpintero, conflicto que preparó los ánimos y precipitó el Movimiento del 20 de Julio (17).

Existe una *Memoria* de este mismo año, 1809, escrita por un oscuro abogado de Guachetá, que sirve admirablemente para dar luz sobre el estado de los espíritus y las ideas de los criollos y la altiva energía con que sabían expresarlas. El Cabildo se había dirigido a los pueblos para excitarlos a presentar exposiciones sobre los males del Reino y los remedios conducentes. El vecino de Guachetá escribió su *Memoria al Cabildo de Santafé* y con ese profundo realismo español que en materias filosóficas y jurídicas huye de abstracciones, empezaba por esta estupenda confesión:

"Por tanto, no espere V. S. M. I. ni principios de derecho público sacados de Puffendorf, Menchaca, Wolfio, Vatel, Burla Madvy, ni Grocio, ni sentencias de políticos ni economistas; sólo se reducirán mis sencillas reflexiones sobre hechos públicos cons-

---

(16) Archivo Histórico Nacional. Salón de la Colonia. Sec. Solicitudes, Tomo I. Expediente: Don Francisco Gutiérrez por su hermano Don Bernardo actualmente preso, pide que de la Justicia ordinaria se pasen a la Suprema Junta los Autos que se siguen sobre el agravio irrogado al Síndico Procurador General. Cuaderno 2º, fol. 786.

(17) Ibídem, Cuaderno 2º, fol. 763.

tantes a todo el mundo, que disuenan y repugnan hasta a los más ignorantes y que a veces piden remedio y reforma..." (18).

Estaba tan arraigada en todos la idea y el sentimiento de justicia y de igualdad, que en frase feliz llena de concisión resume muchas páginas de Camilo Torres: "Bien sabido es que en todo cuerpo colegiado la pluralidad decide. Por tanto, si ésta no se equilibra poniendo a lo menos tantos diputados de América como de España, será una representación de farsa o una simulación de representación".

Y luego el doctor Juan María Sánchez —que así se llamaba el abogado— clasificaba la importancia de los asuntos que debían tratarse en Cortes: educación pública, administración de justicia, agricultura, comercio y fábricas. "La buena educación de los pueblos —opinaba— es la base de su felicidad: sin ella no puede haber moralidad, arreglo de costumbres ni sujeción a las leyes... y por esta razón es de primera necesidad el establecimiento de escuelas públicas". Y Sánchez pedía método uniforme de enseñanza, un solo catecismo y unas mismas cartillas; que las escuelas fueran inspeccionadas por los Párrocos; que se aumentaran los obispados del Reino —según la *Memoria* de Gutiérrez de Caviedes— y que cada uno de los obispos fundara en la capital de su diócesis una escuela para mujeres.

Protesta contra los asesores del Virrey, ignorantes del derecho americano, y contra los Oidores y Corregidores, ineptos y venales, y exige el nombramiento para tales cargos de criollos competentes. En cuanto a la legislación, pedía, como Camacho y Herrera, la unificación y sobre todo el respeto a la inmutabilidad de los preceptos legales, ya que "las leyes que se establecieron en Cortes y con todas las ritualidades y solemnidades que exige un asunto tan grave como la Legislación, se ven todos los días derogadas por una Real Orden sin más solemnidad que el antojo o fin particular..."

Después de votar por la apertura de los puertos al libre comercio, la supresión de las alcabalas y otras medidas de orden económico, termina con esta sencilla manifestación: "Estos son los principales objetos a que debe atender el Sr. Diputado, promoviendo el que se haga una nueva Constitución que nos gobierne en justicia y seguridad..."

La doctrina de la soberanía popular y del derecho de América a darse su propio gobierno de conformidad con el bien común,

---

(18) La interesante *Memoria* está publicada fragmentariamente por F. J. Vergara y Velasco en su obra *Capítulos de una Historia Civil y Militar de Colombia*, p. 146, y fue firmada el 6 de septiembre de 1809.

tiene lograda expresión en la pluma de este ignorado e inteligente patriota: "Pero si no conseguimos que nuestro amado Soberano vuelva a su trono, que el Señor Diputado proteste a la faz del universo que no nos sujetamos a otro dueño, que reservamos nuestros imprescriptibles derechos de adoptar el gobierno que más nos acomode y sea más conforme a nuestra sagrada religión que conservaremos siempre pura, y a los intereses públicos y privados de los habitantes de este Reino".

En el tumulto del 20 de Julio el pueblo olvidó el nombre de su antiguo Procurador quien no debió estar presente, ni de él se acordó Acevedo y Gómez, el cual le sugería nombres de patricios para su proclamación de Vocales de la Junta. El mismo Tribuno del Pueblo lo lamentó en la carta escrita quince días después a don Carlos Montúfar: "Después me ocurrieron esos nombres queridos para causarme el mayor pesar, y muy particularmente respecto del distinguidísimo patricio doctor Don José Gregorio Gutiérrez y Moreno que sostuvo en las Juntas del 6 y 11 de septiembre anterior con la mayor energía, solidez y dignidad la justa causa de los ilustres quiteños. Este ciudadano por su virtud, por su delicado gusto en la literatura, y por el complejo de circunstancias que le adornan, es digno de ocupar los primeros puestos de su patria".

Pero el patriotismo de don Gregorio era superior a todo resentimiento y a los halagos de los honores y no dudó en ponerse a las órdenes del nuevo Gobierno para cumplir delicadas comisiones. En agosto se establecieron dos Tribunales, uno de Gobierno y Hacienda y otro de Justicia, en remplazo de la extinguida Audiencia, y Gutiérrez fue elegido Ministro o Juez del primero.

La Sala de Gobierno a la que pertenecía Gutiérrez —observa Don Estanislao Vergara— no solo era un Tribunal sino que tenía también la función de dar su dictamen al Poder Ejecutivo en todos los asuntos graves en que él lo requiriera; y Gutiérrez se condujo allí de tal manera, que no solo satisfacía a sus compañeros que, como el señor Castillo, eran hombres de suma importancia, sino que los dictámenes que redactó y que ellos aprobaron tuvieron siempre la aquiescencia del Presidente, quien constantemente resolvió conforme a lo que se le proponía. Así fue que, adquiriendo en este destino un gran crédito, tuvo a su favor el concepto público.

Su rectitud, justicia y magnanimidad resaltaron en la sentencia que redactó en el proceso criminal seguido contra los Oidores Alba y Frías, los acérrimos enemigos de los patriotas, contra los cuales habían maquinado persecuciones y vejámenes. La sentencia, confirmada en reunión de la Sala, declaraba que "el sumario y diligencias para que pudiesen obrar contra ellos, era necesario rectificarlos, y que en el actual estado no presta mérito para proceder: que se les den sus pasaportes para que puedan regresar a España con sus familias..." Demostrábase así palmariamente la diferencia entre los procedimientos de los Oidores juzgados y la justicia impartida por el nuevo Gobierno.

Ante las manifestaciones de violencia del bando demagógico llamado de *los chisperos*, Gutiérrez reaccionaba encareciendo la moderación y la justicia del nuevo régimen "que debe tener por carácter la dulzura y la suavidad para hacer conocer a los pueblos sus ventajas en comparación con el anterior... Yo no digo que se dejen impunes los delitos y que no se castigue a sus autores, pero que se proceda con humanidad, y sobre todo con madurez y prudencia".

También se quejaba con amargura de que entre los gobernantes "son muy pocos los que tienen por objeto el bien común, y la mayor parte se gobierna por miras e intereses particulares".

Su formación jurídica y su concepción del gobierno a la vez que le impelían a buscar la autonomía con el coraje y el sereno valor de que siempre dio ejemplo, no le permitían condescender con la fácil demagogia: "Los principales autores del desorden y los que conmovían al pueblo, esparcían ideas sediciosas, y entre ellas la detestable máxima de que en el día no hay distinción de personas, que todos somos iguales..."

Pero su confianza en los valores humanos de dirigentes y de pueblo no desmayaba ante el espectáculo de desorden inicial y desconcierto producidos por la violencia de los unos, la debilidad de los que mandaban y la oposición inteligente y sistemática de los enemigos del nuevo Estado: "Bien me hago cargo que el establecimiento de un nuevo gobierno, mucho más siendo enteramente contrario al anterior, que tenía tan profundas raíces, debe sufrir mil contradicciones, y solo el transcurso del tiempo es el que puede cimentarlo como corresponde... El tiempo, la paciencia, y particularmente la ayuda del Cielo, irá componiendo poco a poco las cosas..."

Elegido para formar parte del Colegio Electoral apoyó y firmó la Constitución de Cundinamarca que se expidió en 1811, y continuó actuando como Diputado al Cuerpo Legislativo, sin mengua de sus anteriores cargos, pero sin percibir emolumento alguno. Presidente de la Cámara de Representantes en 1812, Consejero de Estado de la Dictadura de Nariño, y Presidente de la Sala de Apelaciones, Gutiérrez Moreno siguió prestando sus servicios siempre en choque con los exaltados. Su acendrado civilismo le llevó a reprobar enérgicamente el golpe de Estado de Nariño contra Tadeo Lozano y a oponerse a su dictadura, lo mismo que a la de don Manuel Bernardo Alvarez.

Al salir Nariño al frente de la expedición contra Baraya, en 1812, el Alcalde procedió arbitrariamente a encarcelar a prominentes hombres enemigos de la Dictadura. Gutiérrez en nombre de la Constitución clamaba contra estos abusos de autoridad. "Se trata —escribía— de ahogar la voz del pueblo sensato y oprimir a los funcionarios públicos para que no se opongan a sus ideas: vayan a la cárcel sin formalidad alguna, aunque lo prohiba la Constitución, que ésta calla cuando no se conforma con los sentimientos de los malvados, y debe respetar su voluntad, que es la suprema ley. Así me lo dijo Miñano en medio de más de cien *chisperos*, que lo oían con la boca abierta, respetando sus palabras como de un oráculo, en cierto día de los de más alboroto que tuve valor para sostenerme, como Presidente de la 2ª Cámara, contra él y otros, que con oficios, con amenazas del pueblo y de las bayonetas y con gritos y voces destempladas, me intentaron intimidar; pero tuve la satisfacción de contrarrestarles con firmeza, tanto de palabra como por escrito, hasta convencer de su injusticia a los *chisperos*, y que me mirasen con respeto, sin atreverse a ponerme las manos, como hubieran querido los que los capitaneaban".

Ese mismo espíritu de orden, de legalidad y de justicia, armonizados con las ideas auténticamente liberales, le dio sitio, a pesar de su calidad de santafereño, en el partido de la federación, pues buscaba en el congreso las garantías de la libertad, comprometidas por las tendencias autocráticas del Gobierno cundinamarqués. Pero concebía una federación fuerte, dotada de suficientes facultades para obrar con energía y prontitud en la defensa interior y exterior del orden jurídico, aunque los estados federados tuvieran que ceder parte de su soberanía. Estimaba que la legalidad y la felicidad del pueblo peligraban menos con el congreso que con un dictador, y que si se mostraban demasiado exigentes acerca de las cualidades y virtudes de los diputados, sólo quedaría como remedio pedir ángeles al Cielo para que gobernasen con justicia y sin pasiones. Temblaba ante el peligro de un déspota entronizado al frente de cada provincia, y confesaba: "Quiero más bien congreso con todas estas nulidades, que lo que ya se dice y he oído: Emperador de los Cundinamarqueses, Rey del Socorro, y Protector de la Confederación del Cauca y el Magdalena".

Esta actitud le tenía que atraer persecuciones sin cuento, y hasta la prisión, ordenada por el Presidente Alvarez. Elevó una enérgica representación ante el Senado contra aquel arbitrario modo de proceder, y al obtener de ese cuerpo soberano la declaración de que "el Excmo. Sr. D. Manuel Alvarez es y ha sido un Dictador absoluto con facultades extraordinarias" con la suspensión de todo procedimiento, no le quedó otro recurso que apelar al pueblo. E hízolo con la elegancia y noble altivez que supo imprimir a todos los actos de su vida:

"La obligación natural en que se halla constituído todo hombre en sociedad, de conservar el tesoro preciosísimo del honor y buen nombre a que lo hayan hecho acreedor sus acciones, es lo que me impele a presentar las mías ante el severo tribunal de la opinión pública, que pocas veces se engaña en sus juicios, y es en los gobiernos libres, como el que felizmente hemos establecido, el último, pero seguro recurso a que puede ocurrir el hombre honrado".

Vencido Alvarez en la campaña que le encomendó a Bolívar el Congreso, Gutiérrez renunció el cargo de Gobernador de Cundinamarca para el que fue elegido popularmente, y aceptó en cambio el de Presidente de la Alta Corte de Justicia.

Al consumarse la ruina total de la República en 1816, don José Gregorio, que se había negado a huír, fue uno de los primeros encarcelados por orden de Morillo. Ya él había pronosticado la acción represiva del Gobierno español contra los revolucionarios. "Raros son los que vuelvan a ver las calles de Santa Fé", había confiado a un amigo. El 6 de julio salió del Colegio del Rosario en la triste procesión que integraban con él Jorge Tadeo Lozano, Emigdio Benítez, Crisanto Valenzuela, Miguel de Pombo y Francisco Javier García Hevia. Al pasar frente a su propia morada eleva sus ojos al balcón en donde están su esposa y sus cuatro hijos pequeños vestidos de riguroso luto, y con entereza cristiana levanta sus manos y les imparte su última bendición. Antes de morir toma el rosario que le había acompañado en las horas trágicas de capilla y le encarga a su confesor lo ponga en el cuello de su hijo mayor.

Así murió en la flor de su edad —35 años— este modelo de caballeros y espejo de cristianos, hijo digno de aquel patriarca que encerrado en la prisión del Rosario en la tarde del luctuoso día escribió a su esposa estas líneas: "Sea hecha en todas las cosas, alabada y por siempre ensalzada la justísima voluntad de Dios... No perdamos el Cielo, que José Gregorio nos fue a esperar allá" (19).

_____

(19) Don Estanislao Vergara afirma que Gutiérrez demostró "el espíritu religioso sin gasmoñería, una gran piedad y la constante disposición de hacer bien, socorriendo siempre a los necesitados, y procurando en todo lo que estaba a su alcance el alivio de los desgraciados". Véase op. cit., p. 27.

3.— José Acevedo y Gómez, el Tribuno del pueblo.

No podíamos prescindir de dibujar un breve boceto ideológico de este hijo de la tierra de los Comuneros que el 20 de Julio desempeñó un papel estelar, encarnó las ideas de los criollos, inflamó con su verbo al pueblo de Santa Fé, y fue intérprete en el Acta de Constitución del nuevo Estado que él redactó, de las ideas políticas de los caudillos intelectuales de la Revolución.

Aunque hizo estudios de gramática y filosofía en el Colegio del Rosario, no cursó la carrera de Jurisprudencia para dedicarse al comercio en grande escala, en el cual llegó a acumular una cuantiosa fortuna. Su destacada posición económica, sus prendas morales, su prestancia personal y don de gentes y su ascendiente sobre el pueblo, le abrieron las puertas de la política santafereña. Fue elegido Procurador General y en 1808 Regidor Perpetuo del Cabildo.

La biblioteca nos da un índice de sus lecturas preferidas: libros de filosofía moral, de viajes, de medicina, de historia y de literatura clásica. Sócrates, Tito Livio, Virgilio y Cervantes son los autores principales, que descuellan al lado de novenas y de obras de apologética (20).

Su instrucción, pues, más que el fruto de estudios académicos y lecturas profundas, debióse a la amistad con los intelectuales y a la vivacidad de su talento.

Un mucho quijotesco —no obstante su condición de rico comerciante—, y apegado a los timbres de nobleza —a pesar de sus ideas de igualdad republicana— hace recoger con grande costo el despacho ejecutorio de hidalguía de su familia y lo entrega a sus hijos con esta curiosa observación un tanto paradójica: "Habiendo trabajado los hombres por hacer una distinción odiosa en su especie, contraria a la naturaleza, que a todos nos dio un mismo origen, no se tendrá por absurdo que tratemos de transmitir a nuestros hijos este espíritu quijotesco que nos distingue a los americanos, heredado de nuestros padres los españoles" (21).

Al lado de estas preocupaciones nobiliarias, deja a sus descendientes máximas republicanas pues "nunca deben ignorar que el hombre en su origen es libre e igual; que constituído en sociedad, ha sacrificado una porción de su libertad por conservar sus demás derechos; pero que nunca puede renunciarlos todos para

(20) *Revista Bolívar*, Vol. 50, *La Biblioteca de Acevedo Gómez*, p. 345.
(21) *El Tribuno del Pueblo*, por Adolfo León Gómez, Bogotá, 1910, p. 49: Consejos de J. de Acevedo y Gómez a sus hijos, según manuscrito de su puño y letra.

que sea tratado por sus semejantes con desprecio, con tiranía e insolencia. La calidad de la nobleza es una institución o monopolio de una porción corta de hombres respecto del común de la sociedad, que nunca puede dar justo título por razón de nacimiento para despreciar a nadie..."

Lejos de sus hijos, pues, el tono insolente de superioridad sobre las clases infelices, máxime tratándose de cristianos, ya que Dios "nos ha predicado por medio de su Hijo Jesucristo la fraternidad y amor por nuestros semejantes, y no hay cosa más contraria a la igualdad del Evangelio que profesamos que estas distinciones, cuando se abusa de ellas para insultar y oprimir a nuestros hermanos".

Prejuicios arraigados del abolengo español, principios elementales rusonianos de libertad e igualdad y sentimientos de caridad cristiana, conformaban, pues, en curiosa amalgama, el carácter y la mente de este tipo del criollismo granadino ajeno a las disciplinas universitarias.

Su estilo alambicado y su fervorosa adhesión al Soberano se ponen de relieve en la Relación que hizo de las ceremonias con que el Cabildo, del cual era Regidor Perpetuo, solemnizó la proclamación de Fernando VII el 11 de septiembre de 1808 (22). En esta misma ocasión fue él promotor principal de la iniciativa de elegir Regidor del Ayuntameinto al enviado especial Pando Sanllorente.

Sin embargo, en las célebres Juntas del 6 y 11 de septiembre del año siguiente, con ocasión de la revolución de Quito, fue uno de los más elocuentes y audaces en sostener la necesidad de instalar una Junta Superior de Gobierno. En aquellas acaloradas sesiones el Regidor le espetó con su franqueza santandereana al Fiscal Frías este interrogante: "Señor Fiscal, para mí no es un caso metafísico la subyugación de España por Francia; y no me será lícito preguntar: ¿cuál será entonces la suerte de mi patria?" El Fiscal dio una rápida respuesta: "Entonces juntaremos y dispondremos lo que convenga". Ante esta amenaza que implicaba la continuidad del gobierno español, Acevedo y Gómez se le enfrentó con sin igual valentía: "Se equivoca Vuestra Señoría, señor Fiscal: en ese caso los pueblos serán los que dispongan de su suerte, porque aquí somos pueblos libres como los españoles".

Torres, quien, como vimos anteriormente, desde la llegada de Sanllorente ya pensaba en la constitución de una Junta autó-

---

(22) *Relación de lo que executó el M. I. Cabildo Justicia y Regimiento de la M. N. y M. L. Ciudad de Santa Fé de Bogotá, Capital del Nuevo Reino de Granada* Es un folleto de 48 páginas en 8?

horna, apoyó la idea de Acevedo y Gómez. El Secretario del Virrey, don José Leiva, apuntó entonces la idea de que en España se producía una situación similar a la de la guerra de Sucesión, y que las colonias debían, como en aquella coyuntura, mantener su tranquilidad, en espera de la victoria final, a fin de seguir el partido del vencedor. Esta opinión mereció igualmente la contundente refutación del Regidor: "No estamos en el mismo caso que cuando la Guerra de Sucesión: entonces se disputaban el trono dos soberanos descendientes de la dinastía reinante, ahora lo disputa la nación misma a un tirano usurpador, que no ha sido ni será llamado por nuestras leyes constitucionales a reinar en la monarquía".

Desde entonces fue asiduo concurrente a las reuniones políticas, muchas de las cuales se celebraron en su propia casa de habitación, y mantuvo una correspondencia vigilante con sus parientes y amigos del Socorro.

En comunicación epistolar de 29 de junio de 1810 a Villavicencio, de quien había sido compañero en las aulas rosaristas, le describe con vivos colores la situación política de la capital, poniéndole de presente que "cada instante que corre hace más necesario el establecimiento en esta capital de la Junta Superior, a imitación de la de Cádiz y compuesta de Diputados elegidos por las provincias y provisionalmente por el Cuerpo Municipal de la capital", y confía en que "el sistema de Gobierno se atempere, modificándolo a las actuales circunstacias y arreglándolo a los principios que adoptó el pueblo libre de Cádiz" (23). En esta misma misiva declara haber sido "una de las víctimas que proscribe el despotismo en este Reino por haberme dedicado con el ardor y celo propios de los buenos patricios y fieles vasallos a sostener los derechos de mi patria combinándolos con los de nuestro legítimo Soberano el señor don Fernando VII".

En otra carta al mismo Comisionado Regio, fechada precisamente la víspera de la Revolución, sintiéndose en peligro por las maquinaciones de las autoridades, declara que "moriré con el consuelo de la próxima libertad de mi patria. Hoy la dejo ocho hijos dignos de su padre por el amor a la libertad e independencia de su país, al orden y a la justicia, pero aun más por el odio que he sabido inspirarles a los tiranos". Lamentándose de las ingentes pérdidas que han arruinado su fortuna por la guerra de España con Inglaterra, le pide que "eche una mirada de interés y compasión sobre mi desgraciada familia que ha sido víctima

(23) *El Tribuno del Pueblo*, op. cit., p. 200.

del bárbaro y despótico sistema colonial en que nos han tenido..." (24).

Pocos días antes del memorable acontecimiento, en confidencias con su esposa, le expone los planes que se estaban tra-
mando, las dificultades de la empresa y la confianza en el éxito final. El Clero realista —le decía— callará cuando se persuada de
su impotencia, cuando vea que aquí no se trata del culto de la
razón, ni de ateísmo, ni de los desbarros de la Revolución Francesa. Además, contamos con eminentes apoyos entre los Sacerdotes Caicedo, Rosillo, Estévez, Padilla, y otros muchos eclesiásticos respetables e ilustrados están con nosotros. La opinión pública no podrá contenerse dentro de poco tiempo..." (25).

El 20 de Julio el pueblo lo aclamó por su Tribuno y por orden suya redactó el Acta Constitucional de la Revolución. En tres
cartas de exaltado romanticismo lírico y político, escritas a los
pocos días de ocurrido el magno acontecimiento, él mismo nos
ha trasmitido las emociones y circunstancias de aquella memorable jornada (26).

En medio del alboroto popular, Acevedo subió al balcón del
Cabildo y "al instante me nombró el pueblo para su Tribuno o
Diputado y me pidió le hablase en público... Calló y le hice una
arenga, manifestándole sus derechos y la historia de su esclavitud, y principalmente en estos dos años, con la de los peligros
que habíamos corrido sus defensores... En seguida me gritó
que reasumía sus derechos y estaba pronto a sostenerlos con su
sangre; que extendiese el acta de libertad en los términos que me
dictaran mi patriotismo y conocimientos, que le propusiera Diputados, para que unidos al Cabildo le gobernasen, excluyendo de
este Cuerpo a los intrusos. Entré a la sala, extendí el acta constitucional, formé la lista de 16 Diputados, hice otra pequeña arenga, leí
la lista, la aplaudió... y añadió otros vocales. Le aplaqué dicién-
dole que usara el pueblo con dignidad de sus derechos y no com-

(24) *El Tribuno del Pueblo*, op. cit., p. 225.

(25) *El Tribuno del Pueblo* op. cit., p. 7.

(26) La primera carta fue escrita al día siguiente, 21 de julio, al doctor Miguel
Tadeo Gómez, su primo hermano y dirigente principal de la Revolución del Socorro. Es la más interesante y menos artificiosa por lo natural y espontánea: contiene el relato vivo y fresco de los acontecimientos recién vividos. La segunda está
dirigida a don José María Real, de Cartagena, sin fecha, pero del contexto se
desprende que fue escrita el 29 de julio. Ambas fueron publicadas en *El Tribuno
del Pueblo*. La tercera tuvo por destinatario a don Carlos Montúfar, de Quito, y
está fechada el 5 de agosto. Se publicó en el *Boletín de H. y A.*, Vol. XX (1933).
Las tres fueron reeditadas en *Proceso Histórico del 20 de Julio de 1810*, publicación del Banco de la República.

prometiera con violencias la seguridad de ningún ciudadano. Oyó mi voz" (27).

A las 9 de la noche concluyó de dictar el Acta al Secretario del Cabildo, Melendro, después de todas las interrupciones causadas por sus continuas arengas y diálogos con el pueblo y con las embajadas enviadas a casa del Virrey Amar. A las 12 de la noche los partidarios de éste hicieron un último esfuerzo para destruír el fruto inmediato del Movimiento, negándose a la firma del Acta que constituía la Junta Suprema. En tal estado de cosas "dije que el Congreso no tenía ya autoridad para variar la institución del pueblo. Hice una arenga y declaré reo de lesa majestad al que se opusiera a la instalación de la Junta" (28).

Y termina triunfante el gran Tribuno: "Al fin venció mi firmeza la oposición, y a las tres y media de la mañana ya estaba reconocida la Junta Suprema de la capital del Nuevo Reino por el Virrey, por los jefes militares y políticos y por casi todos los cuerpos y autoridades" (29).

Evidentemente la elocuencia y el valor de Acevedo Gómez, secundado por los oradores patriotas que él menciona con ditirámbicos elogios, salvaron la Revolución amenazada por los partidarios del antiguo régimen, quienes, sorprendidos en las primeras horas y arrastrados por el desbordamiento del pueblo, reaccionaron y pusieron toda suerte de trabas a la proclamación del nuevo orden político.

El *Diario Político* nos ha consignado la vibrante cláusula final de este improvisado discurso que Acevedo prometió reconstruír sin haberlo cumplido, la cual presenta impresionantes analogías de forma y de fondo con proclamas de los Comuneros, según ya observamos: "Acevedo proclamó traidor al que saliese de la Sala sin dejar instalada la Junta. Quién sabe si a esta vigorosa resistencia se debe nuestra libertad! No debe olvidar la patria que Acevedo fue el que primero arengó al pueblo cuando nuestros opresores estaban en el solio y empuñaban la espada: él explicó varios derechos sagrados del pueblo, y dijo: *Si perdéis este momento de efervescencia y de calor, si dejáis escapar esta ocasión única y feliz, antes de doce horas seréis tratados como insurgentes: ved (señalando las cárceles) los calabozos, los grillos y las cadenas que os esperan*".

En la difícil coyuntura a que se enfrentó el Tribuno del Pueblo, y en los acontecimientos de los días posteriores, destinados

---

(27) Carta a Miguel Tadeo Gómez del 21 de julio.
(28) Carta a Miguel Tadeo Gómez.
(29) Carta a don Carlos Montúfar del 5 de agosto.

a acelerar más el ritmo de la Revolución, se destacó don José María Carbonell. Nacido en Santafé en 1775 de español y americana, bartolino y oficial de pluma en la Expedición Botánica, su carácter fogoso y ardiente le llevó a ser la cabeza del motín popular.

Perdidas las esperanzas de los dirigentes intelectuales de obtener la autonomía por vías legales gracias a la tozuda resistencia de las autoridades peninsulares, hubo que prender las raíces de la Revolución en el suelo noble y fértil de las clases populares, y en esta faena la acción de Carbonell fue eficacísima.

"Joven ardiente y de una energía común —reconoce justicieramente el *Diario Político* de Camacho y de Caldas— sirvió a la patria en la tarde y en la noche del 20 de un modo activísimo; corría de taller en taller, de casa en casa, sacaba gentes y aumentaba la masa popular: él atacó la casa de Infiesta, él lo prendió y él fue su ángel tutelar para salvarle la vida. Carbonell ponía fuego por su lado al edificio de la tiranía, y nacido con una constitución sensible y enérgica, rayaba en el entusiasmo y se embriagaba con la libertad que renacía entre las manos".

Un testigo ocular anónimo, quien relata de acuerdo con Acevedo la elección directa que hizo el pueblo de diez y seis diputados, habla también de que, "concedida la licencia para el cabildo abierto, y más y más entusiasmado el pueblo con los discursos de don José María Carbonell, se juntaron los capitulares en la sala como a las seis de la noche" (30).

El Acta de la Revolución alude constantemente a la doctrina de la soberanía popular. "Vocales en quienes el mismo pueblo iba a depositar el supremo gobierno del Reino", es expresión que se repite. La Junta Suprema se constituye en depositaria de la soberanía del pueblo, y protesta "no abdicar los derechos imprescriptibles de la soberanía del pueblo a otra persona que a la de su augusto y desgraciado monarca don Fernando VII".

---

(30) Carta fechada en Santafé el 26 de julio de 1810, y dirigida a N. N. de Cartagena, en *Boletín de Historia y Antigüedades*, Tomo VIII, 1913. Carbonell tomó parte activa en los acontecimientos políticos de la Patria Boba, habiendo sido ardiente partidario de Nariño. Los altibajos de su carrera política, terminada gloriosamente en la horca, están reseñados en el proceso de Morillo, quien pone de relieve sus méritos revolucionarios: "Fue el primer presidente de la Junta tumultuaria que se formó en esta capital, quien puso los grillos al Excmo. Sr. Virrey Amar, y lo condujo a la cárcel; el principal autor y cabeza del motín, el que sedujo a las revendedoras y a la plebe para insultar a la Excma. Sra. Virreina, cuando la pasaban presa de la Enseñanza a la casa del Divorcio; Ministro Principal del Tesoro Público; acérrimo perseguidor de los españoles americanos y europeos que defendían al Rey, y uno de los hombres más perversos y crueles que se han señalado entre los traidores".

Igualmente brilla en el Acta la idea de federación. Acevedo refleja admirablemente el pensamiento político de Torres y de los demás jurisconsultos, cuando resume el contenido de la constitución del nuevo Estado: "La constitución debe formarse sobre bases de libertad, para que cada provincia se centralice, uniéndose en ésta por un Congreso federativo. Está jurada así por todos" (31).

Meteoro fugaz que irradió luz intensa en aquel día estelar de la Patria, muy pronto se apagó. La trayectoria política de Acevedo Gómez en los años siguientes no correspondió, ni con mucho, al talento, visión y energía desplegados en aquella jornada. La falta de un pensamiento jurídico bien estructurado y la lucha entre federalistas y centralistas que lo enfrentaba alternativamente a su provincia nativa y a la capital en donde había hecho su carrera comercial y política, pueden dar explicación satisfactoria a este fenómeno de frustración histórica que no es raro en nuestros anales patrios.

La clave del enigma nos la da él mismo al final de la carta a don José María del Real: "De repente me veo convertido en hombre público". Si el orador puede surgir en un momento de feliz inspiración, el hombre de estado nunca es el fruto de una improvisación afortunada.

Al iniciarse la Reconquista y el régimen del Terror, Acevedo emigró a las montañas de los Andaquíes con el propósito de buscar camino hacia el Brasil, y murió cristianamente, oyendo las oraciones de un esclavo, en la pavorosa soledad de la selva, después de padecer hambre y sufrir los primeros síntomas de la demencia.

Su actuación el 20 de Julio se ha registrado en las páginas de la historia colombiana con el honor que merece y su nombre es repetido en las aulas escolares como en el ágora popular con admiración y gratitud.

4.— El doctor José Miguel Pey, el primer Jefe de Estado.

Hijo de un español Oidor de la Real Audiencia y de una criolla, estudió en San Bartolomé, se graduó en ambos derechos y se recibió de abogado en 1787. Como Alcalde ordinario de primer voto en 1810, se hizo popular al inclinarse en favor de Herrera el Procurador en la lucha con los *intrusos*, y especialmente en la trifulca con Gutiérrez.

---

(31) Carta a don Miguel Tadeo Gómez del 21 de julio de 1810.

Elegido el 20 de julio Vice-presidente de la Junta Suprema, tocóle presidirla —pues el virrey en un principio se negó a ello, y luego fue depuesto y desterrado— y orientar los pasos del nuevo Gobierno, con prudente patriotismo, manteniendo un difícil equilibrio entre los partidos de moderados y violentos en que se hallaba dividida la sociedad y la misma Junta. Su sólida formación jurídica y su habilidad política le ayudaron a sortear con éxito las dificultades de su delicada posición, conformándose a las normas que inspiran, según sus palabras, "el Evangelio, la razón ilustrada y la buena política".

En numerosos bandos, proclamas y comunicaciones al exterior le correspondió defender la legitimidad del nuevo Gobierno, y a fe que lo hizo con brillo intelectual, como representante de la Escuela jurídica de San Bartolomé, ora actuando por su propia cuenta, ora valiéndose de Torres y de Gutiérrez de Caviedes.

En multitud de páginas, refiriéndose a los antiguos funcionarios, los llama "árbitros transgresores de las leyes, cuyo estudio y meditación les era inútil por la inobservancia impune de sus sanciones". Al defender los derechos de los españoles injustamente vejados, sienta este principio en un enérgico Decreto de 12 de septiembre de 1810: "Persuadido íntimamente este supremo gobierno de que la conservación de los derechos naturales, y sobre todo de la libertad y seguridad de las personas y haciendas, es incontestablemente la piedra fundamental de toda sociedad, debiendo proteger y respetar eficazmente los derechos de cada individuo, lo hará con los buenos europeos..." (32).

Buen discípulo de la escuela tomista, en los preámbulos del Reglamento de elecciones para vocales de la Junta Provincial, enseñaba que "si alguno sufragare sin consultar con el bien común y por fines privados y particulares, será responsable a Dios y a la patria de los males que puedan sobrevenir" (33).

Los mismos principios de acatamiento a la ley y de respeto a los derechos del pueblo le impulsaban a decir que "deseando que el pueblo éntre en la plenitud de sus derechos naturales, no sólo en la elección espontánea de los sujetos que deben ejercer su autoridad suprema, sino también en el que tiene para dictar la Constitución o reglas fundamentales que deben jurar y observar los funcionarios públicos, *para que jamás se abuse de esa autoridad contra el mismo pueblo de quien dimana*" (34).

_____

(32) *El 20 de Julio*, por E. Posada, o. c., p. 241.
(33) *El 20 de Julio*, o. c., p. 366.
(34) *El 20 de Julio*, o. c., p. 398.

El oficio dirigido al gobernador de Popayán don Miguel Tacón, de 21 de noviembre de 1810, está concebido en un noble lenguaje y sus severas cláusulas recogen las ideas matrices que dieron origen a la Independencia.

"Las tres intenciones con que se formó la Junta de Gobierno fueron la defensa de una santa religión, que es el bien más precioso que tienen los hombres sobre la tierra; la conservación de estos dominios a su legítimo soberano, el señor don Fernando VII; y el sostenimiento de los derechos de este augusto pueblo, en caso que la madre patria sucumbiese, peligro de que está inminentemente amenazada, pues hoy no existe de la península libre sino el puerto de Cádiz" (35).

La posición de Santa Fé frente a España era muy nítida y estaba respaldada por normas legales que les eran comunes: "Santafé no es enemiga de la nación española como se ha intentado persuadir. Su causa es la misma que la que protege España en su gloriosa lucha; pero no ha querido ni quiere depender de un gobierno ilegal, incapaz de salvarla, y que desapareciendo muy en breve dejaría este Reino expuesto a mil convulsiones políticas, si antes no se precaviese en tiempo. Estas son verdades que se les han dicho a las antiguas autoridades repetidas veces, de palabra y por escrito, porque se habla con la razón. *Las leyes autorizan el procedimiento de la capital: ellas mandan reunir las villas y ciudades en los grandes acontecimientos y en los peligros del rey y de la patria. La naturaleza sola inspira la propia conservación.* ¿Tiene España otros derechos que nosotros para defenderse de un tirano? ¿Somos pueblos menos libres que los de la Península? ¿Cree V. S. que cualquier gobierno sólo porque se ha levantado allí es legítimo, y que la América sólo debe mudar de amos y de cadenas?"

Los argumentos para combatir la legitimidad del Consejo de Regencia eran de un vigor dialéctico inobjetable: "¿Quién es el Consejo de Regencia? Un ente a quien ha dado la existencia la disolución de otro cuerpo ilegítimo. Un gobierno a quien en mejores tiempos la España daría, si llegase a verlos, el nombre de tirano y opresor, por haber destruído de propia autoridad otro formado con el voto unánime de los pueblos y sancionado con la común aprobación. Una soberanía, en fin, que no han dado la nación y la ley, sino el pueblo de Cádiz y la isla de León, o más bien, la fuerza militar que se reunió allí".

Pero la más brillante exposición de Pey sobre el origen popular de la autoridad civil, el fin de los gobiernos y las limitacio-

_____

(35) *El 20 de Julio*, o. c., p. 380.

nes del poder, se halla en una respuesta dada el 21 de noviembre de 1811 al Señor Obispo de Cuenca, el cual le escribía, según sus propias palabras, "en un estilo al parecer impropio de un obispo, pues confieso que los hechos de esa capital me han trastornado la cabeza de tal modo que así no soy dueño de mí mismo". Esta carta hace de Pey uno de los más claros expositores de las doctrinas tradicionales de la Escuela española suareziana.

En notorio contraste con ese estilo regañón, irónico y beligerante del prelado español, el doctor Pey hace gala de elevación de pensamiento y de dignidad de forma, pues "no es V. S. I., desde luego por su ninguna representación política en el teatro del mundo quien dé reglas a un Soberano". Y entra a defender esa soberanía del nuevo Gobierno con argumentos incontestables, deducidos de los más puros principios (36).

Empieza por rechazar el orgullo y engreimiento de algunos que les han "hecho graduar de insurrección el justo sostenimiento de los derechos de este pueblo; las leyes, la naturaleza y la misma religión enseñan a este Gobierno cuán desviados van los que así piensan de los verdaderos principios y qué incapaces son de penetrarse de ellos, mientras que no entiendan que los pueblos de América no son manadas de siervos viles o rebaños de ovejas destinadas al esquilmo de sus señores".

Los principios bien conocidos de la Escolástica sobre el fin de los gobiernos y la constitución de las sociedades políticas venían en apoyo de los derechos de América:

"Los americanos, Señor Obispo de Cuenca, son unos hombres tan libres como los españoles europeos, y pueden y deben establecerse un gobierno, siempre que así lo pidan sus necesidades, como ya lo han exigido imperiosamente en la desgraciada situación en que se halla la Península. *Aun sin este motivo, siempre que no puedan ya cumplirse los fines de la sociedad entre gobernados y gobernantes, los hombres, que no son patrimonio de éstos, y mucho menos de otros pueblos que se creen superiores, sólo por haber sido más fuertes, pueden arreglar su gobierno como*

---

(36) La carta del señor Obispo de Cuenca, escrita el 29 de septiembre de 1810, se publicó en el *Diario Político* N. 29 (Dic. 4). Pey defiende con altivez la calidad de soberana de la Junta Suprema, porque el Prelado había escrito de "la llamada Junta Suprema de Santa Fé". El doctor Camacho puso al pie de esta expresión una nota que vale por una tesis: "Se llama Suprema Junta con muy justo título, por la autoridad soberana que le ha depositado el pueblo, en quien reside originalmente toda potestad civil. Este es un axioma político que sólo afectan ignorar los usurpadores de los derechos primitivos del hombre". La respuesta de Pey fue publicada en el N. 30 del *Diario Político*, y fue insertada en *El 20 de Julio* de Posada, o. c., p. 334-340.

les parezca. Estos principios han dirigido al generoso pueblo de Santa Fé en su santa revolución..."

No sin un tinte de ligera ironía, el discípulo de San Bartolomé le quiere recordar al Prelado la brillante teoría de teólogos españoles que habían desarrollado estos principios: "Acuérdese V. S. I. que gobierno legítimo no es, ni puede ser otro, que el que han establecido los mismos hombres para asegurar estos derechos que les dio el cielo, y que todo abuso contrario a las intenciones de éste y de los que lo formaron, es un delito que merece la execración de ambos. *Los gobiernos nacen para los hombres, y no éstos para aquéllos:* por consiguiente, cuando no se ha contado con la voluntad, no hay tal gobierno, y esto debía haber tenido presente V. S. para graduar cuál es más legítimo, si el que ha constituído el pueblo de Santa Fé y de casi todas las provincias del Reino que no están oprimidas por tiranos, o el que han abrogado cuatro individuos de España en la Isla de León..."

Y viene un párrafo que nos revela con elocuencia la honda sinceridad con que nuestros prohombres sostenían tales postulados antiguos, como tradicionalistas y como cristianos: "Esta doctrina, nueva para los tiranos y déspotas, sólo puede ser desconocida igualmente para sus satélites, que violadores de los sagrados derechos del hombre, quebrantan las leyes que grabó Dios en su corazón, y haciendo tal vez una doble injuria a su piedad, se valen del pretexto de una santa religión, que condena ella, la primera, la esclavitud para derramar la miseria y la desolación sobre sus hijos".

Tras las varias vicisitudes de su larga carrera pública, civil y militar, el doctor y general Pey —que también fue gobernador del Estado de Cundinamarca y Presidente de la Nueva Granada en el triunvirato integrado por él, Rodríguez Torices y Villavicencio—, en 1830 fue nombrado Ministro de Guerra de la administración de Rafael Urdaneta. Luego, en virtud de la ley de 21 de noviembre de 1831, fue borrado del escalafón militar y privado de los sueldos y pensiones que le correspondían como general de división, "por haber tomado parte en el gobierno intruso".

El Presidente Santander acudió al Congreso, en nota de 14 de marzo de 1833 para abogar, con nobleza que lo honra, por el anciano prócer que padecía gravísima pobreza, y recordando los servicios prestados a la Independencia en 1810, solicitaba "alguna pensión durante los pocos años que le restan de existencia".

La Comisión de Guerra rindió informe favorable a la concesión de una pensión igual a la tercera parte del sueldo que devengaba. El viejo abogado y ex-presidente se sintió herido en su honor y escribió una bella página en defensa de sus actuaciones; negándose a recibir la limosna que se le daba, decía con una altivez que no habían logrado doblegar ni la edad ni la miseria:

"En esta situación, yo reclamo la justicia estricta, yo quiero sufrir la pena del criminal, si se declara legítimamente que lo soy, o ser absuelto solemnemente por los Tribunales naturales. Entre la inocencia y el crimen no hay transacción".

Pide al Congreso se le haga justicia, "pues sin ella la Nueva Granada no puede consolidarse. Reclamo justicia y el Congreso de la Nueva Granada no puede negármela. Por eso no recuerdo mis servicios, porque me dirijo a vuestro espíritu y no a vuestro corazón. No abogo tanto en mi causa como en la de la Nueva Granada: en medio de tántos ultrajes, ella es mi patria, y será, como lo ha sido siempre, mi ídolo".

Al comienzo de este memorial Pey hace un breve recuento de los antecedentes de la Revolución y de la parte que a él le cupo. Lo insertamos íntegramente como un testimonio de excepcional importancia dada la calidad del testigo:

"Yo vivía en medio de las comodidades de la vida privada, con una fortuna más que mediana, y con esperanza de aumentarla cada día: gozaba de todas las consideraciones debidas a mis relaciones y a mi conducta. Ya había servido dos veces a la causa pública como Alcalde ordinario, y desempeñaba con algún crédito la profesión de abogado, cuando ocurrió en 808 la invasión de España por los ejércitos del emperador Napoleón. La abdicación de Carlos IV y la guerra nacional de los españoles para conservar su independencia. Desde entonces consideramos los hombres de patriotismo y de virtudes que había llegado la oportunidad de hacer independiente al antiguo Nuevo Reino de Granada, haciéndolo feliz, con sacarlo de la abyección en que yacía, constituyéndolo en Estado libre. Desde entonces se meditó la necesidad de dar dirección al movimiento por medio del Alcalde ordinario de primer voto, que presidía el Cabildo, único cuerpo popular con el cual podía contarse. Con este objeto se eligió el año de nueve, al distinguido patriota difunto Luis Caicedo; y como no pudo completarse en aquel año el proyecto grandioso y atrevido de hacer pedazos las cadenas que nos unían a España, se me escogió para Alcalde por tercera vez, en el año siguiente de 810. Acepté mi elección profundamente agradecido por la confianza que de mí se hacía; *la acepté con conocimiento del difícil deber que me imponía,* y me dediqué a corresponder a ella, corriendo todos los riesgos por hacer libre a mi patria" (37).

De aquí resulta —como lo anotaba ya el realista español Torres y Peña en sus *Memorias*— que las elecciones para el año 10 fueron hechas con singular sentido político y que al buscarse al doctor Pey para Alcalde y Presidente del Cabildo se tenían en cuenta su experiencia en dicho cargo y su habilidad política, y su conocida adhesión a la causa patriótica. No fue, pues, un simple accidente el que lo llevó a ocupar el primer puesto en la Junta Suprema.

También se aclara en el relato lo que algunos historiadores habían venido deduciendo relativamente a la prudencia y habilidad con que los dirigentes fueron preparando las diversas etapas del Movimiento hasta llegar a la declaración de la independencia total. El 20 de Julio —sigue contando el doctor Pey— día eternamente memorable en los fastos de nuestra historia, se dio el grito de independencia y libertad. Yo estuve a la cabeza del movimiento, y en esa noche quedó instalada la Junta Suprema de esta provincia. *La política del momento exigió que se nombrara para su Presidente al General español don Antonio Amar,* que dejaba de ser virrey: yo fui el vicepresidente como Alcalde primero que supe llenar los designios con que fuí elegido. En agosto fue destituído, y expelido el presidente, y yo quedé a la cabeza de la Junta mientras duró, y hasta que en 811 se constituyó el antiguo Estado de Cundinamarca (38).

La holgura económica del antiguo Alcalde de primer voto se había convertido, al advenimiento del nuevo Estado, en pobreza que rayaba en miseria. Otro buen ejemplo para quienes tanto escriben sobre los móviles económicos que impulsaron a la oligarquía criolla a buscar la independencia de España.

---

(37) Todos los documentos fueron publicados en un folleto titulado *Documentos interesantes relativos al ex-general doctor José Miguel Pey* por orden de la honorable Cámara del Senado bajo la inspección de su Secretario. Año de 1833. Impresa en Bogotá, por J. A. Cualla. El Secretario que dirigió la impresión era el Dr. Lorenzo M. Lleras. Se halla tan interesante opúsculo en la Biblioteca Nacional, Sala 1ª, N. 7457, Pieza 140.

(38) Véase el opúsculo citado, página 5. El doctor Pey murió en Bogotá en 1838 y *El Argos* le rindió un justo tributo a sus méritos y principalmente a su ejemplar pobreza: "Murió pobre y miserable, habiendo nacido rico y mimado de la fortuna. Que su desprendimiento sirva de ejemplo a los granadinos cuando se trata de los intereses de la Patria".

Y el Presidente del primer gobierno supremo de la patria, que iniciaba la honrosa serie de los Jefes de Estado limpios de mácula en el manejo del erario, hallaba fuerzas en lo íntimo de su honor para rechazar el auxilio que se daba a su pobreza, y sólo reclamaba justicia...

5.— *Don Manuel Bernardo Alvarez, Presidente y Dictador de Cundinamarca.*

Las mismas ideas de Pey podemos registrar en este benemérito bartolino que llegó a la Revolución cuando tenía 67 años, pero se dedicó a afianzar el nuevo orden con un brío de ánimo y una frescura de mente juveniles. Alcanzó a cursar sus estudios bajo el régimen de la Compañía de Jesús, y se recibió de abogado de la Real Audiencia en 1769, cuando apenas nacían casi todos sus compañeros de la Junta Suprema. Desempeñó las cátedras de ambos derechos en el Colegio de San Bartolomé.

Representó con Nariño el rígido centralismo de Santa Fé, y lo defendió ante el Congreso de las Provincias Unidas con solidez de razonamientos jurídicos, y luego con las mismas armas. Patrocinó *El Aviso al Público*, periódico polémico de notable valor literario dirigido por el Padre Fray Diego Padilla, el cual reflejó sus ideas políticas y propagó algunas de sus producciones poéticas en elogio de la libertad.

Elegido Presidente del primer Congreso en diciembre de 1810, como Diputado de Santa Fé, supo mantener ante la Suprema Junta la soberanía y dignidad del Cuerpo Legislativo y defendió con coraje la independencia de su propia representación.

Como el Congreso había recibido al Representante de Sogamoso contra la opinión de Tunja que se veía amenazada en su integridad territorial, el doctor Pey envió una enérgica nota a Alvarez en la cual reprochaba su conducta y le daba perentorias órdenes. Este las recibió como simples instrucciones: "Mi representación —escribió— a que se ha confiado la atenta y cuidadosa defensa de la libertad y derechos de la Provincia de Santafé, está muy distante de todas aquellas limitaciones que puedan reducirla a la de solo Agente de esta Junta, y mucho menos a la de Procurador de Plaza en las intenciones y empresas de la de Tunja: para ellas nombrará Diputado que las promueva con franqueza en el Congreso, y yo no puedo anticipadamente comprometer mi dictamen, que debe ser libre, ni mis sentimientos que considero justos..." (39).

Defiende los derechos de la Provincia de Sogamoso, llamada miserable por Pey, con el argumento de estar integrada en su mayor parte por indios que ya habían sido declarados "dueños propietarios de estos territorios, que gemían el despojo de este precioso don de la naturaleza, con la privación de todos los derechos de ciudadanos". Por lo tanto dicha Provincia "es más recomendable que la de sola Tunja a nuestra protección, a nuestro amparo y a la atención de su debida libertad". En consecuencia se niega a obedecer lo mandado por la Junta "con depresión y menoscabo de la Representación que me ha dado toda la Provincia, y que no puede después de la elección desautorizarse por los particulares cuerpos de su peculiar gobierno".

Fue una bella lección de auténtico republicanismo la que dio el Diputado por Santa Fé a las intromisiones de la Junta Suprema.

Don Ignacio de Herrera protestaba porque "al Presidente, a ese hombre benemérito por su doctrina, madurez y acrisolado patriotismo, se le comunica una providencia de *orden y mando* para que no autorizara sanciones en el Congreso". El Colegio electoral de Cundinamarca, bien informado de la conducta del doctor Alvarez, le ratificó su nombramiento de Diputado al Congreso.

Más tarde, en diciembre del 11, hizo varios reparos de orden jurídico a algunos artículos del Acta de Federación de las Provincias Unidas, los cuales revelan la solidez de sus conocimientos del derecho, a la vez que expresan los principios del origen popular de la soberanía política:

"Yo estoy firmemente persuadido que disueltos los vínculos de nuestra subordinación, desconocidas justa y oportunamente las obligaciones de vasallaje para con aquellos cuerpos que arbitraria y viciosamente quisieron arrogarse y representar toda la autoridad de la monarquía, recobrados los derechos de establecer un gobierno del agrado de los pueblos que componen el Reino, es consiguiente y forzosa su libertad para elegirle y sancionarle. Quedó libre al momento el Reino; quedaron libres los pueblos, quedaron libres las familias, quedaron libres todos los ciudadanos... Es preciso confesar que en la noche del 20 de Julio quedó este Reino, o bajo el sistema antiguo de su gobierno, o en la dependencia del que voluntariamente escogiese y adoptase la voluntad común, legí-

_____

(39) Véase Cuaderno N. 2 del Congreso, p. 10, en Bibl. Nal., Sala 1ª, N. 13039, Pieza 1ª. Este opúsculo tiene precisamente la firma autógrafa de Manuel Mª de Bernardo Alvarez Lozano.

timamente explorada y manifestada de los que le habitan y componen. Sin ella no puede haber la conveniente organización ni establecimiento de nuevos gobiernos. Ellos concurrieron al logro de su independencia, y ellos mismos deben concurrir al de su verdadera libertad en el Gobierno en que la crean mejor asegurada" (40).

Las consideraciones sobre la libre autodeterminación de los pueblos eran lógicas, aunque no las creía en contradicción con las providencias tomadas para evitar la anarquía. Lo que pedía era un régimen estable y no puramente transitorio:

"Repito nuevamente que aplaudo las medidas que en las más estrechas circunstancias se hayan tomado para evitar la confusión y desorden que trae la falta de todo y cualquiera gobierno; pero también repito que los remedios provisionales, o puramente de prevención y cautela, no pueden ser adecuados a la solidez, firmeza y estabilidad de un gobierno justo y general. Los sucesos que han seguido después del 20 de Julio tienen bien calificada la necesidad de estas consideraciones y la obligación de proceder según ellas..."

El patriota que apelaba a "mi ánimo propenso a la tranquilidad común y siempre enemigo del tesón de las desavenencias", reposaba en la confianza de que "la Providencia Divina ha puesto límites a las facciones que intentan sembrar la discordia en los pueblos y dividir a los hermanos".

Caído el centralismo por el ataque a la capital de las fuerzas de Bolívar, en 1814, el Presidente Dictador se retiró a la vida privada. El 10 de septiembre de 1816 fue fusilado por orden de Morillo a la edad de 73 años.

6.— *Los doctores Manuel y Miguel de Pombo.*

Los dos Pombos —tío y sobrino— con una diferencia de diez años de edad, payaneses, discípulos de Félix de Restrepo en su ciudad natal, y luego estudiantes del Colegio del Rosario al lado de Torres, y abogados de la Real Audiencia, ocupan un sitio de honor entre aquella "turba de doctores" como calificaba el Oidor Carrión al grupo de intelectuales de la Revolución.

---

(40) *Manifiesto de los motivos que obligaron al representante de Cundinamarca a su detención en firmar la acta de federación y sus pactos, con los señores diputados que se hallaban en esta ciudad, consultando previamente a su gobierno, y esperando por su medio el voto común de toda la provincia.* Santafé de Bogotá, en la imprenta de don Bruno Espinosa de los Monteros, año de 1812. En la Bibl. Nal., Fondo Pineda. Fue reeditado en *El Congreso de las Provincias Unidas*, o. c., p. 346-355.

*
* *

A los 22 años —en 1791— don Manuel parte para España en busca de mejores horizontes para su espíritu emprendedor y para su inteligencia ávida de conocimientos. La corrupción de la monarquía tuvo que herir muy a lo vivo el austero concepto de la virtud que tenía el criollo americano, y hacer cambiar el rumbo de sus ideas. Al conocer de cerca lo que eran la realeza y corte españolas en tiempos de Carlos IV, la integridad moral de don Manuel sufrió un choque violento y sus ojos se abrieron a la necesidad de una transformación política en su patria. Lo cierto fue que, casado con beneplácito real con una dama de la Corte, doña Beatriz O'Donell, regresó a América en 1795 con el cargo de Tesorero del Consulado de Cartagena de Indias, el cual había sido creado gracias a los esfuerzos de su hermano José Ignacio, gestor de empresas económicas de vastas proporciones.

Empeñado con su hermano en labores de desarrollo cultural y económico, había importado una imprenta que tuvo que cerrarse por orden del gobierno. En 1804 fue promovido como Contador a la Casa de Moneda de Santa Fé, cargo que significaba una confianza especial y de la cual tendría ocasión de dar pruebas abundantes.

En Bogotá se puso en contacto con sus antiguos condiscípulos y se afilió con entusiasmo al movimiento revolucionario al cual aportó la experiencia amarga que había sufrido en la Metrópoli. "En la tertulia del Buen Gusto volvió a encontrar a sus condiscípulos y compañeros. Estrechó de manera especial su vinculación con Camilo Torres. Fue asiduo concurrente a la casa de éste, a la casa de la Expedición Botánica y al Observatorio dirigido por Caldas" (41). En las reuniones de septiembre de 1809 habló y votó con los más resueltos en favor de la Junta de Gobierno, sin temor a las represalias que el Virrey podría tomar contra él, dado su carácter de alto empleado del Gobierno.

La agitación política e ideológica de estos días fue intensísima. El 28 de septiembre dio un Bando el Virrey alarmado por "las proclamas que se han difundido con motivo de las ocurrencias de Quito, llenas de preocupaciones, suposiciones arbitrarias y perniciosos principios, pretendiéndolos cubrir con el velo de una Santa Religión que profanan". El obcecado mandatario, dispuesto a sostener su poder por todos los medios aun los más inoportunos e ilícitos, exhortaba a las autoridades eclesiásticas a prevenir el en-

---

(41) Fabio Lozano y Lozano, *Doctor Manuel de Pombo*, en *Próceres*, *1810* (Publicación del Banco de la República en el Sexquicentenario de la Independencia, p. 81).

gaño del pueblo "por medio del confesonario y del púlpito con las más cristianas y eficaces exhortaciones". En su candorosa ingenuidad, también prescribía "que así mismo se exhorte a los Sabios del Reino para que empleen sus luces y talentos en fijar la opinión pública a favor de la santa causa que hemos jurado defender"

Sólo que la santa causa que los sabios de la patria habían jurado defender no era la del absolutismo del antiguo valido de Godoy, sino la de la libertad.

El 20 de Julio don Manuel actuó con su decisión y energía características: fue de los primeros que en las horas de la tarde se tomó el Ayuntamiento en compañía de su sobrino Miguel, y desde ahí arengó al pueblo que lo nombró Vocal de la Junta Suprema, habiendo firmado el Acta de la Revolución. Dados sus conocimientos en materias económicas y su puesto en la Casa de Moneda, de la cual fue también Superintendente encargado, pasó a la Sección de Hacienda.

Se ha dicho generalmente que Nariño lo tuvo preso y lo desterró a Popayán por discrepancias políticas pues militó en el partido federalista. Otro fue el motivo verdadero, enaltecedor de la integridad moral y del carácter indomeñable del Contador de la Casa de Moneda.

Nariño, quien había subido al gobierno con poderes dictatoriales, en virtud del golpe de estado de 19 de septiembre de 1811, quiso hacerse con recursos fiscales fáciles y el 2 de octubre dio una orden reservada al Superintendente de la Casa de Moneda por la cual prescribía una serie de medidas monetarias, a las cuales el inflexible Contador se opuso con razones basadas en principios de moralidad pública y de la más fina esencia democrática.

La respuesta de don Manuel, insertada inteligentemente en el Libro de Cuentas, es un precioso documento que mide la talla de su figura espiritual. Reza así:

"Excmo. Señor. El Superintendente de esta Casa de Moneda me ha llamado a solas para comunicarme y acordar lo conveniente acerca de la orden muy reservada de V. E. de fecha 2 del corriente, mandando fundir toda la plata macuquina, pesos fuertes y pastas de plata que haya en la Casa; que se acuñe moneda de cordoncillo con solo la ley de diez dineros; que ésta se cambie por doblones en las Cajas Generales, sin decubrir el objeto; que los doblones se reduzcan a pesos fuertes y a macuquina para nuevas labores sucesivas; y que se guarde la mayor reserva sobre todo esto, bajo las penas que en ella se expresan.

"Yo faltaría al deber de un buen Ministro del ramo y al de un ciudadano que se interesa en el honor de la Patria y del Gobierno, si no manifestara a V. E. de buena fe las breves observaciones que siguen.

"1ª Toda alteración intrínseca o extrínseca que se haya de hacer en la moneda, es preciso se verifique por acuerdo de la Diputación General del Reino o Congreso, después de haberse discutido y examinado el punto en sesiones públicas de su legislatura con toda formalidad. El Reino en general tiene interés en la legitimidad y marca de la moneda y, es objeto que refluye y tiene relación para el comercio con las naciones de todo el mundo.

"2ª Aun cuando se concediera que este Supremo Gobierno u otro Provincial de los Estados del Reino tuviere facultad para poder alterar la moneda corriente intrínseca o extrínsecamente, se verificaría esto en virtud de ley expresa de su Cuerpo Legislativo, sancionada en el modo y forma constitucionales, pero de ningún modo por órdenes dimanadas de sólo el Poder Ejecutivo del mismo Gobierno.

"3ª Acuñar moneda de plata con solo diez dineros de ley, es acuñar moneda falsa, o con un diez por ciento de liga; y es acuñarla desigual a la de Popayán y demás casas de su fábrica en América.

"4ª Es imposible la reserva que V. E. manda. El curso natural de las operaciones de las labores y de la cuenta y razón, exigen que lo haya de saber, además del Superintendente, Contador, Tesorero y de sus Oficiales respectivos, el fundidor, los ensayadores, el aprendiz de lo mismo y el Contador Comisionado para fenecer las cuentas de la Casa. Un secreto entre muchos no puede ser; y traslucida la providencia, cuánto descrédito a este Gobierno, cuántas murmuraciones y sarcasmos aun más allá de lo justo! Y cuántos inconvenientes conocida que sea entre los extranjeros la falsedad de la moneda!

"5ª Los sabios, liberales Gobiernos que ahora establecemos en América, no deben adoptar jamás las ilegales, misteriosas y detestables máximas que ha tenido en la materia (como en otras) el gabinete de Madrid para engañar a los pueblos y robarlos. Ha sido una de las mayores infamias de dicho gabinete, y con que ha robado a la Nación muchísimos millones de pesos para el lujo de la Casa Real, las órdenes reservadísimas del año 1771 y 1787 citadas en la referida de V. E., y por las cuales mandó rebajar a la moneda la ley de Ordenanza, con pretextos tan injustos como falsos; y sin noticia de la Nación ni dictamen de sus Cuerpos Políticos y Trates de Gobierno. El vasallo fue sacrificado en el momento con dichas órdenes, habiendo bajado como bajó el cambio de nuestra moneda en los países extranjeros, y aun desequilibrándose en ellos el valor de la de oro con la de plata de ñuestra propia fábrica.

"6ª Por otra parte, para poderse verificar las disposiciones de V. E. en dicha orden, es indispensable una de estas dos cosas: o entorpecer las labores de moneda de oro, o aumentar las oficinas, empleados y operarios de la Casa. Si lo primero, mucho perjuicio al particular y a los productos y utilidades de ella; y si lo segundo, mucho aumento de gastos que se pueden excusar y que conviene se excusen por ahora. La rebaja de ley dispuesta por V. E., además de que puede desacreditar infinito al Gobierno, no sufraga tales gastos, pero ni aun cubre la pérdida del feble de la moneda macuquina. Este asciende al 17% y aquélla produce 10%.

"7ª Para conseguir el fin laudable de extinguir la moneda macuquina, no hay necesidad ni de darle al pueblo moneda ilegal o falsa, ni de hacerse gastos extraordinarios en esta Casa ni en la de Popayán. Las dos Casas tienen obligación de justicia y propensión para aquella extinción, fundiendo en los intermedios desocupados de sus labores de oro (como se estaba haciendo), 120 pesos anuales cada una y reponiéndola en moneda legítima de cordoncillo. La pérdida del 17% que sufren anualmente en dicha cantidad, asciende a una pequeñez y les hará mucho honor a ambas Casas.

"8ª Para saber que las dos Casas o sus Gobiernos respectivos se hallan obligados de justicia a dicha fundición y sustitución de moneda legítima, basta considerarse, entre otras cosas, que reporta de ellas y ha reportado su erario respectivo más de ciento cincuenta mil pesos anuales en la acuñación; y que en la reparación del feble en que ha quedado la macuquina con el uso, no hacen otra cosa las mismas casas que restituír al público la plata que se extrae de las barras de oro, (llamada del cimiento); la cual no se le paga al tiempo de comprarle aquéllas, por la dificultad de graduarla.

"9ª Es principio innegable en todo buen Gobierno y como de eterna justicia, que cuando se trata de reponer en un Estado cualquier clase de moneda que haya corrido bajo la autoridad pública, el Pueblo no debe ser pensionado ni debe ser engañado.

"10ª Aun cuando dominaba en esta Nueva Granada el Gobierno incapaz y despótico de nuestros tiranos y que los productos de las dos Casas de Moneda se consideraban no como caudal del pueblo sino como patrimonio para el lujo asiático de los Borbones, fueron reconocidos en esta Capital los principios y obligaciones de justicia que acabo de referir. Esto sucedió en el mes de julio de 1809, a consecuencia de haberlos demostrado yo hasta la evidencia en la Junta de Trates a que se me llamó, y haber manifestado también la iniquidad del proyecto que se tenía entre manos de hacer moneda falsa o ligada para recoger la macuquina.

"11ª Ahora bien, si el citado Gobierno rapaz y despótico de España se abstuvo de mandar hacer moneda falsa aun para el referido objeto, y adoptó principios y medidas tan justas, como legales y oportunas, ¿cómo será posible que los haya de desconocer y dejar de continuar en ejecución este Supremo Gobierno Provincial de Santafé?

"En esta virtud, y de todo lo demás expuesto en estas breves observaciones, creo que V. E. bien lejos de hacer llevar a efecto la citada orden reservada de 2 del corriente, dictará muy oportunas providencias para que poco a poco y de cuatro mil en cuatro mil pesos de moneda macuquina enviados de Cajas, hasta completar doce mil pesos anuales, se verifique sin incomodidad de las labores de oro y gastos extraordinarios, su total extinción y reposición en circular de cordoncillo a ley y peso de Ordenanza, oficiando también con la Junta de Gobierno de Popayán para que restituído el buen orden en el erario y Casa de Moneda de esa ciudad, se siga practicando lo mismo, según lo dispuso la Junta de esta capital en la fecha citada.

"Santafé, Contaduría de Casa de Moneda y Octubre 10 de 1811.

"Excmo. señor. Manuel de Pombo.

"Excmo. señor Presidente del Estado don Antonio Nariño" (42).

La moneda macuquina o de martillo, o recortada, que eran piezas ajustadas al peso y a la ley, se prestaba a cercenamientos y por ello ofrecía muchos inconvenientes por la desigualdad, y casi siempre debía ser pesada a fin de verificar su verdadero precio. Mas como era de tan buena ley, al acuñarla resultaba una buena ganancia. La moneda de cordoncillo o circular, ordenada des-

_____

(42) *Real Casa de Moneda de Santafé, año de 1787, Contaduría.* Libro muy reservado del Ramo extraordinario en el cual se han de sentar las partidas de cargo a quien corresponda en el oro y en la plata a favor de la Real Hacienda desde 1º de enero de 1787 con arreglo a lo resuelto novísimamente por Su Majestad en Real Orden de 25 de febrero de 1786 y órdenes superiores del Excmo. Sr. Arzobispo Virrey de este Reino... p. 47. Pocas personas tenían acceso a este Libro que debía ser enviado a España para fenecer las cuentas. Gracias a la gentileza del doctor Antonio María Barriga Villalba, actual Director de la Casa de Moneda bajo la dependencia del Banco de la República, pude consultar y transcribir la Carta de Pombo.

de 1756, tenía por ley once dineros o sea de 916; la ley de diez dineros era de 833. Los doblones de oro eran de 916: el oro valía ocho veces más que la plata a la misma ley, porque una onza de oro valía ocho onzas de plata.

La operación que ordenaba Nariño como arbitrio fiscal era realmente pingüe: en síntesis significaba acuñar moneda baja, hacerla circular para cambiarla por macuquina fina y reacuñarla en piezas; cambiar plata baja por oro de ley. Y todo esto en labores sucesivas.

Como un latigazo debió caer sobre el Presidente la Carta de Pombo: las consideraciones en que fundamentaba su abierto rechazo eran tan técnicas y estaban basadas en la eterna justicia y en los postulados de la democracia que tánto había proclamado Nariño, que no se prestaban a tergiversaciones o interpretaciones acomodaticias. El contraste establecido entre el régimen tiránico y opresor que había caído atacado por fuertes motivaciones éticas, pero que se había abstenido de medidas tan dolosas, y el nuevo gobierno, liberal, justo y democrático, el cual quería empezar por donde no habían terminado los virreyes, era de una fuerza impresionante. El Contador hace honor al Virrey Amar que cuando quiso acudir a este arbitrio injusto y engañoso, en 1809, desistió de su proyecto para acatar las normas de honradez señaladas por un empleado suyo de inferior categoría, pues ni siquiera era Superintendente, pero dotado de un carácter de tan finos quilates espirituales.

Cabe observar aquí que España mantuvo en América inmutable su sistema monetario desde 1620 hasta la Independencia, y así logró estabilizar el peso. Ejemplo que no fue seguido por nuestros gobiernos republicanos, los cuales con tanta frecuencia imitaron los propósitos de Nariño y por más de veinte veces han cambiado el sistema monetario.

Nariño ciertamente había aconsejado en su Plan de Administración del Nuevo Reino en 1797 recoger la moneda macuquina, y esta era una idea laudable. Pero Pombo lo informa de la manera gradual y paulatina como lo venían haciendo las dos Casas de Moneda de Santa Fé y Popayán, sin detrimento de la justicia, y lo excita a tomar esta sana providencia. De esta manera el Contador en vez de acatar servilmente una orden que era ruinosa en el fondo para la economía del país y acarreaba descrédito al nuevo Gobierno, le daba un consejo honrado y lo exhortaba a enrumbar su gestión político-económica por los caminos del derecho y de la justicia.

Esta Carta, inspirada por una conciencia republicana, respira dignidad y eleva a su autor a cumbres de grandeza moral. Si todos nuestros gobiernos hubieran tenido consejeros y funcionarios de la talla de don Manuel de Pombo, cuántos males se habrían ahorrado para la patria!

Pero si Nariño se contuvo ante la voz sensata de Pombo, su orgullo de revolucionario y de gobernante enérgico tenía qué resentirse. Así se explica el énfasis y el sarcasmo de esta breve y perentoria orden, que despertaría las más fuertes protestas de Caldas: "Siendo perjudicial para el Gobierno la presencia de don Manuel de Pombo en esta Capital, saldrá dentro del perentorio término de cuarenta y ocho horas para Popayán, su patria, a ejercer sus luces y conocimientos en beneficio del suelo que lo vio nacer".

No creo que esta drástica medida hubiera tenido cumplimiento, pues en el Libro de Cuentas de la Casa de Moneda que contiene la Carta, sigue figurando la firma de Pombo hasta el 27 de enero de 1813. A fines de este año el mismo Nariño lo incorporó a la expedición que marchaba hacia el Sur, y con él fue a Popayán en donde continuó e intensificó sus campañas en favor de las ideas republicanas.

Era el señor Pombo —observa justamente Fabio Lozano— un castizo escritor, muy digno de figurar con sus hijos y nietos, Lino de Pombo, Manuel Pombo Rebolledo, Rafael Pombo, Julio y Sergio Arboleda, etc., en los más señalados puestos de nuestros anales literarios.

Efectivamente escribió en 1812 un *Resumen histórico de la invasión y conquista de España por los franceses*, (43) una *Historia de los Países que formaron el Virreinato de la Nueva Granada*, una *Geografía concisa* para niños y una *Gramática latina*, textos escolares que le ayudaron a ganarse la vida mientras estuvo desterrado en España, los cuales fueron reimpresos en Santa Fé (44). Pero su obra maestra, de cariz político, la constituyen las dos *Cartas escritas a don José María Blanco, Editor del Español, sobre la Independencia de América y Filipinas*, las cuales son un

---

(43) *Resumen histórico de la invasión y conquista de España por los franceses*. Comprende desde el 2 de mayo de 1808 de la matanza de Madrid, hasta 9 de enero de 1812, en que fue tomada Valencia. Por el ciudadano Manuel de Pombo, Ministro Contador Superintendente de la Casa de Moneda de Santafé. En la Imp. Patr. de D. Nicolás Calvo. Año de 1812.

(44) *Gramática Latina*, facilitada para uso de principiantes, por el Dr. D. Manuel de Pombo. Bogotá, N. Lora, 1825.

documento histórico y jurídico de gran valor polémico en la defensa del nuevo orden (45).

La observación con que da principio a su primera y más importante Carta, firmada el 9 de julio de 1812, es reveladora del ambiente espiritual de la época y de la nobleza de miras de los próceres. "El autor de esta Carta —dice— ha vivido algunos años en España; tiene allí amigos y parientes que ocupan los primeros puestos del Gobierno y del mando militar. No ha necesitado ni necesita del nuevo orden de cosas de la América para figurar ni para subsistir. Pero ha seguido y sigue la causa de su Independencia, por considerarla no solamente justa y de razón, sino como una obra de la Providencia". No parece sino que así se adelantara a prevenir los juicios, más que de los españoles sus contemporáneos, de sus propios compatriotas que en 1960 tratarían de oscurecer los méritos de su obra.

Todo su razonamiento —agrega en la Carta del 14 de julio— está dirigido a demostrar "que Dios, la Naturaleza, la enorme distancia, los derechos imprescriptibles de los pueblos, la situación geográfica, los medios, la población, la cautela en los desgraciados acontecimientos de la Península, y la utilidad y felicidad pública, objeto de la creación y duración de los gobiernos, eran los fundamentos incontestables que los llamaban a ser libres, y a separar su Gobierno del otro hemisferio".

En la primera parte, con un conocimiento pleno de la materia, se dedica a probar que España estaba perdida y sin recursos para salvarse, dada la situación política y militar que describe con minuciosa exactitud y referencia a nombres y a hechos. Luego pronostica que Fernando no reinará ni en España ni en América. No lo hará aquí, porque todos los pueblos "detestan, según se manifiesta por los papeles públicos, el gobierno monárquico y mucho más, hereditario, porque están decididos a abrazar el sabio y filosófico sistema federativo, como el de los angloamericanos, el único que, en sentir de los políticos más profundos, se ha inventado para gobernar hombres. Porque el reconocimiento que se hizo de Fernando VII en estos países en los años anteriores, fue gracioso, no espontáneo, y de las circunstancias, en la mayor parte de ellos, sin examen y discusión, sin votos de los Representan-

---

(45) *Carta a D. José María Blanco*, residente en Londres, satisfaciendo a los principios sobre que impugna la independencia absoluta de Venezuela en su periódico titulado *El Español*, y demostrando la justicia y necesidad de esta medida, sin perder momentos, en todos los demás Estados de América y Filipinas, por el ciudadano Manuel de Pombo, Ministro Contador de la Casa de Moneda de Santafé, año de 1812. La Biblioteca Popular la reprodujo en su tomo XVI, año de 1898.

tes legítimos, nombrados bajo la base de población, y sin poderes ni instrucciones para ello..."

Cita para corroborar la antipatía de los americanos hacia la forma monárquica, un aparte del *Discurso sobre las ventajas del sistema federativo*, obra de su sobrino don Miguel de Pombo: "La constitución monárquica bien examinada, no es otra cosa que una liga del monarca con un pequeño número de vasallos, para engañar y despojar a todos los otros, para encender todas las pasiones a su arbitrio, y para ponerlas en juego por su interés personal".

Refuta la equivocación de Blanco White, a causa de la distancia, en las ideas que supone existir en los Estados de América para conservar la unión general bajo el lazo y amor de Fernando VII, "pues la proclama de Chile, los papeles públicos más recientes de Caracas, Buenos Aires, Cartagena y Santafé y de todos los países donde los pueblos han reasumido sus derechos soberanos y se ha adelantado más la opinión pública sobre los verdaderos intereses y cimientos para la felicidad futura de sus habitantes, prueban convincentemente que no quieren ni aspiran a otra cosa que a la independencia absoluta y al establecimientos de Repúblicas confederadas. Lo contrario sería no aprovecharse de los medios que para ello les ha enviado la Providencia en la ocasión, consentir que los pueblos fuesen nuevamente esclavos y dejar de proporcionar una Patria para sus hijos y para sus desgraciados hermanos de Europa que quieran venir a establecerse y abandonar el despotismo y la tiranía del otro hemisferio" (46).

Refuta igualmente la creencia del editor de *El Español* de que en la hipotética restitución de Fernando a España, la nación gozaría de plenas libertades. El proyecto de Constitución que se está sancionando por las Cortes de Cádiz, "pone al rey en disposición de poder ser un tirano siempre que quiera. La razón es porque en ella no están divididos y equilibrados los tres poderes del gobierno, y al Rey lo deja dueño absoluto de la fuerza armada y con facultad de nombrar los miembros para la administración de justicia y para todos los empleos eclesiásticos, civiles y militares". Las prevenciones de Pombo contra la Constitución de Cádiz eran tan puestas en razón, que el desarrollo de los acontecimientos políticos de España lo demostró plenamente.

_____

(46) Aquí cita en apoyo de sus ideas las *Gacetas* de Caracas, *El Argos* de Cartagena, el *Acta de Confederación de las Provincias Unidas de la Nueva Granada*, el *Discurso* de Miguel de Pombo, *El Patriotismo de Nirgua o el abuso de los reyes*, por el ciudadano J. G. R. (Juan García del Río), *Los Derechos de la América del Sur y México*, por William Burke, y el *Sentido Común* de Tomás Paine. En otras notas cita a Robertson y a Raynal.

Además a dicha constitución le hace una objeción fundamental que manifiesta el espíritu democrático de nuestros hombres públicos. Los constituyentes habían sancionado "la injusticia más atroz que podía esperarse. Tal es la de privar del derecho de ciudadanos a todos los *partidos y morenos o gente de color*, de que habrá seis millones por lo menos en toda América: y a la verdad, de hombres útiles y laboriosos que se ejercitan con honradez en la milicia, en la agricultura, industria, artes, labores de minas, transportes por agua y tierra, y en cuantos ejercicios útiles y productivos se emplean los brazos del estado llano de España y otros reinos de Europa".

La conclusión es por lo tanto que las Cortes nominales de Cádiz quieren darnos una Constitución injusta en sus bases, y no ofrecen a la Nación las salvaguardias correspondientes para que sea libre, no se vea tiranizada y vendida por sus reyes y favoritos, ni cubierta de sangre, horror, muerte y destrucción como se mira en el día.

La segunda parte ostenta una poderosa dialéctica. La unión de España con América y Filipinas no puede ni debe continuarse, aun cuando aquélla triunfara de sus conquistadores, y es de declararse la independencia absoluta sin perder momentos.

En ordenada trabazón de motivaciones de orden geográfico, económico, político, legislativo, etc., Pombo prueba apodícticamente, en 19 puntos expuestos magistralmente con acopio de datos y escritos provenientes de toda América, la justicia y realidad de la independenca absoluta.

El punto primero reza así: "Porque es contrario a las leyes de la naturaleza, al orden que el Criador puso a las cosas, y al objeto de los gobiernos y de la asociación civil, intentar que los Estados de América y Asia se mantengan unidos a los de la Península de España y su gobierno respectivo, hallándose ésta a más de dos mil leguas de distancia, con un mar inmenso de por medio, y otros obstáculos sumamente incómodos, tardíos y peligrosos".

"La segunda razón está basada en que la unión parece tanto más injusta, indebida e innecesaria si se considera que dichos Estados tienen una extensión inmensa de terreno, riquezas, hombres ilustrados, y todas las proporciones convenientes para subsistir, defenderse y gobernarse por sí mismos.

"Porque es física y moralmente imposible poderse gobernar bien y dirigir una máquina tan inmensa y complicada como lo es la Monarquía de los Reinos de España, Islas y Continente de América.

"Porque sin gravísimos obstáculos e inconvenientes no se puede formar en concurrencia de la América y Asia el gobierno constitucional que desea la nación, para evitar se la tiranice y venda de nuevo por sus Reyes y Favoritos. En caso de una representación justa de un diputado por cada cuarenta mil habitantes, tocarían 480 a la América y Filipinas. ¿Y cómo sería factible una movilización de tanta gente entre América y España? Y en la hipótesis de la reunión de tal Congreso, las leyes que dictase no podían menos que salir monstruosas y muy ajenas a las circunstancias locales de las Provincias de América.

"Porque aun suponiendo que fuesen sabias aquellas leyes, propias de la localidad y del carácter particular de los habitantes de las Provincias, perdían no obstante todo su vigor en razón de la distancia, y quedaban sujetas, como han estado las antiguas, a la inobservancia y a la arbitrariedad y despotismo de los funcionarios públicos, sin remedio alguno.

"Porque en la hipótesis de permitirse se hiciesen acá las leyes en Congresos particulares, nada se adelantaba tampoco. Estas cuando más serían las coloniales, y no las mercantiles u otra alguna que tuviese relación con la comunidad; y como habían de quedar sujetas al consentimiento del Rey, éste lo daría o no, según acomodase a sus intereses y al de sus ministros. Y aun cuando este punto se allanara con una buena legislación y práctica de los códigos respectivos, las materias graciables y asuntos propios y peculiares del despacho del Rey o Poder Ejecutivo, quedaban sujetos a las mismas demoras, injusticias, gastos y arbitrariedades que en el antiguo régimen.

"Porque la experiencia de 300 años ha demostrado que estos países, mientras han estado unidos al Gobierno de España, bien lejos de florecer y prosperar, conforme a las grandes ventajas que tienen por la naturaleza, se hallan proporcionalmente despoblados y sin mayor agricultura, artes, industria y comercio. Sus habitantes no solamente han estado sujetos a mil privaciones en todos los ramos de la prosperidad pública, y al monopolio más escandaloso y tiránico de los comerciantes de Cádiz, sino también vejados y oprimidos a proporción de la distancia del Gobierno Supremo.

"Porque no verificándose la emancipación, volvían a quedar indefectiblemente en el mismo estado, no sólo porque sus intereses y derechos se hallan en diametral oposición con los de las Cortes respectivas de Europa y comerciantes de sus puertos, sino también porque el mando de las armas habría de quedar en manos de los mandatarios de los reyes, y por lo tanto sólo se haría lo que acomodase a éstos y a sus cortesanos demagogos y ministros del despacho.

"Porque también volvían los habitantes de estos países a ver-se envueltos en continuas guerras, contiendas y disensiones de los monarcas de Europa, a contribuír a ellas con sus caudales (exce-de de 300 millones de pesos fuertes la contribución de América a las guerras de España desde 1797 a 1811), a tener interrumpidas sus comunicaciones, a quedar sumergidos de nuevo en el mono-polio y espionaje, a una mala administración de justicia, a reci-bir cualesquiera leyes, Reales órdenes y reglamentos con insensi-bilidad estúpida y vergonzosa, a ser privados del comercio y trá-fico con el extranjero, etc.

"Porque verificada la emancipación y establecidos los gobier-nos liberales y representativos que se proponen los hombres ilus-trados, es claro y evidente que se evitan todos los grandes males expresados y una infinidad que he omitido; se remueven los obs-táculos principales a la felicidad pública; y la agricultura, la in-dustria, las artes, las ciencias y la población se fomentarán con la rapidez asombrosa que se ha notado en las provincias inglesas del Norte.

"Porque la Providencia les ha proporcionado a estos países los medios para verificar la independencia, no solamente por prin-cipios de justicia indisputable y de derecho público, mas también, sin mayor efusión de sangre y sin aquellos grandes sacudimien-tos y trastorno general que sufrirían en cualquiera otra ocasión que quisiesen declararla y elevarse al rango noble que les corres-ponde entre las demás naciones del mundo".

Trae luego Pombo otras razones de orden internacional y de conveniencia para la misma España. El número 16 contiene un argumento de incontrastable fuerza jurídica —el fundamento de-finitivo de la Revolución, invocado principalmente por Torres— y demuestra la ortodoxia insospechable del autor:

"Porque, aunque el objeto y la duración de lo gobiernos no se contrajese a la utilidad y felicidad del género humano, como es constante, habiéndose disuelto los vínculos de la Monarquía, tanto por las cesiones de Fernando VII y de toda la casa reinan-te en mayo de 1808, como por la introducción de otra nueva di-nastía no llamada por las leyes, y conquista de la Metrópoli, los habitantes de los diversos Estados de América y Asia han podido emanciparse desde aquella fecha, y ejecutar todo cuanto gradua-sen conveniente y oportuno para labrar su felicidad futura en lo civil y político, y conservar también en toda su pureza la Religión santa y verdadera que heredaron de sus mayores".

Después de examinar esta serie impresionante de argumen-tos, sostenidos con abundancia de datos, de escritos públicos, de autores, no puede pensarse que los directores intelectuales de la Revolución se dejaran guiar por pasiones mezquinas. Su acción estaba inspirada por profundas convicciones ideológicas que estaban dispuestos a rubricar con el testimonio de su propia sangre. Bajo de este concepto —termina Pombo— y en el de que todos los hijos de Colón y los amantes de la libertad y prosperidad general de la Nación que saben calcularla imparcialmente, se hallan convencidos de todo ello, hace mucho tiempo, y prontos a derramar hasta la última gota de su sangre para llevar a efecto y sostener la independencia (47).

Cuando el mando no significaba otra cosa que peligro y responsabilidades gravísimas, don Manuel se avino a aceptar en Popayán el cargo de Teniente de Gobernador en el cual lo alcanzó la marejada del Terror.

Traído a Santa Fé por orden de Morillo, se salvó del cadalso gracias a su valiente esposa, la cual viajó en penosas condiciones y no temió presentarse ante el despótico Pacificador a pedir clemencia para el preso. Su valimiento tenía que ser eficaz, pues se hallaba entroncada con los Grandes de España. Su hermano don Enrique, Conde del Abisbal, era Teniente General de los ejércitos de mar y tierra, y superior jerárquico de Morillo, quien había hecho la guerra a Napoleón bajo su mando.

—Qué quiere Ud. que se haga con un insurgente que ha escrito la *Carta a Blanco*, preguntóle Morillo, buen conocedor de los escritos revolucionarios.

—Que se le envíe a España con su proceso, fue la respuesta rápida de la ilustre dama.

Así se hizo, y el feroz militar cedió, acaso por la primera vez, pero presionado por exigencias de tánta monta. La nota remisoria de la causa y del reo hablaba de que don Manuel Pombo, Su-

---

(47) En la segunda Carta a Blanco, Pombo hace hincapié en el manido argumento de la desigualdad entre españoles y americanos, anque dándole una forma original: "No menos exige la independencia, el fundamento de ser muy injusto que los actuales españoles que habitan estos países y los descendientes de los que primitivamente vinieron a ellos a sus expensas, formaron las poblaciones que componen esos grandes Estados, y propagaron la religión y la civilización entre los indígenas, sean de peor condición que los otros españoles que residen en la Península. Quiero decir, que éstos tengan consigo mismos su gobierno supremo, y los otros a dos mil leguas de distancia; que aquéllos obtengan una pronta administración de justicia y despacho de sus negocios, y éstos sumamente tardías y malas ambas cosas; que los residentes en la Península trafiquen con todas las naciones, y los que están en América sólo con ellos o clandestinamente, por medio del contrabando; que los de allá gobiernen y manden como amos, y los españoles de acá obedezcan como siervos y esclavos, etc., etc."

perintendente de la Casa de Moneda de Popayán por el Gobierno rebelde, "ha tenido parte muy activa en la Revolución y se declaró contra los derechos del Rey. Sin embargo, no he podido menos de tener en consideración los relevantes servicios de la familia de su esposa, para evitar la sustanciación de la causa en esta capital".

Enviado a las prisiones de España en compañía de su hijo Lino de Pombo, gracias a tan poderosas influencias recuperó su libertad y regresó al país en 1822, haciéndose cargo de la dirección de la casa de Moneda de Popayán. Allí murió en 1829, dejando una preclara descendencia que ha sido orgullo de la patria.

*
* *

Al igual que muchos de los próceres, don Miguel de Pombo participó en los trabajos de la Expedición Botánica, y como Secretario de la Junta principal de Vacuna dedicóse a la propaganda y enseñanza práctica de la inoculación del prodigioso remedio. Cuando el doctor Salvani se retiró del cargo de Jefe de la Expedición de la Vacuna, Pombo se puso al frente de la campaña, habiendo escrito un erudito ensayo sobre la materia en el *Semanario del Nuevo Reino*, el cual revela notables calidades de prosista y de investigador.

Fervoroso partidario del movimiento emancipador, tomó parte activa en todas las reuniones patrióticas que antecedieron al 20 de Julio, y este día se mostró como uno de los grandes oradores, según el expreso testimonio de Acevedo y de Caldas. Este nos consigna, en el *Diario Político*, una frase breve y enérgica con que Pombo dominó las vacilaciones del Oidor don Juan Jurado, intermediario entre los amotinados y el Virrey, sobre la autorización del Cabildo extraordinario: "¿Qué hay qué temer? Los tiranos, señor, perecen, los pueblos son eternos".

Aclamado Vocal de la Junta de Gobierno, entró a actuar en la Sección de Negocios Diplomáticos, y en ella se destacó por su afán de reformas y sus ideas políticas avanzadas, a tal punto que con don Ignacio de Herrera lo podamos ubicar, para hablar en términos modernos, dentro de las tendencias de izquierda.

El 2 de octubre leyó ante la Junta Suprema un largo y bien estructurado Discurso en que proponía varias medidas en materia económica y social, en especial una reforma agraria de un gran sentido revolucionario para la época.

Celebra la importancia de los días 20 y 26 de julio: "El primero, porque habiéndose instalado esta Junta Suprema, pusimos los fundamentos de nuestra libertad civil; y el segundo porque habiéndose acordado la Acta solemne para no reconocer al Consejo de Regencia, declaramos nuestra Independencia, rompiendo así las cadenas que por tres siglos nos habían tenido sujetos a nuestra antigua Metrópoli". Y le atribuye todo el mérito de la acción al pueblo, pues "esta ha sido la obra del noble y generoso pueblo de esta capital, a cuyo valor, energía y entusiasmo se debe el haber destruído en pocos días un edificio de trescientos años de duración".

En seguida entra a hacerse un examen de conciencia —el mismo de Herrera y Gutiérrez de Caviedes— sobre el camino recorrido y las etapas que faltaban para cumplir los objetivos de la Revolución. Tomadas las primeras medidas de seguridad pública, parecía que la Junta "se ha entregado a un dulce reposo semejante al de un enfermo que después de haber sufrido los dolores más agudos y los más largos insomnios, se entrega al sueño en el momento en que siente algún alivio. Creo que ocupados todos de la sorpresa, parece que no se acuerdan ni de los males que nos amenazan, ni de la suerte del pueblo que es el que ha hecho nuestra revolución".

Voces como ésta eran indispensables para remover la abulia y sacudir el sueño de muchos que creían que nada había pasado el 20 de Julio. Las palabras candentes del payanés debían caer como latigazos sobre la fría insensibilidad de muchos de sus compañeros de gobierno que tenían dormida la conciencia social:

"Desengañémonos, señores, nuestra regeneración política no podrá consolidarse, ella será obra de un entusiasmo efímero, si no llevamos más lejos nuestras miras. La cadena no se habrá roto, y apenas la habremos limado ligeramente, si no hacemos servir las ventajas de la libertad al mismo pueblo a quien debemos la conquista de este precioso bien. El pueblo, el pueblo, señores, es el que compone el fondo de la nación, y el verdadero cuerpo del Estado. El pueblo es el que exponiéndose a los peligros no goza de ninguna consideración. Pero contar sólo con el pueblo para que contribuya con sus bienes, derrame su sangre y haga toda suerte de sacrificios, y no para que se dé un gobierno justo, ni para manifestar los males que le afligen, ni para que participe de los bienes que le faltan; que estos sacrificios sirvan de pedestal a la ambición y para ensalzar a los que le quieran mandar, humillar y abatir, y que los esfuerzos de su patriotismo sean otros tantos eslabones para la cadena con que se ha de esclavizar, es insufrible, es una idea horrorosa que le llenaría de desesperación y produciría los mayores males".

Este lenguaje hablado no en una plaza pública ante una multitud que se pretendía halagar, sino en el seno recogido de una

Junta de Gobierno, indicaba la sinceridad de quien así manifestaba las preocupaciones por la suerte del pueblo.

El plan que proponía para procurarle al pueblo los bienes que debía esperar del nuevo sistema, se reducía a tres puntos: "1º Fijar la opinión pública. 2º Estrechar nuestra amistad y relaciones con nuestras provincias y atraerlas a un centro de unidad común. 3º Abrir nuestras relaciones exteriores con todas las naciones del mundo y fraternizar con todas..."

El primer objetivo de adoctrinamiento de la opinión pública en favor del nuevo orden legal, no se logra con discursos demagógicos sino con providencias prácticas que beneficien al público:

"Sería ciertamente una ilusión y un error funesto del antiguo despotismo que nos hemos propuesto aniquilar, si creyéramos que la opinión pública se había fijado ya con los elocuentes manifiestos que se han dado a la prensa, o que el pueblo estaba contento y se consideraba feliz con haber mudado los agentes del Gobierno. No: los pueblos no se engañan fácilmente; con discursos no se les persuade la felicidad y es preciso hacérsele entrar por los sentidos. No basta decirle que es ya libre, que tiene a su frente un gobierno liberal compuesto de representantes de su confianza, que él mismo ha elegido: no basta insinuarle que la Primera Autoridad es la ley y que sus personas, sus derechos y propiedades no están ya sujetos al arbitrio de hombres inmorales y corrompidos que querían elevarse y enriquecerse sobre la ruina del mismo pueblo. No basta ésto si el pueblo no se redime de los grandes males que le afligían en el antiguo sistema, si no coge los frutos del nuevo gobierno, y si no entra en el goce de los bienes que promete la libertad".

No era, pues, un visionario ni demagogo el que así hablaba. Su visión del problema político y social era realista y exacta. Los manifiestos jurídicos y políticos no eran para la inteligencia del pueblo. Para removerlo de su adhesión secular a la Monarquía, para prepararlo a las grandes campañas de la libertad, era menester hacerle sentir los efectos benéficos del cambio de régimen, pues de lo contrario esas masas populares se convertirían, pasado el primer entusiasmo, en lastre para la organización del nuevo Estado.

Sigue Pombo, en párrafos elocuentísimos, persuadiendo a los gobernantes de que se le decía al pueblo libre, y él no podía creerlo, mientras siguiera sufriendo las injusticias sociales del antiguo régimen: "Se le dice que es libre —termina— y esto es insultar su desgracia, porque todavía se halla sumergido en la ignorancia, en la abyección y en la miseria en que yacía la víspera de la Revolución, sin que el nuevo Gobierno haya tomado todavía medida alguna para procurar el bien del pueblo, o por lo menos para aliviarle de algún modo su triste situación presente".

Sus ideas sobre reforma agraria cobran hoy una actualidad impresionante: "La división de las tierras, su libre circulación en el comercio, su bajo precio, y la multiplicación de propietarios cultivadores debe ser uno de los primeros objetivos de un gobierno sabio que trata de sofocar el monstruoso monopolio y de abrir los manantiales de la riqueza y propiedad públicas. Sin tierras no hay agricultura, sin agricultura no hay subsistencia, y sin ésta no puede haber población, o por lo menos ella no crecerá, y se mantendrá estacionaria, como ha sucedido hasta aquí. La baratura de las tierras causa naturalmente la de los frutos y esa misma anima el comercio, llevándolo a los puntos más remotos. Es preciso, pues, seguir en esta parte el ejemplo de los pueblos más sabios, así antiguos como modernos. Los romanos, sin embargo de que por su carácter y constitución eran un pueblo de guerreros y conquistadores, debieron en gran parte su poder inmenso y su extraordinaria población al establecimiento de las mejores leyes agrarias, cuyo objeto principal fue poner límites a la codicia de los patricios y a la miseria de los plebeyos..."

Evidentemente las teorías fisiocráticas le habían convencido y con adelanto de muchos años exhortaba al nuevo Estado a una política agraria que le traería prosperidad al país y favor popular al Gobierno:

"Imitemos, pues, la conducta de los americanos ingleses y como ellos dividamos las tierras, si es posible en tantas suertes cuantos son nuestros conciudadanos. Multipliquemos por todas partes los propietarios, y facilitando de este modo las subsistencias, dentro de muy poco veremos aumentarse nuestra población... El establecimiento de buenas leyes agrarias debe ser uno de los principales objetos del celo y atención de esta Suprema Junta por la felicidad común, bajo el principio cierto de que la agricultura es la verdadera fuente de riqueza y de la prosperidad de los Estados, y la única ocupación que conviene a los pueblos que quieren mantener su libertad".

Después de presentar un plan realista de distribución de los resguardos indígenas, con la constitución de un fondo para distribuir a los indios instrumentos de labor, bueyes, granos, y otros auxilios, para la dotación de un cirujano médico en los principales pueblos y de un maestro de primeras letras, "porque sin la educación el hombre es un sér desgraciado, inútil a sí mismo, a la patria y al estado", entra en el examen de los estancos, "como que es el segundo objeto del odio y de los clamores del pueblo". Con argumentos incontestables de sana economía política —al igual que Herrera— demuestra la necesidad absoluta de su inmediata abolición.

Para él no había duda, y a la libertad política debía seguir la libertad de tributos y de estancos. Esta era una "medida que pide el pueblo, que la exige la justicia y la utilidad pública, y que el demorarla por más tiempo podría traer graves inconvenientes". El vacío que sentirían los fondos públicos se llenaría con la buena voluntad del pueblo para acudir con sus contribuciones al bien de la patria. El antiguo rosarista, partidario de la función social de la propiedad, creía en el pueblo: "Debemos contar con su patriotismo, con su adhesión al nuevo gobierno, y con la íntima persuasión en que debe estar de que sus contribuciones, el fruto de su trabajo e industria, ya no atravesarán los mares para ir a fomentar las pasiones, los gustos facticios y depravados de un favorito corrompido o para sustentar a un sultán voluptuoso que en un solo plato gastaba el impuesto de una ciudad, y en la comida de un día la renta de una provincia".

Aconsejaba, finalmente, la economía, la frugalidad, la moderación y las virtudes que deben caracterizar a los republicanos. La libertad —decía en máxima de oro— se puede conquistar sin costumbres, pero no se puede conservar sin ellas.

Su exhortación final era un llamado al honor, al sacrificio y al valor (48).

Empero, el mismo doctor Pombo se convenció muy pronto de que antes de ser de este modo —como enseñaba Nariño con un principio tomista— era menester ser simplemente, *simpliciter esse*. Y que antes de reformas sociales y económicas, por urgentes que fuesen, había qué pensar en estructurar jurídicamente el nuevo Estado. Lo político tenía primacía lógica sobre lo social.

Por ello se dedicó a la campaña de propaganda del federalismo de los Estados Unidos, y en 1811 publicó la traducción de las Actas de Independencia y de Federación, con la Constitución del gran país que atraía su admiración por la estabilidad política y prosperidad económica, precedida de un Discurso preliminar sobre el sistema y con abundantes y eruditas notas. El Prefacio consta de ciento veinte páginas y los Documentos con notas llegan

---

(48) *Discurso Político* en que se manifiesta la necesidad e importancia de la extinción de los estancos de tabacos y aguardiente y la abolición de los tributos de los indios, con los arbitrios que por ahora pueden adoptarse, leído en la Junta Suprema por su vocal el doctor Miguel de Pombo, el 1º de septiembre de 1810. Manuscrito de la Bibl. Nal., Sección Quijano Otero. Fue publicado por E. Posada en *El 20 de Julio*, p. 350-363.

a ochenta, de suerte que se trata de una de las obras más extensas y sustantivas de aquella época (49).

Los conocimientos políticos, históricos y geográficos que demuestra Pombo son profundos, y el estilo posee todas las galas del más exaltado romanticismo, así como las ideas rebosan de un optimismo típicamente rusoniano.

Por carecer de experiencia en materias constitucionales, echa una ojeada a las naciones que podrán servir de modelo: "¿Cuál es el pueblo —se pregunta— cuya suerte podamos envidiar? ¿Será la del indolente español, esclavo perpetuo de sus envejecidos hábitos, víctima eterna de sus Reyes, y de un Ministerio necesariamente corrompido?... etc. No: el Nuevo Reino de Granada no envidia hoy la suerte de estas naciones, ni él aspira a imitar la forma de los Gobiernos de Europa. Ellos son monárquicos o aristocráticos, y la América está plenamente convencida que ambas Instituciones son esencialmente viciosas y que una y otra tienden por su naturaleza a la arbitrariedad y al despotismo. Es casi imposible que un buen Rey haga el bien que él desea; y es absolutamente imposible que no hayan muchos más malos Reyes que buenos. Un Rey, si él es poderoso, oprime a su nación, y si él es débil, la deja oprimir, o por los grandes que lo dominan o por los favoritos que lo adulan. Los Reyes han sido siempre el azote más temible del género humano y en todos tiempos ellos han cubierto la tierra de sangre y de ceniza. En la Aristocracia está la soberanía en cierta clase o cierto orden de ciudadanos, mientras que los demás gimen en la opresión, condenados a una perpetua esclavitud. Son muchos déspotas y tiranos en lugar de uno solo. Y la Aristocracia mejor establecida, la más moderada, acaba según la inevitable revolución de las cosas, por degenerar en una verdadera anarquía" (50).

Por consiguiente, el pueblo sabio que nos ha de servir de guía, es el de los Estados Unidos, y se halla precisamente en nuestro continente. En seguida se embarca en la empresa de conven-

---

(49) *Constitución de los Estados Unidos de América*, según se propuso por la Convención tenida en Filadelfia el 17 de septiembre de 1787, y ratificada después por los diferentes Estados con las últimas adiciones. Precedida de las Actas de Independencia de la Federación. Traducidas del inglés al español por el ciudadano Miguel de Pombo, e ilustrada, con notas, y un Discurso preliminar sobre el Sistema Federativo. En Santafé de Bogotá: En la Imprenta Patriótica de D. Nicolás Calvo. Año de 1811. Se trata de un ejemplar muy raro, existente en la Biblioteca Nacional, Sala 1ª, N. 1270. Aunque la Biblioteca Popular anunció el propósito de reeditar este libro, no sabemos que lo haya realizado, y por lo tanto creemos que de él no existen reproducciones.

(50) Cita a Robertson, a Raynal, a Mably, a Rousseau, a Tocqueville y a Montesquieu, de modo que es el escritor que más se acerca a los enciclopedistas.

cer a sus conciudadanos de la necesidad de imitar el sistema norteño, olvidándose de las diferencias de población, economía, historia, raza y tradición.

La bondad de sus intenciones y la ortodoxia de su fe cristiana, a pesar de sus incursiones por los predios rusonianos, lo recto de su patriotismo y su celo por el bien del pueblo, afloran en el final de su Discurso que adquiere un tono patético y conmovedor:

"Velad, sobre todo, en la educación de vuestros hijos porque si una juventud corrompida es el síntoma más cierto de la decadencia de una nación, por el contrario una juventud robusta, educada en el amor de la Patria, del trabajo y de las virtudes sociales, es el plantel de donde salen los magistrados ilustrados, los militares instruídos y valerosos, los buenos padres, los buenos maridos, los buenos hermanos, los buenos amigos, y en fin, los verdaderos ciudadanos. Respetad y conservad la Religión Santa de nuestros padres, esa religión que es nuestro apoyo cuando la injusticia con su terrible brazo nos oprime, que restablece el equilibrio entre el débil y el poderoso, y que hace al oprimido superior a su tirano. Ultimamente, que la paz y la unión, la amistad y la fraternidad, la generosidad y la compasión hagan la base incontrastable de vuestras Repúblicas..." (51).

Notable era el ambiente de cultura que se respiraba en Santa Fé, y la disposición a las polémicas de orden ideológico. He hallado en la Biblioteca Nacional un admirable manuscrito, desgraciadamente interrumpido sin que se pueda leer la firma final, titulado "Impugnación al impreso del Ciudadano Miguel de Pombo". Es una carta bellamente caligrafiada en la que el autor da a su amigo el concepto sobre el ensayo del que llama familiarmente *Miguelito o Pombito*, el cual le había parecido *malo, malísimo*. El escritor hace gala de un sutil ingenio y de un estilo irónico admirables. Pone de relieve las contradicciones y las falsas conclusiones de los principios, igualmente refutados. El desconocido

---

(51) *Constitución de los Estados Unidos*, o. c., p. VII. En la página II habla de los Reyes a quienes llama "los tigres coronados de la Europa", expresión empleada por el P. Feijoo en el *Discurso de los Conquistadores*. A este propósito es interesante observar que en un ejemplar del *Semanario del N. Reyno de Granada*, de Caldas, N. 40 (Año de 1808), existente en la Biblioteca Luis Angel Arango, hay varias anotaciones con una letra de rasgos enérgicos. Caldas en el *Suplemento* escribe un bello artículo necrológico en honor de su maestro Mutis, y dice: "Las fuerzas de un particular no eran suficientes para sostener sus grandes miras: era necesario el brazo del Soberano. Imploró la protección del Augusto Carlos III, y halló en su seno paternal cuanto podía apetecer". Al pie hay una llamada que dice: "Augusto! Señor Editor, sea U. republicano demócrata y diga tigre coronado, como cierto pichoncito". Creemos que sea Pombo el autor de estas anotaciones.

autor realista hace una briosa defensa del régimen español, de la cultura colonial y de las instituciones patrias, y se burla donosamente de las exaltadas expresiones de Pombo —tan propias de la época— de tiranía, yugo, oscurantismo, cadenas, abismo de servidumbre, embrutecimiento de los criollos, que evidentemente no correspondían a la realidad, pero que servían como armas de propaganda.

Refuta igualmente la tendencia imitativa de sistemas foráneos y demuestra que la Constitución de los Estados Unidos no es adaptable a nosotros. Ante los sueños optimistas de los bienes que nos había traído la libertad en dos años, el polemista traza el triste cuadro —desgraciadamente real— que ofrecía la nación en los primeros meses de vida republicana, o de lo que él llamaba "efímera y pueril revolución". Concluye que Pombo "tiene el privilegio de mirar lo que existe, como don Quijote los molinos de viento". Con sarcasmo se pregunta: "¿Y querrá todavía Pombo persuadirnos que somos felices y que la América es libre? Pobres, sin industria, sin opinión, sin directores, entregados a merced de cuatro ambiciosos, nosotros no podemos ser libres, a menos que el serlo consista sólo en chacharear en los cafés y tertulias, y matar enemigos desde el regazo de Venus" (52).

Sólo que el negro pesimismo de este enemigo de la independencia no podía comprender que la libertad se compra a precio muy caro, que los bienes augurados por Pombo habían de llegar en el futuro, madurados en un lento proceso de gestación, y que en esa época fecunda, "en surcos de dolores el bien germina ya".

El 6 de julio de 1816 consumó el ardiente patriota el sacrificio de su vida en el patíbulo, ante el cual dijo a sus compañeros: "Hé aquí los trofeos de los tiranos". Su odio a la tiranía —abuso despótico del poder— era legítimo y sincero. Pero él mismo había dicho el 20 de Julio: "Los tiranos perecen, los pueblos son eternos".

Cuando marchaba el lúgubre desfile de los condenados —Tadeo Lozano, Gutiérrez Moreno, Crisanto Valenzuela, Emigdio Benítez y García Hevia— un buen hombre gritó desde el balcón que no sacrificaran a esos inocentes. La escolta quiso hacer fuego sobre él, y Pombo intercedió, sereno: "No le matéis, es un loco que dice la verdad".

El también era un loco —loco sublime— que perdía la vida por decir la verdad que nos haría libres. Y moría confortado con

---

(52) Biblioteca Nacional, Fondo Pineda, Copias y Manuscritos originales de 1707 a 1800, N. 4946 (Actualmente en la Bóveda N. 184), p. 16-23.

los auxilios de esa religión la cual, según su propia expresión, "es nuestro apoyo cuando la injusticia nos oprime y que hace al oprimido superior al tirano".

7.— *El sabio Caldas, primer historiador de la Revolución.*

Incompleto quedaría el cuadro intelectual de la época y de la generación revolucionaria, si no trazara, así sea con brevísimos rasgos, la silueta nobilísima de Francisco José de Caldas, a quien las gentes colombianas han dado con justicia el título de Sabio.

Su pensamiento político es nulo porque a pesar de haber estudiado jurisprudencia en el Colegio del Rosario únicamente para complacer a su padre, su mentalidad estaba configurada, sin embargo, para las ciencias exactas. Una sola anécdota nos da la idea de su personalidad. En 1809 tomó posesión de la cátedra de matemáticas en el mencionado Colegio, y el profesor de jurisprudencia que con él se posesionaba en el mismo acto solemne, pronunció una breve alocución inaugural, según se estilaba en el ceremonioso establecimiento. En seguida pronunció Caldas su discurso reducido a estas palabras: "Señores: el ángulo del centro es duplo del ángulo de la periferia" (53).

Mas su labor de divulgación científica con la cual obligó a los granadinos a un examen introspectivo de conciencia nacional, a considerar los recursos naturales, las riquezas y posibilidades, la geografía física y humana del país, y la generosidad con que estimuló desde el Semanario la colaboración de todos los que tenían algún mensaje que dar a la patria, hacen de él un profesor de idealismo y un creador de cultura. Y de esta suerte preparó la atmósfera espiritual que haría posible el movimiento de independencia.

El amaba por sobre todas las cosas la ciencia. La política lo dejaba insensible, y en tanto la valoraba en cuanto favoreciera o impidiera su irresistible vocación científica. En carta de 1794 escrita desde Timaná, en donde estaba absorbido por faenas de investigación, se refiere a la conspiración santafereña de este año. Considero —decía— esa capital asombrada con la conducta extraordinaria y loca de Nariño (54). Qué iba a pensar que varios años más tarde ese mismo loco de Nariño le daría grado de militar y lo enviaría, en la expedición de Baraya, a la guerra civil. Des-

---

(53) *Memoria histórica sobre la vida, carácter, trabajos científicos y literarios y servicios políticos de D. Francisco José de Caldas*, por Lino de Pombo, publicada en *Revista de Bogotá*, T. I, p. 350.
(54) *Cartas de Caldas*, recopiladas y publicadas por Eduardo Posada, p. 2.

pués de desertar para pasarse a las tropas federales, le dirá en todas las formas *tirano*, y le endilgará los más fuertes epítetos. "El hombre que en 1794 publicó los Derechos del hombre para violarlos escandalosamente en 1812", es una de las frases más suaves que brotan de su pluma.

Su mismo refugio del Observatorio astronómico —por cuyo establecimiento había prodigado tántos elogios al Soberano y al Virrey— sirve de centro para reuniones políticas, pero ni esta circunstancia ni la estrecha amistad y cercano parentesco con Camilo Torres le aumentarán el fervor por la cosa pública. Mientras crece la marejada revolucionaria, él sigue entregado a los cálculos matemáticos y a la redacción del *Semanario*.

El 20 de Julio pasa casualmente por frente a la tienda del escogido como cordero emisario del motín popular, Llorente, pocos instantes después de que éste había proferido las frases injuriosas contra los americanos. "A este tiempo pasó un americano —escribe el mismo Caldas en la *Historia de nuestra Revolución*—, que ignoraba lo sucedido, hizo una cortesía de urbanidad a este español; en el momento fue aprehendido por don Francisco Morales y saltó la chispa que formó el incendio y nuestra libertad".

Relatada por Caldas lacónicamente y con notorio desgano, la escena guarda, sin embargo, un vivo dramatismo. El astrónomo se pasea por la Calle Real, trascendente y abstraído, ajeno por completo a lo que está ocurriendo. Seguramente viene desde el Observatorio, mirando más al cielo que a la tierra. Al encontrarse con Llorente, con la respetuosa admiración que puede sentir un científico pobre hacia un próspero comerciante —su probable acreedor— le hace un saludo reverencial que por provenir de tan connotado personaje hace subir la cólera de Morales. El bofetón que éste propina al español para compensar y vengar la actitud inoportunamente respetuosa y un tanto servil de su compatriota y condiscípulo, es —en la expresión de éste— la chispa que hace estallar el incendio de la Revolución.

Testigo presencial de los acontecimientos, al encargarse con don Joaquín Camacho de la dirección del *Diario Político*, se convierte en el primer historiador del Movimiento y en panegirista fervoroso del nuevo orden. A él le entrega su prestigio de sabio, su gran corazón y su bien cortada pluma de literato que escribía con elegancia y propiedad, en lenguaje claro y castiza dicción.

El torbellino de la Revolución lo envuelve precisamente en los días en que piensa viajar a La Plata a reunirse con su adorada esposa que venía desde Popayán, una vez contraído por poder el matrimonio. El 6 de agosto le escribe confundido: "Ya te considero en La Plata, y yo sin poder salir a recibirte como te lo había ofrecido. Ya sabrás la revolución terrible que ha habido en el Gobierno. Yo he salido ileso gracias al Señor, y sólo te deseo para resolver sobre mi suerte. Ven breve, pues estoy muy arriesgado a que la Junta Suprema nos mande en comisión a muchas partes" (55). Esta carta es muy significativa y de gran valor para adentrarse en el alma del sabio: "Se trata de reforma en el Observatorio y en la Expedición, se trata de elevarme o de quedar en la calle".

En su rico epistolario, Caldas que era personalmente tímido e introvertido, va vertiendo abundosamente sus íntimos sentimientos y dando escape a sus pasiones.

Ha puesto sus conocimientos científicos al servicio del gobierno, pero su temperamento pacifista se revela en la intimidad contra las crueles exigencias de la guerra. Al anunciarle a su amigo y confidente el doctor Santiago Arroyo el nacimiento de su primogénito, el 23 de julio de 1811, le dice con sarcasmo: "Tiene usted ya un renuevo astronómico y un heredero del cuadrante y del telecopio, y ahora también del cañón y del mortero. No extrañe usted que reuna estas máquinas destructoras a aquellos instrumentos pacíficos. Soy ingeniero, y para la defensa de la patria me he visto precisado a consagrarme seriamente al estudio de la fortificación y de la artillería. Es verdad que tienen su encanto estas ciencias horribles, pero nada de la majestad y de la grandeza de los cielos..." (56).

Este pacifista que vivía en la estratosfera miraba la guerra desde el punto de vista de la ciencia y sólo así le hallaba un motivo de atracción. Era, pues, natural que contemplara la política a través del cristal de su telescopio. "Espero que nuestro Congreso que va a formarse, que sólo espera a los Diputados de ésta para instalarse, tenga miras menos rateras y menos insensatas que las que ha mostrado este Presidente bárbaro, para casi arruinar el Observatorio y la Expedición Botánica. Yo espero que se piense en formar la carta geográfica del Reino..." (57). Este Presidente bárbaro a quien se refería, era Jorge Tadeo Lozano, su conspicuo compañero en la Expedición Botánica.

Historiador de la Revolución, la amistad lo impelió también a ser el primer biógrafo de los héroes caídos en el campo de batalla por la libertad. En 1811 escribió, conmovido, el elogio del

(55) Eduardo Posada, *Cartas de Caldas*, o. c., p. 281.

(56) *Cartas de Caldas*, o. c., p. 284.

(57) Carta del 5 de agosto de 1811 al doctor Santiago Arroyo a Popayán, en *Cartas de Caldas*, p. 284.

doctor Miguel Cabal, muerto en Palacé el 28 de marzo al combatir al dictador Tacón. "Qué cara es la victoria —escribía como pronosticando su propio destino—. ¿Por qué no podemos gustar jamás los dulces frutos de la paz y de la libertad sino mezclándolos con las lágrimas y con la triste memoria de los héroes que nos la conquistaron? ¿Por qué dolores crueles envenenan siempre nuestra gloria?" (58).

Va a Tunja a principios de 1812 en la expedición enviada por Nariño, y lo primero que hace es tomar su longitud: "Ayer llegué, y hoy he tomado alturas para arreglar el cronómetro y deducir su longitud: en el correo que sigue tendrá Ud. mi primera carta científica..." (59).

Se ríe de las peroratas políticas sobre los derechos imprescriptibles: "La felicidad está en la paz del corazón y no en los ejércitos ni en los *imprescriptible*s de que Ud. se ríe con bastante fundamento", dice a su amigo.

Su corazón sensible se atormenta con el espectáculo de la guerra fratricida, y al dialogar con "un orejón de mucha chaveta, me hizo reflexiones que tal vez no han venido a las cabezas de nuestros acalorados estadistas". Al contarle el buen anciano sus desgracias, "mi corazón partido, desgarrado de dolor, no pudo contenerse y lloró con el viejo. Mis lágrimas consolaron más que mis razones a este anciano desgraciado" (60).

Se queja de que "este siglo de los imprescriptibles es un siglo de turbación y de amargura. No hay paz, aunque abunden los escritos y los libros. Dichosos esos días en que se hacía penitencia porque se eclipsaba el sol; dichosas las equipolencias, el *bárbara*, el ente de razón. Entonces se pateaba en conclusiones, se atronaban los templos, se ergotizaba muchas horas por probar que *si Adamo non peccante*, etc. Pero todos tomaban tintos buenos, bizcochos, mistelas, aguas, chocolates y dulce cuando se serenaban esos fuegos fatuos que no pasaban al corazón. Hoy han sucedido a esas inocentes ocupaciones, a esas guerras de pico, los odios, las persecuciones, las conmociones públicas, la subyugación... ¡Qué diferencia! ¡Oh tempora! ¡Oh mores!" (61). Y después de abominar tantos males, se consuela regresando a sus problemas científicos: "Pero en medio de esta crisis yo observo,

---

(58) Año de 1810, Continuación del *Semanario del N. R. de Granada, Memoria II, Elogio histórico del doctor Miguel Cabal*. En Santafé, año de 1811, p. 20.

(59) Carta al señor Don Benedicto Domínguez del 16 de marzo de 1812, en *Cartas de Caldas*, o. c., p. 285.

(60) Carta a Benedicto Domínguez de 31 de marzo, en o. c., p. 286.

(61) Carta a Benedicto Domínguez del 15 de abril de 1812, o. c., p. 288.

yo calculo, y yo pinto, y sólo el flujo político me hace decir cosas que no son de geografía y astronomía..." (62).

Después de la derrota de las fuerzas del Congreso por las tropas de Nariño, pudo escaparse con dirección a Ibagué, pasar luégo a Cartago y salir de ahí para Antioquia en donde era esperado con ansias. El 5 de mayo de 1813 escribe desde Cartago a un amigo de Bogotá esta elocuente y feliz misiva que revela toda la repugnancia con que había asistido a la primera guerra civil:

"Ya no soy ingeniero, ya no soy Oficial de la Unión, ya soy un simple F. J. de Caldas, y nada más. En este correo dirijo la renuncia, y con cuatro renglones he adquirido mis verdaderos *imprescriptibles* que es mi paz, mi libertad, mis matemáticas y mi quietud. Después que Baraya tuvo el arrojo de atacar temerariamente a Santafé, contra mi voto expreso y contra el de los mejores Oficiales de la Unión, yo no puedo vivir en ese suelo querido, pero manchado con la sangre inocente de tántas víctimas sacrificadas a la obstinación y a la ignorancia... Ya el Observatorio se acabó para mí" (63).

Acerca de la ortodoxia de sus ideas filosóficas no es dable abrigar la más mínima duda. Distinguiendo claramente la física experimental llamada filosofía moderna, que él seguía con Mutis y Félix de Restrepo, de la filosofía de la Enciclopedia, escribía: "Se nos ha querido atribuír las impiedades y demás delirios de Voltaire, Diderot, Rousseau, etc., y de todos los que hoy se conocen con el nombre de filósofos modernos; y como este mismo nombre se da a los físicos experimentales, a distinción de los escolásticos, todo lo que estos buenos hombres leen en Jamín, Bergier, Paulian, etc., contra los filósofos modernos, lo entienden del Sigot, Nollet, Muschembrock, etc. Ya ve usted qué equivocación tan grosera y qué consecuencias: se llegó a predicar contra la filosofía moderna, y el vulgo creyó que era contra nosotros; se miró como herejía el ángulo y los números..." (64).

En todas las páginas de su correspondencia privada y de sus trabajos científicos afloran sus sentimientos cristianos y sus firmes convicciones religiosas. Vaya por único ejemplo su encendida protesta aparecida en el *Semanario*, por haber sido acusado de blasfemo y casi que de hereje al escribir que las obras de Humboldt estaban impresas en papel *Jesús*. Explicado el significado técnico de la expresión, vibrante de santa ira al verse herido en su orgullo de hijo adictísimo de la Iglesia, escribe:

---

(62) Carta a los señores Domínguez y Arquinaona, o. c., p. 289.
(63) Carta del 5 de mayo de 1813, en o. c., p. 419.
(64) Carta a don Santiago Arroyo, desde Santafé, el 20 de julio de 1801, en o. c., p. 72.

"Cuarenta años de conducta religiosa, una educación cristiana, continuos ejemplos de virtud recibidos de mis mayores, no se borran con una palabra inocente... Soy cristiano por educación, soy cristiano por hábito, soy cristiano por ejemplo, y soy cristiano por principios. Ya lo he dicho y lo repetiré mil veces, nuestra mayor gloria la fundamos en haber nacido en el seno de la Iglesia Romana y en ser hijos fieles de Madre tan sabia, y nos gloriamos de mantener en nuestro corazón el sagrado depósito de la doctrina de Jesucristo y de creer como cree Pedro y como cree Nicea.

"Estos son los sentimientos que nos animan, estos los sentimientos que hemos manifestado en nuestra conducta, en nuestras conversaciones, en nuestros escritos así públicos como privados, y estos serán, apoyados en la gracia de Jesús, los que conservaremos hasta el último momento de nuestra vida..." (65).

Esto en materias de fe. En las cuestiones meramente científicas que nada tenían que ver con el dogma o la moral, se dejaba guiar siempre "por la antorcha de la observación". Ni siquiera la autoridad de los grandes científicos lo impresionaba: "Mis rodillas no se doblan delante de ningún Filósofo. Que hable Newton o el Caribe; que Saint Pierre halle armonías en todas las producciones de la naturaleza; que Buffon saque a la tierra de la masa del sol; que Montesquieu no vea sino el clima en las virtudes, en las leyes, en la Religión, y en el Gobierno, poco importa si la razón y la experiencia no lo confirman. Estas son mi luz, estas mi apoyo en materias naturales, como el Código sagrado lo es de mi fe y de mis esperanzas" (66).

El hecho evidente es que, envuelto en el turbión revolucionario, a pesar de su invencible repugnancia por la guerra y por la agitación política, no obstante su vocación a la quietud y reposo de la investigación científica, Caldas colaboró eficazmente como Ingeniero militar en obras importantes de fortificación y en fabricación de armas, hasta ostentar el título efectivo de Coronel.

---

(65) Suplemento al N. 25 del *Semanario del Nuevo Reino de Granada*. Santafé 25 de junio de 1809.

(66) Número 22 del *Samanario del Nuevo Reino de Granada*. Santafé, 29 de mayo de 1808, *El influxo del clima sobre los seres organizados*. p. 202. Aquí se reflejan evidentemente las ideas de su maestro el ilustre José Félix de Restrepo. Al invitar a los colaboradores a enviar sus trabajos, advertía que "en él se insertarán siempre que sean útiles al Reino, que el estilo sea correcto, proporcionado a la materia, y sobre todo, que se respete la Religión, el Gobierno, las Leyes y las costumbres". (N. 51, 24 de dic. de 1809). El mérito de los trabajos científicos de Caldas ha sido muy bien relevado en los últimos tiempos por el doctor Alfredo Bateman en la obra *Francisco José de Caldas, el Hombre y el Sabio*.

Conociendo su temperamento nervioso y extremadamente sensible y su pasión por los estudios e investigaciones que estaba llevando a cabo, a nadie debe escandalizar el que antes de ser condenado a muerte hubiera lanzado a Enrile, como otro Lavoisier ante el Tribunal revolucionario de París, un grito de piedad más que para él, para la ciencia. Grito que no halló eco en el ánimo feroz del Pacificador Morillo.

Pero la súplica no fue hecha con mengua de su dignidad. Tanto de palabra —escribe autorizadamente don Lino de Pombo— con serenidad y entereza, ante ese tribunal de pura forma, como por escrito, Caldas hizo presente cuánto importaba al servicio de la nación que se le conservase la vida, aunque fuese temporalmente, y aunque fuese encerrado en un castillo y con una cadena al pie, para terminar el arreglo de los trabajos de la Expedición Botánica de que él solo tenía la clave, y para completar la coordinación de sus trabajos geográficos y astronómicos, haciendo sobre todo esto súplicas y proposiciones específicas (67).

La generosidad de su espíritu también brilló al ser arrestado en el Sur por el jefe patiano Simón Muñoz. Personas diversas —según el testimonio de Lino de Pombo— todas veraces, refieren que al conducir el mismo Muñoz los presos a Popayán, se quedó un poco atrás con Caldas, de cuya suerte estaba compadecido y por quien le interesaban los empeños de su familia, y le ofreció salvarlo haciéndolo pasar a Quito; pero el generoso Caldas no habiendo podido obtener igual favor para sus compañeros de infortunio, lo rehusó.

Ni nos debe sorprender que un hombre de tal sensibilidad hubiera marchado a la muerte horrorizado y afligido. Ello nada resta a la grandeza y gloria de su martirio (68).

Sus ideas científicas iluminaron los horizontes de la patria, y en orden a la independencia, equivalen a muchas empresas políticas y campañas militares.

¿Por qué —nos podemos preguntar con sus mismas palabras, vaticinadoras de su trágico destino— no podemos gustar jamás los dulces frutos de la paz y de la libertad, sino mezclándolos con las lágrimas y con la triste memoria de los héroes que nos la conquistaron?

---

(67) *Memoria histórica sobre la vida, carácter... de D. Francisco José de Caldas*, por Lino de Pombo, op. cit., p. 485.

(68) El historiador Eduardo Posada cuenta el horror con que en 1905, al ser exhumados los restos del mártir en la Iglesia de la Veracruz de Bogotá, pudo apreciar la calavera atravesada en la mitad de la frente por la bala que le quitó la vida.

CAPITULO II

MANUEL SANTIAGO VALLECILLA, EL IDEOLOGO DE LA REVOLUCION DEL SUR

La figura de este soberbio ejemplar humano emerge en toda su grandeza del epistolario y de los decretos oficiales publicados con sagaces comentarios por el investigador y crítico que ha escrito enjundiosas páginas para reivindicar las glorias de su tierra natal. Anota con razón Demetrio García Vásquez el injustificado olvido en que se ha mantenido el nombre del prócer caleño que levantó con tánta dignidad intelectual y con tánto coraje y varonía, la bandera de la rebelión en la Provincia de Popayán. Las aristas de su carácter rectilíneo, sus actitudes verticales que no supieron de esguinces ni contemporizaciones, sus juicios urticantes y agresivos contra los adversarios de la independencia, inspirados por su apasionado amor a la libertad, podrían explicar quizás el velo de silencio que durante tánto tiempo se tendió sobre la vida y la obra de Manuel Santiago Vallecilla y Caycedo.

Su silueta intelectual merece dibujarse con destacadas luces en el cuadro directivo de la Revolución de 1810.

1.— Su brillante carrera de jurisconsulto y profesor. - Sus actuaciones anteriores a 1810.

Nació en Cali el 22 de mayo de 1766 de noble familia vinculada a la tierra desde los primeros años de la Conquista y emparentada con los apellidos de más rancio abolengo y de mayor influencia social y económica en el Valle del Cauca. "Mi familia —dirá él mismo en 1808 en carta cuyo original he tenido a la vista— en más de trescientos años que lleva de radicada en Cali, ha sido siempre y sin la menor interrupción, al mismo tiempo que ilustre y distinguida, rica y opulenta; y aunque mi casa no se halle en este mismo pie de opulencia, no le ha faltado ni falta nada para sostenerse con la decencia propia de su distinción sin la mejor rebaja, ni ceder en esto a ningún otro".

Sus primeros estudios literarios los hizo en el Colegio Seminario de Popayán y luego se trasladó a Santafé a cursar jurisprudencia en el Instituto de Fray Cristóbal de Torres, en donde obtuvo el doctorado en ambos derechos. Su talento despierto y su disposición para el estudio, lo llevaron a regentar por oposición primero la cátedra de gramática o latinidad, y luégo la de filosofía, codeándose en la docencia con Joaquín Camacho, Camilo Torres, Tomás Tenorio y demás profesores de aquella época, la más floreciente del histórico plantel.

Vientos de renovación soplan entonces por los viejos claustros, a impulsos de los discípulos en Popayán de Félix de Restrepo. Entre ellos Vallecilla, ardoroso en la exposición, revolucionario en los métodos y en las tesis de la Filosofía moderna, opuesto a todo cuanto pudiera significar por parte del Rector, imposiciones arbitrarias. Era lógico que su nuevo estilo chocara con los acérrimos defensores de la tradición estancada —los mismos adversarios del gran Mutis— la cual se encarnó en el Rector, el pamplonés Cura de la Catedral Don Santiago Gregorio de Burgos. Dos épocas —comenta agudamente el Cronista del Colegio— dos temperamentos, dos ideales incompatibles, diríamos, la secular especulación colonial y la idea libre, índice perfecto de la lucha sorda entre criollos y chapetones, van a librar aquí, bajo el ámbito del Claustro, una lucha definitiva que equivale, necesariamente, a la que ya se incuba para estallar indeficiente en 1810 (1).

Los diversos incidentes de rebeldía que protagonizó Vallecilla en aquella pequeña república, no son sólo un índice de su temperamento combativo, sino además el preludio de sus futuras actuaciones políticas en Popayán, cuando se enfrentará con valor e inteligencia al tirano Tacón y a su influyente camarilla. Al protestar contra una medida del Rector que juzgaba inadecuada y que éste sostenía con el solo argumento de la tradición, exclamaba: "Yo a

---

(1) Guillermo Hernández de Alba, *Crónica del Muy Ilustre Colegio Mayor de Nuestra Señora del Rosario en Santa Fé de Bogotá*, Libro Segundo, p. 239. Los datos que siguen y que dibujan admirablemente el carácter de Vallecilla, los he tomado de esta obra que es la biografía del glorioso plantel, cuna de la República, pero que lamentablemente ha quedado trunca, porque no llega sino hasta la Independencia. ¿Quién será el continuador de estos anales que en tántas páginas se confunden con los de la Patria?

la verdad me maravillo cuando veo al Rector del Colegio del Rosario tan firmemente persuadido en que es un estilo plausible y digno de abrazarse el defender Sabatinas a los siete días de comenzado el curso; y más crece esta maravilla cuando veo que para ello no alega otro fundamento que el frívolo de que así lo han estilado nuestros mayores. Buen argumento por cierto! Porque nuestros mayores así lo acostumbraban, nosotros lo hemos de seguir, sea razonable o nó? Que vale tánto como decir que nosotros debemos ir por donde ellos han ido, y no por donde se debe ir. Si este pensamiento permaneciera grabado en la mente de todos los filósofos, no admiraríamos hoy los rápidos progresos que con asombro de todas las naciones ha hecho la Física experimental por toda Europa".

El joven profesor —apenas cuenta veinticuatro años— se enfrenta al Doctor Burgos porque "dejado llevar del amor al perípato, juzga por errado lo que no sea conforme a aquel envejecido método (mejor diría desorden) de enseñar la filosofía, pernicioso a las ciencias y a la juventud". El Rector a su vez se queja ante el Virrey de "las osadas y repetidas desobediencias del citado doctor Vallecilla, quien encaprichado en despreciar el Escolasticismo, ha trastornado, alterado y casi destruído la enseñanza de la filosofía en este Colegio".

Después de renunciar a la cátedra de filosofía en la cual impuso sus ideas que fueron seguidas por los sucesores, en 1793 hace oposición para la de Derecho Civil en competencia con don Joaquín Camacho, Joaquín de Caycedo y Cuero su primo y Pedro Antonio Pradilla. El caleño se impone a tan temibles contendores y el 18 de abril es confirmado oficialmente para dictar una asignatura de tánta importancia. Pero no quedan allí los triunfos académicos de "aquella juventud generosa y ardiente, nacida para la lucha tenaz", como bien la califica Hernández de Alba, pues en 1795 al suprimirse la Cátedra de Derecho Natural y ser sustituída por la de Leyes del Reino, nuevamente triunfa sobre sus opositores, paisanos y primos muy queridos, Ignacio de Herrera y Joaquín de Caycedo, sus futuros compañeros de campañas políticas en defensa de la libertad.

A más de estos honores, Vallecilla recibe el nombramiento de Vice-Rector, y su alcoba se convierte en lugar obligado de reuniones de los alumnos que acompañan al profesor de Filosofía, Vásquez Gallo, en sus pugnas con el anticuado Rector Martínez Caso. Desde cargo tan saliente, Vallecilla no teme acaudillar a los que cree justamente descontentos, para los cuales reclama mejor trato y medidas benéficas de régimen interno. Las severas sanciones del rígido superior alcanzan al mismo Vallecilla, hasta que con el advenimiento de un nuevo Rector, más prudente y comprensivo, se restablece la calma en el turbado Instituto. Por cierto que éste, luégo de un proceso privado adelantado por Camilo Torres, no halla motivos de condenación para los perseguidos, y sí ocasión de alabanza: "Puedo asegurar que lejos de insubordinación y de irrespeto, he encontrado en lo colegiales ejemplo de obediencia y sumisión. En los superiores y catedráticos de que principalmente se queja el Dr. Caso, Vicerrector Dr. Don Manuel Santiago Vallecilla, catedrático de filosofía, Dr. Don Juan Francisco Vásquez, consiliario, Don José Gabriel Peña y demás huéspedes del Colegio, he hallado la mejor armonía, un celo constante en el desempeño de sus obligaciones y una conducta arreglada y juiciosa".

Culmina finalmente su carrera en el Colegio en 1799, ejerciendo nuevamente el cargo de Vicerrector y desempeñando interinamente la Rectoría, mientras que su profesión de jurista se perfecciona con la recepción en la Real Audiencia de Santa Fé y en el Real Colegio de Abogados de Quito. Ya puede litigar ante los altos tribunales de la capital, y a fe que lo hace con el éxito que era de esperar dados sus antecedentes. "Recibido de abogado —escribe él mismo en la mencionada carta a Herrera— tenía yo entonces lo que me rendía la profesión que supe desempeñar muy bien y con aceptación a la frente de los Superiores Tribunales".

Ahora entrará a los altos puestos a que podía aspirar un criollo de su clase y educación. El Virrey lo nombra en 1800 Corregidor de la Provincia de Mariquita en donde sobresalió por su espíritu progresista y su celo por la administración de Justicia. Varios recursos se establecieron contra él ante la Real Audiencia y ante el Virrey por las medidas que tomó en defensa de los fueros de su autoridad, pero supo demostrar que "los únicos recursos que han rodado, no de quejas de oprimidos sino de orgullosos que resistían la debida obediencia, han sido determinados completamente en mi favor".

En 1807, y por ventura para la Revolución, el filósofo rebelde, el versado jurista y ya gobernante experto, es nombrado Asesor y Teniente de Gobernador de Popayán, una de las Provincias más importante del Nuevo Reino, baluarte del partido realista y émula de la republicana Santa Fé. La ciudad capital de la Provincia por las condiciones benignas de su clima, por el ambiente intelectual y la fama de su Colegio, por la abundancia de clero religioso de poderosas influencias, por la riqueza de la industria minera y agropecuaria de la región y la existencia de una próspera Casa de Moneda, y finalmente por la situación social resultante por un lado de una rica y frondosa aristocracia y por otra de una nutrida negrería esclavizada, estaba llamada en la mayor parte de la alta clase y de las masas populares, a un conservatismo de tipo reaccionario, el cual necesariamente debía ser favorable al mantenimiento del antiguo régimen.

Por las mismas circunstancias la Gobernación de Popayán significaba para los cortesanos de Madrid un pingüe beneficio y un ambicionado premio a las aspiraciones palaciegas. Precisamente en 1807, amparado por el favor de Godoy, viene de Gobernador el Teniente Coronel Miguel Tacón, casado con una linda y alegre sevillana, hermana de la Tudó, la favorita del omnipotente Ministro. Inteligente, instruído, hábil en estratagemas y recursos, valiente y empeñoso, Tacón mantendrá por mucho tiempo la adhesión de la ciudad al Rey y a su Consejo de Regencia, y sabrá aprovechar las debilidades de la aristocracia dominante y explotar sus celos frente a las aspiraciones de predominio, reales o supuestas, de la virreinal Santa Fé.

Dentro de este ambiente, y secundado por un grupo de leales patriotas, entre los cuales se destaca el doctor Francisco Antonio Ulloa, su compañero de aulas rosaristas, tenía que moverse el Asesor o Letrado Vallecilla, cuya formación social y aguerrido temperamento pugnaban radicalmente con aquella ciudad en donde "la moderación era natural al clima, siempre benigno, y cuyo pueblo no es nacido para violencia ni para exceso", al decir del doctor Santiago Arroyo, quien fue actor y testigo de aquellos acontecimientos (2).

Al espíritu recto y austero del profesor rosarista no podían caer bien las artimañas y manejos del Gobernador peninsular, resuelto a sacar ventajas económicas de su alta investidura, y así el antagonismo, aun en este campo, tenía que crearse ineludiblemente. Apoyado en el Cabildo no le fue difícil a Tacón acusar a su Teniente ante la Audiencia de extralimitación en sus funciones; pero el hábil y enérgico abogado defendió bien su causa, máxime que el Virrey Amar lo apreciaba, y en la Audiencia era respetado por sus antecedentes de litigante y de antiguo Gobernador.

En esta etapa de su vida sus cartas nos servirán de hitos para medir las calidades de su personalidad y seguir su itinerario político.

---

(2) Santiago Arroyo (Santiago Pérez de Valencia y Arroyo), *Apuntes Históricos sobre la Revolución de la Independencia en Popayán*, escritos en 1824 con el título de *Memorias para la Historia de la Revolución de Popayán*, y publicados en uno de los Tomos de la Biblioteca Popular, p. 270.

El rígido sentido del honor y la extrema sensibilidad en cuestiones que afectaban su buen nombre como gobernante y como ciudadano, se revelan nítidamente en una larga e interesante misiva a su primo Ignacio de Herrera, a la cual ya he hecho referencia, fechada el 30 de marzo de 1808, cuyo original conservo en mi poder gracias a la gentileza del ya citado historiador don Demetrio García Vásquez. Dice así la carta en sus apartes principales y que vienen al caso:

"Amigo de todo mi aprecio:

"Por tener resuelto retirarme esta noche a Ejercicios y no poder por lo mismo escribir para el día en que se despacha aquí el correo para ésa, he querido adelantar ésta, que servirá de instrucción en los asuntos de que voy a hablarle.

"El jueves pasado veinticuatro del corriente, en el Cabildo Ordinario que se celebró, presentó D. Antonio Bueno un superior despacho de Su Excelencia, por el que manda se le ponga en la posesión de su empleo. Su fecha es de diciembre pasado, pero como hasta el día dicho no se hubiese exhibido, estaba yo enteramente ignorante de lo que se expresó y dijo en aquella Superioridad por la parte de dicho Bueno en el escrito dado por su Procurador Luis de Ovalle, y suscrito por el abogado D. Luis Azuola que ha motivado la providencia dicha. En éste se habla con el mayor desenfado y franqueza contra mí. Se da por hecho haber sido yo todo el móvil y el único autor de la oposición hecha por el Cabildo al recibimiento de Bueno, cuando Ud. ha visto por los autos no haber tenido el menor interés o empeño, ni otra intervención que la de haber decidido la discordia que hubo, muy justa, fundada y legal, tomando el prudente y debido cargo de consultar a la Superioridad. No es esto lo peor, sin embargo de que semejante recriminación contra mi conducta en esta parte no me hace ningún honor. Lo que hay efectivamente de suma gravedad, y que exige precisamente toda mi atención es la injuriosísima expresión vertida en él, que se lee en estos términos: «Contra quien han resonado tántas veces las voces y quejas de los oprimidos, cuantos son los expedientes a que ha dado causa en los pueblos donde ha residido con mando; los mismos que pido se sirva V. Excelencia mandar traer a la vista, en caso de que se crea exagerada mi proposición».

"No puede ser de mayor magnitud la injuria que ella comprende. Si yo me hallase de cualquier manera descubierto, callaría y sufriría con toda la resignación que se hacía preciso. Pero tengo la dulce satisfacción de que no sólo no hay los expedientes que se dan por positivos, sino que no se encontrará uno solo (yo lo aseguro así con toda la confianza que me asiste) en que se me haya siquiera prevenido la menor cosa. Yo aun he andado con tánta suerte y felicidad que hasta las providencias que he dictado en el curso de todos los expedientes, asuntos y causas versadas en mi juzgado, han sido enteramente aprobadas, sin la menor modificación. Más puedo decir a Ud. y asegurar con toda certeza que en todo el tiempo que ejercí en esa Capital la profesión de abogado, no tuve multa, condenación alguna, apercibimiento, ni la más leve prevención, ya fuese en calidad de tal abogado para las causas que patrocinaba, o en las de asesor para las que se me pasaban en consulta. Puedo, como digo, asegurarlo así con toda certeza, desafiando por lo mismo al que quiera manifestarme lo contrario.

"Así, pues, es preciso que semejante proposición vertida al antojo, con muy poca consideración, y sin más que por puro espíritu de venganza que anima a su autor, me haya sido sumamente sensible y dolorosa. Yo no trato de otra cosa que de mi vindicación. El despacho dicho se ha presentado en Cabildo, y tomada razón de él, devuelto original al interesado. No hay parte ni rincón alguno de la ciudad, y quién sabe si de toda la Provincia, en que no se haya hecho público su contenido con mil ensanches, explicaciones y glosas. Por lo mismo la satisfacción que se me dé debe ser igualmente pública.

"Lo que ha de hacer Ud., pues, es presentarse a mi nombre, con mi escrito en que haga Ud. ver vivísimamente la enormidad de la injuria: que absolutamente no hay fundamento para haberse estampado tan negra proposición, pues ni mi manejo en calidad de Juez ni en la de Letrado, ha sido el menor motivo para ella; y que únicamente es una producción y parto propio del encono y mala voluntad que se manifiesta.

"Puede Ud. difundirse en referir la conducta que observé en el Corregimiento de Mariquita, desempeñando bien y cumplidamente el empleo a entera satisfacción de los Superiores Tribunales y del público, habiendo por lo mismo merecido los repetidos informes que a mi favor hizo a Su Majestad el Excmo. Señor Virrey D. Pedro Mendinueta, que a más de contar en la Secretaría, se acreditarían con documento bastante, siendo necesario. En el expediente que me promovió el Pbro. D. Joaquín Roque Vanegas, y acaba de resolverse a mi favor, con fecha 29 del pasado enero, hallará Ud. los documentos preciosos que abonan enteramente mis procedimientos y forman la más completa apología de ellos. Allí encontrará Ud. informaciones actuadas de oficio por los Cabildos de la Provincia de Mariquita, certificaciones de estos mismos cuerpos, de los jueces, curas, prelados religiosos y empleados. Este es seguramente el expediente en que ha confiado más Bueno para vertir semejante injuria contra mi conducta, y es el que más la abona y justifica enteramente.

"Después de hecha por Ud. la relación conveniente sobre los particulares dichos, deberá concluír quejándose civil y criminalmente contra la parte del referido Bueno, pidiendo que justifique su proposición, y que no verificándolo se le declare por falso calumniante, se manden textar en el escrito las expresiones; librándose despacho para que igual diligencia se practique con el exhibido en este Cabildo y copia que ha quedado en él, con condenación de costas y las prevenciones convenientes, y declaración de que no alcanzando a satisfacerlas Bueno (que no se omita esta petición) por su insolvencia, sufra en castigo la prisión que se tuviese por conveniente.

"Lo que importa sobre todo es que la cosa se haga sin demora e inste por su resolución. Considere Ud. cómo me hallaré con la presentación aquí y publicación de un papel tan ignominioso. Es preciso que esté avergonzado y abatido, anhelando en cada momento por el feliz en que reciba la providencia de mi desagravio. Por tanto, le suplico a Ud. en esto el mayor empeño, actividad y eficacia......"

¿No vibran acaso en estas frases las notas más finas de una personalidad celosa de su buen nombre y reputación, dolida al extremo por el agravio recibido? La reacción violenta contra los autores de las injurias que se manifiesta en el resto de la misiva por medio de candentes epítetos, indica que no se podía ofender impunemente a quien estaba escudado por su dignidad y hombría de bien.

El 5 de noviembre de 1808 se expresa abiertamente ante Herrera en contra del despotismo y de la injusticia del régimen político y en favor de una transformación presidida por las Cortes granadinas, en momentos en que eran muy pocos los que pensaban en la posibilidad de una Revolución: "No deje Ud. de circunstanciarme lo que haya resultado sobre la noticia de tratar el Reino de juntarse en Cortes, y las demás de atención. A mí me parece sería esto convenientísimo en las circunstancias actuales. Habría en el mismo centro del Reino una contención para el despotismo de los que gobiernan, y pronto recurso para liberarse de la opresión y la injusticia. Podría esto traer todavía otras mil ventajas que se dejan muy bien advertir, y que no pudiendo escaparse a la penetración de Ud., omito su expresión que no puede tampoco fiarse a la pluma..." (3).

Y sobreviene la repentina revolución de Quito del 10 de agosto de 1809 que por lo inesperada, mal dirigida, sin seria preparación ni ramificaciones o enlaces, tenía que ir al fracaso. El gobernador Tacón pudo refrenarla fácilmente, excitando los sentimientos de lealtad de la Provincia al Rey, a la vez que despertando sus instintos de seguridad ante las abiertas pretensiones de su Jefe, el Marqués de Selva-Alegre, quien no disimulaba sus intentos de expansión territorial. Al inteligente gobernante no le quedó difícil convocar a los pueblos a la unión patriótica. El voto general de Popayán —observa don Santiago Arroyo, quien era uno de los principales cabildantes— fue contra el sistema de Quito; y de este modo el Gobernador Tacón pudo obrar con toda la actividad y perspicacia que le eran propias (4).

Sin embargo, en medio de ese fogoso entusiasmo, en gran parte promovido y explotado diestramente por Tacón, nos encontramos ante la fría actitud de Vallecilla, quien mejor informado por sus parientes el Obispo de Quito don José Cuero y Caycedo y su Vicario don Manuel José de Caycedo y Cuero, partidarios de la revolución, manifiesta un juicio crítico que se aproxima mucho al partido de los quiteños:

"Los quiteños han remitido a este Cabildo un oficio bastante largo y muy bien concebido en sus términos, en que echándoles en cara con la mayor moderación el ultraje y insultos que han recibido en las contestaciones, fundan prolijamente los motivos que los han obligado al procedimiento. En sustancia se reducen éstos al riesgo en que veían su provincia por la situación crítica de España; las traiciones tan frecuentes y repetidas de los españoles, de aquellos de quienes menos podría esperarse; y los recelos que de ser entregados al detestable Napoleón, tenían de los mismos que gobiernan. Dicen que éste ha sido el mismo fundamento que tuvieron las provincias de España para establecer sus Juntas, sin que pueda por lo mismo disputarse la legitimidad de la de Quito. Al mismo tiempo hacen ver que ésta aunque tiene el tratamiento y autoridad de soberana, no lo es propiamente tal, sino en representación del Monarca, a quien reconoce y está sujeta; y que en nada menos han pensado tampoco que en separarse de la unidad, que conocen necesaria, de la Monarquía americana. Después de

---

(3) Demetrio García Vásquez, *Reivindicaciones Históricas*, II, p. 78.
(4) Santiago Arroyo, *Memorias para la Historia de Popayán*, p. 264.

todas estas consideraciones descienden al punto de lo temerario que sería tratar de acometerles por una causa justa y de que protestan no desistir; que no les faltan auxilios y medios para rechazar, pero que sería imprudencia y temeridad intentar inútilmente la efusión de sangre entre los mismos de un propio Reino, sólo por restituír el mando a cuatro Ministros ineptos, que los han oprimido con vejaciones y las más escandalosas injusticias; cuyas causales protestan hacerlas valer a su tiempo ante el mismo Fernando VII.

"Es regular que allá corra también este papel, por lo que omito otra especificación. En orden a la situación actual de éstos, sabemos que en nada ceden de su proyecto. Ellos van avanzando... y hallándonos absolutamente sin armas, y por esto del todo indefensos, *no podemos hacerles una resistencia prudente y fructuosa.* Dios nos dé acierto en todo y mejore sus horas..."

Del tenor de esta misiva se desprende indudablemente la simpatía con que Vallecilla miraba a los insurgentes de Quito. Es muy diciente que el Teniente de Gobernador no manifieste los arrestos bélicos que Tacón estaba desplegando en contra de los desdichados patriotas, y sí en cambio insista tan detalladamente en las motivaciones ideológicas del Manifiesto quiteño, y exprese sus reservas y temores sobre una *resistencia prudente y fructuosa.*

Quince días después en carta al mismo corresponsal no oculta sus sentimientos en favor de los vencidos quiteños y se cuida mucho de manifestar alegría por el triunfo de las tropas de Tacón. Se trasluce su ansia por conocer los resultados de las Juntas convocadas en la capital por el Virrey y el voto de Camilo Torres, cuya fama resonaba en su ciudad natal. Además ya aparece la desconfianza con que en los círculos políticos de Popayán era tratado el personaje de más alta jerarquía después del gobernador. Le anuncia el envío de un importante papel, seguramente el Manifiesto de la Junta de Quito en el cual celebra "la moderación con que contestan a las desvergüenzas e injurias con que se les trató. Es esta conducta muy digna de aplaudirse y de imitarse, pero aquí que se ven todas las cosas al revés (parece que usan de algún lente que les presenta los objetos inversos), la han estimado por un efecto de miedo y cobardía, llenándose antes de orgullo y vanidad. Yo estoy en que este papel por ningún aspecto que se mire es de los proscriptos en el bando que se ha publicado; mucho más haciéndose mérito de él en un manifiesto que se dice trabajado por este Cabildo (vea Ud. con la separación que se me trata, cuando no lo he visto ni se ha contado conmigo para nada), con que se ha dado cuenta a Su Excelencia y circulará como es preciso por todas partes. Sin embargo, si Ud. lo estimase tal, lo recibirá entonces en clave de confidencia y leerá con la reserva debida. En retorno espero me mande Ud. aunque sea con la misma calidad de reserva, algunos de los producidos en la Junta que se celebró y que creo habérselos pedido antes. Principalmente ansío por ver los dados por el señor Miñano y por Torres, que por acá han hecho mucha bulla. Cuando no se pueda, tóqueme siquiera a la ligera sus reflexiones y fundamento..."

Luégo se refiere a los acontecimientos de la campaña contra Quito: "Los quiteños hasta ahora en nada ceden de su proyecto. Yo pensaba a los principios que todo podría componerse sin derramamiento de sangre, pero ya veo no podrá ser así en las circunstancias que han ocurrido. A éstos se les ha atacado de nuestra parte o por mejor decir, han sido sorprendidos engañosamente, y cuando estaban en la confianza por la palabra que se les había dado de que no habría acometimiento; habiéndoseles hecho muchos prisioneros y cogídoles pertrechos, armas y un tren considerable. Ojalá se engañare mi corazón siempre leal al Rey y a la Patria; pero yo me temo y mucho, muchísimo, que aquéllos irritados con semejante acción, que tánto nos deshonra por más que pretenda colorirse dándole muy diversos aspectos, vengan sobre nosotros con tánta fuerza que no la podamos resistir..."

Las reservas con que califica la acción militar contra Quito y los móviles que la inspiraron, quedan consignadas con deslumbrante claridad: "Dios quiera que no se realicen mis presentimientos y temores y que no tengamos al fin que llorar, después de una acción que tánto se ha aplaudido por acá por aquellos que o no alcanzan a descubrir el fondo de las cosas, o tienen (ay mi amigo!) otro fin e interés en sus procedimientos. Ojalá que yo pudiese explicarme con mayor claridad. El tiempo nos desengañará y hará ver las cosas como son en sí, corrido que sea el velo que las oculta, y disipadas las tinieblas que no nos las dejan percibir. Ah, y cuánto se sabrá y descubrirá entonces, que ahora apenas se divisa el confuso, y puedo entrever!"

Admira la clarividencia de este hombre al enfocar acontecimientos para muchos confusos y oscuros, pero que a él no lo podían engañar. Sus negros presentimientos se realizarán plenamente pocos años después.

No podía menos de hacerse eco, él también, del descontento de los criollos ante la política odiosamente discriminatoria de la Corona en la distribución de los empleos públicos:

"Supongo que al representante del Reino se le haya instruído o instruya lo conveniente para que pida que los Americanos sean colocados con preferencia en la América, o que entren igualmente que los Españoles en los empleos de la Nación, sin distinción ni excepciones odiosas que puedan causar gravísimo perjuicio. Esta es una de las quejas de Quito, y esto lo que debe representarse sin rebozo al Soberano para su remedio. El disgusto en esta parte cada día va tomando cuerpo y siendo mayor; y al fin es de temerse algún resultado de consecuencia, que pueda costarle caro, y serle muy sensible a la Nación".

Entretanto la lucha entre dos temperamentos tan disímiles y dos ideologías tan contrarias del Gobernador y su Teniente, continuaba sin treguas. Ante las sospechas de que Tacón estaba complicado en las traiciones de Godoy, Vallecilla mantenía una posición vigilante: "Yo estoy alerta, en el concepto que apenas descubra o advierta algo, soy el primero que levante la voz".

2.— *La Revolución de 1810 y sus repercusiones en Popayán. - Dos Cartas políticas inéditas de un patricio payanés.*

Entretanto los acontecimientos políticos se precipitan, y tras los movimientos rebeldes de Cartagena, Mompox, Socorro, Pamplona y Cali, Santa Fé da el golpe definitivo y depone las altas autoridades españolas. En Popayán se seguía el curso de la Revolución atentamente. En todos estos meses —anota el doctor Santiago Arroyo— se leyeron, aunque con reserva, algunos papeles de Venezuela, y corrieron mucho los de Santafé, principalmente los que sostenían los derechos de los americanos y la igualdad de su representación en la Central. Tal era la disposición, bastante general, en que halló Tacón la Provincia de Popayán, a su regreso de Túquerres, en 27 de Julio. A este tiempo llegó también el comisionado de la Regencia, D. Carlos Montúfar, quien manifestando su sentimiento de que las Provincias vecinas hubiesen contrariado los designios patrióticos de Quito, su país natal, *confirmaba a sus amigos el voto de ser más detenidos, en lo sucesivo, para no cometer las imprudencias de que se les tachaba* (5).

El 5 de agosto llegó la noticia de los hechos del 20 de Julio ocurridos en la capital, y el 11 la invitación de la Junta Suprema a enviar diputados para una Junta o Congreso general del Reino.

La primera reacción de Popayán ante esta situación política se refleja nítidamente en una Carta anónima que me ha suminis-

---

(5) Santiago Arroyo, *Apuntes Históricos*... p. 266. Su nombre era Santiago Pérez de Valencia y Arroyo, pero prevaleció este último apellido, hasta el punto que en 1825 elevó un memorial al Congreso manifestando su adopción.

trado Guillermo Hernández de Alba, descubierta entre los papeles del archivo de don Estanislao Vergara, de propiedad de la Academia Colombiana de Historia. Escrita el 20 de agosto, revela en la forma más genuina los sentimientos y las ideas que predominaban en los medios aristocráticos de la ciudad de Belalcázar.

Como un contraste con los manifiestos de los patriotas y para destacar plenamente todas las aristas y perfiles de índole intelectual y social de nuestra Revolución, incluyo aquí este documento desconocido, redactado con pensamientos enérgicos y firmísimos rasgos.

El autor —bien podría ser Santiago Arroyo, quien en su *Memoria* citada, a pesar de estar escrita en 1824, expone ideas muy afines, o don Manuel Antonio Tenorio y Carvajal— es un togado de ilustración nada vulgar, buen conocedor de las leyes constitucionales del Estado y de la situación política, acostumbrado a la discusión de los problemas. Su estilo es vivo, sugestivo y convincente.

Aunque directamente parece atacar la supremacía de la Junta de Gobierno de Santafé y excitar contra ella las rivalidades de la Provincia de Popayán, en el fondo sus puntos de vista son evidentemente contrarrevolucionarios y favorables a la Regencia. Hé aquí el texto completo del manuscrito:

"*OBSERVACIONES*

que le comunica un amigo a otro, que le pregunta la actual situación del Reino el 20 de agosto de 1810.

"Después de haber sido por tánto tiempo tranquilos observadores de las catástrofes terribles que han destrozado a toda la Europa, y de los desastres que en dos años han desolado a nuestra España, y que mirábamos tan apartados y lejanos de estos suelos amigos de la paz, nos vemos de repente nosotros mismos rodeados de temores y en medio de un fermento tan general, que ignoramos si será precursor de prósperos o desgraciados sucesos.

"En 10 de agosto de 1809 fue el principio de nuestras turbaciones domésticas. Día malhadado, y que será siempre memorable por el fin trágico e infeliz con que acaban de perecer en este agosto los mismos que en aquel otro cantaban canciones a la libertad. Pero este nombre amable, aunque no bien entendido, fomentó el descontento, y produjo por fin las novedades en la Capital el 20 de Julio anterior que nos anuncian los papeles públicos. De aquí el choque que notamos en las ideas, y la oposición en las miras e intereses; y de aquí la dificultad de conciliar el voto de todos nuestros pueblos. Sin centro de unión, sin autoridad bastante para reunir al mismo objeto a los que habitan la vasta extensión del Virreinato, ¿quién podrá refrenar la ambición de unos, el egoísmo de otros, la vanidad y orgullo de muchos, la libertad, desarreglo y entusiasmo de no pocos, y los recelos y fundados temores de casi todos? El talento de los hombres de bien, de los amigos del orden es el que debe sacrificarse para reunir las miras encontradas y los intereses opuestos conspirando a la felicidad común. Si yo tuviera luces, las consagraría gustoso al bien de mi Patria; pero sin ellas, apenas puedo provocar a otros con estas breves observaciones, persuadido de que el estímulo es el medio mejor de excitar a los hombres sensatos para que produzcan ideas juiciosas, y corrijan los yerros de quien no sabe pensar con la misma exactitud.

"El establecimiento de la Junta Suprema de Santafé no es pues un objeto de mera curiosidad, sino que interesa a todo el Reino averiguar la intención y legitimidad de sus facultades; exponer las miras políticas que haya formado con respecto a las Provincias; el sistema que deben ellas adoptar en la presente crisis; los temores y esperanzas que debemos concebir, y los medios de precaver cualquiera éxito desgraciado mientras que se desenrolla el cuadro que se trazaba en la capital. Para ello no me propongo aparato, ni brillantez de expresiones: sencillez, franqueza, ideas liberales (según se acostumbra) en el camino que voy a tomar en unas reflexiones a que me compromete sólo la amistad.

"Prescindiendo aquí de los pormenores antecedentes y consiguientes a la formación de la nueva Junta, sólo nos importa saber: que ella depuso al Virrey y demás funcionarios públicos, declarándose centro de la común unión, y que en el mismo cuerpo habían caído las funciones del anterior gobierno con respecto, ya se ve, a todo el Virreinato. ¿Y para todo esto tuvo la Junta suficientes facultades? Examinemos la cuestión.

"El nombramiento de empleados públicos es una prerrogativa de la Soberanía, cualquiera que ella sea en su forma, pues sólo de esta fuente puede emanar una legítima jurisdicción. Las leyes, es verdad, no autorizan a un pueblo para la separación de un funcionario; pero ellas no han podido prever las circunstancias y acontecimientos extraordinarios de que somos testigos, y es indispensable seguir una ruta bien distinta de la que señalaron los legisladores. ¿Cuándo imaginaron éstos que la Nación se vería sumergida en las inauditas desgracias que la afligen? ¿Cuándo creerían que cautivado su Rey contra todo el derecho de las naciones mismas, se verían divididas las opiniones y los intereses de los diversos pueblos de la monarquía y que en oposición de las autoridades se difundiría la desconfianza hasta el extremo de privarles de sus funciones? Pero lo cierto es que el cuadro político que hoy se nos presenta a la vista tiene estos y otros diferentes coloridos que no ha previsto nuestra legislación, y que por consiguiente deben suplirse sus faltas en unos casos tan extraordinarios como inesperados y en una crisis tan nueva en la historia de las revoluciones: tal es la urgente necesidad en que se ha hallado la Capital de Santafé, según sus Manifiestos, y ella acaba de dar al Reino un ejemplo que hace el fondo de la cuestión que discurrimos.

"Supongo que sean ciertas cuantas noticias se han comunicado y esparcido acerca de la injusta y tiránica conducta de los funcionarios públicos. Supongo que sin formal acuerdo de las Provincias del Reino haya podido y debido respetarse la absoluta separación del Virrey y demás Ministros de la Real Audiencia. Y supongo por último, que la prudencia, la moderación, la cordura haya acompañado todas las escenas que presenció la capital desde el día 20 de Julio anterior hasta el cuatro de este mes de agosto. Pero después de todo esto progunto: ¿Sí ha podido establecerse en Santafé una Junta Suprema que tenga autoridad sobre los pueblos grandes y generosos del Reino por sólo la autoridad y voto de aquel vecindario?

"Si esto fuere así, no tendría fuerza alguna y aun seria ridícula la impugnación que ahora hace aquella Junta de la que se instaló en Sevilla en mayo de 1808. Ah! Que se censuren tan denodadamente los vicios y faltas ajenas, y que ellas no nos hagan cautos para arreglar nuestros procedimientos! No sé, pues, cómo tenga valor Santafé para arrogarse la menor autoridad sobre las Provincias; ni cómo ellas puedan incurrir en la bajeza de subordinarse, como rebaño de ovejas, a la voz sola de algunos gobernantes de un punto solo del Reino, sin haber precedido su voto y formal representación. Pero nó; más de dos millones de hombres no se postran delante de un carro de triunfo o de un orgulloso vencedor: le vuelven las espaldas, le desprecian, o en su furor le hacen pedazos, si intenta abrigar en su seno la misma tiranía que publica haber aniquilado, y cuyo vencimiento supone como causa de su fastuosa ostentación.

"Todo el Virreinato tenía relaciones políticas con la Capital y estaba ligado a su gobierno, porque su autoridad emanaba de legítimos Soberanos. Variado el anterior sistema, por deliberación sola del pueblo de la Capital, cesan los enlaces forzosos que nos sujetaban a la autoridad del gobierno, y no hay en el día quién pueda imponer igual yugo a las Provincias.

"En efecto, variar nuestras anteriores relaciones con la España y las Américas; establecer una Constitución diferente de la que teníamos reconocida, es la materia más ardua y más importante que ha podido en todo tiempo presentarse a la decisión de los pueblos del mundo. Esta obra grande no puede serlo de uno solo por distinguido que se crea sobre los demás: debe ser un resultado de la voluntad y opinión general de los hombres libres que habitan las ricas Provincias de la América. Pero sin su consentimiento no puede trastornarse el orden social que las liga entre sí, ni formarse leyes distintas de las que nos rigen hasta el día. De otro modo la fermentación, la arbitrariedad y el despotismo de cada pueblo serán los agentes de mutaciones que se hagan en el sistema de gobierno. No se tendrá por objeto la felicidad general de la Patria, sino el engrandecimiento particular, o un miserable egoísmo disfrazado con los santos nombres de Rey, Patria y Religión.

"Si consultamos nuestras leyes constitucionales vemos en ellas que ninguna materia ardua y grave puede decidirse sin consejo y deliberación de los Procuradores de las villas y lugares del Reino, reuniéndose en Cortes de los tres estados. Este principio incontestable manifiesta que para que el nuevo sistema decretado y establecido en la Capital se hubiere verificado legalmente, debían haberse reunido primero los hombres buenos de todas las Provincias, para que por la voluntad general se decidiesen unas materias de que penden nada menos que la seguridad y felicidad de todo el Reino.

"De aquí se deduce: que la Junta de Santafé podrá ser un Cuerpo Municipal que consulte a los intereses de su distrito; que resista a los enemigos de la Patria que pueda haber tenido abrigados la Capital; que tome también la iniciativa para reunir las Provincias y convocar a los Procuradores de sus respectivas ciudades, para que se congreguen en el lugar y tiempo que elijan. Pero nada más puede ostentar la Junta, y mucho menos suponer refundidas en sí todas las facultades del anterior gobierno, y que sea preciso que allí se concentren todas las relaciones políticas del Reino sin oír antes su opinión. ¿Que los hombres de aquella Junta son elegidos por la autoridad de todos los pueblos? ¿Merecen su confianza? ¿Obtienen una representación legal que les autorice para tomar a su cargo nada menos que las funciones propias de la Soberanía? O se contradice en sus principios el dócil pueblo de la Capital, o refunde en sí un verdadero despotismo, o en fin, cree a las Provincias demasiado ignorantes y apáticas para que desconozcan sus derechos y los confíen ciegamente a quien lo ordena el pueblo de Santafé, libertando a los demás del Reino de arreglar en sus Provincias los medios de su propia seguridad y prosperidad con razón a sus intereses.

"Sea como fuere: no se comprende cómo se arroga desde el principio aquella Junta la atribución de Suprema para subordinar por este título pomposo a las Provincias, cuando sólo por la reunión de sus respectivos Diputados se obtiene esta distinción calificativa de un poder general sobre el Reino. Por lo mismo es tan quijotesco aquel dictado como el que afectó Sevilla sobre las Américas antes de consultar sus deseos; y lo peor es que Santafé no ha olvidado censurar aquel procedimiento como ultrajante a nuestras Provincias: lo contrario es insultar, es destruír las leyes fundamentales de la Nación, y es hacer la apología más justa del Gobierno actual de España, que tánto se ataca porque no intervino nuestro consentimiento para su formación.

"Después de esto no parecerá a todos burlesca la fanfarrona amenaza con que el dócil pueblo protesta en su convocatoria que abandonará a su suerte a la Provincia que desde luégo no adhiera a la unión, o por mejor decir, no reconozca a su Suprema Junta, como el centro común de todas las relaciones políticas, y como en quien han recaído todas las funciones del anterior Gobierno, según se explica el Oficio circular de 30 del mismo mes? ¿Podría la Gran Bretaña usar de mayor aire de protección aun respecto de la arruinada y afligida España? Y si las Provincias creyeren más conveniente otra forma de gobierno, ¿podría oponerse Santafé al voto general? Pero dejemos esta materia y veamos lo que más conviene a las mismas Provincias.

"Ellas, desde luégo, dirán sin recelo: «Nuevos Gobernantes de Santafé, tened entendido que nuestros pueblos son capaces de dar vida, fuerza y energía a la capital; que su unión salvará unánimemente al Reino de la anarquía que le amenaza; que sus representantes y diputados son los únicos autorizados en las circunstancias para las reformas y variaciones que exige el actual orden de cosas; y que en vano se previene su resolución cuando a ellas sólo tocaba decidir muchas de las cuestiones que aparecen determinadas por vosotros. Temblad gobernantes si el despotismo es vuestro primer distintivo; y temblad tanto más si la desconfianza general fuere el resultado de vuestras operaciones».

"Todos creen que la industriosa y rica Provincia de Quito no se subordinará a Santafé, y que ella con las de Antioquia y Popayán

forman el fondo principal de la riqueza del Reino. Reunidos Quito
y Popayán como lo exigen sus intereses y localidad podrán figurar
sin la protección de Santafé, y desde luégo se les separarán siempre que allí no se adopten principios justos y generosos, compatibles con la tranquilidad general, la reunión recíproca de todas las
Provincias, y la conservación de todos sus derechos primitivos, sin
querer señorearlas ni dar tampoco lugar a que se dividan entre
sí por miras interesadas, con perjuicio de la Soberanía del Señor
Don Fernando VII y trastorno del orden social.

"No hay más arbitrio para precaver tamaños males que la pronta formación de las Cortes generales del Reino en el lugar más conveniente, que se indican en la convocatoria de la Junta de Santafé.
Sólo por medio de esta reunión puede cortarse de raíz toda división, las ideas mezquinas e individuales y la anarquía. Solas las
Cortes tienen representación legal para inducir las novedades que
puedan hacerse a nombre de Fernando VII en el sistema de gobierno, consultando la unión de estos Reinos, y aun de la misma
Península que tánto necesita de nuestros auxilios para resistir al
Tirano común. Por último, las Cortes solas son árbitros para resolver las dificultades que en materias civiles y eclesiásticas deben
ocurrir y ya se presentan a la vista sin que sepamos ahora el partido que nos convenga adoptar en puntos tan arduos y complicados.

"Que se establezcan, pues, Juntas de Provincias; que la de Santafé tenga sólo por ahora este concepto; que todas se arreglen a
las leyes del Reino en lo que no sea incompatible con las circunstancias actuales; que destinen un Diputado para la Capital con instrucciones muy ajustadas y precisas a fin de que reunidos se ins-
tale allí la Junta Suprema Provincial que acuerde el reglamento
para Cortes, su convocación y pronta reunión, conservándose en
todas las Provincias los empleados y Magistrados que gobiernen
y deban gobernar a nombre de Fernando VII, mediante a que la
misma Junta de Santafé y todas las que se erijan en el Reino sólo
puedan obrar en representación de aquel cautivo Monarca.

"Si de este modo no se uniforman las miras opuestas de las
Provincias; si no se reúnen todas para prestar auxilios a nuestros
puertos, principalmente a Cartagena; si posponiendo las necesidades reales se atiende a las ficticias de la Capital con los caudales
del Reino olvidando nuestra defensa del enemigo común; y si en
fin no se socorre a la España dejándola sucumbir bajo el yugo del
pícaro Napoleón, aumentará ese Tirano sus fuerzas con aquella
conquista, y tarde o temprano las dirigirá contra las Américas,
inundará nuestros mares de corsarios, obstruirá nuestro comercio,

nos consumiremos oprimidos de un poder colosal, y vendrá a ser el Reino esclavo de aquel usurpador.

"La unión sola puede salvarnos en esta crisis formidable; que se reúnan, pues, nuestros Representantes libres de todo espíritu de partido en Panamá o en otro lugar proporcionado, que lleven instrucciones de las respectivas Juntas Provinciales, que las confieran entre sí y examinen nuestra situación, nuestros recursos, nuestras necesidades. Que con aquella meditación que es la prerrogativa más preciosa del entendimiento, pesen escrupulosamente las relaciones que la justicia y la equidad piden que conservemos con nuestros hermanos de América y España; y que en vista de todo se forme un plan sabio que sea la obra de la prudencia, de la política y de la filosofía. De este modo nuestra Constitución no será obra de la multitud tumultuaria, ni la expresión de la voluntad de un solo pueblo, sino la de todos los del Reino, y sólo así podrá tener la fuerza necesaria para obligarlos y estrecharlos a su cumplimiento. De lo contrario, temámoslo todo por nuestra suerte. Napoleón vela y allá en los secretos designios de su corazón ha resuelto subyugarnos y devorarnos".

Fray Diego Padilla, quien en el número 5 del *Aviso al Público*, correspondiente al 18 de octubre de 1810, había rebatido con airadas razones una Proclama de un "Autor oscuro de Popayán", escrita sin elegancia de forma y sin altura de ideas, "un aborto de la pedantería, un sarcasmo ridículo de la malignidad, un efecto de impolítica y de falta de educación y un notorio agravio a la ilustre ciudad cuyo nombre ha pretendido arrogarse", salió nuevamente, pluma en ristre a combatir a este nuevo partidario del Rey. Quiso hacerlo en estilo popular y sencillo, como lo advierte, pero en verdad que cumplió su cometido con donosa forma, salpicada de una ironía que llegaba hasta el sarcasmo.

Yo recordaba haber leído en las páginas del periódico del sabio agustino varias polémicas entabladas con realistas de Popayán y Cartagena, y tuve la satisfacción, al releerlo, de verificar que la Carta manuscrita llegada a mi poder, había sido publicada, quizás por su destinatario, en Cartagena y firmada por *Observador Patriota*. A fin de que el lector pueda por sí mismo establecer el cotejo de ambos escritos y goce del deleite que produce el choque de las ideas, me tomo la libertad de insertar aquí el brioso artículo de Padilla, defensor de los fueros de la Junta, de la dignidad de Santafé y de la libertad de la patria. El Padre Padilla me ha librado de la tarea de refutar al escritor realista de Popayán:

"El valeroso Cadmio para dar libertad a su patria acometió al Dragón Dirceo que devoraba a sus paisanos, matóle, levantó una pira, quemó el cuerpo de la bestia y enterró los dientes. Alegre cantó la Patria el triunfo del hijo de Agenor; pero a poco tiempo los dientes enterrados se animaron y empezaron a morder y a devorar la gente.

"Los poetas escribieron para nosotros esta fábula. Dimos libertad a la Patria; pero esparcidos los dientes de la monstruosa tiranía, muerden con rabia a Santafé triunfante; y las plumas que se debían emplear en ilustrar y aplaudir su triunfo, se convierten en armas para destruir su fama y hacer odiosa su opinión. Podía esperarse de los americanos una tan declarada guerra contra sus paisanos? Pues es cierto que la ha declarado a la capital el *Observador buen Patriota* de Popayán. Estamos, pues, obligados a contestarle, a satisfacer al público, y a invertir el tiempo que destinábamos a dar algunos avisos importantes, en deshacer los cargos con que pretende desacreditar a la capital y hacerla odiosa. Respondámosle, pues, en el estilo popular, pues no escribimos para personas ilustradas, sino para el común de las gentes.

"No hagamos alto, pues, en las invectivas, ni en los sarcasmos con que pretende el *Observador* burlar a Santafé, e insultarla con los epítetos de quijotesca, de fanfarrona, de ultrajante, etc. La moderación nos prohibe atacar con dicterios, y el mayor triunfo del hombre es responder con honor al que le trata con desprecio.

"Pregunta, pues, el *Observador: ¿Si Santafé tuvo suficientes facultades para deponer al Virrey y demás funcionarios públicos? Y* después de una suposición, *se inclina a que su extrañamiento debía ser con formal acuerdo de todas las provincias del Reino.* ¿Y este acuerdo de las provincias debía haberse hecho acaso por una convocatoria? ¿Se debían haber convocado los pueblos para que diesen su voto sobre si se debía o nó deponer al Virrey y a los Oidores? ¿Este Virrey y Oidores habrían consentido pacíficamente que se deliberase sobre su deposición? ¿En este caso Popayán no hubiera procedido contra Santafé, como procedió contra Quito? No se consultó sobre esto a Popayán, pero la Capital estuvo de acuerdo con Cartagena, con el Socorro, con Tunja, con Pamplona, con casi todas las provincias que deseaban su libertad, que aprobaron el hecho, que lo celebraron con repiques de campanas, con músicas festivas y con aclamaciones públicas. Sólo Popayán no concurrió a la común alegría. El *Observador* declama contra Santafé porque depuso al Virrey sin acuerdo de las provincias: ¿por qué no exclama contra Cartagena, que extrañó a Montes su Gobernador sin haber consultado a Mompox, a Soledad, a Barranquilla y otros pueblos? ¿Por qué no acusa a Pamplona por haber depuesto a su Corregidor sin haber preguntado su parecer a Málaga, a Cácota, a Servitá? ¿Por qué no le toma cuentas al Socorro de haber aprisionado a su Jefe sin haber convocado primero a Vélez, a Oiba, a Charalá, para que diesen su voto? Según la regla del *Observador*, Caracas hizo mal en haber depuesto a aquel Gobernador y a la Audiencia sin haber explorado la voluntad de Coro y de Maracaibo. ¿Maracaibo y Coro habrían consentido en la tal deposición? Lo mismo que Popayán.

"El *Observador*, después de decirnos que no entendemos qué cosa es libertad, después de suponerlo todo y quedarse de todo incierto como pirronista, sigue preguntando: *¿Si ha podido establecerse en Santafé una Junta Suprema que tenga autoridad sobre los pueblos grandes y generosos del Reino por voto de su vecindario?* Ya a esta censura hemos dado respuesta otra vez. Santafé tiene una Junta que gobierna sólo en su Provincia, que no ha pensado jamás dictar leyes a Popayán, ni a ningún otro pueblo; que como capital ha hecho saber a las Provincias el nuevo estado del Reino; que las ha convidado a unirse, y a mandar sus Representantes, para que formando un Congreso, arreglen el gobierno de todas ellas y dicten lo que hallaren más conveniente para conservar la unidad y centro del Reino. Todo esto ha hecho público la Capital mil veces, y otras tantas lo hemos repetido nosotros para contestar a nuestros adversarios.

"Debe, pues, el *buen Patriota* reconocer su equivocación cuando dice que *Santafé incurriría en el vicio de que acusaba a la Junta de Sevilla, y al Consejo de Regencia.* Este y aquélla se arrogaron la Soberanía de España e Indias, dictaron providencias sobre ellas, pretendieron dominarlas despóticamente, exigieron la obediencia de ambos hemisferios, les exigieron contribuciones y caudales, y últimamente después de hostilizar a este Reino, distribuyeron gracias entre los enemigos de Quito. Santafé, por el contrario, trata a las otras provincias como a hermanas, no como a súbditas; las convida, no las manda, las tributa todo el decoro que merecen, no las insulta ni deprime con ridículos apodos, como el *buen Patriota Observador* ha querido hacer con Santafé.

"Este procedimiento justo y noble de la Capital, no sólo se ha hecho público por lo que su Junta ha dictado en sus papeles y manifiestos, sino también por la conducta que ha observado. Sus hechos han correspondido a sus palabras. Se dio noticia a la Junta de Santafé de que Ambalema se había apropiado todo el tabaco que se hallaba en aquella factoría, el que había sido comprado con caudales de estas Cajas. La Junta dispuso que se oficiase con aquel pueblo, haciéndole presentes sus derechos, pero con un modo el más comedido, y de ninguna manera imperioso. Mariquita se apropió los azogues comprados también con caudales de las propias Cajas: la Junta de Santafé la representó por oficio, que en aquellos azogues estaba interesado todo el Reino, que reclamarían por ellos todas las Provincias, y que aquel procedimiento podía tener mal resultado, del que sería responsable aquella Provincia. Se avisó también a la Junta de Santafé, que en el río habían detenido cuarenta mil castellanos de oro que venían a la Capital, y se hacía instancia para que se repitiesen. La Junta dispuso que se reservase al Congreso General el conocimiento de estas causas y que entretanto se abstuviese de toda queja y de toda hostilidad. Con este noble y honrado procedimiento, la Capital ha dado ejemplo a las Provincias de moderación y desinterés: a ningún Pueblo ha amenazado, a ninguno ha menospreciado; si alguno espontáneamente ha venido a unírsele, lo ha recibido con fraternidad; si luégo arrepentido de su unión se ha querido separar, lo ha dejado en su libertad; si alguna Provincia libre ha tenido disgustos y quejas con otra libre también, ha hecho para entrambas los oficios no de árbitro, sino de medianera; y si alguna Regentista y enemiga ha querido hostilizar a otra de las que están en libertad, y se la ha unido, la ha ministrado todos los auxilios posibles para su defensa, después de haber empleado sus oficios para impedir sus comprometimientos hostiles, y para provocarlas a la unión y a la paz. Todo el Reino es testigo de estos generosos y justos procedimientos de Santafé, y nuestros enemigos no pueden desmentirlos. Ahora podíamos preguntar al *buen Patriota: ¿éstos son actos quijotescos, fanfarrones e insultantes?* ¿No podemos más bien decir que el *Observador* se ha propuesto desfacer agravios y tuertos tan fingidos como los del Caballero andante, y que ha procedido por informes falsos, formados por los enemigos de Santafé o mejor diremos, por los enemigos de la verdad, por los enemigos de la libertad y de la Patria?

"Sí; estos enemigos son los que desfiguran los hechos, los que malignamente interpretan las disposiciones, los que clandestinamente dividen los Pueblos, los que con piel de oveja nos despedazan como lobos, y los que quieren aprovecharse de los disgustos que inspiran a las gentes. Bien puede ser que se haya esparcido algún papel u orden contrario a lo que acabamos de decir: pero de ningún modo es éste nacido de la Junta, es supuesto y fingido, porque de todo hay en el mundo y los áspides se esconden a la sombra de las flores.

"Pero se comprende, dice el buen Patriota, cómo se arroga desde el principio aquella Junta (de Santafé) *la atribución de Suprema para subordinar por este título pomposo a las Provincias.* Al oír que el *Observador* contradice con tánta delicadeza el título de Suprema de la Junta de Santafé, se creería que éste era un hombre celosísimo de su libertad y de la de su Patria, a quien el solo nombre de supremacía le daba en rostro como a Cicerón o como a Scévola. Pero vemos que éste es un hombre connaturalizado con la servidumbre, acomodado al gobierno despótico, y sujeto a la autoridad de la Regencia. ¿Por qué no declama este *Observador* contra aquel intruso Consejo? ¿Por qué no le disputa la supremacía que real y verdaderamente se quiere arrogar sobre toda la América? ¿Por qué no le dice que *más de dos millones de almas no deben como rebaños de ovejas postrarse delante del carro triunfante de unos gobernantes de un solo punto de la Península, sin haber precedido el voto formal* de España e Indias? No, señor, él se encorva delante de la ilegal y tiránica Regencia, y sólo la supremacía de Santafé le causa enojo. Pues no tenga cuidado el *Observador,* la Junta de Santafé no se llamó Suprema dominante como la de Sevilla. Se llamó Suprema sí, respecto de las otras Juntas subalternas que se debían formar, como se formaron en otros departamentos de su distrito. Se llamó también Suprema por la posesión en que estaba de ser Capital de todo el Reino, y como tal tenía relaciones con todas las otras Provincias al tiempo de la revolución, y éstas no podían aniquilarse en aquel momento. Se llamó últimamente Suprema, porque como la primera ciudad del Reino debía dar noticia a las otras Provincias de la cesación del antiguo gobierno, las debía convocar y excitar a la reunión para un Congreso, *en el lugar que eligiesen.* En estos sentidos se intituló Suprema, y *nada más pensó ostentar, ni quiso suponer refundidas en sí todas las facultades de las otras Provincias.* Son, pues, infundados los temores, son extemporáneas las declamaciones del *buen Patriota,* pues la Junta de Santafé es tan Suprema como lo es la de Cartagena, como lo es la del Socorro y como lo será la de Popayán.

"Añade el *Observador que la Junta de Santafé se formó por el solo voto del vecindario;* y parece que nos objeta la nulidad que ya se nos había argüido otra vez, alegando que *la parte no puede decidir de la suerte de la Comunidad.* Pero se equivoca el *buen Patriota.* Si Esiodo fue por los geómetras reputado por un extravagante cuando dijo que la parte podía ser mayor que el todo, Platón en el libro 3 de sus *Leyes* nos demuestra que ésta no es una paradoja, sino la más excelente máxima en la Política. A más de esto : la Junta de Santafé se instaló no sólo por el voto del *popula-cho* como se dice, sino por los votos de toda la Ciudad; no sólo por los de la Ciudad, sino de casi todos los Pueblos del distrito; todos los departamentos la reconocieron, todos vinieron a jurarla obediencia, y ninguno ha reclamado jamás contra su institución. La Capital la instaló, y todos los Pueblos la aprobaron.

"Se lisonjea el *Observador* de que *la industriosa y rica Provincia de Quito se unirá a Popayán, como lo exigen sus intereses y su lo-calidad, y que se separarán de la de Santafé, sin la que podrán fi-gurar.* Plugiere al Cielo que la industriosa Quito çerrase sus ojos para no ver jamás la tragedia de Guáitara, ni los malos tratamientos y hostilidades con que la ha arruinado el gobierno de Popayán! Nos-otros nos complaceremos de esa unión, nada deseamos con tánto ardor, y ningún día nos será más festivo que el de aquella recon-ciliación. Si el *Observador* pretende sembrar el cisma y la división entre Quito y Santafé, ésta no desea sino hacer las amistades y establecer la paz entre todas las Provincias. Figuren enhorabue-na, sean el emporio de la grandeza, abunden en riquezas y en felicidad; ésta será nuestra gloria, a esto aspiramos, no somos en-vidiosos, ni los bienes de nuestros hermanos nos causan pesadum-bre. El pesar del bien ajeno es propio de corazones mezquinos, y el deseo de sembrar discordias y emulación es el carácter de la en-vidia.

"El *Observador* califica de burlesca y fanfarrona la expresión con que la Junta de Santafé, después de convidar a todas las Pro-vincias a la unión, dice que *abandonará a su suerte a la que quiera permanecer separada;* y añade el *Observador* que *ni la Gran Bre-taña podría usar de mayor aire de protección aun respecto de la arruidana y afligida España.* Lo peor es que Cali, Buga, Cartago, etc., sin ser la Gran Bretaña, han abandonado a su suerte a Popa-yán y la han negado su protección. Lo peor es que estas ilustres ciudades han desamparado a la afligida Popayán, y la han visto suplicarlas, llorar, y usar de cuantos medios imperiosos o humil-des ha podido escogitar para recobrar su protección, porque sabe que sin ellas mejor que sin la Gran Bretaña va a quedar solitaria, aislada, y sin modo de subsistir. Pero aun es peor, que aunque San-tafé protestó que abandonaría a Popayán a su suerte en caso de no querer irse a las demás, no ha puesto en práctica su proposi-ción. El amor a sus hermanos la ha obligado a mudar de dictamen, y viendo a Popayán abandonada de Quito y de las otras ciudades, ha tomado el oficio de medianera, para que no la dejen a su suerte; ha auxiliado a Cali para que se defienda de los enemigos que con el furor de la Regencia la amenazan; pero la ha suplicado que no quiera dejar a Popayán abandonada a su suerte. Tal vez Cali, Buga y Cartago accederán generosamente a la mediación de la Junta de Santafé, y no dejarán a Popayán entregada a su suerte. Y si la dejasen, ¿qué sería de Popayán?

"Después de muchas otras invectivas con que el *buen Patriota* impropera a Santafé, concluye diciendo que *si el despotismo es nuestro primer distintivo, y que si la desconfianza general fuese el resultado de nuestras operaciones debemos temblar. Sí, temblad,* dice, *temblad nuevos gobernantes de Santafé.* En efecto, al oír este trueno, nos quedamos helados, como si viniese sobre nosotros el Caballero de la Mancha. Pero con nuestra voz temblante queremos satisfacer al *buen Patriota.* Suponemos que habrá escrito por falsos informes que habrá recibido: pero no deberá dar crédito a los maldicientes que no pierden ocasión de desacreditarnos, dando a nuestras operaciones la interpretación que les acomoda. No quiere el *Observador* desacreditar a su patria, ni que la imprudencia de un particular se atribuya a Popayán. Popayán reprobará las observaciones del *buen Patriota,* pues sabemos que los sentimientos de éste son contrarios a los de aquella prudente e ilustrada ciudad, sin cuyo consentimiento se imprimieron en Cartagena las *Observaciones* del *buen Patriota,* con fecha en Popayán a 20 de agosto de 1810, a las que no habríamos contestado, si en ellas no se hubiese atacado el crédito y reputación de una ciudad como Santafé por muchos títulos digna de atención." (6).

Esto en el campo teórico. En el de los hechos, Tacón obró con rapidez y diplomacia maravillosas, pues citó a un Cabildo abierto en el cual se acordó responder a la Junta de Santafé que Popayán estaba inhibida para resolver por sí sola sin los diputados de las demás ciudades de la Provincia y que una vez convocados se resolvería lo conveniente. Simultáneamente se eligió una Junta de Seguridad integrada por cinco individuos, a saber: don José María Mosquera, el doctor don Andrés Marcelino Pérez Arroyo, don Antonio Arboleda, don Mariano Lemus y don Manuel Dueñas. Esta Junta, presidida por Tacón tenía la facultad de convocar a las ciudades de la Provincia, y entretanto debía promover el orden y tranquilidad pública. Actuó como Secretario el eximio patriota don Francisco Antonio Ulloa.

---

(6) *Aviso al Público,* N. 11, Sábado 8 de Diciembre de 1810, páginas 101-107.

La Junta de Seguridad creada por Tacón no era de gobierno, y pasado el primer desconcierto, el Gobernador recuperó el pleno dominio y asentó firmemente su autoridad, en favor del Consejo de Regencia. Después que España —anota el mismo Arroyo— comenzó a tener algunas ventajas y luégo que aquel Jefe recibió el grado de Coronel y el Ayuntamiento el nombramiento de Excelencia, por su manejo contra Quito, fue diferente su conducta, protestando que con la sangre de sus venas borraría esos documentos de defección contra el Gobierno peninsular.

Pero en Cali, que desde el célebre Cabildo abierto del 3 de Julio se había declarado en favor del nuevo orden, don Joaquín de Caycedo y Cuero mantenía vivo el espíritu de rebelión, desconocía el Consejo de Regencia y adhería a la Junta de Santafé, a la vez que extendía la acción revolucionaria a los demás Cabildos de las ciudades del Valle. El Gobernador Tacón acudió a apagar estos fuegos y lanzó el 4 de octubre un célebre Edicto dirigido a los Cabildos insurgentes, conminándolos al reconocimiento de la Regencia, como única depositaria legítima de los derechos de Fernando VII.

El prócer Caycedo y Cuero le escribe una vibrante carta a su primo Herrera, fechada el 23 de octubre, en la que después de comunicarle el éxito de sus gestiones ante los Cabildos de las ciudades que había visitado personalmente, le comenta que "los imperiales de Popayán braman, rabian y a mí principalmente me despedazan. Hacen burla de Santafé y principalmente de la Junta... Han formado sistema de desacreditar el nuevo Gobierno... Yo amo nuestra libertad e independencia, amo a esa Capital, y me duele cuanto oiga hablar con el fin directo de echar por tierra el nuevo Gobierno y que quedemos sepultados en los abismos de la anarquía". Luégo le habla del Edicto de Tacón, "producción legítima de un tirano", y pide auxilio a la Junta de Santafé para el caso probable de una acción armada del Gobernador realista.

La polémica intelectual seguía sosteniéndose por el mismo *Observador* patriota quien escribió a su mismo corresponsal otra Carta, fechada en Popayán el 4 de septiembre de 1810, la cual está contenida en el mismo Código manuscrito procedente del Archivo de don Estanislao Vergara. Hé aquí el texto de este importantísimo documento, testimonio precioso de aquel fermento espiritual que en grado tan eminente caracterizó nuestra Revolución:

"Mi amigo:

"Como la expresión de este sagrado nombre tiene para con Ud. toda la extensión de sus derechos, el más poderoso de ellos me obliga a complacerlo, ya que han sido inútiles mis efugios. De este modo verá Ud. que no me ha detenido la falta de confianza para hablarle de las novedades públicas del día; y como por otra parte no ignora, que he recibido de la Naturaleza un temple quizá demasiado fuerte, que nunca he creído rebajar, es preciso se convenza, de que nunca me ha comprimitdo el temor como sospecha, sino únicamente un racional convencimiento de carecer de aquel fondo político tal cual se necesita para opinar con acierto en materia de esta clase. No disfrazo mi limitación, porque nadie puede dar mejor testimonio de ella que yo mismo, y porque me he acostumbrado a llamar a cada cosa por su nombre. Si me cubro con este pobre manto, creo que no penetrará Ud. por entre sus zoturas, ni la vanidad ridícula ni el orgullo chocante, que dan el gran tono en la época presente.

"Cuando considero las violentas conmociones que han sucedido, y desquiciado por sus fundamentos ese grande edificio de la Europa; cuando contemplo las espantosas explosiones del Volcán de Córcega, que ha derramado en grandes torrentes la muerte, la desolación y el trastorno de los Reinos; cuando veo tan general efervescencia en la vasta extensión de las Américas; este frenesí universal, que un ímpetu casi irresistible exalta, ya la imaginación del Filósofo, que lucha por regenerar aquella independencia quimérica incompatible con la degradación, y debilidades de su naturaleza; ya la ambición del presuntuoso, que desea revoluciones prometiéndose ocupar el centro del vórtice a cuyo rededor cree que debe girar el género humano entero; y ya la sed del codicioso, que en tanto le interesa su semejante en cuanto espera disfrutar de su sudor y trabajo, degradarlo, hacerlo tirar de su carro, y confundirlo con las bestias: cuando contemplo este cuadro horroroso me convenzo de que no es el hombre, sino una mano omnipotente la que obra, sin que alcancemos a penetrar sus designios.

"Esta especie de vértigo, o atolondramiento común, que arrebata de su taller al artesano, al labrador de su choza, y aun al religioso del fondo de su claustro, para correr desatinadamente en pos de novedades, sin determinar las que desean, no comprendo, mi amigo, cómo pueda llenar de regocijo el corazón de nuestros sabios que con una imaginación exaltada ven ya rayar sobre nuestro horizonte la aurora de nuestra felicidad y el hermoso día en que, rotas las antiguas cadenas, vamos a recobrar la plenitud de nuestra primitiva dignidad. Algún genio tétrico y enemigo del placer me oculta a mí esta encantadora perspectiva. Yo respiro una atmósfera sepulcral, y no veo sino sangre, calamidades y trabajos. Conozco que no debe triunfar impúnemente el desorden de las sociedades; que el ministerio de esta infame prostitución ha deshonrado y profanado estos augustos Tribunales con algunos hombres ineptos, avaros y venales, que desnudos de las brillantes cualidades de un magistrado, incapaces de figurar en el gran mundo, ni aun en una parroquia de su patria, pasaban muchas veces de la librea a la toga, y del abatimiento al despotismo, como extremos que siempre se tocan; que del santuario de la justicia donde el hombre ha depositado bajo el escudo de la ley el tesoro de su libertad, su honor, su vida y su fortuna, hemos visto salir la ruina de la viuda y del huérfano, la opresión del inocente desvalido y la destrucción del hombre de bien, que acosado del ultraje y vejación de sus derechos, se creía en los momentos de despecho más seguro de una cuadrilla de bandidos protegidos por la ley común de la fuerza, que siendo víctima de un poder irresistible de que al mismo tiempo era su autor. Todo esto puede haber electrizado en los pueblos su inconstancia y volubilidad natural, para solicitar en otra Constitución aquella felicidad íntegra y durable que buscamos inútilmente sobre la tierra, sin acabar de desengañarnos después de seis mil años de tentativas infructuosas. Esta prosperidad debe ser obra de nuestras manos regeneradoras. ¿Y cuál es la diestra que pueda levantar en este Reino la balanza política para equilibrar sus derechos? ¿Cuál el genio fecundo en recursos, rico en conocimientos exactos e individuales, no de Grecia y Roma ni del Norte de América, sino del país que habitamos, de tánta aceptación que merezca la confianza general y sea el árbitro de nuestra suerte? ¿Dónde existen los Franklines, y el conjunto de circunstancias necesarias para fecundar en la mejor cabeza proyectos de reforma que por lo común abortan? ¿Quién que tenga licencia de pensar podrá prometerse ventajas de esa chusma de adocenados faltos de cálculos y de principios, que adoptan servil y necesariamente los ajenos sin exclamar con Horacio: *O imitatores servum pecus?* ¿Y qué esperan de aquel frenético que para llamar la atención atruena los aires con expresiones escandalosas y volcánicas, y semejante al luchador de Virgilio *verberat ictibus auras?* ¿Qué del otro plagado de deudas, que si anhela por que suene la trompeta de la renovación es para entrar cuanto antes en el año sabático que cancele sus trampas? ¿Y qué confianza inspira el poltrón egoísta que ahora se presenta en el teatro tan activo para abandonar, luégo que el fastidio apague su entusiasmo, una obra que necesita tesón, constancia y energía?

"Quiero conceder a este Reino políticos profundos, grandes hombres de Estado, aunque sin mundo de gentes, pero de carácter firme con un corazón excelentemente formado: mas viendo que de repente cambia de rumbo la nave que nos transporta arrebatada en alta mar por un golpe imprevisto, ¿nos hará dormir tranquilos la pericia del piloto que tal vez no acierta a mudar oportunamente de maniobra? No depende siempre el bien o mal suceso de una reforma, como el efecto de un excelente remedio, de un cúmulo de circunstancias indispensables? Las alteraciones de gobierno más meditadas ¿no han sido un tósigo para el Estado, del mismo modo que los más excelentes medicamentos han causado la muerte administrados en excesiva cantidad o inoportunamente? Una larga experiencia de ver reparar un abuso con otro mayor obligó a Tácito a decir: *«quae in suo statu... manent, etsi deteriora sint, tamen utiliora sunt reipublicae usque per innovationes vel meliora inducuntur».*

"Me pregunta Ud. si podría pensarse que este Reino no apetezca su independencia. Es verdad, amigo mío, que la desea; pero oiga Ud. en qué términos responden los individuos de esta masa heterogénea: el noble se explica como un espartano; el mestizo asegura que nada hay más seguro, pero para que no sea quimérica es preciso correr una línea de sangre sobre la odiosa palabra de nobleza. El indio dice que la acepta, pero aquella misma que disfrutaban sus mayores ahora trescientos años en los bosques, quiere ser tan antropófago como ellos. Y el negro exclama que debe comenzar por la total extinción de la execrable esclavitud que ha violado en su especie todos los derechos del hombre. Y serán siempre vanos estos antiguos votos de las castas que jamás se amalgaman con nuestra clase, enseñados ya a tumultuarse y a levantar el puñal para ayudarnos a la deposición de las autoridades? ¿No es constante que el bajo pueblo, en quien nunca ha habido opinión, asesina con igual facilidad a Nerón que a Galba? ¿Y podremos esperar que continúe en la presente conmoción la milagrosa subordinación de quinientas o mil fieras de un minero necesariamente cruel? Ya oigo a Ud. preguntarme otra vez: ¿Sí será justo despojar a estas castas de color de aquellos derechos que como hombres tienen por la misma naturaleza? Y yo me limito a responderle que la recta razón dicta privar de su patrimonio al pródigo y despojar al furioso de su espada sin agraviarlos. Los apóstoles de la libertad obren y prediquen contra la usurpación; pero no pongan la hacha incendiaria en las manos del pueblo que servirá para poner en combustión esa sociedad.

"No me crea Ud. tan preocupado que piense disputar el derecho íntimamente imprescriptible e indeleble que tiene toda sociedad en masa para remover, alterar, limitar y extender cuanto conduzca a la salud pública. Cuando el hombre adherido al hombre establece un poder absoluto a quien obedecer, que deposita en una o muchas manos con diversas modificaciones, el único interés que le mueve es la seguridad, la conservación y la felicidad del individuo con las ventajas consiguientes a la unión de la comunidad. Así, no existe, ni puede ni debe permanecer ninguna autoridad que no produzca el bien común. Este es el pacto primitivo que la misteriosa lisonja quiere llamar tácito, cuando la naturaleza lo publica en alta voz. Y aun cuando la Providencia formase hombres marcados con el sello de su dignidad para mandar a los demás, ¿un Dios justo querrá destinar millones de seres racionales a contribuír gustosamente a sola la prosperidad de un solo individuo de su especie? ¿Y el cielo habrá condenado a todos los pueblos de la tierra al trabajo, a la indigencia, a las lágrimas, para saciar la vanidad, los caprichos y la ambición de un pequeño número de familias que gobiernan? Si el hombre ha recibido de la misma naturaleza el poder de conservarse, ni hay autoridad irrevocable, ni sanción de las generaciones pasadas que perjudique a la presente en sus derechos.

"Convengo con Ud. en que estos principios funden la reciente conducta de la capital de Santafé, si es cierto que la hacha del despotismo (que no lo es, como se ha visto), estaba levantada y próxima a descargarse sobre la cabeza de ese pueblo. Pero la natural defensa no es ilimitada. Después que pasó el peligro que amenazaba la propia conservación no debe perturbarse el curso ordinario del buen orden en cuanto sea compatible con la ley suprema de la salud común. Los vínculos que mantienen la integridad de un cuerpo político son sagrados: la parte que rompe su unidad por sí sola viola el derecho de las Gentes que reprueba toda división tumultuaria y caprichosa sin el voto general. Si se dice que las relaciones que unen este Reino a los demás de América decrecen en razón de la distancia, a lo menos las que lo ligan entre sí son estrechísimas. No es posible que se disloque ninguno de sus miembros sin violencia y sin que se resienta toda la máquina. Una familia que en trescientos años ha vivido con un mismo culto, bajo una misma constitución, subsistido de un patriotismo común con mil enlaces de sangre, de comercio y de recíproca comunicación no puede desunirse sin trastorno, sin desorden, ni consecuencias funestísimas. Si Santafé, luégo que salvó su seguridad, en lugar de indicar allí el trono para colocar la autoridad suprema de que trata, hubiere provocado a Cortes del Reino en el punto más adecuado, sin otra representación que la de su actual estado para evitar celos, emulación y sospechas de haber sacudido el yugo para oprimir bajo de él al más débil con una monstruosa contradicción, creo que sería el único paso de prudencia capaz de consolidar la nueva constitución que se establecería adaptable a nuestra localidad, clima, genio, usos, costumbres, recursos y comercio. Pero el gobierno debe formarse, como Ud. sabe, para los hombres, y creo no pueden amoldarse a aquél. Sólo así podía presentarse este establecimiento de un modo decoroso, figurar y merecer la atención de las potencias extranjeras; sólo así llegaría a sancionar la decisión general del Reino la deposición insubsistente hasta ahora de un Jefe y Magistrados que no lo eran únicamente ante la Capital; sólo así podría resolverse el intrincado problema de conservar al desgraciado Fernando VII una parte de sus dominios, dándole una forma de gobierno provisionalmente, siendo inútil la Constitución si no ha de subsistir, e inútil la reserva si debe permanecer. ¿Cómo cree Ud. que verá su convocación el Reino de Quito, más poblado, más rico, más industrioso, de mayor representación política que el de Santafé? Si aquél se separa, ¿con qué fondos públicos cuenta éste para su subsistencia? Más de medio millón necesita para mantener la precisa organización de Cartagena, gastos de fortificación, una pequeña fuerza armada en la capital capaz de contener los oleajes de un pueblo ya alborotado, y salarios de ministros. Y si las gruesas rentas de Quito, y si Popayán y Antioquia se obstinan en abandonarse a su suerte, ¿qué razones para proveerse de su numerario? ¿Se espera algún subsidio de este Norte y de la Corte de Londres, e indemnizarse después de él con algodón de semilla y de ajena cosecha, con un café en proyecto o con una quina desacreditada?

"Esta primera división sabe Ud. que era la que yo temía hace mucho tiempo, como principio de la que quizá vamos a experimentar en este gobierno. ¿Y cuál será entonces la suerte de su Provincia? La desolación consiguiente a un Reino en sí dividido. Cali, Buga, Cartago sin fondos públicos van a adocenarse con Anserma y Toro, si se separan. Pasto y la Provincia gangrenada de miseria perecerán de corrupción. (7). Y si el gran Real de Minas de Barbacoas presta

(7) Pasto ha reconocido con el mayor placer la Junta de Popayán como el centro de la unión de la Provincia en Cabildo abierto, cuyo acuerdo se mandó publicar por bando en aquella ciudad y Provincia de Pastos.

su obediencia a Quito, mandará su oro a esta capital. Así podrán dejar tal vez solo a Popayán: vendrá a ser el heredero rico de la familia, pero no feliz. Puede ser que el temor de tan desgraciadas consecuencias de la división o el interés de participar de una autoridad suprema los reúna y que vengan a hacer efectiva la Junta Central de Provincia que se proyecta. Pero ya sabe Ud. que todo gobierno necesita de un poder absoluto que disponga libre y efectivamente de las fuerzas de la sociedad para obligar a que los miembros del Estado obren su prosperidad, seguridad y conservación. Para esto no sólo debe dictar leyes, sino obtener la fuerza de ejecutarlas, juzgar de los derechos de los súbditos y corregir sus excesos. Mas ¿en qué manos depositará esta clase de poder que de cualquier modo que se distribuya siempre debe ser absoluto? ¿En las de un individuo que tarde o temprano vendrá a ser inepto, caprichoso, déspota? ¿En las de un pequeño número de nobles, multiplicando los opresores y tiranos del pueblo, que lo dividirán en partidos para devorarse entre sí? ¿O sería acaso conservarlo en toda la comunidad como su fuente primitiva, cuando aún no puede el género humano olvidar las inmensas calamidades que ha sufrido de la democracia?

"No queda, pues, otro recurso, que equilibrar esa autoridad dividiéndola, para que no gravite en un solo punto; pero las pasiones y defectos de toda sociedad independiente se reconcentran y toman mayor energía en aquellas más pequeñas, a proporción de lo que pierden de extensión. Sobre esta verdad calcule Ud. de qué vicios va a adolecer este pequeño cuerpo moral, para evitar pormenores desagradables y odiosos que ofenderían el amor propio, y de que abusaría la maledicencia con indicaciones injustas. Piense Ud. en la integridad y firmeza que podría haber en los Tribunales para dar vigor a las leyes fundamentales, criminales, judiciarias, agrarias, forestales, sumptuarias, etc., cuando sabemos que las riquezas flaquean constantemente aun a las autoridades secundarias, y nos consta que los intérpretes de la ley y sus ministros en complot con el poderoso le dejan atropellar los derechos más justos, o negándoles su protección o concurriendo a oprimirlos.

"Estas reflexiones tristes, pero no por eso menos justas forman una nube negra, que amenaza la más espantosa borrasca. El respeto en las autoridades ha cesado, las leyes han perdido su fuerza, la independencia triunfa en todas clases, el desorden comienza, y la anarquía está en toda su plenitud. En fin, si volvemos la vista a este caos interior, yo veo hacia el Norte una Nación, que por más degradada que se suponga ha luchado dos años con este coloso, en cuya mano poderosa ha puesto la Providencia el azote: ella debe de leer en la desmembración de sus Américas la sentencia de su último suplicio si no trata de impedirla. Por el Sur las fuerzas de Abascal, que crecen cada día, tampoco prometen reposo ni tranquilidad: se la desea no obstante a Ud., ya que no puede disfrutar de ella, este su affmo. amigo.

"Popayán, 4 de septiembre de 1810".

En este escrito el autor anónimo se quita la careta y saca las cartas en el juego que venía realizando: ya no escribe solamente contra la Junta Suprema de Santafé, sino contra la misma independencia, a la cual no le concede absolutamente la menor posibilidad o conveniencia. Escribe con aquel *temple quizás demasiado fuerte* de que alardea, y ciertamente como él mismo lo reconoce, *algún genio tétrico y enemigo del placer le oculta la encantadora perspectiva* de la libertad. Y agrega con razón, haciendo él mismo la radiografía de su espíritu: "Yo respiro una atmósfera sepulcral, y no veo sino sangre, calamidades y trabajos".

Muy bien conoce la doctrina de los derechos de la comunidad a establecer gobiernos autónomos o a modificarlos según las exigencias del bien común, pero se niega a reconocerlos en el pueblo granadino que estima incapaz e inepto para un régimen democrático independiente. Un inmenso orgullo de casta lo induce a calificar con infinito desprecio a nuestras clases bajas, la negra, la mestiza y la indígena; y reconociendo en línea de principios la injusticia natural de la esclavitud, resuelve la objeción con el argumento escalofriante de que "la recta razón dicta privar de su patrimonio al pródigo, y despojar al furioso de su espada sin agraviarlos". Tampoco tiene límites su pesimismo y desconfianza en los valores humanos y en los recursos económicos del país para perseguir su autonomía.

En sus concepciones políticas no es menos aberrante que en sus prejuicios sociales: "Todo gobierno necesita de un poder absoluto. Mas ¿en qué manos depositará (el pueblo) esta clase de poder que de cualquier modo que se distribuya siempre debe ser absoluto?" Rechazada la monarquía por tiránica (pero la americana), la oligarquía por opresora y la democracia originaria y pura por las inmensas calamidades que ha traído a la humanidad, sólo le queda aquella forma de gobierno en que sea posible "equilibrar esa autoridad dividiéndola, para que no gravite en un solo punto". Pero pinta con tan negros colores este gobierno que lo deberíamos rechazar como un azote.

La única conclusión de tales premisas era el Gobierno de España, y con él amenaza al final de aquellas amargas páginas que no rezuman sino veneno: "Yo veo hacia el Norte una Nación que por más degradada que se suponga, ha luchado dos años...: ella debe leer en la desmembración de sus Américas la sentencia de su último suplicio si no trata de impedirla".

Al terminar de leer este apasionado alegato en favor de los derechos de España sobre nuestros pueblos, no nos queda sino volver los ojos, en busca de paisajes más refrescantes, a los Manifiestos de los patriotas que en forma tan justa y tan humana concebían los problemas sociales y políticos de la patria, y la conformaron a esas benditas concepciones.

3.— *Vallecilla y el Cabildo Abierto del 30 de octubre. - Su Manifiesto en favor de las Juntas Provinciales.*

La posición del Asesor se tornaba cada día más embarazosa y delicada, después de que Tacón disolvió la Junta de Seguridad y amenazó a los Cabildos del Valle, estimulados por él y por Herrera a seguir la jefatura y las directivas de Caycedo y Cuero. El 5 de Octubre, al día siguiente del Edicto de Tacón, escribe a Herrera una epístola secreta que describe con los colores más vivos el ambiente que se respiraba en Popayán: "No hay que dudar sobre lo que trama este tirano de Popayán. Ha pedido refuerzo a Lima. Este perverso no cesa un instante en sus tramas y maquinaciones y cada día detesta y blasfema más contra los procedimientos de la Capital y contra cada uno de los de la Junta. Halla apoyo en estos viles... Y no contentos con hablar mal de Santa Fé en todos sus corrillos, y por todas partes, *escriben cartas y dan a luz los más negros papeles.* Entre varios corre con mucho aplauso uno que aunque lleno de inepcias propias de su genio... concluye pidiendo un castigo general..."

La lucha sostenida por el Asesor en aquellas circunstancias, era de verdad heroica: "Yo obro sin cesar, tanto en el lugar como fuéra, para desvanecer estas imposturas y afianzar la opinión de la justa causa. Es indecible lo que he trabajado y trabajo y con la satisfacción de que va surtiendo buen efecto. Yo me he acarreado la detestación de los que tienen interés en sostener la tiranía, y según avisos fieles de sacerdotes se acecha contra mi vida. Infeliz de mí, si al fin prevaleciese la causa de estos malvados! Ya habría procurado ponerme a salvo si no fuera porque veo que aquí soy útil para los designios de la santa causa de Santafé. Este amor que me inflama me hace mirar con indiferencia mi propia vida".

Como era hombre de acción, propone un plan para derrocar a Tacón, cuya presencia en Popayán perjudicaba la libertad de todo el país: además de los preparativos hechos por él con ayuda de los patriotas, pide el auxilio de trescientos hombres que han de venir por la ciudad de la Plata, y otros tantos fusileros por el Quindío. Con estas tropas asegura el éxito del golpe y ofrece la ejecución "de otros proyectos interesantes". Finalmente se refiere a la disposición de los habitantes del Valle: "Los calentanos todos, todos detestan a Popayán y a Tacón; y han declarado sus ideas de constituírse allá en Provincia, cuyo proyecto se me debe. La Provincia de los Pastos que va de acuerdo conmigo procederá con Barbacoas".

La abolición de la Junta de Seguridad, los continuados fracasos de España, la consolidación de la Revolución en Santa Fé, la actitud beligerante de los Cabildos del Valle del Cauca y las excitaciones apremiantes que desde la Capital enviaban Torres, los dos Pombos y Caldas, decidieron a la nobleza de Popayán a actuar con mayor decisión. "Se reunieron —cuenta don Santiago Arroyo— en Santo Domingo en número de más de ciento de los notables para pedir el establecimiento de la Junta, con autoridad bastante para actuar por sí sola. Tacón estaba fuera de la ciudad, de paseo en su berlina: supo la agitación y vino de carrera. Se le presentó el vecindario y no pudo menos que deferir a sus deseos, conviniendo en citar a los barrios y a sus Diputados para deliberar".

Los incidentes del famoso Cabildo abierto del 30 de Octubre que aceptó convocar Tacón para disolverlo después y frustrar sus decisiones, están minuciosamente relatados por Vallecilla que fue el alma de aquella reunión. La Carta de éste a Ignacio de Herrera merece transcribirse íntegramente por su valor histórico y humano para reconstruír aquellos episodios y delinear la recia fisonomía del prócer. Está fechada el 5 de Noviembre:

"Cuán lisonjeras fueron mis ideas el día 29 del pasado! Yo consentí en que este día era el de la gloria de Popayán, de su libertad y de su felicidad, y de todo el Reino por una consecuencia necesaria que Ud. y todos conocen. Bamboleó en sus cimientos el trono de la tiranía que por una desgracia se conserva aquí todavía y yo creí que se desplomaba precisamente! Qué transporte de alegría sufrió mi corazón! Es el caso. Tacón a interpelación de esta Junta Provisional había ofrecido Cabildo abierto para el 23, en que se deliberase el arbitrio para suplir provisionalmente la autoridad del Virrey hasta la resolución de los Diputados de la Provincia. Con engaño y entretenidas lo fue difiriendo con el objeto de que llegase Angulo con las tropas que había pedido con tánta instancia. La Nobleza impaciente con semejante procedimiento, y bien satisfecha ya de las intenciones de aquél, se atumultuó toda, sin excepción de Arboledas, Arroyos, Hurtados y Lemos, y dirigiéndose a mi casa me sacaron de ella para que acompañándoles a la del Gobernador, se le obligase a que concediese el Cabildo en el acto y que se tratase y quedase resuelto en él, el particular de la constitución supletoria que había de adoptarse.

"Qué furor, qué noble entusiasmo el que advertí en cada uno de éstos! El Gobernador tembló a la intimidación que se le hizo; y sus satélites, aquellos infames que por la causa de que arriásemos sus cadenas, despavoridos huyeron a esconderse. Esto alentaba más el partido para explicarse con la libertad que se explicó; y más cuando al momento se aseguraron ambos cuarteles poniendo Oficiales de toda satisfacción. La cosa se dispuso en tal mnera que Tacón acobardado y abatido enteramente y sin recurso absolutamente de armas, habría entrado por cualquier convenio. Pero don José María Mosquera, sea por el candor que algunos le atribuyen, de que abusa este Catilina para sus tramoyas y planes, o porque con entero conocimiento vaya de acuerdo con ellos, logró disipar la nube que ya no más iba a descargarse sobre su cabeza. A sus insinuaciones y a las promesas y garantías que ofreció hasta con juramento, y que no cumplió después, se accedió a que se difiriese para el otro día.

"Nada más era que para dar tiempo al Concejo y buscar medios de frustrar cualquiera deliberación, como se hizo.

"El Cabildo se tuvo efectivamente, y de él resultó por 84 votos de toda conformidad y de la parte más sana y respetable del lugar, contra 21, de hombres de poca monta, se estableciese una Junta Superior de Gobierno que representase con todas sus atribuciones la autoridad del Virrey, en que se dejaba a Tacón por ahora y por conveniente, de Presidente, habiéndoseme proclamado a mí de Vicepresidente.

"Las leyes lo constituían Capitán General, por decir le corresponde esta sucesión de mando. La cosa ya estaba definida por la pluralidad respetable, y entonces Tacón trató de desvanecerlo. El intentó retirarse, diciendo que en nada podía convenir de lo hecho por ser contra sus principios, contra su honor y contra aquellos comprometimientos que tenía con él y la Nación; y así que se separaba del mando, que pintó con toda aquella falacia que él posee, no quería. Pero se le redujo a que permaneciese allí hasta la conclusión del acto, y que en vista del plan de operación de la Junta que se formase, resolvería entonces lo que más le acomodase sobre la dimisión del gobierno.

"Se prosiguió en esta virtud el Cabildo, y se suspendió para el otro día, por ser ya tarde, habiendo quedado firmado el acuerdo de aquél y de todos los concernientes.

"Juntos otra vez en él, y verificado el escrutinio y publicación de la elección, expuso entonces habérsele agravado la indisposición de salud con que había venido, y que no pudiendo permanecer por más tiempo, se retiraba dejando en su lugar al Teniente para la continuación del acto. Desde los principios no se condujo con otro objeto este hombre acostumbrado a mandar como déspota, para frustrar una deliberación que venía a ser toda su contención; y tomó el partido de retirarse porque se persuadió que con su retirada todo se volviese confusión.

"No he visto demonio más fecundo en recursos y arbitrios. En efecto, todos los de su parcialidad trataron al instante de hacer otro tanto, y ya comenzaba el desorden; pero habiéndoles hecho la más enérgica prevención con que llegaron a intimidarse, se estuvieron quietos y prosiguió el acto.

"Yo dije entonces que no restando más para la instalación de la Junta, era de procederse a ella. Pero el mismo Mosquera que fue causa de que la Acta no hubiese quedado hecha desde el primer día, embarazó también esto, que ya era consecuencia de lo obrado. Salió con el gran disparate (bien que poco importaba fuera tal, cuando no se trataba sino de entorpecer y dar tregua a que llegase la tropa de Angulo, como llegó en aquella noche) de que parecía preciso se explorase la voluntad de los contrarios a la Junta, sobre si instalada le prestarían obediencia, y que faltando muchos de los que habían estado contra ella, debía diferirse hasta el otro día, en que se les citase.

"Nada valió cuanto en el particular expuse para convercerle de su innecesidad porque habiendo decidido ya la pluralidad, debía cumplirse lo acordado, hasta por los mismos opuestos; y que aunque faltasen también cuatro de los vocales electos, se hallaba presente el mayor número".

La farsa tan hábilmente urdida tenía qué parar en el fracaso de los planes del Teniente de Gobernador. Con el apoyo del Comandante Don Gregorio Angulo que llegó oportunamente, Tacón reaccionó con rapidez. El 2 de Noviembre reunió una Junta de autoridades civiles, jefes militares y prelados religiosos, la cual declaró la nulidad de todo lo acordado en el Cabildo abierto del 30 y 31 de Octubre, y dio al Gobernador plenos poderes con la obligación de deliberar con el Ayuntamiento, que había reconocido la soberanía de la Regencia, los problemas de mayor envergadura.

Vallecilla tornó a su papel de conspirador solitario, pues los pocos que lo sostenían como Ulloa, Larraondo, Ignacio Torres, etc., salieron de Popayán ante las persecuciones de que eran objeto por parte de Tacón. Mientras trataba de derrocar al Gobernador, continuaba dando alientos a las milicias del Cauca y solicitando la ayuda militar de Santa Fé, considerada como absolutamente necesaria para estabilizar la revolución.

"Ellos (los emigrados) —comentaba el indomeñable prócer— van a asegurar sus bultos, pero aún no era ocasión de desamparar el puesto, dejándole al enemigo por suyo. Ninguno está en más riesgo que yo, y aguardo sin embargo a toda costa solamente por lo que pueda servir aquí".

El intelectual quería servir además con la difusión de las ideas republicanas, con miras a contrarrestar la propaganda intensa de los adictos al partido del Rey.

Con este ánimo escribió una *Proclama* firmada en Popayán el 20 de diciembre dedicada a defender la legitimidad y necesidad de las Juntas Provinciales de Gobierno, escrito desconocido hasta ahora y que tengo por uno de los más bellamente concebidos y elegantemente redactados durante el proceso de la Revolución. Hallado igualmente por Guillermo Hernández de Alba entre los papeles que pertenecieron a don Estanislao Vergara, debo a su bondad generosa y al interés que el ilustrado académico muestra por las glorias de nuestros próceres, el poder incluírlo con todos los honores en este capítulo dedicado a Vallecilla.

Trátase de un cuaderno de finísimo papel con ocho folios escrito en una bella y menuda letra, y dispuesto con el más riguroso aparato científico. Evidentemente estaba destinado a la imprenta.

No me cabe la menor duda al atribuír su paternidad a Vallecilla, apoyado en validísimas razones. La diserta forma literaria, la profundísima versación en las leyes de Castilla y de Indias, el metódico ordenamiento de las ideas, la discreta y oportuna cita de los clásicos, la alusión a los acontecimientos políticos de Europa, el espíritu sinceramente religioso, todo señala al varón de severas disciplinas, al antiguo profesor de latinidad, de derecho y de filosofía. No había entonces en la culta Popayán una persona que pudiera ostentar las calidades científicas y literarias de Vallecilla. Las formas estilísticas del *Manifiesto* también lo entroncan con los demás escritos de Vallecilla, principalmente sus documentos oficiales, aunque también en sus cartas hallamos una gran similitud en expresiones y giros gramaticales, además de la afinidad de las ideas.

¿Quién, fuera de él, hubiera estado en mayores capacidades para calibrar el peso de las ideas que pretendía combatir, para calificar los hechos y tratar de prevenirlos? Nadie como él conocía los planes de Tacón al solicitar la ayuda del Virrey del Perú Don Fernando de Abascal y Sousa, y de ahí su afán, en las cartas a Ignacio de Herrera, de alertar al nuevo Gobierno contra los peligros de esta invasión. Los informes que recibía de su primo el Vicario General del obispado de Quito, el cual le trata abiertamente de estos proyectos, y su jerarquía oficial, le daban suficientes motivos para tales recelos y sospechas.

Pero hay más. En la carta del 20 de diciembre a Herrera, leemos este significativo párrafo: "En el correo pasado mandé en pliego separado de la carta el retrato de éste, *una proclama y un himno a la libertad. Convendría mucho se imprimiesen*".

Un hombre de la preparación cultural y del espíritu combativo de Vallecilla, hostigado permanentemente por los escritos de los adversarios del nuevo orden, tenía que acudir a la pluma a defender y propagar su amor encendido a la libertad y sus ideas de gobierno.

Pero no más preámbulos, y goce el lector de las delicias de este sutil alegato, engalanado con las mejores preseas del idioma:

"MANIFESTACION

de la legitimidad con que se han establecido Juntas Provinciales de Gobierno en la actual crisis del Nuevo Reyno de Granada.

Non valeo solus negotia vestra sustinere, et pondus ac jurgia; date ex vobis viros sapientes et gnaros, et quorum conversatio sit probata in tribubus vestris, ut ponam eos vobis principes.

Deuteron., cap. I, vers. 12-13.

"Qué lenguaje el de los primeros siglos tan diferente del de nuestros días! Qué inmensa distancia entre el modo de producirse los hombres queridos e iluminados de Dios respecto de aquellos que no siguen otro impulso que el de su amor propio, o de otras más viles pasiones! Yo me asombro, después de leer cómo habla Moisés a su pueblo, que algunos de nuestros políticos se atrevan a censurar con expresiones corrosivas a los que han procurado seguir las huellas de aquel hombre portentoso. Sí, el más sabio, el

más profundo, el más grande de cuantos han dado leyes a sus semejantes debía servirnos de modelo; pero lejos de beber en fuentes puras la agua saludable que podría vivificarnos y salvar a los
pueblos, se pretende a toda costa que abracemos como la única
regla justa, en la presente crisis, máximas y principios sacados de
la prudencia del hombre o de su corazón corrompido. Que no pueda
explicar cuanto concibo y cuanto siento en esta importante materia! Ah! qué fortuna sería la mía si fuere capaz de reunir las opiniones de todos mis conciudadanos en obsequio de la paz y en beneficio de la patria: de esta patria afligida, destrozada, y que casi
toca en su precipicio. Vamos al intento.

"Sería tan ocioso como inútil examinar aquí todo lo concerniente
a la política y gobierno de los hebreos y de otros pueblos modernos, para saber que la República de los primeros no se formó
hasta que recibida de Dios la ley en Sinaí, tomó Moisés la administración y arregló la economía según las leyes del Señor. Inmediatamente se persuadió como Legislador que no podía desempeñar por sí solo la grande obra de gobernar al pueblo, a quien se lo
manifestó con franqueza y sin rubor alguno:: «Yo no puedo llevar
solo, le dijo, el peso de vuestros negocios y de vuestras diferencias.
Escoged, pues, de entre vosotros mismos hombres sabios e instruídos que sean de una vida ejemplar, y de una probidad reconó-
cida entre vuestras tribus, para constituírlos por jueces». Agradó
tánto a los israelitas tan bello pensamiento, que no pudieron dejar
de prorrumpir: *muy buena es la obra que quieres hacer.*

"A pesar de esta sabia precaución no le faltaron poco después a
ese prudente caudillo motivos de grande desconsuelo y amargura;
y afligido le representó al Señor que su pueblo le era demasiado
gravoso y que no podía ya sufrir tan grande peso por más tiempo.
Compadecido Dios de las humildes súplicas de Moisés, estableció
un cuerpo de 70 hombres a quienes comunicó su espíritu para que
le ayudasen en el gobierno del pueblo (8). Hé aquí un senado de
70 ancianos, a cuya cabeza estaba Moisés, todos, todos llenos del
espíritu de Dios para gobernar, para juzgar a Israel. Josué, sucesor de Moisés, gobernó sabia y justamente con los ancianos, y ya
anciano él mismo, congregó a todo Israel para renovar su alianza
con el Señor (9), a fin de que no se desviasen de sus preceptos ni
alterasen el gobierno que el mismo Dios había establecido por medio de Moisés.

---

(8) Núm., cap. 11, v. 16.
(9) Josué, c. 23 y 24.

"Compárese ahora esta conducta con la que nos proponen algunos de nuestros sabios en la actual crisis del Nuevo Reyno. Quieren que el peso del gobierno en las difíciles circunstancias del día recaiga sobre cada Presidente o Gobernador de Provincia: que en ellas uno solo decida los negocios de alto gobierno; resuelva las consultas de toda clase; en una palabra, refunda en sí la autoridad de diferentes tribunales sin intervención de nuestros conciudadanos. El Rey, las leyes mandan (10) que haya un Virrey en Santafé, que representando la real persona, sea capaz por su experiencia, por sus dotes, por su edad y por su graduación, de mantener el Reyno en paz y justicia, y de atraerse la confianza, el amor y el respeto de los pueblos, velando sobre la conducta de los gobernantes inferiores. Mandan también que haya un tribunal de justicia para los recursos de esta naturaleza; que otro entienda en l⸳ revisión y glosa de las cuentas, y en el buen orden de la hacienda real; que ésta no se malgaste, y que para ello conozca la Junta de Tribunales de todo lo respectivo a la inversión de los caudales del erario, sin cuya aprobación no pueda consumirse el tesoro público. A pesar de todo y faltándonos hoy en la Nueva Granada esta multitud de Tribunales de hacienda, guerra, gobierno y justicia, se pretende suplirlos legalmente por medio de un solo Jefe, y aun se censura, se lastima imprudentemente a los que teniendo diferentes opiniones políticas sobre esta materia, claman a ejemplo de Moisés: que se escojan de entre nuestras ciudades a los hombres más instruídos y prudentes para que gobiernen provisionalmente la Provincia, supliendo las autoridades superiores de que carecemos en el Reyno.

"Si se meditase con reflexión e imparcialidad, si se tuviesen ideas exactas de nuestra legislación (11), y si se consultase la historia de todos los siglos, no se habrían lanzado zaherimientos tan imperiosos contra los que han pedido y aun sancionado aquel razonable suplemento por medio de una Junta de Gobierno que nos precaviese de las divisiones, de la desconfianza general, de los recelos, de los temores y de la anarquía.

"Creo es lo que ha querido el pueblo, y lo que en Popayán se sancionó solemnemente en los días 11 de agosto y 30 y 31 de octubre anteriores; esto lo que no ha podido resolverse provisionalmente por otra autoridad que por la de nuestros votos, y lo que

---

(10) Ley 1 y siguientes, t. 3, lib. 3 de Indias.
(11) El Sabio don Alfonso manda que para los nuevos establecimientos de leyes se ayunten los sabios del Reyno.

debe ponerse en ejecución hasta que la Soberanía nacional aplique otro remedio (12).

"Lejos, pues, de ser reprehensible el dictamen de los que con una inmensa mayoría se declararon en aquellos días memorables por una Junta de Gobierno, merecen los mayores elogios de quien respete la Constitución española, y de quien sepa pensar sin someter su razón al capricho y a las preocupaciones.

"Nuestras sabias leyes fundamentales disponen que para el establecimiento de otras nuevas *se ayunte el Rey con los sabios de su Reyno;* que ningún asunto grave y arduo se resuelva sin dictamen y acuerdo de los tres estados, a saber: del Clero, la Nobleza y los hombres buenos de la villas y ciudades, ni puedan tampoco exigirse contribuciones sin intervención de los mismos estados generales (13). Hé aquí, pues, decidida terminantemente nuestra cuestión: suplir las autoridades y tribunales superiores del Reyno en la urgencia y crisis presente, es el negocio más grave que pueda ofrecerse a nuestras Provincias: así que sólo el Clero, nobles y hombres honrados de cada una de ellas pueden y deben sancionar provisionalmente lo que les parezca justo; y su decisión sola podrá llamarse legal, como lo es la de toda la nación respecto de los negocios que interesen a toda la monarquía. Tal es por ejemplo la elección de Tutores o Regentes del Reyno por la menor edad y otros defectos del Rey (14).

"Y si el depósito de la soberanía deben hacerlo precisamente, aun en aquel caso, los mismos pueblos por medio de los Estados generales; nadie dudará jamás que el depósito o suplemento de las autoridades superiores del Virreynato, por los sucesos últimos, toca privativamente a nuestras villas y ciudades, sin que gobernante alguno pueda entrometerse en este arduo negocio, sin comprometer la tranquilidad pública, y sin una manifiesta violación de los derechos que la naturaleza y las leyes conceden a los pueblos.

"No se nos diga que los Presidentes y Gobernadores tienen una autoridad fundada para reasumir la que residía en el Virrey y Capitán General, en la Superintendencia de la Real Hacienda, Subdelegación de Rentas... Es una arbitrariedad absurda y despótica

---

(12) El 2 de noviembre se celebró en medio de bayonetas otro Cabildo de pocos vecinos, que han querido llamar algunos la *Junta de Bayona,* y a pretexto de este acuerdo nulo, se ha frustrado la sanción general del pueblo; de donde provienen todos los males que sufrimos y que ignoramos hasta qué punto se aumentarán en nuestra Provincia.

(13) Ley 19, Tít. 1, Part. 1 y las del Tít. 7, Lib. 6 de Rec. Cast.

(14) Lib. 3, Tít. 15, Part. 2ª

supcner ley y mandato soberano para casos imprevistos, que ni aun imaginaron los Legisladores; pero sería ocioso discutir sobre un asunto que han apurado nuestros mejores políticos, y entre ellos el sabio Floridablanca (15) y la Junta Central.

"Las Leyes de Indias autorizan a solos los Virreyes, para decidir con consulta de los Tribunales respectivos, las materias de hacienda, gobierno general...: falta el de la capital de Santafé, y por consiguiente nos hallamos inopinadamente en la N. Granada, como se halló la Península en mayo de 1808 con la inesperada separación de nuestro Soberano Fernando VII. Allí no imaginaron siquiera los Capitanes Generales que tenían intención fundada en las leyes para gobernar por sí solos los pueblos a nombre del Rey; pues al contrario éstos reasumieron al instante, con una conformidad general, sus indisputables derechos que depositaron en las Juntas de Gobierno, que hasta hoy subsisten reconocidas por la Regencia, como las reconoció la Junta Central (16). Al Consejo de Castilla le decía Murcia con aprobación general, que no tenía derecho alguno para querer aspirar a mandar en Soberano; aquel Tribunal lo confesó así, y acaba de dar un nuevo testimonio de esta verdad. «No es el Consejo reunido, decía su Presidente Colón (17), un cuerpo representativo de la Nación española *y de sus Indias*. No es un cuerpo en quien resida *la facultad de sancionar*; pero su primera obligación consiste en la observancia de las leyes fundamentales».

"Y hay después de esto quien se atreva a pensar que un Presidente, un Gobernador, deba ser Virrey en su respectiva Provincia contra la expresa disposición de las Leyes! Las facultades de aquellos gobernantes están limitadas por Felipe II a solo el conocimiento de cosas de poca importancia (18). Y si los más respetables Tribunales de la nación se confiesan sin facultad para sancionar, ¿podrá tenerla un Gobernador para autorizarse a sí mismo, transgrediendo una expresa ley, para el conocimiento de lo que ellas le prohiben? Confesemos lo absurdo de esa política, y que sin au-

---

(15) Proclama de la Junta de Murcia sobre el establecimiento de un gobierno central. Véase el Manifiesto brillante de la Junta Central sobre si el establecimiento de una Regencia convenía al Reyno.

(16) Real Cédula convocatoria de Cortes expedida en abril de 1810. Instrucción para las elecciones de Diputados para las Cortes circulada por la Junta Central.

(17) Discurso dirigido por el Consejo de Castilla e Indias al de Regencia, reconociendo su soberanía.

(18) Ley 51, Tít. 15, Lib. 2 de Indias. Y la 5, Tít. 1, Lib. 5 dice: "no adquieran conocimiento (los Presidentes) en los casos tocantes al gobierno superior de los Virreyes; si ya no tuvieren expresa facultad nuéstra."

toridad del Rey y en su defecto, por la urgencia del caso, sin la voluntad libre y espontánea de los pueblos en nuestras Provincias, no pueden quedar autorizados sus gobernadores para mezclarse en las funciones de la Superintendencia, Capitanía General y demás que resisten las leyes. Vuelvo a repetir que se reflexione sin espíritu de partido, y que se nos satisfaga con respuestas sólidas y razonables. No se nos zahiera (19) ni se nos calumnie porque nos defendemos con la ley contra sus violadores: convénzasenos con buenos escritos; está desterrado ya el despotismo en todos sentidos, y la razón sola es la que debe hoy atacar y persuadir.

"Algunos en tono de oráculo responden que las Juntas de Gobierno con que se pretende suplir la autoridad del Virrey, son irreligiosas; e *insurgentes* los que han votado por su establecimiento. Insurgentes los vecinos más honrados! ¿Para qué se les convocó por el Gobierno en un Cabildo abierto y general, insinuándoles que con franqueza expresasen el modo de suplir en esta Provincia aquella autoridad? (20). ¿En qué apoyan sus miserables asertos? Muéstresenos la razón que los confirme: (21) porque las calumnias, las imputaciones y los sarcasmos son armas de cobardes y de tiranos que quieren encadenar a los que se les oponen con sólo el ardid y el terror.

"¿A dónde estará la doctrina de los Padres, y a dónde los lugares de la Santa Escritura con que nos dicen se prueba la irreligiosidad de las Juntas? Si ellas se establecieron para introducir el orden, para poner diques al poder arbitrario, para suplir la autoridad superior del Reyno y para cuidar de su seguridad e integridad en obsequio del cautivo Fernando, está muy lejos de que merezcan censurarse estos nuevos establecimientos. Un hombre solo encargado del Gobierno puede fácilmente arruinar la Patria, como el perverso Godoy, o sea también benemérito de ella, como Floridablanca. Una Junta puede abismar y perder la nación; pero más bien salvarla como sucede con algunas Provincias de España.

"Por lo demás, la doctrina de los Padres es contraria a las miras de nuestros calumniadores. Santo Tomás nos dice (22) que

---

(19) Así manda San Pablo que corrija el cristiano: *oportet... mansuetum esse... cum modestia corripiens eos, qui resistunt veritati.* 2ª ad. Tim. C. 2, v. 24-25.

(20) Véase el papel *A mis compatriotas*, que con este objeto se les dirigió en 5 de noviembre.

(21) Nosotros la tenemos fundada en la L. 13, Tít. 2, Lib. 2 de Indias que manda uniformar el gobierno de España e Indias. Por consiguiente, las Juntas establecidas allí deben servirnos de modelo en nuestras difíciles circunstancias.

(22) S. Thom, *De Regimine Principum*, Lib. I, Cap. 6. Este profundo y precioso tratado debían leerlo los que nos calumnian.

aun la potestad del Rey debe templarse en términos que no decline fácilmente en tiranía; y se consigue esto por el auxilio de autoridades intermediarias, o por las Juntas o Cortes con que desde su origen quiso nuestra Nación escudarse contra el poder arbitrario, concentrando en sí los poderes legislativos de la paz, de la guerra, de los subsidios... según hemos visto en las leyes fundamentales citadas antes, que deben ser el baluarte de nuestra futura regeneración política.

"El abismo de desgracias que afligen a la nación y el ejemplo de la antigüedad debe hacernos muy cautos. Si Roboam, hijo y sucesor de Salomón, hubiese escuchado como su padre el dictamen de su Consejo o de los ancianos de Israel, no habría experimentado la división de su Reyno ni los perjuicios de su despótica y necia avaricia (23). Por el contrario, Jonatás es digno de los más justos elogios por haber gobernado el pueblo de concierto con el Senado, como lo acreditan las cartas dirigidas a los Romanos y Lacedemonios que tenemos en el Libro de los Macabeos (24). Josefo nos cuenta a este propósito que el Rey mismo no podía hacer cosa alguna sin el parecer de los Senadores (25).

"Todo esto convencería la justicia con que en todo tiempo los pueblos más sumisos a Dios, han establecido Juntas para gobierno; pero la misma santa Escritura hace su elogio atribuyendo la virtud y felicidad de los Romanos al Senado que los gobernaba. «Son poderosos, dice, están llenos de virtudes... porque teniendo establecido un Senado, consultaban todos los días a sus 320 senadores, celebrando siempre consejo, tocante a los negocios del pueblo, a fin de obrar de un modo digno de ellos» (26). El famoso Sanhedrín de los Judíos establecido desde el tiempo de los Macabeos, podría darnos materia para largos y oportunos discursos: y aun entre los Macedonios hallaríamos los Sanedrios de que habla Tito Livio (27), con otras mil pruebas victoriosas que nos suministra la antigüedad pagana (28). Pero prescindiendo de todo esto bastará notar que la policía de los hebreos fue reconocida por el mismo Jesucristo, y que en los libros del Nuevo Testamento se ven siempre los soberanos sacrificadores a la cabeza del Senado, o co-

(23) Libro 3º, *Regum*, la, v. 6, 7, 8.
(24) 1 Mach., 12, v. 6.
(25) Ioseph, 1, de Bello, Cap. 6.
(26) 1 Mach., Cap. 8, v. 16.
(27) Livius, Lib. 45, Cap. 42.
(28) *Indicitque forum, et patribus dat jura vocatis.* Virg. Aene, Llb. 5, vers. 758.

mo pretenden los Rabinos, de aquellos 70 ancianos que de orden de Dios estableció Moisés para el gobierno de Israel.

"Con estos y otros convencimientos irrefragables podíamos sostener la legitimidad de nuestras Juntas de gobierno. Pero si nos contraemos a nuestros días, la historia de ellos nos presenta el sabio sistema político del Norte de nuestra América, y el de la Inglaterra, al cual debe su gloria y su poder. Nadie ignora tampoco los elogios con que la Europa ha ponderado la prudencia, energía y patriotismo de las Juntas de la Península, a quienes desde luego debe la vida que aún le resta, como deberá la América a las suyas, su seguridad y conservación para su Rey Fernando. La Constitución española se conforma con estos establecimientos, y así lo publican los papeles que andan en manos de todos (29).

"La formación de Juntas en el N. Reyno a que ha obligado la necesidad imperiosa, es un procedimiento tan legal como justo. Así es que la de Cartagena ha sido reconocida por su Ilmo. Obispo y aun por el Tribunal de la Fe, entre cuyos miembros se cuenta al dignísimo Obispo electo para Popayán. La de Mérida puede citar a su favor la aprobación de su sabio y virtuoso Prelado, quien siente amargamente que se le atribuya haber censurado estos nuevos gobiernos (30). Qué! ¿Se prestaron estos hombres virtuosos e ilustrados, a quienes está encomendado el depósito de la fe, a dar obediencia a unos cuerpos irreligiosos y rebeldes a su Soberano? Desengañémonos: la preocupación o la ignorancia sólo pueden ser la causa de estas cáusticas producciones contra las actuales Juntas de Quito, de Popayán... Ellas sólo han tratado de conservar la integridad de la nación y de suplir provisionalmente las autoridades superiores por un medio el más legal, el más justo que podía excogitarse y que no podrá disputársele a nuestras Provincias mientras se trate de hacer vivir la Constitución fundamental de la nación.

"La Junta Central, el Consejo de Regencia han reconocido estos derechos de los pueblos. La Junta de Cádiz se halla al lado de la Regencia y en su enérgico Manifiesto se propone por modelo a las demás que quieran erigirse en el Reino; y no se podrá negar a

---

(29) Léanse los excelentes Manifiestos de la Junta Central sobre el poder arbitrario. Los principios de dichas publicaciones fundados en la invasión de Napoleón. El discurso sobre los fueros de Aragón para que se tengan presentes en las Cortes.
(30) El Ilmo. Sr. Obispo de Mérida protesta que ha cerrado sus labios para no censurar los nuevos gobiernos; y que no tiene tan mala crianza que llamase rebeldes a los Barineses. En cuántos de nuestros calumniadores recaerá la nota de groseros y mal criados con el testimonio de este respetable Prelado.

nuestras Provincias el que imiten a Cádiz, si no se les niega el derecho de mirar por su conservación y seguridad. «Nadie, sino los tiranos —dice una elocuente Ley de Partidas (31)— punnaron siempre de estragar a los poderosos e de matar a los sabidores, e vedaron siempre en sus tierras *ayuntamientos* de los omes», o lo que es lo mismo las Juntas que ellos establecen para su quietud y felicidad. Por eso los sabios españoles, desengañados de sus pasados males adoptan hoy una política diferente, que es la que ha dado increíble firmeza a su valor, la que va, tal vez, a salvar la Península, y la que seguramente salvará a las Américas de las garras del usurpador.

"Si la justicia es la base de todo gobierno, y si ella debe hacer mirar a todos los pueblos de la Monarquía con la igualdad a que son acreedores, no podrá defraudarse a las Américas de la salvaguardia que protege a la España. En América nos es más necesaria toda precaución para prevenir con tiempo todos los efectos de las seducciones de los gabinetes de Madrid y S. Cloud de que ya tenemos repetidos ejemplares; y para precaver las consecuencias funestas de la total subyugación de la Península, sobre que nos hace temer demasiado la rabia, la ferocidad y el despecho del Conquistador de la Europa.

"Muchos se recelan de estas medidas por el temor de hacer novedades; pero este es un efugio ridículo (32). En tiempos menos desgraciados atribuía el Señor Palafox a tan necia política, la multitud de abusos y males que no se reformaban en las Indias (33). Si el gobierno actual la adoptase hoy, siguiendo un sistema opuesto a nuestros intereses, se atraería el desafecto, el desprecio y la desconfianza de los pueblos americanos, y no tendría de qué quejarse, como dice Santo Tomás (34), si no fuese amado de los súbditos, por no mostrarse tal que deba merecer su amor. No nos alucinemos: las Américas son parte esencial e integrante de la Monarquía (35), pero no de puro nombre y para que sólo tengan en lo sucesivo el dictado de España ultramarina, sino para que los hombres, *sí, los hombres de estas dos Españas* lo sean en realidad:

---

(31) Ley 1ª, Tít. 5, Part. 3.

(32) *Iam vero, stultissimum illud, existimare omnia justa esse, quae scita sint in populorum institutis aut legibus.* Cicero.

(33) Palafox, *Diversos Discursos Morales y Políticos:* Dictamen 94.

(34) *De Regimine Principum*, Cap. 10.

(35) Desde el descubrimiento de la América lo han sido, y consta en las Leyes de Indias, Ley 2, Tít. 8, Lib. 4.

sean por consiguiente iguales, y tomen igual parte en el gobierno de la nación y en la seguridad de sus respectivas provincias.

"El hábito servil que ha engendrado nuestro impolítico Gobierno está tan radicado entre nosotros, que algunos no nos quieren conceder la menor aptitud para gobernarnos a nosotros mismos; y de aquí es que aspiran a que nuestras provincias se sujeten al Virrey del Perú, como lo escribieron en su origen. Lo dicho hasta aquí manifiesta lo absurdo de esta prevención. Ningún Juez puede, por otra parte, introducirse en territorios extraños, y las leyes lo prohiben severamente (36). Los límites del virreynato de Santafé están señalados por el Soberano, y sin Real título nadie podría arrogarse en él las facultades de Virrey (37). Para que lo fuera el de Lima de los territorios de Cuenca, Quito, Popayán, era preciso que recurriésemos a la voluntad libre de estos pueblos, no a la de sus gobernantes, y que de este modo se supliese la falta substancial del Real Despacho en las actuales circunstancias. Así es que el mismo Abascal asegura en uno de sus últimos bandos: que ha recibido bajo su protección a las Provincias de Buenosaires que *voluntariamente* se le han sometido con motivo de la revolución política de la capital de aquel Virreynato. Enhorabuena: si alguna provincia por su localidad o por otra justa consideración se agrega al Perú, puede hacerlo franca y libremente; pero esta misma libertad y franqueza manifiesta la que tienen las demás para obrar como les parezca mejor, y que no hay razón para invectivas y dicterios entre convasallos y hermanos que profesan una religóin de caridad y de paz (38).

"Siempre he tenido buen concepto del señor Abascal, y ahora oigo darle los títulos honrosos a que lo juzgaba acreedor. Persuadámonos, pues, que la prudencia, lealtad, valor y patriotismo de aquel Jefe, no le permitrá desmentir sus merecidos elogios, violando las leyes y extendiendo su autoridad más allá de lo que ellas le permiten. Protegerá sí, a los pueblos que necesiten de sus auxilios; pero no ultrajará los derechos de aquellos que quieran concentrarlos en sí mismos, sin reconocer superioridad en quien no tiene alguna sobre ellos.

"No obstante esto, nos amenazan y nos procuran asustar algunos con las armas del Perú. Miserables: se fusilan y se degüellan justamente a los que no quieren desprenderse de sus bienes, o a

---

(36) Leyes 1, 10 y 12, Tít. 1, Lib. 5 de Indias.
(37) Ley 1, Tít. 2, Lib. 3.
(38) Debe ya asustarnos el *refrigescet caritas multorum* de S. Math, Cap. 24. v. 12.

los que conservan sus prerrogativas y derechos sin regalarlos a otro! Nó, el político Abascal no puede conformarse con nuestras máximas de injusticia y de terror (39). Sabe que el que no gobierna con derecho sobre un pueblo es un verdadero Tirano (40); que el que así usurpa la autoridad, arrogándose los derechos que sólo pueden emanar de la Soberanía, es acreedor a la pena de muerte (41), y que en tal extremo de violencia tendrían nuestros pueblos justo motivo para resistir la usurpación.

"Tampoco puede justificarse el dictamen que rebatimos, con decir que el Virrey del Perú gobernaría en paz nuestras provincias, y podría hacerlas felices con su pericia militar y con su poder: porque como nota San Agustín (42), en ningún caso es laudable una usurpación de autoridad, aunque se trate a los súbditos con desmedida bondad y clemencia. Pero ni aun ésta podría tener lugar en la distancia inmensa que nos separa del Perú; y sufriríamos todos los males que quiso evitarnos el Soberano con la erección de un Virreynato en la Nueva Granada. Solamente los tiranos aspiran a la autoridad por medio de la fuerza y el terror, oprimiendo a los pueblos con el poder, sin cuidar de regirlos por la justicia, como advierte a los Príncipes Santo Tomás (43). Si el Virrey del Perú, con desprecio de los más sagrados derechos de los pueblos, adoptase la política fiera e inhumana de Napoleón, serían incalculables nuestros males: un choque continuo suscitaría la división y el descontento de las Provincias; se procuraría el odio mutuo, y el desamor en los del pueblo, como observa nuestro más sabio Legislador (44); y la discordia que ha comenzado, por motivos bien sabidos de todos, a encender su tea desoladora entre nuestras ciudades, acabaría de inflamarse hasta el punto de que la sangre americana corriese a torrentes para manchar por la primera vez nuestras moradas afortunadas, asilo antes del reposo y de la paz.

"Separemos de nuestros ojos toda perspectiva de sangre y desolación; evitemos a cualquier costa los estragos y la muerte de nues-

---

(39) Para eterno oprobio de algunos necios es preciso decir que aconsejan el terrorismo a nuestros jefes y aun se adopta este sistema vergonzoso para la humanidad. Cuán cierto es que el americano está tanto más vejado cuanto más distante del centro del poder.

(40) San Gregorio, 12. *Moral*, Cap. 18, *in fine*.

(41) Ley. *Sacri affatus. De diver. rescrip.*

(42) Cap. *Neque enim 14, quest.* 5.

(43) S. Thom., Lib. 1, de *Regimine Principum*, Cap. 1.

(44) Ley 10, Tít. 1, Part. 3.

tros hermanos y conciudadanos cuya sangre se pretende derramar por unas impresiones equivocadas; más vale la vida de un solo hombre que todos los tesoros del mundo, como lo han juzgado siempre los buenos Príncipes nivelando por este bello principio su sistema político. Reunámonos en opiniones justas y razonables; conservémonos tranquilos y pacíficos dentro y fuera de la Provincia, para no invertir los tesoros de Fernando VII en aparatos horribles, ni en instrumentos de destrucción de sus vasallos, cuando la Península reclama con tánta justicia nuestros socorros. Conservémosle a nuestro cautivo Rey entero su señorío, sin partirlo ni en el territorio, ni en los sentimientos, ni en los intereses recíprocos, según lo quiere la ley (45). ¡Qué desgracia si las Provincias se despedazan unas a otras por vanos caprichos y si debilitadas por nuestras divisiones intestinas, nos vemos precisados a abrirle nuestras puertas al Tirano, sacrificando nuestra Religión y nuestra libertad!

"La Gran Bretaña, esta Nación fiel y generosa, acaba de declarar formalmente (46) que sostendrá nuestras Provincias contra la usurpación de la Francia o de la España Francesa; pero desaprobando las diferencias de América, quiere formalmente que se acuerde con el gobierno central bajo principios justos y equitativos que no puedan perjudicar a nuestros intereses, y se ofrece como mediadora para evitar hostilidades entre nuestras Provincias y la madre Patria. En estas circunstancias sigamos el voto de esta nación protectora. Sí, americanos y conciudadanos: paz inalterable; fidelidad a Fernando VII; unión mutua y resistencia al tirano de la Europa; socorros a nuestros desgraciados hermanos de la Península, sin disolver la integridad nacional, sea el voto general y el deseo de todos, conforme a los de la Gran Bretaña, para que así pueda realizarse la suspirada regeneración política del Nuevo Reino de Granada.

"Popayán 20 de diciembre de 1810".

Lo que a mi parecer da un colorido especial a este *Manifiesto* y le presta matices que lo distinguen de los demás escritos de nuestros letrados, es la calidad de las personas a quienes iba dirigido. No es una representación a las altas autoridades del go-

---

(45) Ley 4, Tít. 15, Part. 2.
(46) Respuesta del Gabinete inglés a las notas de los Enviados de Caracas con fecha de 8 de agosto de este año de 1810.

bierno español, ni un concepto de un Procurador dado al Cabildo, ni un informe oficial. Trátase de un denso ensayo polémico en el cual se entra a justificar desde el punto de vista jurídico, religioso y político la lícita y válida constitución de las Juntas de Gobierno, con argumentos y motivaciones suficientes a llevar la convicción a cuantos se habían dejado engañar por la poderosa propaganda del partido realista de Popayán. Este aire polémico, moderado habitualmente, encendido en ocasiones, da al escrito de Vallecilla una frescura vital y una fragancia que echamos de menos en muchos papeles de la época.

Ni es menester recalcar la absoluta ortodoxia de las doctrinas, de los autores y de las fuentes que se citan. Los fueros de Castilla, las antiguas leyes constitucionales, la soberanía popular de sentido escolástico, la autoridad de los Padres de la Iglesia y del Doctor Angélico son los principales fundamentos en que basa el autor todo el aparato de su construcción dialéctica. El antiguo profesor de filosofía del Rosario, enemigo de los abusos del perípato, de la invocación a la autoridad como única razón infalible, inclusive de la de Santo Tomás y de la tradición interpretada como fuerza estática, apela ahora a la genuina tradición, vital y dinámica, y a los luminosos principios tomistas para justificar la Revolución de independencia política.

4.—Su prisión y libertad. Gobernante republicano. Su heroico martirio.

A los cuatro días de escrito el *Manifiesto* los temores de Vallecilla, expresados en carta a Herrera de la misma fecha, tuvieron cumplimiento. Una comprometedora misiva de Pey, Vicepresidente de la Junta Suprema de Santa Fé, la cual fue sorprendida por Tacón, colmó su paciencia y sus miramientos, y lo mandó el 24 de diciembre a un calabozo, con grilletes y con guardias de vista.

La prisión del Teniente Asesor produjo, como era de esperarse, una vivísima impresión en las ciudades del Cauca y apresuró sus proyectos de una campaña contra el tirano. La batalla del Bajo Palacé entre las tropas del Valle del Cauca, de Neiva y de La Plata, fortalecidas con los contingentes enviados por la Junta de Santa Fé comandados por Baraya, vencieron al ejército de Tacón y dieron libertad a Popayán. Al día siguiente un grupo de amigos del prisionero, alma de la Revolución, se presentó a la cárcel: "Le quitaron las prisiones y le llevaron en triunfo al Convento de Santo Domingo".

El prisionero se convirtió en Gobernador sustituto y en calidad de tal comenzó a dictar providencias para asegurar plenamente el triunfo de las armas republicanas.

Esta interinidad de su gobierno duró hasta el 6 de abril cuando se reunió un Cabildo abierto, ahora sí orientado libre y democráticamente, el cual reconoció los méritos del doctor Vallecilla nombrándolo por unanimidad Gobernador político. Se eligió un nuevo Ayuntamiento con adecuada representación de los diversos sectores, y "en el acta del día —escribe Arroyo— se improbaron los procedimientos de Tacón y de sus cooperadores, acordándose también excitar a la Junta de Cali a que se eligiesen diputados para formar el gobierno de la Provincia".

La Junta de las ciudades confederadas del Valle, tras las vivas instancias de Baraya, se trasladó a Popayán. Vallecilla hizo parte de ella como diputado por Iscuandé. El doctor Joaquín de Caycedo fue elegido Presidente y Ulloa Secretario.

La Junta, dividida en Comisiones, asumió el gobierno de la Provincia. El Presidente Caycedo obtuvo la licencia para marchar al frente de sus tropas a ocupar a Pasto, en donde, víctima de la traición y de la saña de los realistas, encontraría la muerte. El insigne patriota precedía pocos años a sus compañeros de lucha por la libertad en el camino del martirio y de la gloria.

Cuando llegó a Popayán, en agosto de 1812, la noticia de la prisión del Presidente Caycedo y del descalabro de las tropas de Macaulay, el desconcierto se apoderó del ánimo de los republicanos, mientras que los realistas cobraron fuerza y entusiasmo. En tan angustiosa situación se piensa nuevamente en la vigorosa personalidad de Vallecilla a quien no lo arredraban los peligros. "Silencioso —escribe García Vásquez—, taciturno, ostentaba todavía las cicatrices de los grillos que había soportado con ejemplar estoicidad en los días triunfales de la tiranía peninsular, que había vuelto a incorporarse con la bandera de próximas invasiones".

Efectivamente, la Junta organizó un gobierno provisorio llamado Comisión Ejecutiva, la cual fue presidida por Vallecilla, acompañado por su constante amigo el doctor Ulloa como Secretario. La Junta se retiró a Quilichao en busca de mejor ambiente para continuar la lucha que se anunciaba con la invasión de Sámano, enviado por el Presidente de Quito don Toribio Montes.

Vallecilla que había inspirado o decretado rigurosas providencias de prevención y de seguridad, se dio con afanosa diligencia a organizar la resistencia y de nuevo acudió a Santa Fé, esta vez gobernada por Nariño, en demanda de auxilio. Nombrado don Felipe Mazuera, en una reorganización de la Junta, el doctor Vallecilla recorrió las ciudades del Valle preparando los ánimos y allegando recursos, atravesó el Quindío y llegó a Ibagué en dirección a Santa Fé. "Ya se hará Ud. cargo —escribía a Herrera desde Ibagué— de las incomodidades que habré sufrido, pero que daría por bien empleadas a trueque de ver libre la Patria. Yo le suplico haga Ud. el que se dé razón en los papeles públicos del contenido de dicho mi oficio. Importa sepan todos, no he venido huyendo, sino por el servicio de la misma Patria".

La nueva crisis política que sobrevino al final de la campaña de Nariño en el Sur, en 1814, impulsó al Colegio Electoral y Constituyente, reunido en Cali, a nombrar al doctor Manuel Santiago Vallecilla Presidente-Gobernador. Una fuerza especial debía irradiar su persona cuando en los momentos de peligro las gentes se acogían a él.

El Presidente Montes había enviado un oficio al anterior Gobernador, dejado por Nariño, don José María Mosquera, el mismo actor en la comedia del Cabildo abierto del 30 de octubre del 10, proponiéndole un arreglo con base en el reconocimiento de la monarquía española. La respuesta del nuevo Gobernador Vallecilla contiene una negativa rotunda y enfática: "La carta-oficio que dirigió V. S. al ciudadano José María Mosquera como Gobernador político que fue de esta Provincia, la elevó a este Supremo, que persuadido de la justicia de la causa americana, y de los imprescriptibles derechos de sus pueblos, los sostendrá con la firmeza y energía a que ellos son tan dignamente acreedores".

Con su energía característica y la experiencia de años anteriores, se entregó a la tarea de arbitrar recursos económicos, alistar tropas y hacer los necesarios preparativos para la resistencia.

Por imprescindibles motivos de diversa índole, especialmente de seguridad, el 9 de octubre de 1814 se resolvió fijar la sede del Gobierno en Cali. El Decreto lleva la firma de Vallecilla, como Presidente-Gobernador; del General José María Cabal, quien era Comandante del ejército, y del Capitán José Murgueitio, como Secretario de Estado.

Ya instalado el nuevo Gobierno en Cali, Vallecilla cubre con su dinámica actividad todos los frentes. Es ésta la época más activa de su agitada existencia, y a través de los documentos oficiales emanados entonces, podemos acercarnos más a su pensamiento político.

La carta de don Toribio Montes fue publicada simultáneamente con una serie de comentarios hechos por Vallecilla que demuestran la firmeza de sus convicciones republicanas. Luego de varias consideraciones optimistas sobre la situación del momento, favorable a la Independencia, rechaza toda sumisión a la Constitución española con estas razones:

"¿Admitiremos su Constitución? De ninguna manera, pues ya hemos experimentado sus funestos efectos, y aunque la justicia no estuviera por nosotros para rechazarla, por solas razones de conveniencia deberíamos resistirla. *Trabajemos para establecer la nuéstra, que no nos sujete a una dominación extranjera, que sea liberal, equitativa, acomodada a estos países, y buena para los americanos*, cuyo carácter no tiene la española".

Su ánimo de ir a la guerra antes que aceptar la dominación española era inflexible. "Para hacer ver a Montes —escribía— que no varía la decisión de estos pueblos a sostener sus derechos por la desgracia de un hombre o por un mero juego de la suerte, marchan ya respetables cuerpos de tropas de aquélla y demás provincias que no gustan de constituciones españolas. Esta ciudad y las del Valle, que estuvieron bajo ellas por seis meses sufriendo cuantos males pueden sugerir las pasiones en el país más desorganizado, prefieren la guerra a la decantada tranquilidad que les ofrece Montes".

Los desmanes irreligiosos de las tropas de Sámano y de Asín habían herido sus sentimientos sinceramente cristianos: "Como no están acostumbrados estos pueblos a ver insultada la Religión en sus Ministros, en sus templos y en sus vasos sagrados, no quieren que se repitan las escenas de abofetear a los Sacerdotes y de ponerles bayonetas a los pechos, de saquear los templos y de excavar los sepulcros. Tampoco pueden presenciar sin escandalizarse que se beba aguerdiente en los copones; que oculten mujeres llamadas voluntarias las patenas en sus senos y los cálices en las mochilas; que se conviertan las albas en camisas, las casullas en calzones y que las pinturas de los Santos sirvan de sudarios de las caballerías".

El 17 de junio sancionó un decreto drástico sobre la distribución de los empleos que no deberían conferirse sino a ciudadanos que hubieran acreditado con hechos su amor a la libertad de la patria y a su independencia, "detestando la tiranía y nulidades del injusto, execrable gobierno de España". Los considerandos son enérgicos, reveladores de la reciedumbre de su carácter y tendían a sacudir la apatía de los unos y la deslealtad de los otros:

"No siendo un medio prudente, como se había creído hasta ahora, el de tratar de reducir por la suavidad, generosidad y dulzura a aquellos que olvidados de lo que deben a una Patria, que después de Dios es el primer objeto, y que despreciando los estímulos de la recta conciencia y aquellos sentimientos innatos de la naturaleza, aún permanecen obstinados en su sistema de obcecación contra la noble causa de la América, obrando unos positivamente y manejándose otros con una degradante apatía y criminal indolencia, más perjudicial todavía que los mismos esfuerzos de los que a la descubierta se nos presentan; y no siendo ya ni conforme a la prudencia ni a la justicia que en todo debe distinguir los Gobiernos, el que sean colocados o mantenidos en los empleos y puestos de una república libre, hombres que sólo aman las cadenas o que les es indiferente su suerte, con desaliento de los buenos patriotas que ven pasar a otros las recompensas y premios de sus fatigas y de su sangre vertida..."

Por Decreto de 15 de junio, expedido en Popayán, se tomaron varias medidas de orden económico, que afectaban a los Ayuntamientos, Jueces, Corporaciones y ciudadanos, "bien convencido el Poder Ejecutivo que para llevar a cabo la gloriosa empresa de la libertad proclamada se necesita de esfuerzos y de sacrificios grandes, valiéndose al intento de todos los recursos y medidas que puedan presentarse, sin omitir nada, y posponiéndolo todo al heroico propósito de salvar la patria a todo trance; *gobernado al mismo tiempo de los principios de equidad y de justicia* que dictan usar los remedios ordinarios y comunes, antes que ocurrir a extraordinarios, que aún los pueblos entusiasmados por su libertad no llevan a bien cuando no ven observada esta regla. Y deseando este Gobierno llenar religiosamente sus deberes, satisfacer a la confianza de los pueblos, sus comitentes, y procurar su bien y felicidad..."

La prudencia política inspiraba la aplicación de los principios de equidad y de justicia del gobernante que bien conocía la sicología de las multitudes y tenía tan cabal conciencia de sus responsabilidades. Su espíritu democrático lo impulsaba a buscar apoyo y luces en el mismo pueblo: "Los Ayuntamientos, los Jueces, las Corporaciones, como cualquier particular, podrán proponer, como se espera propongan, a este Supremo Gobierno, las reformas que estimen convenientes en las rentas, proponiendo planes de organización de este sistema en todos sus ramos, y en todos sus respectos; los ahorros que puedan hacerse; su administración más fácil, sencilla y recta, con todo aquello que pueda contribuír a su mejor arreglo, economía y aumento".

Todas las providencias que tomó, con miras a organizar la defensa del territorio, al incremento del tesoro público y al fomento de la agricultura, demuestran su preocupación por mantener ese **difícil equilibrio entre la autoridad y seguridad del Estado y la** libertad del individuo. Evidentemente en él había madera de estadista.

A medida que arreciaba el peligro, la voluntad dominadora del gobernante se hacía sentir más enérgica y previsora. El 29 de noviembre dictó en Cali un célebre Decreto en que se promulgaban las medidas más drásticas sobre alistamiento general desde la edad de quince años, bajo penas severísimas, prohibición de toda propaganda oral o escrita en favor del enemigo y de toda comunicación con él, de emigración del territorio patriota y sobre inmediata presentación al Gobierno de pólvora, balas, plomos o armas en poder de particulares. El lema de todos los patriotas lo daba el mismo Jefe del Estado: "No debiendo escuchar otra voz que la dulce, que oye siempre con el mayor placer el ciudadano de *morir o salvar la patria*, éstos nuestros votos, y ésta la más digna divisa de los pueblos libres, y ninguno será osado a expresarse de otra manera".

Las motivaciones para tan severas medidas no podían ser más justas y patrióticas:

"Obligados como estamos al sostenimiento de una guerra la más justa de nuestra parte, como inicua y atroz por la de los que nos la hacen empeñados en nuestra ruina, privándonos de los más preciosos derechos que nos concedió el Autor Divino, y atentando bárbaramente de mil modos contra lo más estimable que tenemos, para tornarnos otra vez a la degradación, a la servidumbre e ignorancia en que abyectos habíamos estado por tánto tiempo; para que si el enemigo, como se anuncia, nos acomete, pueda hallarnos no sólo en disposición de defensa, sino de escarmiento, vengando a la Patria de los ultrajes hechos y de tántos crímenes y horrores que exceden la memoria y llenan de espanto a la humanidad, ha venido este Supremo Gobierno a decretar..."

Gracias en gran parte a la organización fiscal y militar del Gobierno de Vallecilla, la patria obtuvo la gloriosa victoria de El Palo, el 5 de julio de 1815, antes de hundirse en el abismo de dolor, de sangre y de vergüenza de la feroz reconquista. En el gobierno de la Provincia le habían sucedido el Comandante Francisco Cabal y el Capitán Antonio Arboleda a quien tocó la rendición. Vallecilla continuó actuando en el seno del Colegio Constituyente y Electoral hasta que, habiendo entrado la Provincia en la Confederación Granadina y sometídose al Congreso de Tunja, se retiró de las actividades públicas, desengañado del federalismo y pesimista sobre la suerte definitiva de la República.

Al entronizar Warleta el régimen del Terror, luego de intenarse por un tiempo en la selva, llevado de su carácter impetuoso que afrontaba directamente los peligros, se presentó al Dictador, convencido de la inutilidad de la huída. En la prisión recibió, como era lógico, toda suerte de ultrajes, soportados con estoica entereza.

Las causales de la sentencia condenatoria proferida por Morillo, restándoles lo que tienen de falso e injusto, son el más glorioso epitafio para su tumba: "Gobernador y Capitán de la Provincia de Popayán, por el gobierno rebelde. Tomó providencias sanguinarias para prolongar la guerra; sedujo los pueblos y alarmó los habitantes para resistir las tropas reales; *escribió encarnizadamente contra la nación española y autoridad del Rey*, despreciando con insultos las intimidaciones de paz y sumisión que le hizo el Presidente de Quito..."

Negóse lealmente a hacer delaciones y a comprometer a sus compañeros de lucha. "Soy el único responsable", fue la altiva y valerosa respuesta dada a los Jueces antes del suplicio, en un gesto que rubrica con líneas de genuina heroicidad toda una vida. Después de firmar su testamento y recibir la absolución y el Santo Viático, como reza expresamente el acta de defunción, el 24 de septiembre de 1816, fiesta de la Virgen de las Mercedes, fue fusilado en la plaza de Cali y su cadáver suspendido varias horas de la horca para ludibrio y tormento de su esposa y parientes. Antes de subir al patíbulo había pedido por escrito, como un acto de caridad pública, que su cadáver fuera recogido y sepultado bajo el piso de una iglesia. Ahí quería, a la sombra del santuario, esperar la resurrección de los muertos.

Severo y frío exteriormente, reservado y taciturno, solitario —como lo describe García Vásquez, su enamorado biógrafo y reivindicador de su memoria—, pero vibrante y dinámico a la hora de actuar, Vallecilla pertenecía a la clase de hombres en los cuales la palabra sobria es apenas breve puente entre la acción y el pensamiento.

Los retratos que de él se conservan me han impresionado fuertemente. El rostro pálido y surcado de prematuras arrugas se enmarca en unas negras patillas; la mirada vivaz, herida de angustia; el ceño adusto en un gesto que armoniza con un rictus amargo de los labios oprimidos. Un alma inquieta y apasionada se asoma por el semblante severo de aquel ideólogo y conspirador que merece figurar con singulares honores en la galería de los Grandes de la Revolución granadina de 1810.

CAPITULO III

DON JOSE IGNACIO DE POMBO, PROMOTOR DE LA CULTURA Y DEL DESARROLLO ECONOMICO DEL PAIS

Fue don Ignacio de Pombo una de las personalidades más destacadas que florecieron en el ocaso de la época colonial y el alborear de la República, y quizás nadie como él, a pesar de haber sido ajeno a los menesteres políticos y al ejercicio de la jurisprudencia, representó mejor las inquietudes. preocupaciones y anhelos de adelantos propios de la generación de la Expedición Botánica. Porque en él se conjugan valores en general muy diversos y hasta contrarios —los económicos y los científicos—, los cuales contribuyeron armónicamente a crearle una fisonomía que en sus distintas facetas irradia auténtica grandeza.

Escritor científico y hombre de negocios que creó prósperas empresas; protector de sabios y amigo y consultor de gobernantes; estudioso de las características, riquezas y posibilidades del país, atiende por igual a las necesidades del transporte terrestre, marítimo y fluvial y al desarrollo de la industria y del comercio, como al progreso de la ciencia y de las letras. Todos los ramos de la economía sintieron el poderoso influjo de su brazo, sin que ello obstara a que su inteligencia le inspirara obras de verdadero aliento, escritas con riguroso método y amplísima documentación. Por manera que sin haber sido gobernante, no nos ofrecen aquellos tiempos un ejemplo más vivo de servidor insomne de los intereses públicos.

Y sin embargo, nadie como él ha sido tan injustamente olvidado de las gentes colombianas. Quizás las glorias del martirio y de la guerra que no lo coronaron con sus deslumbrantes rayos, le dejaron en penumbra recatada, sin que los historiadores se detuvieran a contemplar serenamente y a proyectar con objetividad el ejemplo admirable de su vida y de su obra. Solamente Nicolás García Samudio —casado con una esclarecida descendiente del prócer— trató de rescatar su memoria en una brillante Conferencia dictada en 1936 en la Academia Colombiana de Historia titulada: "Don José Ignacio de Pombo, Prócer de la Ciencia" (1). En la brevedad de sus páginas, el meritorio ensayo crítico del lamentado académico, contiene elementos suficientes para reconstruír la figura intelectual del que ha sido llamado con justicia *Jovellanos granadino*. Sus obras escritas y su copioso epistolario constituyen además la mejor ventana para asomarnos a las interioridades de su grande alma.

1.— *Sus realizaciones y sus sueños en el progreso patrio.*

Resumamos brevemente las etapas de su fecundo vivir antes de calibrar el mérito de sus producciones literarias.

Nació en Popayán el 19 de febrero de 1761 —el mismo año del nacimiento de Torres—, de una esclarecida familia. Hermano de don Manuel y tío de Miguel, a quienes educó y protegió generosamente, forma con ellos el glorioso triunvirato de los Pombos, uno de los más ricos dones con que la *cittá feconda* contribuyó a la Revolución de Independencia.

Luego de estudiar gramática en el Colegio Seminario de su ciudad natal, se trasladó a Santafé y durante seis años cursó estudios de filosofía y de jurisprudencia en el Colegio del Rosario. Pero obedeciendo a una vocación decidida, heredada de sus padres, para las finanzas, resolvió establecerse en 1784 en Cartagena de Indias, emporio del comercio exterior e interior, por donde salían las exportaciones coloniales a la Metrópoli y llegaban las manufacturas de la industria europea. Gracias a su ingenio y habilidad, y al dinamismo desplegado, fundó una Casa comercial de las más renombradas y respetables de América, pues tenía corresponsales en Cádiz, México, las Antillas, Quito, Guayaquil y Lima. Tales ramificaciones alcanzaron sus negocios, que al decir de un historiador alemán fue don José Ignacio el único comerciante de la época colonial que sobresalió en la Nueva Granada.

En busca de mejores conexiones para extender la red de sus negocios, y para dar pábulo a su sed insaciable de conocimientos, viajó a Europa, de donde regresó enriquecido en experiencias, ideas y libros.

(1) *Conferencias dictadas en la Academia Colombiana de Historia con motivo de los festejos patrios.* 1936. Bogotá, MCMXXXVII. Editorial Selecta, páginas 180-213.

Cimentada ya su inmensa fortuna y atendiendo debidamente a la educación de sus hijos —había contraído matrimonio con doña María Josefa Amador, hermana del prócer cartagenero don Juan de Dios—, pudo dedicarse a crear y proyectar las obras dictadas por su espíritu emprendedor, que así atendía al conjunto como a los más mínimos detalles de la empresa.

Ora auxilia largamente con rentas anuales el Hospicio de su ciudad natal. Ya funda en Cartagena el Consulado, especie de cámara de comercio y juzgado para dirimir las diferencias mercantiles, organismo que dio impulsos al comercio, a la industria y a las ciencias. Ya atiende a las obras del dique, del canal de navegación de Cartagena al río Magdalena, y del muelle. Se preocupa por la erección de ejidos públicos y de escuelas de primeras letras en Cartagena. Importa una imprenta y funda la Sociedad Patriótica para el fomento del espíritu cívico y prestar colaboración a las entidades oficiales en los diversos problemas del bienestar público.

Al participar a Mutis, su confidente, los magníficos proyectos que había iniciado, deja correr la pluma con entusiasmo contagioso:

"Se adoptaron en la Junta del Consulado mis propuestas relativas al establecimiento de una Escuela de dibujo, otra de pilotaje y matemáticas en la nueva casa del Consulado, además de la imprenta, y también la del establecimiento de un jardín botánico, y profesor de esta ciencia, para que dé lecciones de ella. Tiene la casa una famosa huerta o solar propio para aquel y capacidad suficiente en un piso bajo, y entresuelos muy espaciosos, frescos y cómodos para todos los dichos establecimientos, y en el piso principal se colocarán cómodamente todas las oficinas del cuerpo, y habrá lo suficiente para la habitación del Tesorero. Se ha propuesto la votación de $ 1.000 a $ 1.200 para cada uno de los maestros; que el de dibujo sea uno de los alumnos más adelantados de la Academia de San Fernando, que traerá modelos, dibujos y demás necesario para el establecimiento, para lo que se dará la orden correspondiente para la compra de libros, instrumentos y demás necesarios a los otros. Para maestro de pilotaje, hay aquí dos pilotos excelentes, de la Expedición de Hidalgo, y Alvarez también sería muy a propósito. El maestro de botánica deseara que viniera de esa Expedición, y si a Miguel se le acomodara dicho destino, sería muy al propósito. Le escribo sobre el particular, a efecto de que haga su instancia en los términos que a usted le parezcan mejor, y me la mande para remitirla cuando vaya dicha propuesta al Rey, de cuya aprobación penden dichos establecimientos. La casa tiene una buena torre, y podrá en adelante pensarse en un observatorio astronómico, que sería muy útil, pues éste es un cielo casi siempre limpio" (2).

No le arredraban las dificultades ni las críticas de los necios. *No han faltado bárbaros* —le comentaba— *que lo critiquen, pero yo tengo bastante filosofía para compadecerme de su ignorancia.*

A los tres meses vuelve sobre las mismas ideas, ya en vía de cristalizar. *Está hecho ya el arreglo* —decía— *de la nueva casa del Consulado para los propuestos establecimientos de imprenta, escuelas de dibujo, hilado, pilotaje, jardín botánico y lecciones de dicha ciencia, de que se dará cuenta al Rey en primera ocasión segura, con remisión del plano, perfil y alzada de la casa, avalúo, etc., para su aprobación y nombramiento de profesores que hayan de hacer dicha enseñanza, proponiendo se pongan bajo las reglas que tienen dichos establecimientos en el Consulado de Barcelona. En adelante se pensará en un observatorio astronómico, estudio de mineralogía y de química que serían utilísimos. Vale más que se gaste el dinero en sostener estos establecimientos, que en otras cosas de menor utilidad, como se ha hecho* (3).

Bien sabía pensar en grande y para qué era el dinero. Pero los acontecimientos políticos que por estos años se precipitaron en la Península no dieron tiempo a que la Corona, con la exasperante lentitud empleada en el estudio de las cosas de América, pudiera aprobar estos magníficos proyectos de Pombo.

Su mirada va más lejos y abarca todo el territorio nacional. Concibe la empresa de hacer del río Magdalena la arteria principal del comercio y de la unidad nacional mediante la construcción de cinco vías troncales, las cuales pusieran en comunicación los centros más poblados e industriosos del país. Para realizar este plan vial hizo nombrar a Caldas para llevar a cabo la exploración de los caminos. En carta a Mutis de 10 de agosto de 1806 le expone los alcances del proyecto y sus resonancias en todos los órdenes del progreso patrio, y le pide su concepto y apoyo:

"Yo espero y le suplico por mi parte, que usted tome bajo su protección esta importante empresa, de que resultarán al Reino

---

(2) Carta a Don José Celestino Mutis del 20 de mayo de 1806. Don Diego Mendoza, quien dedicó obras de tánto aliento a poner de relieve la Expedición Botánica, publicó en 1912 cincuenta y siete cartas de Pombo a Mutis en los dos tomitos N. 56 y 57, Serie V de *Lecturas Populares,* Suplemento Literario de *El Tiempo,* editado por Eduardo Santos. El título de los dos cuadernillos es el siguiente: *"Cartas Inéditas de José Ignacio de Pombo a Don José Celestino Mutis.* Copiadas del archivo de la Expedición Botánica, por Diego Mendoza", precedidas de un breve exordio. Páginas 193 a 256.

(3) Diego Mendoza, *Cartas Inéditas de José Ignacio de Pombo,* op. cit., p. 244. La carta está fechada el 20 de agosto de 1806.

ventajas de todo género, que harán honor a usted, al comisionado y al Cuerpo que lo ha nombrado. Se ha dejado al arbitrio de dicho Caldas el tiempo y orden de la renta, como el que haga las alteraciones y mutaciones que tenga por convenientes y se da orden a aquel Diputado para que le dé el dinero necesario para emprenderla; y a todos los del tránsito se expedirán las correspondientes. Para su proyecto de la carta geográfica le será muy útil dicha comisión, y también para esa Expedición Botánica, para la agricultura, comercio y navegación interior y para todos los ramos de la prosperidad pública. Basta esto para que usted la tome bajo su protección, y el ser cosa mía para que empeñe a Caldas en su ejecución" (4).

En cambio, la vía del Carare la consideraba como proyecto disparatado "y que solo el brazo poderoso del Soberano puede hacerlo permanente y el de Dios saludable".

No obstante que Mutis comprendió y aprobó la bondad de tales expediciones, Caldas se negó a aceptar la comisión confiada, quizás porque el Virrey Amar se opuso enérgicamente. Surge entonces el lamento que tántas voces patrióticas han dejado escapar en ocasiones semejantes: "Veo que todos conspiran a que no se verifique una empresa tan útil, y así, amigo, no hay tiempo más perdido en este país que el que se emplea en promover el servicio público".

A pesar de esa muy humana expresión de desaliento, queda en espera de la resolución definitiva de la Corte, y no deja caer los brazos, pues acepta otras comisiones dadas por el Gobierno. Habiendo pedido informe a mi solicitud —escribe el 30 de diciembre de 1806— sobre el nuevo camino por Urrao al Bebara y río Atrato, lo he enviado muy favorable, con un plano; y sin embargo de que salgo del Consulado en este año, quedo con el encargo de promover este particular y otros de que me he hecho cargo, y veremos lo que pueda hacer en servicio público.

Estos otros informes los especifica en carta del 10 de febrero de 1807: "A instancias de este Consulado, aunque ya fuera de él, por haber cumplido mi bienio, estoy encargado del arreglo de bogas en el Magdalena y ríos dependientes; del proyecto del camino nuevo de Antioquia al Atrato; y del informe pedido por el Rey sobre extinción de los estancos de aguardiente y de tabaco, libertad de todo derecho a los frutos de nuevo cultivo, conclusión de alcabala, diezmos y de todas las trabas que obstruyen la agricultura en el Reino". Y agrega este infatigable servidor público: "En el presente correo se envía por el Consulado, al Virrey, un

---

(4) Diego Mendoza, *Cartas Inéditas de José Ignacio de Pombo*, p. 243.

proyecto mío para el mejor arreglo en la Dirección de Correos del Reino, establecimiento en ésta de un directo por el Atrato para Antioquia, el Chocó y Panamá y fundación de algunos pueblos en aquel río interesante" (5).

El nombre de Pombo quedó especialmente vinculado a un proyecto de trascendental importancia que aun hoy atrae las miradas de los estadistas norteamericanos: el canal interoceánico por el Atrato. Con su ilustre huésped el barón de Humboldt, tuvo ocasión en 1801 de dialogar extensamente sobre los diversos aspectos del problema. Pombo le suministró, dice García Samudio, "el resultado de todos sus anteriores estudios geográficos y económicos en tal materia, además de los datos estadísticos y oficiales que sobre todo el país le facilitó también, y a los cuales el sabio alemán hace repetida alusión en sus obras" (6).

Efectivamente en su obra *Essai Politique sur le Royaume de la Nouvelle Espagne*, después de proponer y analizar los puntos más adaptados a la apertura del canal, se refiere al proyecto de Pombo, o sea al paso del Atrato a la bahía de Cupica, lo analiza cuidadosamente y expone sus ventajas. Para corroborar sus conceptos cita textualmente parte de una carta de Pombo, escrita en 1803, y dice en su elogio que es "autor de muchas memorias estadísticas estimables" (7).

En 1804 Pombo urgía ante Mutis el viaje de Caldas al Chocó haciéndole ver lo útil que sería para la Expedición botánica por la riqueza de aquella región en todo género de producciones naturales, hasta ahora completamente desconocida. "Agregue a esto —decía— lo importante que es levantar la carta geográfica de aquella Provincia, particularmente en lo que comprende el curso de los dos ríos, San Juan y Atrato, y el del terreno que los separa, en que sería muy fácil abrir un canal y la comunicación para ambos mares... Lo que conviene es que haga viajes con la rapidez y precisión que nuestro Barón, que se deje de proyectos quiméricos y trate de los más exequibles e interesantes" (8).

Pombo, hombre pragmático y tesonero, que no dejaba abandonados sus planes a la mera especulación teórica, insiste en carta a Mutis, en 1806:

---

(5) Diego Mendoza, *Cartas Inéditas de José Ignacio de Pombo*, p. 247.

(6) Nicolás García Samudio, *Don José Ignacio de Pombo, prócer de las Ciencias*, en Conferencias dictadas en la Academia, op. cit., p. 193.

(7) Humboldt Alexandre de, *Essai politique sur le Royaume de la Nouvelle Espagne*, París, 1827, 2ª edición, Vol. II.

(8) Carta del 10 de Julio de 1804, en *Cartas Inéditas*, op. cit., p. 217.

"Yo celebro mucho haya sido tan de su aprobación mi propuesta y plan de viaje para el reconocimiento de los caminos y ríos de este Reino. Estoy conquistando al amigo don Manuel Castillo, Capitán de fragata y uno de los Oficiales de la Expedición de Hidalgo, para que se haga cargo de ir a levantar el plano del arrastradero de San Pablo. Si consigo el que se determine a ello, el plan que pienso proponer es que vaya por Atrato, éntre por el Quibdó y quebrada de San Pablo, al arrastradero dicho, baje por el río San Juan al puerto de San Buenaventura, venga por la costa de Cupica, y de allí por tierra hasta el embarcadero de Naipí o Napipí, salga por el Atrato, y dejando éste éntre por el Bebara, en Antioquia, que es navegable hasta cerca del pueblo de Urrao, que dista sólo una jornada de dicha capital, pase a Medellín, y de allí venga por el nuevo camino al puerto de Nare, salga al Magdalena, y regrese hasta el Real de la Cruz, y de allí, por el Dique, a ésta. Así tendremos la carta de todos los ríos dichos, la del arrastradero con las nivelaciones de las aguas del San Juan y quebrada de San Pablo, para determinar con cuál de ellos debe hacerse el canal, su posibilidad, costo, etc., su situación en longitud y latitud, los puertos de Buenaventura y Cupica. Estoy persuadido que sería más conveniente, menos costoso y seguro dirigir dicho canal por aquel pasaje, desde Roldán, que por el que se tiene en el día adoptado por el ingeniero". Y termina con esta oferta, la mejor prenda de su fe en la bondad de la iniciativa y de su espíritu público: "La gran dificultad que se encuentra para todos estos útiles proyectos es la falta de fondos, pero cuando falten absolutamente se ocurriría al arbitrio de un empréstito, y yo daré el ejemplo" (9).

Finalmente, en mayo de 1807 redactó su Memoria definitiva presentada al Real Consulado de Cartagena, sobre la apertura del canal por el Atrato, en la cual recogió todas las experiencias y frutos de los trabajos realizados. Caldas en su *Geografía del Virreinato* hace grandes elogios de este escrito que permanece inédito en los fondos del Archivo de Indias de Sevilla.

Todavía en 1848 —escribe García Samudio— Humboldt, después de largos estudios y consultas, era partidario de la vía del Atrato. El nombre de don José Ignacio de Pombo quedó, de todos modos, como el de uno de los más notables precursores de las grandes obras que condujeron y que habrán de conducir más tar-

---

(9) Diego Mendoza, *Cartas Inéditas de José Ignacio de Pombo*. Carta de 10 de octubre de 1806, p. 245.

de a la comunicación de los dos océanos que bañan las costas de nuestro país (10).

Además de los cuantiosos auxilios económicos prestados a Caldas a lo largo de su carrera científica, Pombo proporcionó costosos instrumentos, barómetro marino, sextante, cronómetro, teodolito, etc., al oficial de Ingenieros don Vicente Talledo, encargado de examinar la exactitud del plano del río Magdalena levantado por Humboldt. Se interesó por la fundación de un Observatorio astronómico en Popayán y ayudó con todas sus fuerzas a la Expedición de la Vacuna a cuyos trabajos se vinculó su sobrino Miguel.

2.— *Su amistad con Mutis, Caldas y Humboldt.*

La amistad o encuentra o hace iguales a los amigos. Este viejo aforismo latino tuvo aplicación a las relaciones de afinidad establecidas entre Pombo y los hombres que como él sentían hervir los mismos ideales. El común amor a la ciencia, al progreso, a la humanidad, unió a Pombo con Mutis, con Caldas y con Humboldt en una intimidad que fue fecundísima en bienes para la patria.

Las cincuenta y siete cartas de Pombo a Mutis que se han publicado constituyen un elocuente testimonio de aquella amistad fundada en el mutuo aprecio y en la mutua comunicación de bienes. Pombo confía al Sabio sus proyectos y fracasos, sus dificultades y sus éxitos, le pide consejo y protección, y le consulta sobre sus trabajos científicos. Aprovechando las condiciones de su fortuna personal y su situación geográfica, discretamente le envía libros, revistas y material científico, le ofrece ayuda económica para la educación en Europa de don Sinforoso Mutis, el sobrino querido, y le sirve de intermediario para remitir a España los cajones de quina que le envía desde Santafé. No le escatima sus estimulantes elogios a la obra patriótica que desarrollaba en bien de la patria y le hace llegar cuanto sobre él se escribía en las revistas de España y del extranjero.

---

(10) Nicolás García Samudio, op. cit., p. 196. Los últimos estudios colombianos sobre el canal del Atrato que merecen citarse, en concepto de García Samudio, son *El Chocó*, de Jorge Alvarez Lleras, publicado en el N. III del *Boletín de la Sociedad Geográfica de Colombia*, con un mapa del canal del Atrato-Napipí según los proyectos antiguos y recientes de la marina de los Estados Unidos. También el ensayo de don Francisco Escobar, escrito en New York y titulado *El Canal del Atrato*, en la misma *Revista Geográfica*, N. II, Vol. III, página 147. Bogotá, 1935 y 1936.

"Puede usted con verdad contarme en el número de sus verdaderos apasionados y afectos, y mandarme en ésta en cuanto sea de su agrado", es una expresión que se lee con frecuencia en sus cartas.

La elevación de los sentimientos y de las ideas acerca las almas habituadas a las alturas. Al comentar el viaje de Zea a París, Pombo se define a sí mismo y define a Mutis en esta frase de oro: "Es el mayor sacrificio que puede hacer un hombre de talento, consagrar los días de su existencia a las tinieblas y a la barbarie, pudiendo vivir en medio de la luz y entre racionales. *Pero el amor de la Patria y el de la verdadera gloria arrastra por todo; y ésta no se adquiere sino haciendo bien y siendo útil a sus semejantes".*

Cada proyecto científico de Mutis arranca de Pombo los más sinceros aplausos. Aunque usted —le escribe— ya es conocido y celebrado en la Europa por sus trabajos botánicos, médicos, etc. y por el patriotismo, éste y su celebridad van aumentándose con la obra del Observatorio.

Al recibir de Mutis confidencias sobre sus resentimientos con Caldas y con Zea —provenientes de su carácter desconfiado y de su delicada sensibilidad de maestro y científico— interviene lealmente en favor de éstos, le hace ver las defensas que han hecho de él y de su obra y a veces le concede razón a las quejas. Entonces se hace eco de ellas ante los discípulos, y no descansa hasta haber obtenido la reconciliación y logrado restablecer la confianza entre personas que le eran tan queridas. Su noble corazón que no albergaba envidias ni egoísmos, no iba a permitirle adueñarse exclusivamente de los afectos del Sabio, a expensas de otros cariños que llenaban su soledad y satisfacían las exigencias sicológicas de su temperamento. Celebro su buena salud —le escribe en 1805— y que tenga la satisfacción de que nuestro Caldas se halle ya a su lado, como tánto deseaba. El está muy complacido también, según me manifiesta, y yo participo de las satisfacciones de todos. Ojalá me fuera posible disfrutar de su apreciable sociedad y compañía.

Los éxitos de Zea en España los celebra como triunfos de Mutis y de la Expedición Botánica a la que él mismo estaba vinculado como miembro correspondiente. Al saber el nombramiento recaído en el científico granadino de director del Jardín Botánico de Madrid, le escribía en 1804: "La colocación nueva de Zea es seguramente muy notable y más conociendo su carácter poco intrigante y cortesano. Yo la celebro por él mismo, por lo que puede ser útil a usted y a esa Expedición y por el honor que le resulta a usted y a ella misma. La conducta y moderación de usted para con él espero sea un nuevo motivo para dar a usted las debidas pruebas de su agradecimiento".

Finalmente, defiende con calor a su amigo de los ataques de los botánicos peruanos y españoles, y en sus publicaciones no se cansa de exaltar los merecimientos de Mutis. De esa manera quería excitar la gratitud de sus compatriotas para con el protopróncer de la República.

Mutis, por su parte, le retorna fielmente la estimación y el aprecio: le envía Memorias y trabajos de él y de Caldas, le aprueba sus obras y planes, lo estimula en sus investigaciones científicas. Doy a Ud. mil gracias, le escribe Pombo, por sus atentas cartas y ofertas con que me favorece: ocurriré con confianza a su favor en lo que se me ofrezca.

Para con Caldas fue un verdadero padre, y con él ejerció un mecenazgo que no tuvo límites en la generosidad de su corazón. Diríase que en la correspondencia con Mutis, su obsesión es Caldas: sus viajes, durante los cuales le sigue los pasos ansiosamente, sus inventos que trata de salvar de posibles usurpaciones, sus escritos que quiere revistan la mayor perfección, sus relaciones con Humboldt, sus éxitos y fracasos, todo es motivo de su preocupación y su afán.

Lo admiraba no sólo por los méritos científicos sino por el conjunto de cualidades morales, y así lo tenía por el mejor compañero de estudios para su hijo menor. Con estas miras le ofrece costearle viaje a Europa. "¿Quién mejor que Caldas —decía— que a los superiores talentos y conocimientos que tiene, junta la práctica de todas las virtudes morales y cristianas? Su exactitud, su amor a los hombres y a las ciencias, su moderación y pureza de costumbres, su patriotismo, su celo e infatigable aplicación, su buen juicio, y finalmente su religiosidad en una edad tan temprana, lo hacen seguramente hombre extraordinario". Los que han de integrar la comitiva, su hijo, Caldas, Sinforoso Mutis y Miguel de Pombo por cuyos adelantos en la Expedición se interesaba permanentemente, le hacen soñar con un futuro halagüeño para la cultura del Nuevo Reino.

A Caldas lo reprende con severidad por su pérdida de tiempo y de dinero al hacer investigaciones inútiles por estar ya realizadas y por pretender trabajos quiméricos superiores a sus fuerzas. En la locura que embargaba a Caldas, anheloso de abarcarlo todo, el espíritu pragmático de Pombo lo llama a la realidad y le hace tocar el suelo. Celoso de su reputación literaria le critica la ligereza e incorrección con que escribió la *Memoria sobre la Quina,* a la cual le señala honradamente varios defectos. Y cuando el discípulo, llevado de su propio genio, se quiere alejar de

Mutis, con mano cariñosa pero fuerte lo vuelve al calor y a la luz del anciano maestro.

Valiéndose de sus influencias en la Corte de Madrid, lo recomienda ante las altas autoridades. He tenido —dice en carta de 1804— oportuna ocasión para hablar al Ministro Soler sobre sus conocimientos, trabajos y viaje, y he empeñado al primo Conde de Casa Valencia, a efecto de que interponga su recomendación con otro Ministro, para que se le señale una pensión de mil pesos por lo menos, para que pueda continuar sus viajes y trabajos, y se le agregue a esa expedición botánica. Y efectivamente, logra que sea recibido como miembro de la Expedición. Desde que entra en contacto con Humboldt en Cartagena, intercede para que aproveche la compañía de Caldas en su excursión por los países del Sur. Cuando la diferencia de temperamentos y de costumbres del sabio alemán y del granadino los distancia, y frustra sus deseos, se empeña en enviarle a su costa por las regiones del sur del país, por Ecuador y Perú, en una expedición que reportó singulares beneficios a la ciencia y a la patria.

Al hacerse cargo Caldas del Observatorio astronómico la mano munífica del amigo le ayudaba a dotarlo de útiles y costosos instrumentos.

Caldas que había dicho "un verdadero amigo no tiene precio, es ingenioso para servir a su amigo aun en los casos imposibles", escribió repetidas veces sobre los méritos de su protector. "Este ciudadano patriota y desinteresado —decía— apoyó con todas sus fuerzas mis viajes a la Provincia de Quito. Libros, instrumentos, recomendaciones, dinero, todo cuanto podía esperar un hijo del padre más generoso, recibí yo de su mano. Con el placer más completo de mi corazón le pago este tributo de reconocimiento". Una nueva planta de la flora de Quito fue bautizada con el nombre de *Pombea*, "en señal de eterno amor y gratitud".

Con razón comenta don José María Vergara y Vergara que nunca se volverá a ver un certamen igual de agradecimiento y beneficios, de ilustración y patriotismo, de nobleza y virtud.

Al llegar Humboldt acompañado de Bompland a Cartagena, en 1801, halló venturosamente en Pombo al mejor introductor en que pudiera pensar para entrar en contacto con el Nuevo Reino y aun con los países del Sur. Su conocimiento de la nación, su afición a las cosas de la ciencia, su vinculación a la Expedición botánica, sus múltiples relaciones comerciales, su entusiasmo por el bien público, todo hacía de él un colaborador insuperable del sabio alemán.

Desde luego puso a la disposición de los nobles viajeros su espaciosa y confortable residencia de Turbaco en donde gozaron de la más espléndida hospitalidad. Por muchos años perduró en la memoria de Humboldt la agradable impresión del paisaje y de la compañía de Pombo. Nuestra vida en Turbaco —escribía después de su viaje a la India— era sencilla y laboriosa; jóvenes, unidos por gustos y caracteres, siempre llenos de esperanzas en el porvenir, en vísperas de un viaje que debía conducirnos a las más altas cimas de los Andes, a la vista de volcanes inflamados, en un país perpetuamente agitado por los temblores de tierra, nos sentíamos más felices que en ninguna época de nuestra lejana expedición. Los años que se han deslizado después, no todos exentos de amarguras y penas, han aumentado el encanto de esas impresiones.

A su vez, Pombo le escribe a Mutis recomendándole en la forma más calurosa a sus nuevos e insignes amigos: "Hoy habrá partido de Turbaco, donde ha estado en mi palacio de paja, el señor Barón de Humboldt, caballero prusiano, M. Bompland, su compañero de viaje y M. de Rieux, que sigue con ellos hasta esa. He dado al primero para usted una carta de recomendación, tan expresiva cuanto lo permite el favor que usted me dispensa, y mis deseos de complacer y servir a dicho Barón, que es seguramente de un mérito singular... El citado Barón es de una casa ilustre y rica de Prusia; tiene muchos conocimientos en las ciencias naturales y exactas, y es conocido en Europa por sus observaciones y descubrimientos sobre el galvanismo o fluído nervioso, muy diferente del de la electricidad y de fenómenos tan raros como éste, sobre que ha publicado dos tomos. Tiene la más alta y justa idea del mérito de usted, que me ha dicho es más conocido entre los extraños que en España, y uno de sus principales objetos de hacer su viaje a esa es por conocer a usted. Lleva muchos y buenos instrumentos, aunque aquí me ha dejado una parte de ellos para que se los remita a Guayaquil. Ha comparado con éste don Joaquín Hidalgo, Comandante de la Expedición de los Llanos, sus observaciones astronómicas y las ha hallado muy exactas y conformes, lo que hace honor a entrambos. Le he dado la *Quinología* de usted, que sólo había visto en extracto, y la ha apreciado mucho, lo mismo que el compañero M. Bompland, que es un buen botánico... Volviendo a nuestros viajeros, tanto por sus cualidades personales, como por sus conocimientos y amor a las ciencias, son de un mérito distinguido..." (11).

Con ojo avizor sigue sus pasos por Popayán, Quito, Guayaquil, Lima y México, en donde sus corresponsales reciben órdenes de atenderlos y ayudarles en las excursiones. Y naturalmente

---

(11) Carta del 20 de abril de 1801, en *Cartas Inéditas...*, op. cit., p. 198.

se entabla una nutrida correspondencia entre estos dos grandes espíritus que vibraban de entusiasmo y admiración ante el espectáculo de la naturaleza tropical: "Hago a dicho Barón —escribe a Mutis— a la fecha en Quito, donde mis amigos Montúfares le tienen ya dispuesto alojamiento y el obsequiarlo y servirlo en cuanto puedan. También a mí me honra y favorece dicho ilustre viajero con su correspondencia y noticias, que me son sumamente apreciables. Ha encontrado infinito qué admirar en Popayán y su Provincia en todos los ramos. Le he dicho que en este Continente tiene su tesoro la Naturaleza, y que mientras más penetre en él hallará prodigios y cosas más singulares, que le compensarán abundantemente sus trabajos e incomodidades. Que de su mano debe salir el mejor cuadro de aquélla, pues al paso que lo ha dotado de una grande alma y cuerpo robustísimo, él no perdona fatiga ni gasto para observarla... He visto algunos de sus trabajos en ésa, y deseo tener el plano del río Magdalena" (12).

Humboldt, en efecto, le envía datos y observaciones de latitud y diferentes medidas tomadas por él en el río Magdalena y a lo largo de su recorrido y le sugiere diversos proyectos de mejoramiento de las vías. Le escribe desde el Sur contándole sus impresiones y en sus libros hace mención frecuente y elogiosa del ilustre granadino, a quien señaló como un ejemplo del genio suramericano. Muy pocos merecieron tan altas alabanzas por parte del inmortal viajero.

En su libro *Noticias Varias sobre las Quinas Oficiales* Pombo se hace eco de la gratitud nacional para con el Barón de Humboldt, "que en su viaje literario por esta América ha derramado con tanta generosidad sus luces por cuantas partes ha pasado y honrado con su presencia. Debemos a este ilustre viajero, mil observaciones y conocimientos de la mayor utilidad, sobre nuestra geografía, sobre nuestras producciones en los tres reinos y particularmente sobre la Quina. La *Carta del río Magdalena*, su *Memoria sobre la sal gema de Zipaquirá* y la que hemos citado en este papel de la *Geografía de las plantas*, dedicada al Patriarca de los Botánicos, como llama al doctor Mutis, son una prueba de ello; como otros papeles y noticias que han llegado a nuestras manos. Cuando se publiquen reunidos sus viajes, observaciones y trabajos, tendremos una cosecha más abundante, y se extenderá la esfera de nuestros conocimientos" (13).

---

(12) Diego Mendoza, *Cartas Inéditas...*, op. cit., p. 200.
(13) José Ignacio de Pombo, *Noticias varias sobre las Quinas Oficiales*, p. 106.

3.— *Ensayo científico "Noticias varias sobre las Quinas Oficinales".*

Su amor al estudio y a la investigación y su recia voluntad de adquirir una sólida cultura, no le abandonan en los fatigosos quehaceres de un hombre metido en tantas empresas de orden económico. "Con libros y aplicación —escribía a Mutis, definiéndose perfectamente— se consigue saber cuanto se quiere". Y lamentando los seis años que consideraba perdidos en el Rosario estudiando a la letra a Goudin, agregaba que cuando conoció el mérito e importancia de la química y de la botánica "ya me hallaba cercado de otras atenciones y obligaciones que me han impedido hacer su estudio como he deseado".

Antes de enviar a su hijo menor a Barcelona a estudiar ciencias experimentales para que fuera hombre de provecho, según él mismo decía, le había enseñado personalmente la filosofía y algunas lenguas. El Cicerón *De Officiis* y la *Epístola a los Pisones* —observaba— los sabe casi de memoria, y estos son los mejores libros para formar el corazón y el gusto de los niños.

El estudio de las Quinas atrajo de preferencia su atención, pues del aspecto económico le fue fácil pasar a los puntos de vista científicos. De esta manera elaboró una *Memoria* completísima sobre el tema que en aquellos tiempos apasionaba por igual a botánicos, a médicos y a comerciantes. El mismo nos relata cómo concibió su obra: "Para satisfacer los deseos de un amigo, emprendimos este trabajo en septiembre último, y hemos dedicado a él todo el tiempo que hemos podido vacar a nuestras ocupaciones diarias; con el fin de reunir en él las noticias más interesantes de la Quina, en todas sus relaciones, nos ha sido preciso tocar diferentes cuestiones y puntos, ajenos de nuestra profesión y estudios, y aunque hemos consultado los libros convenientes, para asegurar nuestro juicio, no nos lisonjeamos que en la variedad de asuntos que comprende este pequeño escrito, hayamos siempre asertado, ni que estén exentos de error todos nuestros cálculos" (14).

Empezó, pues, a elaborar su ensayo en septiembre de 1805 y cuando en octubre se presentó en el Consulado de Cartagena una solicitud para establecer en la ciudad unos veedores de quinas a semejanza de los que había en Cádiz, manifestó su concepto totalmente adverso a la petición como contraria al libre comercio de la planta. El proyecto se suspendió en espera del trabajo completo que él ofreció, dándole a este punto la debida extensión.

_____

(14) José Ignacio de Pombo, *Noticias varias sobre las Quinas Oficinales*, p. 151.

El amigo cuyos deseos satisfacía era el mismo Mutis, quien recibió los originales del trabajo a efecto de hacerle las debidas correcciones en la descripción botánica. Su honradez científica lo hacía desconfiar de sus conocimientos, pues no era un verdadero técnico, a pesar de que había prácticamente agotado la bibliografía existente sobre la materia y él mismo había practicado muchos experimentos.

Varias cartas se cruzó con Mutis a quien expuso con amplitud y franqueza sus opinones, y al fin puso término a la obra el 18 de enero de 1806.

Sólo vino a publicarse el libro en 1814, en Cartagena, en la Imprenta del Gobierno a cargo de Manuel González Pujol, con el siguiente título completo: *Noticias varias sobre las Quinas Oficinales, sus especies, virtudes, usos, comercio, cultivo, acopios de sus extractos, y su descripción botánica* (15).

Sus fuentes bibliográficas son abundantísimas. Entre los escritores granadinos sobresalen Mutis con su *Arcano de la Quina*, Caldas en su *Memoria sobre el estado de la Quina en general y en particular la de Loja*, Francisco Antonio Zea con su *Memoria sobre la Quina*, impresa en 1800 en los Anales de Historia Natural, y el médico pamplonés Manuel Joaquín Ortiz por su *Memoria* de 1789. Entre los americanos, cita con frecuencia para rebartirlos con frases duras, a los peruanos Ruiz y Pabón en la *Quinología*, publicada en 1792 y la *Flora Peruana*. Además son mencionados a menudo Tomás de Salazar en su *Tratado sobre el uso de la Quina*, impreso en 1791, Juan Alvarez Guerra en su Artículo del *Diccionario de Agricultura*, ambos censurados fuertemente; Juan Tafalla en su Artículo del *Mercurio* de 1804; el Barón de Humboldt en la *Geografía de las Plantas* y en varios ensayos; La Condamine, Lineo, Bernardino de Saint Pierre, Sebastián López; las Enciclopedias Británica y Francesa de 1792; Fucroy en Anales de Chimie de 1791, y muchos químicos y médicos norteamericanos y europeos.

La Aurora de la Habana, *La Gazeta* de Madrid, *El Mercurio* de Lima, *La Gazeta* de Filadelfia, *El Semanario de Agricultura* y la *Gazeta Charleston Courrier*, son las principales revistas que le han proporcionado información.

Es interesante observar cómo incluye varias veces trozos de recientes discursos del Presidente Jefferson, y párrafos de la obra

―――――――――

(15) El volumen en grueso papel, comprende 155 páginas y está precedido de un índice y de un resumen de las Notas, las cuales se desarrollan al final en un conjunto de 46 páginas. Está dividido en diez capítulos, los cuales a su vez se subdividen en parágrafos y en subtítulos. Un raro ejemplar existe en la Biblioteca Nacional, debido a la diligencia nunca bien alabada del Coronel Anselmo Pineda. Miscelánea N. 3299, Pieza 21.

de Burke, además de apartes del economista Albert Galletin, Secretario de Finanzas de los Estados Unidos.

De los economistas hispanos le son muy familiares Campomanes y Jovellanos, del cual cita un párrafo perteneciente al *Discurso sobre la Ley Agraria*, para corroborar su tesis sobre la libertad del comercio de la quina: "*El único fin de las leyes* (dice el señor Jovellanos) *respecto de la agricultura, debe ser proteger el interés de sus agentes, separando todos los obstáculos que puedan obstruir o entorpecer su acción y movimiento*. En este único principio está cimentado todo el informe de la sociedad económica de Madrid, sobre la Ley Agraria, producción llena de patriotismo y de sabiduría, que hace tanto honor a aquel ilustre cuerpo. Si lo aplicamos a nuestro caso, le hallaremos una contradicción con él, pues el reconocimiento de las Quinas, no sólo causa el gravamen o gasto de abrir y cerrar los tercios y cajones, de llevarlos y traerlos al depósito, del real que exige el veedor por cada pieza aunque no la vea y tenga sueldo, del costo de las certificaciones, etc., sino del riesgo a que están expuestas antes del reconocimiento... y así resulta que dicha providencia (el establecimiento de veedores) pone gravámenes y entorpece el giro del comercio en lugar de quitarlos, y facilitar su acción, y que lejos de proteger la propiedad de los ciudadanos, la expone al arbitrio y capricho de los hombres" (16).

Al hablar de Adam Smith hace estas observaciones, indicadoras de cómo vivía al día en las publicaciones de índole económica y anhelaba la instrucción seria de sus compatriotas: "Es cosa bien notable y sensible, que perdiendo tántos su tiempo en hacer traducciones de romances, novelas y otras obras fútiles, propias solo para corromper el gusto y las costumbres, no lo emplean en aquellas que tienen un mérito distinguido, y son de utilidad general. Hasta el año de 1794 no hemos tenido una traducción de la obra maestra de Smith, *Riqueza de las Naciones;* y la de los *Estudios de la naturaleza* de Bernardino de Saint Pierre, es casi desconocida entre nosotros, sin embargo de que se publicó la primera vez en París en diciembre de 84, y tuvo tal despacho que en el siguiente se había consumido la edición, por lo cual se reimprimió en 86. Todas las naciones cultas de Europa la tienen en su idioma, y la miran con aprecio, pues está llena de observaciones importantísimas a la agricultura, a la navegación, a la geografía, etc., y de ideas originales que pueden adelantar infinito la esfera de nuestros conomientos..." (17).

---

(16) José Ignacio de Pombo, *Noticias varias sobre las Quinas*, p. 42.
(17) José Ignacio de Pombo, op. cit., p. 149.

Diserta eruditamente sobre las especies oficinales de las quinas, sus virtudes y usos, comercio, cultivo, acopios y caracteres botánicos. Todo cuanto escribe está autorizado por datos estadísticos completos y comprobado con hechos de experiencia. Sus conocimientos en medicina, en química y en botánica exceden ciertamente a los de un simple aficionado.

Desde el punto de vista económico, ataca fuertemente los estancos, siguiendo las teorías librecambistas, tema que explanará en sus obras económicas posteriores, y aboga ardorosamente por la libertad de impuestos.

Al defender la libertad de comercio, el señor Pombo enunciaba principios inobjetables que prestaban singular vigor a la dialéctica de sus argumentaciones. Por otra parte —escribía— aquellas leyes son sabias que tienen por objeto prevenir los delitos o castigarlos donde se encuentren sin distinción de personas. Mas las que suponen la posibilidad del delito para buscarlo, son odiosas e impolíticas, porque gravan indistintamente a toda la comunidad, y *porque contra el propio interés del Estado, suspenden el curso del comercio; y las que comprometen la fortuna de los ciudadanos al mero arbitrio de otros, sean éstos los que fuesen, son injustas, pues violan los derechos de la propiedad que es el fundamento del orden social* (18).

En el plano internacional Pombo hace ostentación en varias páginas de una violenta anglofobia: "Debemos transmitir a nuestros hijos las injusticias, los robos y los agravios de todo género con que el gobierno inglés de dos siglos a esta parte y por un sistema constante nos ha irrogado, hasta vengarlos o tener la satisfacción de ellos. El ilustre y sabio Neuchateau ha presentado a la Francia en sus *Reflexiones sobre los principales tratados entre la Francia y la Inglaterra* (desde el de Nimega hasta el de Amiens en 1802), un cuadro de la política maquiavelística de aquel gobierno y de los insultos hechos a su nación... Nosotros en un papel sobre el comercio de este Reino... dijimos sobre el particular antedicho lo siguiente: Esta nación orgullosa y enemiga natural de las demás industriosas, lo ha sido siempre de la nuestra, ya por el poder marítimo a que podemos aspirar, que exige nuestra situación local y la conservación de la América; ya por ser dueños del oro y de la plata, que ha procurado apropiarse exclusivamente en todos tiempos por los términos más injustos y violentos; y ya últimamente por las necesarias conexiones con la Francia su rival". Luego de hacer un recuento histórico de todas las injurias irrogadas por In-

---

(18) José Ignacio de Pombo, op. cit., p. 43.

glaterra a España desde el siglo XVI, termina sus invectivas con estas frases:

"Piratas en el tiempo de guerra, persiguen, desnudan y aprisionan a los particulares indefensos en medio del mar, contra el derecho de gentes; y contra el de las naciones, se apoderan de sus propiedades y personas hasta en los buques neutrales. Seductores y malos vecinos en el de paz, faltando a la fe de los tratados y a todos los principios de la justicia, fomentan en sus vecinos toda clase de fraudes y delitos, con tal que les sean productivos. En todos tiempos codiciosos, vanos e inicuos, es interés general de las naciones y particularmente de la nuestra de castigar su injusticia, abatir su orgullo y disminuír sus ganancias. Esto se logrará poniendo obstáculo y gravámenes a su industria, y favoreciendo la de otras naciones extranjeras en cuanto sea posible, sin perjuicio de la nuestra, con lo cual se disminuirá el contrabando, como que en la mayor parte lo hacen con la lencería alemana de uso general en la América" (19).

En cambio no disimula su admiración hacia los Estados Unidos, con los cuales quiere estrechar íntimas relaciones de amistad y de comercio. La historia —escribe— no nos presenta el ejemplo de una nación que por medios tan sencillos como justos, sin guerras, sin conquistas y sin herencias, por solo el cultivo y comercio de sus frutos, haya llegado en tan poco tiempo a un grado de poder y de grandeza; en que la riqueza esté más bien repartida, y la felicidad pública sea más general, como en la de los Estados Unidos de Norte América (20). Los párrafos del discurso de posesión del Presidente Jefferson que inserta, le merecen entusiastas elogios. Por todo ello, y en virtud de la vecindad que nos une a la gran nación norteña, predica la necesidad de alianzas comerciales y políticas que tenderían a abatir el poderío inglés:

"Los Estados Unidos de América solos, son capaces de poner un freno al despotismo político de los ingleses. El comercio de éstos en dichos Estados es considerable, y perderían infinito si les cerrasen sus puertos y se apoderasen de sus propiedades. La existencia de la Nueva Escocia, del Canadá y demás posesiones inglesas en el Norte América, depende de la voluntad de aquel gobierno; y sus islas de Azúcar, no pueden subsistir sin sus auxilios, si la vecindad y poder de la Francia hace a la España útil y necesaria su amistad. El mismo interés tenemos para cultivar la de los Estados Unidos de América, y con su auxilio es empresa fácil arro-

---

(19) José Ignacio de Pombo, *Noticias varias sobre las Quinas*, p. 130.
(20) José Ignacio de Pombo, *Noticias varias sobre las Quinas*, p. 122.

jar a los ingleses de toda la América, que sería el golpe que prepararía la destrucción de su comercio y marina en otras partes, y la de su tiranía en todas" (21).

Son reacciones propias del más leal de los súbditos de la Corona española y del comerciante que ha visto amenazadas sus mercancías y quizás saqueadas por la marina de Inglaterra. Qué iba a pensar que a los pocos años las miradas de todos los patriotas y los pasos de muchos caudillos se dirigirían a esa nación en demanda de ayuda para el buen éxito de la independencia.

De todas maneras, quien quiera tener conocimientos exactos sobre la Quina de Santafé y en general sobre las quinas del Nuevo Reino y aun de América en sus diversos aspectos, tendrá qué acudir al libro de don Ignacio de Pombo, el cual es una recopilación completa, seria y crítica de las noticias que se tenían por aquellos tiempos sobre la famosa planta, una de las bases principales de nuestro comercio colonial. Lo que hoy significa el café para la economía colombiana, guardadas las debidas proporciones, eso mismo representaba la quina en los cuadros económicos de la época.

Ningún crítico más autorizado que Caldas para avalorar este libro que conoció en páginas inéditas: "Esta obra, llena de erudición y de gusto, abraza cuanto se puede desear sobre los plantíos, acopios, envases y comercio de esta preciosa corteza. El autor la ha sabido embellecer con reflexiones y con hechos que siempre se leerán con gusto y con aprovechamiento. Ojalá vea la luz pública cuanto antes! Ojalá se estudie y profundice por nuestros compatriotas!"

4.— *Informe de 1807 sobre asuntos económicos y fiscales.*

Según datos que él mismo nos da en el libro sobre las Quinas, el 12 de marzo de 1804 dirigió al Gobierno un Informe sobre el comercio del Reino con el objeto de manifestar las ventajas resultantes de la disminución de impuestos sobre la lencería extranjera, en el hierro, acero, clavazón, herramientas, instrumentos, pertrechos marítimos y drogas medicinales. Proponía el mantenimiento del actual sistema en la mercería, loza y vidriería, y la prohibición de productos extranjeros de algodón, caldos, y licores, extendiéndola a las sedas de todo género, paños, sombreros y papel en América. En cuanto a las manufacturas de lanas extranjeras, sugería gravarlas con nuevos derechos, "para fomentar las

---

(21) José Ignacio de Pombo, *Noticias varias sobre las Quinas*, p. 134.

nuestras, y privar particularmente a los ingleses de sus ventajas" (22).

Esta *Memoria* la hemos perdido, pero sus ideas sobrevivirán en el Informe rendido a la Junta Provincial de Gobierno que analizaré a espacio más adelante, y que constituye un estudio magistral digno de todos los encomios.

La acción de Pombo para obtener un régimen económico más justo y benéfico para el desarrollo de la nación, era múltiple y no descuidaba la menor ocasión de llevarla adelante. Valiéndose de su influencia en el Consulado de Cartagena fundado por él, se dirigió en 1804 al Rey para interesarlo en el proyecto de extinción de los estancos de aguardiente y de tabaco que mantenía paralizados tan importantes renglones de la industria. El 22 de abril de 1804 expidió el monarca una Real Cédula en la cual le pedía al Virrey un minucioso informe al respecto, de tal manera que la Real Hacienda no sufriera perjuicio y el público obtuviera verdadera utilidad. También se solicitaban sugerencias sobre los auxilios necesarios a la agricultura para su fomento, y acerca de la conveniencia de extender a las Provincias interiores las gracias otorgadas por Su Majestad a Cuba, Provincias de tierra firme y Yucatán, de exención de todos los derechos reales y municipales, inclusive de alcabala y diezmos sobre el algodón, café y añil y el azúcar de nuevo cultivo.

El Jefe del Gobierno pidió entonces el informe al Consulado, y éste a Pombo, quien redactó inmediatamente una Carta dirigida al Prior y Cónsules del Real Consulado, firmada el 18 de abril de 1807 (23).

No le fue difícil pronunciarse contra un monopolio que de tiempo atrás consideraba ruinoso: "Para conocer que los estancos sobre producciones territoriales en América son destructores de la agricultura y de todos los ramos de prosperidad pública, y perjudiciales a la misma Real Hacienda, no son necesarios ningunos conocimientos en la política económica y en el sistema colonial; y basta tener ojos y ver lo que se hace en otras partes y sus resultas". Arguye, pues, con las pruebas de experiencia, y por eso aduce el ejemplo de los Estados Unidos y la Memoria al Congreso de Alberto Galletin de 5 de diciembre de 1806, la cual sostenía idénticas teorías librecambistas. Trae también a cuento la experiencia de la libertad de derechos y de estancos en las colonias

---

(22) José Ignacio de Pombo, *Noticias varias sobre las Quinas*, p. 131.
(23) *Informe de Don José Ignacio de Pombo al Consulado de Cartagena sobre asuntos económicos y fiscales*. (Del archivo histórico de Diego Mendoza), en *Boletín de Historia y Antigüedades*, Año XIII, N. 154, noviembre de 1921, páginas 689-698.

francesas, holandesas, dinamarquesas e inglesas en América, con datos estadísticos muy completos. Más aún: los buenos resultados económicos logrados en Cuba y en Caracas que estaban exentas del estanco de aguardiente y de muchas otras trabas y gravámenes, corroboraban con especial fuerza su argumentación.

Creía como nadie en la fertilidad, producciones y medios de extracción del Nuevo Reino. Ninguno en el mundo —escribía— es más fértil y todas las plantas del universo se pueden cultivar con ventajas en el nuestro, porque posee todos los temperamentos y elevaciones que aquéllas exigen, desde el nivel del mar hasta la nieve.

Analiza certeramente las causas que en los últimos tiempos habían disminuído el precio y el volumen de nuestra producción con la secuela necesaria de crisis: "La guerra, el haberse cerrado los puertos, los riesgos y dificultades que ésta ofrece para el comercio nacional después que se abrieron éstos, y el no haberse abierto a los neutrales, como se ha hecho en la isla de Cuba, en la de Puerto Rico y la Provincia de Caracas, ha reducido en precio y cantidad la mayor y principal parte de nuestras producciones territoriales, y ha causado muchas pérdidas al comercio y mayores a los agricultores". Y para comprobar este lamentable estado trae datos a granel con referencia a cada producto específicamente.

Aludiendo al algodón exento de impuestos en Estados Unidos, prorrumpe en esta exclamación: "Oh, y cuán cierto es lo que dice el Sabio Ministro, el señor Sampere en el N. 1º de su Biblioteca Económica Política, folio 10, *que aunque el Ministerio en España promueva algún establecimiento o reforma útil, como por lo general los magistrados y el resto de la nación no tienen las ideas e instrucción económico políticas competentes para penetrar toda su importancia, se pierden y esterilizan las mejores y más fecundas semillas de la abundancia y riqueza publica*".

Comparando la población de la Nueva Granada con la de los Estados Unidos y demás colonias hispanoamericanas en relación con el total de sus productos, concluye en una forma apodíctica: "Esto demuestra en el término más sensible que nuestro actual régimen de agricultura es pésimo, y que él es la única causa del atraso y de la miseria de sus habitantes, cuyo sobrante anual correspondiente a cada uno de la totalidad de los productos, es solo de 1¾ pesos, cuando en Caracas de cada hombre 6¼ pesos; en los Estados Unidos de América cerca de 8½ pesos; y en Santo Domingo francés 13½ pesos". Y agrega que si se hace la compación del respectivo valor de las producciones de unos y otros países con las nuestras, la diferencia será más de bulto.

Demostrados los perjuicios que causan los estancos, se pregunta cuáles pueden ser los remedios conducentes: "Este derecho no debe cargarse sobre los tabacos y aguardientes que se extraigan, ya porque en los primeros años sería muy corta la extracción y saldría perjudicada la Real Hacienda, y porque la contribución sería perjudicial al comercio y expendio de dichos frutos en el extranjero, pues contribuiría a aumentar su precio y a quitarles la concurrencia con la de otros países. Por consiguiente el derecho que se imponga sobre uno y otro efecto es necesario que recaiga todo sobre el consumo para que el que se extraiga esté libre enteramente de toda contribución".

En cuanto a la sugerencia de medios para fomentar la agricultura, el problema era más complejo de lo que podría pensarse: "Los obstáculos físicos, políticos y morales que oponen la naturaleza, las leyes, el gobierno y las costumbres al fomento de la agricultura; las trabas directas e indirectas que impiden su progreso; los gravámenes que sufre y últimamente los auxilios y franquicias que convenga o deban concedérsele por el Gobierno, ofrecen un campo muy vasto para el discurso, pues son muchos y algunos de tánta gravedad y consideración como los mismos estancos. Baste decir que siendo el conocimiento del terreno el primer paso y como la piedra fundamental de un buen sistema de agricultura, tenemos mejores noticias y descripciones de la China que del país que habitamos, pues ignoramos la dirección y altura de sus montañas, la extensión de sus valles, el curso de sus ríos, los que son o puedan hacerse navegables, la situación de los pueblos y últimamente carecemos de una carta general del Reino y de las particulares de las Provincias. Sin estos conocimientos no se pueden abrir caminos para facilitar las comunicaciones, ni quitar los estorbos que dificultan la navegación de los ríos, ni hacer canales, ni aprovechar y distribuír mejor sus aguas. La falta de ellos es causa de muchos pleitos eternos entre las Provincias, entre los pueblos y entre los particulares sobre linderos, que son la ruina de muchos y particularmente de los labradores. Para proponer con orden y método estos males y sus remedios, se necesita antes conocerlos si es posible todos, inquirir, meditar y combinar detenidamente sobre sus causas, sus efectos, y esta es obra que necesita tiempo y mucho trabajo para desempeñarle como corresponde y V. Señoría desea".

Al leer tan sesudas páginas sobre el estado de nuestra agricultura colonial, escritas por quien a las teorías bebidas en libros y revistas unía tan profundos conocimientos prácticos y estaba dotado de tal sentido de la realidad, nos damos cuenta de que el señor Pombo estaba empleando el ariete de la crítica más demo-

ledora al sacar a luz tan descarnadamente las llagas de la política
económica del régimen colonial. Si los abogados tronaban contra
los defectos de la administración de justicia, contra el desgreño ad-
ministrativo y contra las leyes despóticas, Pombo usaba del arma terrible de las estadísticas y de los principios económicos para derribar aquel gobierno. Y ello, quizás sin que lo animara un
deliberado propósito.

Si las reformas en la agricultura eran en extremo difíciles,
pues todo el sistema aparecía viciado, había una parte del Informe que no ofrecía el menor obstáculo: la ampliación a la Nueva
Granada de favores y franquicias. Este problema "es más obvio
y sencillo, pues como dice el señor Campomanes en su *Discurso
sobre el Comercio* (p. 20) los miembros de una sociedad política
deben gozar de igual favor, y éste debe ser en las Provincias constante e igual para que sea común y uniforme la protección benéfica del Gobierno, ya que componiendo todas las Provincias una
sola Monarquía no deben favorecerse sin gravísima y urgente causa los frutos de una Provincia en perjuicio de las restantes cosechas de la misma naturaleza". El argumento por sí solo tenía un
valor incontrovertible y arrojaba plena luz sobre el problema.

Estos eran los puntos sobre los cuales el Virrey pedía concepto al Consulado, al Cabildo, al Gobierno y Cuerpo de Hacendados
y al Administrador de la Aduana. Pero "ninguno hasta ahora lo
ha evacuado y todos tocan la dificultad de hacerlo como corresponde. Nosotros, para facilitar su expedición, hemos dividido el
trabajo; hemos hecho una colección de libros de nuestros mejores economistas y de los extranjeros; los leemos con meditación,
como también cuantos otros impresos y manuscritos hemos podido adquirir que puedan ilustrarnos sobre la materia; recoge-
mos de todas partes noticias y apuntamientos, y nada omitimos
para desempeñar tan importante como honrosa comisión. Pero
si se niegan o no se nos dan los auxilios que tenemos pedidos y
ahora se piden, no lo podremos desempeñar y no será la falta
nuestra. Que la Junta de Gobierno disponga se pidan al Señor Virrey los documentos antedichos..."

El sentido de responsabilidad de Pombo, quien procedía con
todo el rigor científico de un economista moderno, le impedía elaborar un informe completo si antes no se le proporcionaban los
datos oficiales sobre el consumo y productos líquidos del tabaco
y del aguardiente que sólo poseía el Superintendente General del
Reino, y sobre el estado de la población del país, así como las noticias que estimare necesarias, provenientes de las Oficinas de la
Real Hacienda.

5.— *Un plan revolucionario de desarrollo económico de 1810.*

En el mismo año de 1807 en que Pombo redactó el informe anteriormente analizado, se ocupó en el proyecto del camino de Antioquia y en las diligencias necesarias para que el señor Hidalgo hiciera su reconocimiento y el de los ríos del Chocó valiéndose de los individuos e instrumentos de su Comisión. Aunque Hidalgo se había ofrecido a presidir la comisión, Pombo sospechaba que " en vista de la herejía política que últimamente ha proferido, de que el desgraciado proyecto del camino de Puente Pardo es preferible a la obra del canal del dique; de que tiene entorpecida la comisión de Caldas y del desafecto que profesa al Consulado, no será extraño desatienda un proyecto tan importante, que si no se aprovecha la actual conyuntura, acaso se pasará un siglo sin que se presente otra".

En 1808 se regocija de la noticia de que Mutis se hubiera restablecido de la gravísima enfermedad que casi lo lleva a la muerte. Cuídese usted mucho —le decía el 30 de abril— y crea que su vida es muy interesante al bien de esta América. No emprenda nuevos trabajos, arregle y ordene los que tiene hechos, y déjelo así declarado en su testamento, pues de lo contrario, con perjuicio de su gloria, de las ciencias y del Reino particularmente, serán éstos usurpados y perdidos si caen en manos de idiotas (24).

Las prudentes previsiones del amigo leal, preocupado por la herencia científica del Sabio, propiedad de la patria, tuvieron en parte lamentable y doloroso cumplimiento.

En la misma carta le hace confidente de su mal estado de salud y de sus propósitos de embarcarse en una obra de mucho aliento: un plan completísimo de reformas del país: "Yo sigo con salud intercadente, bastante afligido a ratos del pecho, con continuos desvelos y falta de fuerzas. Hasta donde me lo permiten éstas y las precisas atenciones de los hijos y de los negocios, llevo adelante mi trabajo sobre el plan de reforma del Reino". Entra luego a describirle minuciosamente los puntos que habría de abarcar aquella obra, verdaderamente gigantesca por la extensión de los temas y la ambición de los propósitos. Todos los problemas de la administración pública debían ser tratados en sus males y en sus remedios. "Hago una verdadera pintura del estado de las Indias, de su incultura, miseria, opresión, y aniquilamiento; y hallo el origen de todos estos males en el tributo; propongo su extin-

---

(24) Diego Mendoza, *Cartas Inéditas de José Ignacio de Pombo,* p. 252.

ción y manifiesto las ventajas que de ella reportará el Fisco, si al mismo tiempo se da a dichos hombres la educación conveniente.. "

No le arredraban las dificultades para poner en marcha las reformas que habría de proponer, pues pensaba con Campomanes "que no hay tánta falta de hombres ni de medios para llevar al efecto las obras más grandes, como necesidad de escoger los primeros y usar debidamente de los segundos. Yo he tocado esto último, pues he hallado para todo medios oportunos".

Se gloriaba, pues, de haber tenido éxito en sus empresas, y ello le servía de estimulante aguijón para seguir pensando en grande.

La aprobación de Mutis no podía demorar: "Celebro mucho —le escribía meses después— sea de su aprobación el plan que le comuniqué sobre el trabajo que tengo entre manos, que conozco es superior a mis fuerzas, pero tal cual sea, espero sea útil al Reino y a toda América". El hombre también concebía con dimensiones continentales.

Sólo alcanzó a allegar los materiales para la obra tan bien planeada, y quizás a redactar algunos capítulos. Los acontecimientos políticos se precipitaron y transformaron el curso de sus estudios e impusieron un nuevo ritmo a sus proyectos.

En mayo de 1809 el Cabildo de su ciudad natal lo honró eligiéndolo como su candidato para Representante en la Junta Central, en la gloriosa compañía de Torres y de Narváez, quien finalmente fue favorecido en el sorteo de la Real Audiencia. Y cuando en 1810 Cartagena inició el Movimiento revolucionario, Pombo se convirtió en prestigioso líder y aportó a la Junta Suprema, de la cual fue elegido miembro por votación popular, sus luces, sus bienes, su experiencia y su prestigio.

En la sesión del 11 de agosto de 1810, la Junta de Gobierno del Real Consulado examinó un expediente promovido por el Síndico Procurador del Cabildo con miras a una reforma que contemplara un mejor arreglo de las contribuciones junto con el fomento de la agricultura y del comercio. Simultáneamente se estudiaron otros proyectos relativos a la apertura del puerto a los buques ingleses y norteamericanos, sobre reducción de impuestos y desarrollo de la industria. Se acordó entonces como base de un estudio general de los diversos problemas económicos, la total exención de derechos de toda clase sobre los productos de la tierra, y la reducción de impuestos sobre las manufacturas y frutos extranjeros a unos términos que suprimieran todo estímulo al contrabando.

El informe definitivo naturalmente fue encomendado a Pombo el cual aprovechó sus conocimientos teóricos, experiencias prácticas, proyectos e informes anteriores, para realizar un estudio de pasmosa erudición, agudeza de miras y previsión, con las cuales se adelantó a muchas de las concepciones y soluciones modernas en las ramas de la industria, del comercio y de la instrucción pública. Es un genuino plan de desarrollo económico y cultural. Su objetivo primordial era, con el fortalecimiento de las finanzas, la elevación de las condiciones de vida del pueblo a través de la rebaja de impuestos, estímulos al trabajo e incremento de la educación.

El Informe, aprobado por la Junta de Gobierno del Consulado el 11 de octubre de 1810 fue presentado oficialmente a la Suprema Junta Provincial presidida por don José María de Toledo, la cual lo acogió con grandes elogios y ordenó que se imprimiese (25).

El erudito historiador e infatigable trabajador intelectual don Gabriel Porras Troconis reeditó la obra de Pombo, impresa en Cartagena por don Diego Espinosa de los Monteros, en 1810, en varias entregas de su afamada Revista *América Española*, bajo el título justamente expresivo: *Madurez espiritual de los fundadores de la República*. El documento que a continuación publicamos —escribe en forma adecuada a la realidad histórica— escasamente conocido aun entre los eruditos, y del cual quedarán no más de cinco ejemplares en todo el país, es de notoria significación para apreciar la elevada cultura de los próceres que acometieron la tarea de alcanzar la independencia de las colonias españolas de América. Sin temor de equivocarnos y sin que otra cosa pueda probarse, nos atrevemos a decir que en los ciento treinta años corridos desde que don José Ignacio de Pombo escribió este informe, no se ha producido nada igual en la literatura oficial de la Costa Atlántica de Colombia (26).

---

(25) *Informe del Real Consulado de Cartagena de Indias, a la Suprema Junta Provincial de la misma, sobre el arreglo de las contribuciones en las producciones naturales, en la navegación y en el comercio; sobre el fomento de la industria por medio de establecimientos de enseñanza y fábricas de efectos de primera necesidad que se proponen; y sobre los nuevos cultivos y poblaciones que son necesarias para la prosperidad y seguridad de la Provincia.* Lo extendió por encargo de dicho Real Cuerpo, el Prior D. José Ignacio de Pombo. En la Imprenta del Real Consulado. Por D. Diego Espinosa de los Monteros. Año MDCCCX. De orden del Gobierno. Impreso en papel de hilo de excelente calidad. 156 páginas. Hemos tenido a la vista un ejemplar de la Biblioteca Nacional, Miscelánea de Cuadernos, Pieza 1.

(26) Gabriel Porras Troconis, *América Española*, números 26, 27, 28, 29, 30, 32. Barranquilla, 1940.

Antes de entrar a examinar específicamente los puntos a que se contrae el trabajo, reducidos a un reajuste del sistema de impuestos, a la fundación de nuevas fábricas de primera necesidad y al estímulo de cultivos de ciertos frutos indispensables, Pombo echa una aguda mirada al conjunto de males de orden social y político que asolan la Provincia, critica las instituciones como contrarias a los principios del buen régimen económico, y proclama la necesidad de un cambio radical. Hé aquí como se enfocan en forma global los males existentes y los obstáculos para la implantación de un nuevo ordenamiento económico social:

"Aunque para dar un verdadero impulso a la agricultura y al comercio que es su agente, era necesario remediar varios males, quitar muchas trabas e inconvenientes y remover obstáculos físicos, morales y políticos que se oponen a su progreso, además de los propuestos: tales como mejorar la educación de los labradores y proporcionarles aquellos conocimientos precisos para distinguir las especies diversas de tierras, de abonos, y de frutos más propicios y análogos a cada uno para su cultivo según su diferente elevación y temperatura y sobre su beneficio, conservación etc., por medio de escuelas de primeras letras en todos los pueblos, y de cartillas rústicas que se leyesen en ellas; dar ocupación a tantos vagos y ociosos que son carga del Estado, y como plantas parásitas viven de la sustancia de otros; reformar los abusos de la autoridad civil y eclesiástica en los pueblos de campo, que arruinan con sus exacciones arbitrarias a los cultivadores; hacerlo igualmente de la multitud de días festivos que los priva de una tercera parte del año del producto de su trabajo, con conocido perjuicio de las costumbres, de la riqueza nacional y de su propio bienestar; extinguir los registros, las detenciones y las estafas que con pretexto de las contribuciones, y de impedir el contrabando, se hacen a esta desgraciada y desatendida como útil y necesaria porción de ciudadanos, en sus casas, por los caminos, a la entrada de los pueblos y aun en esta ciudad por los jueces, por los soldados y por los guardas, sin beneficio alguno del erario; levantar la carta geográfica de la Provincia, que es el primer elemento de los trabajos económicos, para facilitar las comunicaciones por tierra y agua, abriendo nuevos caminos, canales y mejorando los actuales; poner expedita la importante navegación del Canal del Dique; quitar los peligros en la de los ríos que circundan y riegan la Provincia; variar la mala situación de varios pueblos en parajes enfermizos, trasladándolos a otros más sanos y ventilados; remediar tantos abusos y vicios introducidos en las costumbres, en la administración de justicia y aun en la religión misma; la de la falta de cementerios, de profesores médicos, de hospitales, hospicios y casas de corrección; la de noticias estadísticas de la población, productos y comercio de la Provincia; la de la enseñanza de las ciencias útiles, sin la cual no pueden prosperar los pueblos, ni perfeccionarse las artes; abolir las leyes fiscales, tan tiranas como injustas, y tantas otras opresivas de la libertad natural, de la seguridad individual y de los derechos de propiedad del ciudadano; las tasas; las trabas puestas en la compra y venta, en la navegación y hasta en el cultivo de ciertos frutos; el tributo de los indios que los envilece, que los aniquila y es causa de su ignorancia y miseria; los estancos destructores de la presperidad pública; los fueros privilegiados, etc., puntos todos importantísimos que si hubiéramos de detenernos en examinarlos, sería necesario escribir un volumen y un tiempo proporcionado, *pues son innumerables nuestros males, pésimo nuestro sistema y de absoluta necesidad el variarlo enteramente...*"

El Informe se divide en varias partes, subdivididas a su vez en secciones. Analicémoslo objetivamente.

I — Primera Parte. Contribuciones.

A) *Sección 1ª: Gravámenes sobre las producciones naturales.*

De acuerdo con los principios de la escuela de los fisiócratas, que predominan en toda la obra, se proclama el siguiente, llevado a sus últimas consecuencias:

"Por regla general, las producciones de la tierra, sean minerales, vegetales o animales, estarán libres de toda contribución real o municipal, sin más excepción que el oro y la plata de las primeras, que continuará pagando el derecho de quinto; y de las segundas y terceras, sólo las alimenticias quedarán sujetas al pago de diezmos y primicias, reformando los abusos introducidos en su exacción; deben así mismo extinguirse o reducirse a lo mínimo las que se cobran sobre la navegación; y nivelarse las del comercio en términos que fomenten la agricultura e industria nacional y que no haya estímulo para el contrabando".

Entre las diversas exacciones, se opone decididamente a la de la Sisa, pues "ninguna hay más gravosa, más injusta y más perjudicial que la que se hace sobre las carnes de vaca y puerco, de un real en cada arroba de las primeras, y dos en las segundas, en todos los lugares de esta Provincia". Explicado el origen histórico del impuesto, que existía sólo en Cartagena y venía desde la construcción de la muralla, expone que por el tanto por ciento exigido era gravosísimo y opuesto al progreso de la ganadería. Es, pues, de necesidad —concluye— y de justicia la abolición del dicho derecho de Sisa que como lo expresa su nombre es una verdadera estafa que se hace al público, y con tanto daño de sus verdaderos intereses.

Al tratar de la Alcabala, se hace eco del clamor general de los escritores y de todos los pueblos del Nuevo Reino: "No es menos gravoso y bárbaro, como su nombre y origen, en expresión del señor Jovellanos, el derecho que sobre las mismas carnes y sobre los productos de la agricultura y montes se exige con el título de alcabala de mar, tierra y viento en todas sus ventas. Debe extinguirse dicho derecho por los mismos motivos en todas las producciones de la Provincia para su fomento; y sólo continuarse su cobro en las que se introduzcan de afuera, tanto para no perjudicar el producto de las actuales contribuciones, cuanto para que la libertad de las primeras sirva de estímulo para su cultivo en la Provincia, y les asegure desde luego la concurrencia con las de las segundas".

Especial injusticia le encuentra —con sobra de razón— a la alcabala en la venta de los esclavos. Motivos de humanidad, de justicia, de política y de conveniencia aconsejaban su abolición, pues "él es un derecho sobre hombres, él agrava e imposibilita a muchos infelices esclavos no sólo el poder adquirir su libertad, sino aun el salir del poder de amos crueles y tiranos". Es un paso hacia la abolición de la esclavitud, dado en la región en donde más se habían acostumbrado al indigno comercio.

En cuanto a los derechos de exportación, se enuncian tesis muy en boga en el siglo XVIII. Los impuestos sobre los frutos que se exportaban para el interior o para otros puertos de la América Española, además de los municipales, eran del 2½% y del 4½%, y si su extracción era para los puertos extranjeros, llegaba hasta el 9½%. Si a esto se agregaban el diezmo y primicia, la alcabala, la sisa, los gastos de transporte, ya se puede concluír el extremo encarecimiento de los productos y su dificultad para venderlos en los puertos extranjeros. La escuela económica vigente daba a Pombo normas suficientes para procurar el abaratamiento de las exportaciones:

"Es también una verdad constante que la riqueza de un país no consiste ni en la extensión del territorio, ni en su fertilidad, ni en la variedad y aprecio de sus producciones, ni en el número de los hombres, que son únicamente medios de obtenerla; sino en el trabajo productivo, esto es, en el mayor número de cosas que tiene que vender, pues los signos o metales que se cambian por éstas, y que las representan, no se quedan donde no las hay, sino que van a buscarlas en donde existen. Sólo, pues, un sistema destructor, bárbaro e impolítico como el que se ha seguido en América, que según observa el señor Campillo, no podía inventarse otro peor, habría gravado las producciones de la tierra, que constituyen la verdadera riqueza, con unos derechos tan excesivos, que al paso que impiden el progreso de la agricultura y de la población, son la verdadera causa de la actual pobreza y miseria de estos habitantes; y así debe desde luego extinguirse los antedichos, no sólo en las producciones de esta Provincia, sino en todas las demás del Reino".

Al condenar el impuesto sobre tierras realengas, como perjudicial al fomento de la agricultura, establece principios de justicia social que han sido tenidos en cuenta recientemente entre nosotros en el estudio y promulgación de la Reforma Agraria: "Estas (las realengas) y todas las que haya abandonadas en la Provincia, deben concederse gratuitamente y en porciones proporcionales, a cuantos las pidan o soliciten, con la obligación de cultivarlas o poblarlas de ganados, dentro de un preciso término, que no exceda de tres años, pasados los cuales, si los agraciados no hubieren cumplido con la condición dicha, podrán adjudicarse a otros que las soliciten; y por este medio sencillo, justo y político, además de los propuestos, y el de eximir del servicio de milicias a los labradores en los lugares de campo, hará grandes progresos el cultivo".

Los derechos sobre los *mazamorreros* o sea los que se ejercitaban en sacar oro de las orillas de los ríos, quebradas, etc., consistentes en cuatro pesos al año, con extracción o no del oro, y aunque trabajasen un solo día del año, habían sido decretados arbitrariamente por el Visitador Gutiérrez de Piñeres, de odiosa recordación en los anales patrios. Su injusticia se ponía de bulto al considerar que también el oro extraído pagaba el derecho de quinto, y que no pesaba sobre los demás mineros. Por considerarlo injusto, impolítico y contrario al aumento de la riqueza nacional, Pombo reclamaba su absoluta extinción.

Los derechos de Consulado y de Dique eran municipales. "Y sin embargo de que todos los fondos de este cuerpo se invierten religiosamente en beneficio público, y se manejan con la mayor pureza, renunciamos a su nombre dicho derecho porque consideramos el inmediato bien que resultará de esto a la Provincia... Esperamos que con este ejemplo haga lo mismo el M. I. Cabildo con los derechos de Dique".

B) *Sección 2ª: Gravámenes sobre navegación.*

En esta materia, Pombo expone juiciosos conceptos, acordes con las reglas más sanas de economía política. Como los fletes —escribe— aumentan considerablemente el precio de los frutos, con especialidad cuando éstos son de corto valor, y de mucho volumen; y como aquéllos estén en razón del mayor o menor costo de las embarcaciones, todo cuanto pueda aliviarse a los dueños de ellas de los gravámenes que se les exigen para su navegación, y todo cuanto facilite su pronto despacho, y disminuya el precio de las cosas de que se forman aquéllas, debe ponerse en práctica, para que se logren los saludables efectos que se desean del fomento de la agricultura, del de la navegación mercantil y del del comercio, que es el alma de entrambas, y de la industria.

De conformidad con tales tesis, propone la abolición "del odioso derecho de Toneladas que con título de almirantazgo se exige de ellas por la Marina", del derecho de Sanidad, de Registro de los buques de comercio, de Certificaciones de paz y salvo con la real Hacienda o con la Aduana, de Reconocimiento de los buques por la Marina. El alto precio de los pertrechos marítimos como jarcias, lonas, betunes, clavazón, perchas, etc., incidía necesariamente en el encarecimiento de los fletes: la libertad de toda clase de derechos sobre dichos efectos se imponía con necesidad absoluta.

Igualmente era necesaria, si se buscaba el fomento de la navegación y de la pesca, la extinción de la Matrícula. Para ello se invocan postulados de libertad natural. Era una institución impolítica, desconocida de los Estados Unidos, de Inglaterra y de las naciones del norte de Europa, dotadas de una marina mercantil y militar considerable, la cual alejaba a nuestras gentes de la navegación y de la pesca, por no quedar toda su vida bajo el yugo del gobierno militar. El fuero militar concedido a los matriculados "no es un estímulo suficiente a recompensar aquel sacrificio en un hombre libre". Y en cuanto a los privilegios, "son verdaderamente monstruosos y *contrarios al derecho del hombre en sociedad que no ha renunciado de su libertad natural sino aquella parte necesaria para conservar el orden público.* Privar a los demás ciudadanos de ocuparse en el ejercicio de pescar, o de navegar en los buques particulares, si no son matriculados, es tan bárbaro, como si a solos los militares se concediese el privilegio de cultivar la tierra o que se obligase a todos los labradores a ser soldados".

Debían, pues, extinguirse el fuero y privilegios de la Matrícula para fomentar el ramo interesantísimo y productivo de la pesca, para multiplicar los marineros y para facilitar así el tripular las embarcaciones de comercio.

Al terminar esta Sección, Pombo explica en su conjunto las razones doctrinarias que le han llevado a proponer la total libertad de impuestos reales y municipales sobre los productos de la tierra, para fomento de la agricultura, de la navegación y del comercio. Luego apela al argumento muy propio de los escritores del XVIII: la experiencia. "Si además de las razones y principios luminosos de la ciencia económica en que está apoyado cuanto particularmente hemos expuesto sobre cada uno de dichos gravámenes, fuese necesario el ejemplar de la experiencia, citaremos entre otros el del sabio sistema de los Estados Unidos americanos, su prosperidad y rápido engrandecimiento y la felicidad de sus habitantes. Allí no conoce el agricultor ni el artesano a los agentes de gobierno, empleados en la recaudación de las rentas públicas, ni tienen para qué conocerlos, porque como dice el ilustre Jefferson, en uno de sus mensajes al Congreso, ni cuando recoge sus frutos, ni cuando los vende para el consumo del país, ni cuando los exporta para el extranjero, tiene qué pagar derecho alguno. En otros gobiernos como en Inglaterra, se pagan por el Estado, sobre algunas producciones de la agricultura e industria, premios a su extracción al extranjero. La razón política de una y otra conducta es fomentar por este medio la riqueza nacional, que consiste en vender el sobrante de las cosas, facilitando su consumo en países extranjeros, de donde vuelven al de que han salido, con los aumentos de los fletes, de los gastos y de las ganancias que allí han producido en su venta; y como este suele doblarse y aun triplicarse muchas veces, por razón de aquéllos, resulta que lo que valía diez, viene convertido en veinte o en treinta, y sobre éstos a su entrada cobra el Estado las contribuciones establecidas sobre los frutos y artefactos extranjeros..."

El resultado de este sistema era no solo el enriquecimiento de los particulares, y de la nación en general, sino la ganancia hecha con usura por el erario de lo que había dejado de cobrar a la salida de los frutos o había dado para estimularla. Al lamentar la oposición de muchos a estas sugerencias, no se extrañaba, pues "sabemos el poder de la costumbre, el interés que suelen tener algunos particulares de los abusos, y que el bien general no puede hacerse sin contradicciones".

Las mismas tesis de libertad de impuestos para los productos de la agricultura y ganadería, se enunciaban para la industria: "Cuanto hemos dicho relativo a la absoluta libertad de derechos sobre las producciones naturales, debe entenderse extensivo a las de las artes e industria, que es necesario fomentar no sólo con dichas exenciones, sino también con otras particulares de que hablaremos en su lugar".

C) *Sección 3ª: Gravámenes sobre el comercio.*

En el comercio directo con los puertos libres de la Metrópoli, con las Provincias del Virreinato y de las demás de América Española, no se proponía alteración alguna, debiéndose respetar las leyes existentes, *al menos por ahora.*

En cuanto al comercio con el extranjero, Pombo hace aquí críticas sustanciales al régimen introducido por España en la política aduanera. A pesar de la extensión del párrafo, no dudamos en incluírlo, dada la importancia de las consideraciones y principios que lo esmaltan.

Por una falta de cálculo —escribe— y de política, o por mejor decir, por una suma ignorancia de los principios sobre que debe girar la administración de rentas públicas, entre las cuales las de las aduanas se consideran como un medio de fomento de la agricultura y de la industria nacional, y como un termómetro político que indique los grados de su disminución y aumento, se han gravado todas las producciones de la tierra con excesivos derechos en América, o reducido monopolio; y se han recargado las extranjeras en tales términos, que ascendiendo su valor a un 33%, con los gastos además de su transporte por tantos rodeos, comisiones, seguros, etc., llegan a nuestras manos doblado o triplicado su valor. Este es un estímulo el más eficaz que podía darse para el contrabando, el cual creyó el gobierno evitar creando una legión de guardas que sólo sirven para protegerlo y vejar a los hombres honrados... El triste resultado de este sistema ha sido arruinar nuestra agricultura, y reducir a la miseria a la mayor parte de los pueblos; corromper las costumbres y destruír el comercio legítimo con los segundos; y enriquecer por medio de unas exacciones tan considerables sobre estos habitantes, a unos hombres que han sido siempre sus mayores detractores.

Según el informe dado por el Administrador de Aduanas, completado por los datos que poseía el Real Consulado, se llegaba a la triste conclusión de que solo una cuarta o quinta parte de las importaciones provenientes del extranjero entraba por la aduana. El remedio más eficaz e inmediato para evitar el contrabando, era la facultad dada al Administrador para quitar o poner los guardas a su voluntad, y la reducción de los derechos de entrada. Todo ello porque "si es una máxima generalmente recibida en política de que el contrabando por mayor no puede hacerse sin el conocimiento de los que están encargados de impedirlo... lo es también que no es lo mismo saber que hay contrabando y quienes lo hacen, que el probárselo, y más en el presente complicado estado de nuestra legislación".

En la reducción de impuestos, proponía Pombo un arancel aduanero muy bien estructurado, "para graduar en un término proporcionado y político al mismo tiempo, dichos derechos sobre las producciones y artefactos extranjeros a su entrada en este puerto".

El arancel dividía las importaciones en tres clases. La primera comprendía metales (hierro, cobre, plomo, estaño y latón en pasta), pertrechos marítimos, instrumentos y máquinas de toda especie para las ciencias y las artes y herramientas para la agricultura. Estos efectos pagarán el 6%.

Un impuesto de 12% gravaba a los artículos de segunda clase: artefactos de seda, lana, lino, pita, etc., los de acero, hierro y demás metales que se conocen con el nombre de mercería o quincallería fina.

Bajo la tercera clase se comprenderán todos los licores y caldos, los víveres, la loza, la vidriería, el papel, los libros impresos, el jabón, las pinturas, y drogas medicinales, las especies como canela, clavo, pimienta, etc., la clavazón, las municiones, armas y demás pertrechos de guerra, las hojas de lata, el cobre y plomo en planchas, las velas de sebo, cera o esperma, los muebles de casa u otros cualquiera de uso, la ropa hecha y generalmente todo cuanto pueda perjudicar a nuestra actual industria. Todos estos efectos pagarán el 22%. Proponía, pues, una política aduanera proteccionista de la industria nacional.

La exportación de los artículos de segunda y tercera clase para otros puertos desde Cartagena, será libre. Pero los de primera clase pagarán el 4%

En cuanto al oro y la plata, "aunque sean propiamente hablando una producción de la América y como tal deberían estar exentos de toda contribución real a su exportación y pagar solo las municipales; sin embargo, como son al mismo tiempo signo de las cosas, los representantes de la riqueza y los que facilitan el comercio", se proponía en conjunto un impuesto del 4%. El exigir de los comerciantes que exporten precisamente el valor de los cargamentos que introduzcan o la mayor parte de ellos; que sólo se permita la extracción del dinero para lo que no puedan llevar en frutos y que para ello se les obligue a dar cuenta del producido de aquéllos y del valor de éstos, es tan violento e injusto como perjudicial al mismo interés de la comunidad y de los particulares. Dicha providencia se tacha de *"verdaderamente antisocial en que se violarían los más sagrados derechos del ciudadano, así con respecto a su propiedad como a su libertad individual"*.

Todas estas medidas las sugería el informante para favorecer la acción libre del comercio, si en realidad se quería fomentar.

La utilidad del sistema propuesto la sustentaba además con la consideración de los males producidos por la inflación monetaria, causa de tantos males para España en el descubrimiento de América: "La redundancia del dinero en un país agricultor e industrioso le es tan perjudicial como su absoluta falta, y produce los mismos efectos; porque al paso que aumenta el valor del jornal, el precio de las tierras, el de sus producciones, y el de las de la industria, las destruye; y aquél por la acción de éstas desaparece. Así sucedió puntualmente en España, después del descubrimiento de la América, porque siendo los signos mayores que las cosas y no habiendo cuidado el gobierno de igualarlas, subieron éstas a proporción que aquéllos se aumentaron..."

Y continúa advirtiendo que siendo una producción neutra los metales preciosos "no debemos temer su absoluta falta, que es causa de la miseria, pues sin ellos no puede haber comercio; pero para evitar el mismo mal que produce su abundancia y lograr que los signos estén en proporción de las cosas, que constituyen la verdadera riqueza, debemos promover el aumento de éstas por los medios liberales que dejamos propuestos, y dejar libre salida al superfluo de aquéllos. Por este único medio se falsifica el axioma recibido entre los políticos, según el testimonio de Raynal, de que los pueblos donde se sacan los metales preciosos son los más pobres, y donde el despotismo ejerce impunemente su tiranía. Esto se ha verificado hasta ahora en nuestra América, en que por tres siglos la codicia insaciable de sus gobernantes y de algunos particulares ha sacrificado la mejor y más interesante parte de su población, los indios, en el trabajo de las minas, a pretexto del inicuo tributo que se les impuso".

La sensibilidad social de Pombo brilla en los párrafos anteriores, en los cuales se rebela contra las injusticias cometidas en la explotación de nuestras minas, cuyo producto, "apenas se ha sacado de ellas, ha pasado al otro lado del océano, sin quedar entre nosotros otra cosa que la memoria de su opulencia y el triste espectáculo de la miseria de los que las trabajan".

Al recapitular lo expuesto en esta primera parte, el autor puntualiza su pensamiento, tendiente a fomentar la industria y el comercio, el fin más propio de "un gobierno liberal e ilustrado".

II — *Segunda parte. Industria y Educación.*

Como preámbulo a este tratado, Pombo entona el más bello himno en loor de la educación, principio y culminación del verdadero progreso. Las fábricas que nos hacen principalmente falta —escribe— las que son capaces de sacarnos de la actual miseria, las que remediarán todos nuestros males y las que nos proporcionarán las de la industria que deseamos, son fábricas de sabiduría. Sí, Señores: la educación es el fundamento de la felicidad pública, tanto con respecto a la Moral, como al bienestar de los ciudadanos; y donde estuviese descuidada o no fuese proporcionada al estado, condición, sexo, y ocupación de éstos, ni habrá buenas costumbres, ni riqueza permanente entre ellos, que solo se obtiene por el cultivo de las artes.

A) *Sección 1ª: Establecimientos de enseñanza.*

La primera consecuencia de las premisas anteriores salta a la vista: "Son pues de absoluta necesidad escuelas de primeras letras en todos los pueblos, sin exceptuar el más pequeño, porque todo hombre libre necesita saber leer, escribir, y contar y sin estos elementos difícilmente sabrá ninguno las obligaciones de cristiano, ni las de ciudadano, y mucho menos podrá instruírse ni perfeccionarse en el arte u oficio a que se haya destinado, pues la enseñanza de la experiencia, además de que se adquiere tan a costa propia, es tardía y cuando tal vez ya no está el hombre en estado de trabajar para aprovecharse de ella; y la primera de las artes, la agricultura, es la que más necesidad tiene de aquéllos, según el testimonio del sabio Columela".

Luego se proponen escuelas de dibujos y de matemáticas en Cartagena, Mompox, y Corozal, "porque sin estos conocimientos no puede haber buenos artesanos, ni hacer progresos la industria, ni florecer las bellas artes. Ellos son la base fundamental de las ciencias naturales y perfeccionan las especulativas; ellos como dice el profundo D'Alembert, forman y producen a los verdaderos sabios..."

"Escuelas de ciencias naturales: de mineralogía, de botánica, de zoología y de química, con su correspondiente aparato, gabinete y jardín en esta ciudad, para que se formen hombres que nos enseñen a conocer nuestras producciones naturales, a beneficiarlas, cultivarlas, y conservarlas; y a aprovecharnos de ellas.

"Teatro anatómico y un estudio formal de medicina en que se enseñen la cirugía, la anatomía y la farmacia, por cuya falta padecen y mueren prematurmente tantos hombres y niños, con detrimento de la población.

"Un observatorio astronómico, dotado de los necesarios instrumentos para perfeccionar nuestra geografía, que está en mantillas, nuestra navegación, etc.

"Cátedras de derecho público, de sana moral, de economía política, y de lenguas, porque estos conocimientos son los que forman para la magistratura, para el gobierno y para el senado".

No se desespera el optimista y sagaz autor de este brillante plan educacional por la carencia de recursos, y antes bien afirma y prueba que en la Provincia y en la Ciudad sobran edificios, rentas y arbitrios, ni será difícil hallar profesores en el país o fuera de él. A este respecto, repite el pensamiento de Campomanes que le era muy caro, de que la gran ciencia del gobierno consiste en saber dar debida aplicación a los recursos y hacer la más conveniente elección de los hombres.

No podía faltar la iniciativa de la Sociedad patriótica de amigos del país, ya antes propiciada en Cartagena por el mismo Consulado, y de un periódico político económico en que se tratasen de preferencia los temas de economía rural. Los modelos de tales instituciones debían ser, lógicamente, los fundados por los políticos de la Ilustración: "Las reglas bajo las cuales deben gobernarse dichos establecimientos son demasiado conocidas, y tan recomendadas éstas por los mayores sabios de la nación, Moñino, Campomanes, Jovellanos y otros, que nos abstenemos por tanto de expresar las primeras..."

La fundación del periódico supone necesariamente la de una imprenta moderna, y el Gobierno debe hacer cualquier sacrificio para importarla. "A ella y al descubrimiento de la América debe el género humano su actual civilización y comodidad. Si la riqueza de la América es la que da ser y vida a las naciones del antiguo continente, y la que ha despertado en ellas la industria, y el comercio que las une, la imprenta es la que ha llevado por todas partes la ilustración y las luces. Ellas están en todo país en razón de la mayor o menor libertad que goza aquélla; y así es un axioma político que donde hay libertad en la imprenta no puede haber tiranía, y por el contrario, que es difícil o imposible el que haya un buen gobierno permanente, donde se carezca de ella".

En el campo de la asitencia social, considera importantísimo tanto con relación a la moral pública como a la riqueza nacional, la fundación de "un hospicio en que se recojan los pobres de uno y otro sexo y se les dé una ocupación proporcionada a sus fuerzas, poniendo molinos para limpiar algodón, tornos para hilarlo, como otras primeras materias, telares para fabricar algunos tejidos, etc.... Sabido es que la ociosidad es la madre de todos los vicios, y así el trabajo productivo, al paso que retrae al hombre de aquélla, le da medios para subsistir sin ser carga de otro, y lo hace miembro útil de la sociedad. Su falta entre nosotros es tanto más notable, cuanto es mayor el número de pobres, y también los medios efectivos para ocurrir a éste".

Partiendo del principio del regalista Peñaranda en su *Sistema económico*, de que "el conmutar obras pías para destruír mendicidad, fomentando la industria, es dar el debido destino a las limosnas", entra a proponer el lugar, rentas y demás auxilios que podrían contribuír a la realización del proyecto, con base en los bienes eclesiásticos y con aplicación de postulados de notorio sabor regalista, como aquel de que "por derecho los bienes de la Iglesia son de los pobres, y los eclesiásticos unos meros administradores". El producto del trabajo realizado por los mismos pobres contribuiría al sostenimiento de la obra.

La influencia ejercida sobre Pombo para la fundación del hospicio, nos la expone prolijamente al citar los escritores, economistas y políticos, que le sirvieron de inspiración:

"Sobre el régimen y administración de los hospicios, hay muchos escritos excelentes, entre otros la obra del célebre Necker, sobre la *Administración de las rentas de Francia;* la citada *Obra pía* de Ward; la de Auzano, *Sistema de gobierno de los hospicios;* las vistas de los Sres. Campomanes y Moñino siendo fiscales; el *Memorial de los pobres* del Sr. Lorenzana de 1779; la *Memoria* de don Nicolás Alonso de Miranda, etc."

Como proponía la supresión de los conventos de San Diego y de la Merced, apelaba a la utilidad que resultaría al convertirlos "en casas de caridad y de enseñanza, en que al mismo tiempo que se alimenten y ocupen útilmente tantos pobres y huérfanos ociosos, perdidos para la sociedad, y para la religión misma, se les instruya en ésta, se les dé ocupación y enseñanza para ser miembros útiles del Estado y en que se cultiven las artes y las ciencias tan necesarias para la felicidad pública y para el adelantamiento de nuestra religión santa..."

B) *Sección 2ª: Fábricas.*

Manifestada, —escribe Pombo— la parte fundamental de la industria, vamos a tratar de las fábricas de hierro y otros metales, de las de jabón y de otras que consideramos de igual importancia y necesidad. Para ello establece la siguiente prelacía:

De hierro. Expuesta la utilidad de este metal y la abundancia con que se encuentra en nuestras tierras en diversas formas, así como la necesidad de mineros inteligentes que exploren las montañas, que nos hagan conocer las minas existentes en ellas y enseñen su beneficio, lo cual pertenece al gobierno que debe traerlos a su costa, agrega: "Entre tanto esto se logra, debe protegerse la entrada de esta primera materia para las artes, y auxiliarse con todo género de favor y premios las fábricas que se establezcan de clavazón y de cerrajería; de instrumentos de agricultura y demás artes; de armas de todas clases; de trapiches y otras máquinas; de convertirlo en acero y depurarlo; de hojas de lata, etc. Conviene se empiece por las más groseras y comunes, como las más útiles y necesarias por su mayor consumo".

A este respecto ensalza los méritos del maestro Pedro Romero y de su hijo Esteban, artistas inteligentes, hombres extraordinarios, elevados por la fuerza de su ingenio y aplicación a un grado de perfección y delicadeza admirables, capaces de formar otros artesanos, y por lo tanto acreedores a la protección del gobierno.

De cobre: Expresa igualmente su utilidad en las artes de la paz y de la guerra, en la aplicación de las ciencias naturales y exactas: "Lo que particularmente nos interesa en este ramo de industria es traer maestros inteligentes que lo sepan batir, y nos lo enseñen, para tirar planchas de todo genero, para hacer fondos, alambiques, y otros utensilios".

De oro: Debe promoverse su saca (en oro corrido o en polvo), concediendo entera franquicia y libertad a toda clase de personas para ella; y fomentarse todo género de trabajo de manos de este metal, del de plata y la platina, proporcionando a sus profesores los necesarios conocimientos, máquinas, herramientas, etc., y extinguiendo el estanco impolítico e injusto de la última.

De carbón de piedra, brea y otros fósiles: Habla de las minas de estos metales y fósiles, y "últimamente de brea en Barrancabermeja de que casi no se hace uso". (Hace alusión al petróleo). Debe promoverse por el gobierno este ramo de industria, el de la fabricación de todo género de loza fina y ordinaria, el de vidriería, etc. En las *Memorias* de Suárez, *Semanarios de agricultura,* se hallan cuantas noticias se puedan desear sobre estas dos últimas artes.

De curtimbres y tenerías: Este arte en nuestros días se ha simplificado mucho y llevado a un grado de perfección admirable por medio de la química. En el periódico. de la Habana y en el citado *Semanario de Agricultura* se encuentra este nuevo método de curtir, adoptado generalmente en las tenerías de Europa. La sola operación de curtir una piel cuadrupla al menos su valor, y de ahí la ventaja de que éstas no salgan de la Provincia al pelo, como sucede hasta ahora.

De jabón: Estas fábricas son sencillísimas: las materias nenesarias para su elaboración que son aceites vegetales, grasas de animales o de pescados, sales y álcalis cáusticos vegetales, y cal viva, abundan en todas partes. En el tomo 8º de las *Memorias* de Suárez hay una en que se dan largamente las reglas y noticias que se puedan apetecer. Es muy doloroso el desperdicio de tantos aceites de palma que se pueden emplear en un objeto tan fácil como el de hacer jabón, de un consumo tan seguro y en que se gastan muchos miles de pesos que salen de la Provincia.

De Papel: Este género de primera necesidad se ha encarecido enormemente, y ello es un estímulo para su fabricación. Deben traerse hombres inteligentes que establezcan o dirijan estas fábricas, importarse las maquinarias y reimprimirse todo lo que se ha publicado en las obras de Suárez, en *El Semanario de Agricultura*, en *El Correo Mercantil* y en *La Enciclopedia.*

Manufacturas de *algodón*, *pita* y *fique* en el Hospicio, donde deben ponerse los maestros que dirijan su fabricación, así como las maquinarias. De estos talleres saldrán hombres preparados que establezcan otras en los pueblos de la Provincia.

Cestos, esteras, sombreros de paja, etc. deben fabricarse en la cárcel para dar ocupación a los presos, facilitar su subsistencia y también su corrección. Para esto se deberá ampliar la cárcel, así como para evitar los males morales que provienen de su aglomeración. Si el Gobierno provee a esta necesidad, hará a la humanidad, a la justicia y a la filosofía un gran servicio.

Diserta largamente sobre el reciente invento hecho en las islas vecinas, de sacar de las pencas que componen los troncos del plátano una hilaza o hebra tan consistente que torcida después se enjuta y limpia y adquiere mayor resistencia que las cuerdas del mejor cáñamo. En el *Diario de Física* y en el *Semanario de Agricultura* de París, de 1808, se ha publicado cuanto concierne al invento.

En cuanto a los medios para llevar a efecto estos establecimientos, reconoce el autor que se necesita de tiempo, de hombres, de medios, y sobre todo de mucha energía y constancia por parte del Gobierno. "No se puede hacer el bien general sin perjuicio de algunos particulares; y nuestros males son tan profundos y viejos, que para remediarlos es preciso cortar y curar por la llaga, porque si se respetan las preocupaciones, los abusos y el interés de pocos, cuando se versa el de toda la comunidad, la obra importante de la felicidad de esta provincia no se verificará jamás". El primer paso debe ser el envío a los Estados Unidos de un Comisionado, instruído y de probidad conocida, para conseguir los técnicos y las máquinas que sean necesarios, y para ello se propone a don Juan de Dios Amador. También se hace el presupuesto mínimo de gastos que exige esta comisión.

Al recapitular lo tratado en esta segunda parte se tienen en cuenta las fábricas más importantes por su utilidad, para dar ocupación a los indigentes y las que se deben fomentar entre los particulares por su sencillez, facilidad y ventajas. Para mayor abundancia de razones, agrega Pombo las consideraciones siguientes que nos dan idea de lo pragmático de sus proyectos y del estado de la economía en aquellos días:

"Una libra de lino limpio y en estado de hilarse, vale sólo una peseta: ésta misma convertida en un hilo regular como de número 36, sube su valor a cinco pesos, esto es a veinte veces más que el primero; y hecha con él una pieza de estopilla u otra de tejido, duplicará lo menos el segundo y será 40 veces mayor que aquél. Si esta comparación se hace entre dicha libra de hilaza, una de hilo número 60, otra de un tejido, como una batista, y un encaje fino, la diferencia entre los extremos será de uno a cinco mil. Pero hagamos este mismo cálculo con cualquiera de nuestras producciones convertida de unos artefactos aunque comunes y groseros: tres libras de algodón con pepita valen tres cuartillos de real, y por la simple operación de limpiarlo, quitándole aquélla, aunque quedan reducidas a una, se duplica su valor, pues el precio de ésta es real y medio; convertida en pabilo para luz, vale tres reales; en hilo común para coser vale ocho, y si éste es algo fino sube hasta cuatro pesos y lo mismo sucede respectivamente en los tejidos, para los cuales el hilo necesita menor consistencia y trabajo. La verdadera utilidad de la industria no es solamente lo que mejora o aumenta el precio de las cosas, transformándolas o criando otras nuevas, sino porque este valor, como observa el sabio Smith, es el precio del trabajo de los hombres que se han empleado u ocupado en sus diferentes preparaciones, hasta llegar a aquel estado, esto es, del labrador que la cultivó, del que la condujo, la benefició, etc., y así su utilidad está en razón del mayor número de aquellos que ocupa, y que por consiguiente alimenta. Bajo este respecto es que deben graduarse las ventajas de las fábricas ordinarias y de general uso, pues aunque al parecer cada una de ellas emplee un corto número de hombres, su consumo las multiplica, y también el de éstos que mantiene; y así su utilidad es más real y efectiva que las de las fábricas finas o de efectos de lujo, que sólo los gastan los ricos, que respectivamente en todas partes componen un número muy pequeño de sus habitantes. Sobre estos principios nos hemos fundado para proponer con preferencia las fábricas de que hemos hablado en este segundo punto..."

III — *Tercera parte: La Agricultura.*

A) *Sección 1ª: Nuevos cultivos.*

Recibimos —continúa— de otras partes el azúcar, el cacao, y el tabaco que consumimos, que nos llevan sumas inmensas todos los años, cuando podíamos proveer de dichos frutos a una parte considerable de la tierra si los cultivásemos, y atraernos por ellos grandes riquezas por el comercio. Esto mismo sucede con respecto al café, la harina, el vino, el aguardiente de uva y otros licores, todos nos vienen de afuera; y siendo frutos de primera necesidad, parece que cualquiera trabajos y gastos que se empleen en hacer algunos ensayos para introducir y radicar en la Provincia uno y otro cultivo, serán bien empleados.

Hace luego una larga disquisición sobre el cultivo del cacao en todo el Reino y los territorios propios para su cultivo en la Provincia, para terminar recomendando la libertad de toda contribución, así como estaba mandado para el algodón, café, añil y azúcar de nuevo cultivo.

Sobre el azúcar y el aguardiente de caña trae abundantes datos estadísticos tomados de la producción en la isla de Cuba. Si se pregunta —concluye— cuál es la causa de tan extraordinario aumento y prosperidad en dicho ramo, no se puede señalar otra que la de haberse extinguido en toda la isla el bárbaro, impolítico y antisocial estanco de aguardiente, pues donde éste exista, no pueden los dueños de haciendas de caña, hacer azúcar con utilidad, porque no tienen destino las mieles de purga; ni pueden tampoco aumentar sus cultivos a más de aquello que consuman sus mieles los estancos.

Aquí aprovecha la ocasión Pombo para hacer la más violenta y justificada crítica a la política del Gobierno virreinal sobre los diversos estancos, la cual era combatida por todos los escritores de la época y rechazada con violencia por los Comuneros:

"Es cosa verdaderamente singular, y la que con más propiedad caracteriza la arbitrariedad y la inconstancia, y la falta de principios en el sistema de administración del anterior gobierno, el ver que al mismo tiempo que compelido de los clamores públicos y de su propio interés, destruía con una mano en Caracas, en Trinidad y en Margarita, en Puerto Rico, en Cuba, en la Florida, y en Nueva Orleans, los estancos de aguardiente para fomentarlas; los estableciese con la otra en todas las provincias de este virreinato, la mayor parte agricultoras, para reducirlas a la miseria. Y que esto se verificase cuando se publicaba el reglamento del comercio libre de 1778, con el que están en inmediata contradicción dichos establecimientos, los de tabacos, los de quina, los de palo de tinte, los de sal y por pocos más, como dice Jovellanos, los del aire que respiramos, pues todo se trataba de estancarlo y reducirlo al preciso consumo de los habitantes de ellas. Mas que se sepa que aquél no fue obra del ministro Gálvez, enemigo natural de todo americano, sino del benemérito Campomanes, que con sus luminosos escritos, con los que publicó de Ward y de Campillo; con la convicción de la experiencia en el comercio concedido para las islas por el ministerio anterior y con la opinión pública que estaba a su favor, obligó a adoptar dicha providencia al citado Gálvez; no extrañará que éste para impedir sus efectos tomase la de los estancos y enviase unos sátrapas insolentes que los llevasen a efecto y recargasen a estos infelices pueblos de contribuciones hasta conmoverlos, como puntualmente se verificó en este Reino y en el del Perú particularmente en que se derramó tanta sangre española y americana. Apartemos la vista de estos horrores y también de la infidencia y mala fe con que fueron tratados y engañados entonces por el gobierno los generosos socorreños, cuando hostigados de tantas violencias, vinieron hasta la capital de Santafé a pedir el remedio de sus males. Todo se les ofreció, bajo los pactos más solemnes; nada se cumplió y se les impusieron nuevas cargas luego que pudo hacerse impunemente. Pero no olvidemos que en las actuales ocurrencias, si esta lección funesta y la más terrible que acaba de darles el mismo gobierno en la perfidia cometida con los desgraciados quiteños, contribuyeron tanto a que no se fiasen de sus palabras. También el primer acto de la Junta del Socorro, luego que desaparecieron las autoridades superiores del Reino, fue la de abolir los estancos, en que la han imitado las de Girón, Pamplona, Popayán, Antioquia y otras, como los gravámenes más odiosos, más perjudiciales y más sensibles a todos los pueblos".

Siguen luego largas y eruditas páginas para convencer al Gobierno provincial de la necesidad de la extinción del estanco de aguardiente, trayendo cifras comparativas, examinando datos estadísticos desde varios años atrás, comprobando que los gastos de la administración del aguardiente consumían las cinco octavas partes del producto de la venta y demostrando las altas cifras que alcanzaba el contrabando. Proponía una moderada contribución que subsanaría los productos de los estancos al extinguirlos, y de no verificarse de inmediato la extinción, la mejor medida provisional sería la de poner en arriendo a la administración del ramo.

Una larga disquisición científica dedica al estudio del tabaco en sus variados aspectos, a su cultivo en las diversas regiones y a las distintas calidades botánicas. "Si el gobierno hubiera conocido su propio interés, lejos de prohibir o limitar su cultivo, estáncandolo, debería haberlo fomentado, y habría hecho un comercio exclusivo en todas partes, con grandes ventajas del erario y de la nación".

Ante las dificultades de la extinción inmediata de dicho estanco por no poder compensarse con ninguna contribución sobre el consumo, opta por un término medio y aconseja al Gobierno el establecimiento de una factoría en un paraje distante de toda la población, adaptada a su cultivo y próxima a un punto de embarque. Y continúa desenvolviendo su pensamiento, matizado de consideraciones políticas sobre el régimen español abatido:

"Fuente de riqueza de la América, llama un célebre político al tabaco. Así es para todos aquellos pueblos que libremente lo cultivan; pero, para este Reino ha sido fuente de miseria, de vejaciones, y de destrucción, pues no solo se ha estancado sino prohibido su cultivo, aun para sus propios consumos. *El despotismo no conoce los principios y obra por fines particulares siempre*. Destruído felizmente en toda la nación este monstruo devorador, más horrendo y feroz que el que describe Virgilio de Polifemo, la justificación y patriotismo de V. E. cuando no pueda por ahora extinguir desde luego dicho estanco, preparará esta grande obra, radicando tan importante cultivo por medio de la factoría propuesta; ocupará con ella muchos brazos ahora ociosos; hará la felicidad de mil familias, etc. Al establecimiento antes dicho de la factoría, es también consiguiente el de una fábrica de polvo de rapé, de cuenta de la real hacienda, para el abasto del público, y también para venderlo a otras Provincias".

Igualmente diserta en la forma más amplia y erudita sobre el café, del cual sostiene que "el que tenemos en el interior del Reino, de calidad superior al de las islas, particularmente el del territorio de Muso, que es igual al de Moca, es indígeno de la América, pues se ha encontrado en los montes, donde antes nadie había penetrado y menos podido llevarlo para sembrarlo en ellos, según varios testimonios que lo comprueban". Aquí el antiguo colaborador de Mutis, de quien hace el más alto elogio, se extiende en sabias consideraciones botánicas sobre las diferentes especies del café, las cuales se distinguen en el color, sabor, figura, propiedades, etc., cuyos caracteres son permanentes, que jamás se confunden, y que de saber discernirlas y cultivarlas con conocimiento, ya sea de las más productivas, o las de mejor calidad, depende el beneficio, más que del territorio.

Trae datos estadísticos muy completos de la producción alcanzada en las islas y advierte que el precio mínimo del quintal era de 15 pesos. "De aquí se vendrá en conocimiento —continúa— de cuanto interés será el que se fomente tan utilísimo cultivo, que además de que se hace con bastante facilidad y con poco costo, tiene las ventajas de ser permanente por muchos años, como el cacao, o cualquiera plantación; que verificada una vez ésta, y logrando levantarla, da dos cosechas todos los años; que el beneficio del fruto es sencillo, se conserva largo tiempo como esté preservado de la humedad, se mejora con él, y adquiere calidad; y últimamente, que es de tan general uso en Europa y en todas partes que su consumo y venta es siempre segura, a cualquiera a donde se lleve".

Las indicaciones que da sobre la forma de cultivo son muy interesantes y provienen de observaciones prácticas, así como de lecturas sobre el tema. Recomienda el *Diccionario* de Sabari, la obra de Raynal, el cual trae hasta la descripción de las máquinas y molinos convenientes para limpiarlo de sus cortezas, y la Instrucción publicada en la Habana en *El Semanario Agrícola*.

En el estudio del trigo, a más de las observaciones personales, cita las de Caldas en su *Memoria* sobre la nivelación de las plantas más útiles y necesarias que se cultivan en la zona tórrida. "El trigo, según el testimonio de la historia —son sus palabras— se cultivó en esta provincia en los primeros años después de la conquista, y alimentó a los españoles nuestros abuelos, que se establecieron en ella, y lo trajeron de Europa, pero o porque no se diese ya una cantidad de fruto proporcionada al trabajo, o porque hubiese degenerado, efecto sin duda de no haber cuidado de renovar la semilla, lo abandonaron y se acomodaron con el maíz. Ello es cierto que donde éste abunde, sólo la preocupación, la costumbre, la vanidad o el lujo puede preferirle el trigo, que es menos nutritivo, menos sano y siempre más caro". Patriótica actitud esta de Pombo que así defiende las calidades del maíz, en un gesto muy significativo de aprecio de lo nacional y lo propio. La carga o barril de harina, según él, se consumía en-

tonces al precio de 15 pesos, en un total de diez mil anuales, lo
cual significaba una alta suma de dinero que salía del país.

La vid y el maíz —dice Pombo— son dos plantas privilegia-
das que acompañan al hombre en todas partes, pues se cultivan
desde el nivel del mar hasta la nieve, y con que la benéfica Providencia distinguió al antiguo y al nuevo continente, para unir-
los por los lazos de la gratitud, de la amistad, y de la buena correspondencia de sus habitantes. Pero el atroz despotismo, más
poderoso que la naturaleza misma, ha contrariado hasta ahora
los designios del Criador. Se cultiva, en efecto en todo el mundo,
y hasta en las heladas regiones del Norte, el maíz, con grande beneficio de la humanidad, que debe a la América este precioso dón,
el cual produce un quilo saludable, es entre los farináceos el más
nutritivo y de más fácil digestión, y el que resiste mejor los efectos extraordinarios de los meteoros. Mas a los pueblos americanos se les ha privado con leyes severas e injustas el cultivo de
la vid. Por una revolución feliz en los principios, se han reconocido y proclamado ya por la nación nuestros derechos, y deben
considerarse por tanto abolidas de hecho tan inicuas leyes, si
puede darse este nombre a unas disposiciones tan contrarias a
la justicia.

Se extiende luego en consejos prácticos sobre la mejor manera del cultivo de viñas en nuestras tierras. Calcula en doscien-
tos mil pesos la suma gastada en vinos importados y saca en
consecuencia los beneficios sociales que provendrían del cultivo
técnico de la viña y del trabajo que se daría a las gentes, en caso
de que se adoptaran sus planes.

En la misma forma continúa exponiendo sus conocimientos
científicos y estadísticos sobre la vainilla, la zarzaparrilla, la ipe-
cacuana, el añil y la grana. Al tratar del insecto de la cochinilla
observa que su cultivo exige un constante cuidado, una suma paciencia y una gran prodigalidad, cualidades que sólo tiene el
indio. Con esta ocasión su sensibilidad se desborda nuevamente
en favor de la rehabilitación de "ese sér desgraciado, nuestro
conciudadano y hermano, que se halla envilecido, vejado, oprimido y embrutecido con el infame tributo que lo aniquila y que
solo un corazón malévolo pudo imponerle. Combinando, pues,
su interés particular con el general de la provincia y el de la
eterna justicia, convendría que V. E. declarase desde luego, a
ejemplos de otras Juntas, por exentos del tributo a los indios".

La exención de los tributos en favor del indio era, pues, un
anhelo común de los prohombres de 1810 que clamaban por
ella en nombre de la justicia. La Junta Suprema de Santafé lo
tuvo en cuenta, y su ejemplo fue seguido por muchas Juntas

Provinciales. Los reclamos de Fermín de Vargas, de Nariño, de Miguel de Pombo indican que los próceres no eran insensibles a la suerte de aquella clase social y que la Revolución sí los tuvo en cuenta para tratar de mejorarles su condición económica y jurídica.

El algodón que tanto auge ha obtenido en los últimos tiempos en las regiones de la costa atlántica, no le merece especial atención, "pues es bastante conocido y está generalmente establecido en la Provincia; y aunque por un efecto de la última guerra con los ingleses y de las providencias bárbaras del gobierno, de cerrar los puertos al comercio, había venido a gran decadencia, desde que se reabrieron éstos y que con la paz y alianza con Inglaterra se ha reanimado aquél, ha vuelto también a tomar su anterior incremento dicho cultivo que es utilísimo a la Provincia". Sólo falta que se perfeccione el método de limpiarlo, trayendo buenos molinos y máquinas que se han inventado últimamente en Norte América, pues los que usan nuestros cosecheros son muy deficientes.

El fique lo recomienda encarecidamente como medio de fomentar la industria familiar con todos los beneficios que ella trae. La pita, la majagua, el achiote, la sosa y barrilla le merecen excelentes descripciones de orden botánico y aplicaciones prácticas a la industria. Sobre la quina derrama toda suerte de conocimientos, y naturalmente Mutis y Zea señorean con sus escritos el panorama descrito, además de otros médicos y científicos extranjeros. Y aprovecha el tratado de las quinas para despertar el interés por otros cuatro árboles utilísimos, a saber: el guayacán o *palosanto*, el arizá, *palo de cruz o sangre*, el malambo y el guarumo.

El encargo y cuidado de fomentar estos cultivos sería propio de la Sociedad Patriótica de Amigos del País, pues el Gobierno tiene muchas y urgentes ocupaciones que no le permiten entrar en todos estos pormenores. A dicha sociedad le correspondería el estudio y aprovechamiento de gomas y resinas propias de nuestra flora, sobre las cuales hace interesantes disquisiciones, con citas de autores y libros peruanos. Igual atención le merecen las maderas finas y de construcción, los bejucos, las palmas, y otros vegetales para los cuales va señalando diversas aplicaciones a la industria, a las artes y a la medicina.

B) *Sección 2ª: El hombre americano.*

A esta altura de su estudio, Pombo se detiene a hacer en una síntesis de impresionante belleza conceptual y formal el elogio de la tierra americana y del hombre que la habita. Un hálito de orgullo patrio y de optimismo muy dieciochesco sopla por esta página que no dudamos en calificar de antológica:

"Pero si la Providencia con pródiga mano ha derramado sus dones sobre este suelo privilegiado, en que la vegetación es perpetua; en que los seres se reproducen sin intermisión; en que a un tiempo se siembra y se cosecha; en que en un mismo árbol se ven flores y frutos en todos los estados de crecimiento y de perfección; en que viven esas palmas colosales, esos árboles eternos, que en duración y solidez compiten con los metales, y esas plantas benéficas que nos alimentan y visten, que nos dan habitación y placer y que nos conservan la salud y la vida; en que los meteoros con todo el aparato de su grandeza nos son siempre útiles; en que son desconocidos los huracanes, las secas, los temblores, los volcanes que conmueven la naturaleza, que trastornan su orden y que destruyen sus obras, el hombre no ha sido menos dstinguido en él por aquella benéfica Providencia en su organización y potencias. Dotado el americano de ingenio, es capaz de ver en grande los objetos, de conocer sus proporciones, y es el más propio para imitar y observar la naturaleza, según lo demuestra el sabio Unanue; naturalmente elocuente, las ideas sublimes, las comparaciones adecuadas y la precisión misma aun en el estado de barbarie, le son familiares, como igualmente lo comprueba el ilustre Jefferson; hospitalario, generoso, humano, moderado, paciente, amigo de la paz, y lleno de virtudes, según el testimonio del venerable Palafox, es el más propio para la vida civil, para cultivar las artes y las ciencias, y para ser el más útil a la gran sociedad del género humano".

En este conjunto de bellezas, en este cuadro ideal dibujado con brillantes colores, sólo faltaba —y sigue faltando después de siglo y medio— un elemento indispensable: la educación. Ya al tratar de las escuelas había expresado don José Ignacio de Pombo todo su pensamiento. Pero no se cansa de insistir en este tópico que consideraba justamente de primordial necesidad para la patria recién nacida:

"Sólo le falta la buena educación para amar la gloria, y para tener todas las cualidades que admiraba Horacio en los griegos. Y si como dice el padre de la política Jenofonte en su *Ciropedia*, los hombres en todas partes son lo que quiere el gobierno, ¿qué no se debe esperar de los de este país afortunado, con tan admirables disposiciones y con un carácter verdaderamente amable? Ciertamente amarán la justicia, el trabajo, y el orden; preferirán la patria a la familia, la opinión a la riqueza, el interés común al particular; tendrán costumbres, serán buenos ciudadanos y padres de familias; y poseerán todas las virtudes, si se les guía por la senda de la sabiduría..."

Con el objeto de impulsar la agricultura en la forma ya indicada y el comercio interior y exterior, y combatir la desocupación y holgazanería, propone finalmente la fundación de nuevas poblaciones en sitios estratégicos, y la apertura de un canal en Galerazamba, para lo cual se dan las indicaciones más detalladas, con minuciosa atención de todos los aspectos del problema. La mentalidad de Pombo había recibido, ciertamente, una profundísima influencia del progresista y renovador Gobierno de Carlos III, a quien cita con fervorosos elogios (27).

6. Su muerte. Observaciones críticas finales.

La alborada de la República sorprendió al señor Pombo con sus fuerzas gastadas y gravemente quebrantada la salud. Sus viajes por regiones malsanas y el intenso trabajo lo habían debilitado a tal punto que le fue imposible prestar a la Revolución el concurso exigido por su iluminado patriotismo. Sin embargo cumplió con su acostumbrada eficacia las comisiones que le fueron confiadas por la Junta, como la organizacón de la fuerza armada y la revisión del proyecto de Carta Constitucional de 1812. En el capítulo dedicado a la instrucción pública aparecen casi a la letra muchas de las sugerencias hechas en el Informe ya analizado.

Le fue menester retirarse a su casa de Turbaco desde donde asistió con profunda aflicción al espectáculo de la guerra civil. Y en 1815 —poco antes del sitio de Morillo a la ciudad que lo había adoptado como hijo— murió el insigne patriota, apenas a la edad de 54 años, con el alma ensombrecida por las nubes de tormenta que amenazaban los horizontes patrios.

El ciclón de la guerra devastaría lo que él más amaba: la Expedición Botánica, desaparecida, Caldas y Miguel de Pombo, fusilados, sus dos hijos Dámaso y Sebastián, caídos en el combate, las ricas comarcas de Turbaco desoladas y su riqueza perdida. Su esposa y su familia, obligadas con los sobrevivientes del pavoroso sitio de Cartagena, a emigrar a playas extranjeras en

---

(27) El Informe fue firmado, además de Pombo, por Teodoro María Escobar y Joaquín de Lecuna y Marqui, sus compañeros de tareas en el Consulado. El ilustre García de Toledo en cálidas frases de admiración y de agradecimiento comunica la aceptación de tal escrito "lleno de buenos principios, de luces y de avisos importantes para la deseada regeneración y prosperidad de nuestra Provincia, conformes en general a sus propias opiniones y a las de los escritos de mejor nota". Se nombró además una Comisión para consultar el modo y la forma como debían llevarse a efecto sucesivamente las reformas propuestas.

deplorable estado de pobreza y aflicción. Colombia solo había de cimentar su independencia sobre bases de sacrificio y de dolor.

El reajuste del sistema tributario, la estabilización de la moneda, el arancel de aduanas, el plan vial, la importación de técnicos para la enseñanza y las demás medidas para el incremento de la cultura y el desarrollo económico de un país colonial que proponía Pombo, hacen de su Informe una obra de capital importancia en la historia de la economía colombiana. Muchos de los tópicos, de sus observaciones y sugerencias, de sus principios, siguen teniendo palpitante actualidad, después de que tantas misiones extranjeras y organismos internacionales nos han indicado el camino para salir de la pobreza de una nación subdesarrollada. ¿Acaso Pombo, cuando proponía una planeación de nuestra rudimentaria economía no se adelantó muchos años a los expertos de hoy? Porque el planteamiento que hace de los problemas económicos tiene un impresionante sentido de modernidad.

Si me he extendido en el análisis de la obra intelectual de José Ignacio de Pombo, es porque él domina, señero, el panorama económico de la Nueva Granada en el momento de despertar a la vida independiente. Fermín de Vargas, Nariño, Camacho, trataron los problemas económicos según su genio y manera peculiar de enfocarlos. Pero quien expone en forma más sistemática, completa y ordenada los postulados de la economía política aplicados a las necesidades del país, es innegablemente el ilustre Prior del Consulado de Cartagena.

Si el ambiente recoleto y claustral de Santa Fé y Popayán se prestaba admirablemente para las lucubraciones de orden filosófico y jurídico, y en realidad en sus colegios se formó lo más granado de la élite revolucionaria, la calidad de Cartagena, con sus puertas abiertas hacia el mar y sus miradas tendidas a todos los horizontes internacionales, capacitaba especialmente a sus moradores para el estudio teórico y práctico de las disciplinas económicas.

Pombo es entre los granadinos el hijo más auténtico del siglo XVIII, cruzado de preocupaciones culturales y de problemas económico-sociales. Conocedor profundo de los autores de la época, ingleses, franceses y españoles, hace esfuerzos por aplicar sus postulados a las urgencias nacionales. Pero la economía que él patrocina tiene un carácter más humanitario, más benéfico, más en armonía con la dignidad del hombre, más cristiano, que las teorías de la escuela egoísta y utilitaria de Smith y sus discípulos. Por ello se advierte fácilmente que en sus escritos predomina una formación a base de las tradiciones patrias.

Al exigir una renovación del ordenamiento económico más compatible con la dignidad y libertad natural del hombre y por ende más justo, le hemos visto invocar claros postulados políticos y filosóficos. Si para él la libertad económica se fundamentaba en la libertad civil y política, necesariamente sus ideas llevaban el germen de la revolución. Las trabas a la libertad de comercio y de industria que había puesto la monarquía española, recibían de este ciudadano embargado por el anhelo del bien público, la más demoledora crítica, la cual se extendía a todo el sistema económico colonial.

En su generoso empeño de buscar angustiosamente el progreso espiritual y la prosperidad material de su pueblo, puso al servicio de esa aventura sus propios bienes, lo mejor de su inteligencia, lo más ardoroso de su corazón, todas las energías de su espíritu. E hízolo con derroche de pasión y de una sensibilidad social que podrían envidiarle muchos de los revolucionarios de los tiempos actuales.

Pombo encarnó maravillosamente aquel período febril de atrevidas especulaciones y de esperanzas ilimitadas. Vivió intensamente en el entreacto de dos épocas y trazó con firmeza las líneas del desarrollo del drama en que habría de sucumbir con sus mejores sueños, y quizás sin entrever las luces doradas de un nuevo y feliz amanecer.

En su pensamiento y en su acción, en su política liberal y progresista, se combinaron el humanismo y la técnica en la más armoniosa síntesis a que hoy aspiramos como el supremo ideal para la cultura colombiana. Y cuando enseñó con la palabra y el ejemplo que la gloria consiste en ser útil a sus semejantes, se adelantó en muchos años al genial pensamiento de Bolívar.

CAPITULO IV

LA POSTURA INTELECTUAL DEL CLERO PATRIOTA

La independencia de España había de dividir, en los primeros años, a los eclesiásticos, más agudamente quizás que a los
mismos seglares, los cuales no tenían qué contrariar las inhibiciones que afectaban a aquéllos, resultantes de su propia formación moral y de la organización estructural de la Iglesia en
América.

La estrechísima unión, diríamos mejor, la absorción de la
Iglesia por el Estado español en las colonias americanas, en virtud del Patronato que había acumulado en los reyes y en sus
funcionarios un acervo de privilegios legítimos y de amplísimas
interpretaciones abusivas, debía producir necesariamente gravísimas esciciones en los cuadros directivos de la Iglesia granadina.

Mientras los obispos, oriundos de España y presentados por
el monarca, ligados a él por el juramento de fidelidad y doctrinas
seculares de obediencia a las legítimas autoridades, sostenían ar-
dientemente, con muchos sacerdotes del clero regular y diocesano, los derechos de la Corona, otros eclesiásticos eminentes,
miembros de los Cabildos diocesanos, y superiores y profesores
del Rosario y de San Bartolomé, de la Universidad Tomística
y del Colegio de Popayán, se inclinaron a apoyar y aún a promover abiertamente el nuevo ordenamiento jurídico.

La actitud de los patriotas estaba justificada por la doctrina
escolástica de la soberanía popular, por el mayor bien de la Iglesia, a la cual apoyaba decididamente el gobierno republicano y
por el bien común de la sociedad en que éste se inspiraba. La profunda aversión que los eclesiásticos sentían por la corrupción
de la Corte de Madrid y los abusos y extralimitaciones cometidos por Godoy, así como el temor a las perniciosas influencias
de la Francia revolucionaria, venían a fortalecer la oposición del
Clero al régimen español.

De los cincuenta y tres firmantes del Acta de la Revolución del 20 de Julio, catorce pertenecían al clero regular y diocesano. Los más connotados fueron: Don Juan Bautista Pey, Arcediano y Gobernador del Arzobispado, el Canónigo don Andrés Rosillo, don Nicolás Cuervo, don Antonio Ignacio Gallardo, Rector del Rosario, doctores Nicolás Mauricio de Omaña y Pablo Francisco Plata, párrocos de la Catedral, doctor Vicente de la Rocha, cura de San Victorino, fray José Chaves, prior de San Agustín, fray Mariano Garnica, prior de Santo Domingo, fray Antonio González, prior de San Francisco, fray Leandro Torres y Pérez, prior de San Juan de Dios y Juan Nepomuceno Azuero Plata.

Fueron proclamados Vocales de la Junta Suprema Juan Bautista Pey, Juan Francisco Serrano Gómez, fray Diego Padilla y Nicolás de Omaña, los cuales con Rosillo, Juan N. Azuero y don Martín Gil, integraron la Comisión de Negocios Eclesiásticos.

Todos los mencionados, por consiguiente, aceptaron las doctrinas jurídicas asentadas en el Acta sobre la soberanía popular, aunque más tarde las profesaran y defendieran en diverso grado y en forma distinta, según la peculiar formación e ingenio de cada uno.

Describiremos aquí las ideas político religiosas de los eclesiásticos más prestantes —muchos de ellos encargados del gobierno de las diócesis—, los cuales tuvieron oportunidad de dejarlas consignadas por escrito, y ejercieron una influencia notoria en la conciencia ciudadana.

Deliberadamente prescindimos de glosar los escritos de un inquieto y novelesco personaje, nimbado con la gloria del más exaltado patriotismo y aun del martirio, orador arrebatado y publicista fecundo, el Canónigo don Andrés Rosillo y Meruelo, quien desempeñó por cierto un papel decisivo en las Juntas de 1809 y en las reuniones políticas que antecedieron a la Revolución, habiéndose convertido el 20 de Julio en ídolo del pueblo santafereño que lo paseó en hombros como víctima simbólica de la arbitrariedad española.

Este hombre pasional y emotivo, contradictorio y versátil, que puso sus ideas alternativamente al servicio de encontrados intereses y de causas opuestas, pero siempre en favor de sus locas ambiciones, dejó una huella imborrable en las páginas de nuestra historia republicana, por las cuales se pasea con un desenfado de héroe de novela del Renacimiento. Discípulo consumado de los sofistas, aunque sin proponérselo expresamente, hoy atacaba lo que mañana defendería, con igual fuerza de convicción e idéntico aparato de erudición científica. Su pensamiento, pues, es inasible y carente de consistencia, y al crítico honrado sólo serviría para comprobar lo infecundo y a veces extremadamente peligroso de un gran talento y una profunda erudición cuando no están regidos por el carácter e inspirados por la virtud.

La apasionante vida de Rosillo ha sido recientemente escrita por Horacio Rodríguez Plata quien con aguda crítica y en forma magistral supo destacar luminosamente las aristas y facetas, las sombras y luces de este genio de la intriga, llamado por él auténtico Fouché americano.

Iniciamos la galería de retratos intelectuales del Clero patriota con la figura patricia del llamado por sus contemporáneos "ilustre Padilla".

1. — Fray Diego Padilla, el teólogo orientador.

Este santafereño eminente, ornato de la Orden agustiniana, descuella entre todos los eclesiásticos patriotas por el vigor de su estilo fuertemente polémico, la solidez de sus ideas republicanas, la adhesión sin desfallecimiento al nuevo orden que defendió en su fecunda obra de publicista y de orador, y la fama de sus virtudes apostólicas de religioso ejemplar.

Gran conocedor de la literatura clásica y moderna y teólogo profundo, fue el iniciador en su Orden —en la cual ocupó dos veces el cargo de Provincial— de la filosofía moderna en la acepción explicada cuando se trató de las ideas filosóficas de Félix de Restrepo. Muy pocos como él dentro del Clero granadino, estaban tan preparados para ser el paladín de las ideas independentistas, sin que hubiera peligro de ser tachado de afrancesado o heterodoxo.

Castillo y Rada, tan parco y moderado en sus conceptos, nos ha dejado de él un encendido elogio que nos podría parecer desmesurado: "Ama a la patria como un hijo a su madre; delira por la libertad, y en sus virtudes jamás ha penetrado la hipocresía. Es sabio, escritor correcto, lúcido y convincente y como orador apenas creo que pueda compararse con Cicerón. Su palabra es divina y penetra en las almas como la luz en las sombras" (1).

Al estallar la Revolución las miradas de todos los patriotas se fijaron en él, y fue elegido Vocal de la Junta Suprema, dentro de la cual integró la Comisión de Negocios Eclesiásticos. El 26 de julio juró el Acta en virtud de la cual la Junta desconoció el Consejo de Regencia, y dedicó muchos artículos de profunda

---

(1) Citado por Mario Germán Romero en el *Boceto Biográfico* del prócer, el más completo que se ha escrito, en el libro editado por el Banco de la República en 1960, *Próceres, 1810*, p. 31.

doctrina teológica a justificar este paso que significaba la anulación del juramento de fidelidad pronunciado el 20 de Julio. En la reorganización del gobierno del 25 de octubre, entró a hacer parte de la Sección Ministerial de Estado.

*
* *

Fundó el *Aviso al Público* con ánimo de orientar el movimiento revolucionario. Si bien se había formado en la Universidad Agustiniana de San Nicolás de Bari en la doctrina de San Agustín expuesta por sus dos grandes comentadores, Egidio Romano y Berti, en filosofía y teología respectivamente, era tal la autoridad de Santo Tomás entre nosotros, que lo cita frecuentemente en apoyo de sus tesis. También hace referencias al jurisconsulto Covarrubias.

Irrumpe en el primer número de su valiente periódico con una invocación a la libertad y un rechazo a la tiranía, entendida como abuso despótico de la autoridad legítima: "Mucho es sin duda lo que hemos padecido bajo la tiranía. Mucho es también lo que hemos hecho para adquirir nuestra libertad. ¿Pero acaso ya lo hemos hecho todo? ¿Acaso hemos conseguido la destrucción total del despotismo? ¿Acaso nos hemos asegurado ya en la posesión perfecta de nuestros derechos? ¡O Dulce! ¡O Santa Libertad! Tres siglos de suspiros te han deseado, millares de infortunios han preparado tus caminos, y al fin después de infinitos males y desgracias, han decubierto a nuestros ojos tu rostro halagüeño. Pero aún no estás de asiento en nuestro suelo... Ay! Aún no falta quien ame más que a la libertad al dinero, y quien posponga este bien soberano a ruines intereses".

El propósito de la fundación del periódico estaba inspirado por el amor a la libertad: "La libertad no puede acompañarse con un sólo átomo de tiranía. Esta como un árbol frondoso ha sido derribada al golpe de la hacha popular que ha cortado su tronco. Pero en tres siglos de edad había echado raíces profundísimas. No basta haber puesto la segur en su pie: es preciso también profundizar el terreno, descubrir todas sus raíces, arrancarlas, entregarlas al fuego... Tal será por ahora el objeto de este papel que saldrá todos los sábados y se consagra a la seguridad y felicidad de la Patria".

"La libertad —vuelve a escribir en el Número 3 —es el bien más precioso del hombre, pero como dice Schubert, para que sea bien, debe estribar en la seguridad... ¿De qué sirve la libertad si está expuesta a las insidias de la tiranía?" Esta introducción le sirve para señalar con frases llenas de patetismo el peligro de la división y abogar por la unión de todos los espíritus en defensa de la estabilidad del nuevo ordenamiento.

En forma oratoria desarrolla la idea de la libertad política, no absoluta, sino limitada por los fines del Estado, regulada por la ley e inspirada por la Religión:

"El bien es el más grande que se pueda desear: ser libres de la opresión, ser libres de la tiranía, y de la arbitrariedad; ser libres de unos magistrados déspotas, engreídos, poseídos de la opinión de amos. Ser libres para hablar y representar sus derechos, para hacer valer su justicia, para tener recurso a un Tribunal inmediato, fácil y accesible, para pensar, para escribir, para trabajar, para emprender, para plantar la semilla que se quiera, para establecer la fábrica que se le antoje, para ejercitar el arte que le acomode, para comerciar en el puerto y en el género que le sea útil, para hacer todo lo que la ley no prohibe, ni tiene contradicción con la Religión, con la sociedad, con el Estado" (2).

Buen discípulo de Santo Tomás, invoca —al igual que todos sus contemporáneos— el bien común, como el objeto del nuevo gobierno independiente, y para justificar la deposición de las antiguas autoridades que se oponían a él. "El bien común de la patria —explica— es el objeto de todos y de cada uno; y aunque haya distinción entre las líneas que tiramos, todas se dirigen a un punto, todas van a parar al mismo centro" (3).

Esta doctrina del bien común está en él íntimamente ligada con la reversión de la soberanía. Al refutar a un escritor anónimo regentista que sostenía no ser lícito al pueblo reasumir sus derechos aun cuando aquel a quien ha jurado obediencia sea tirano en el despotismo, le enfrenta la autoridad del Angélico y del doctor de Hipona:

"El bien común puede más que el particular, dice Ferraris con Santo Tomás y muchos teólogos: el bien público de Cartagena pedía que se desconociese a Montes; el bien público de la América pide el desconocimiento de la Regencia... Ahora entra Santo Tomás a dar la respuesta a la cuestión del anónimo. ¿Puede algún particular proceder contra la autoridad ilegítima y tiránica? No, dice el S. Doctor, la autoridad pública es la que debe proceder a esto. San Agustín también da la respuesta: si el pueblo es muy diligente de la común utilidad y cada uno prefiere el bien común a la propia comodidad, ¿por ventura no es lícito por

---

(2) *Aviso al Público*, N. 4. (Sábado 20 de octubre de 1810).

(3) *Aviso al Público*, N. 4.

ley al tal pueblo, criar sus Magistrados propios por los cuales sea administrada la República?" (4).

Después del juramento de obediencia al Consejo de Regencia, el pueblo comprendió que tal gobierno era ilegítimo, y *"que debía reasumir sus derechos, poner de su mano una autoridad legítima que representase al Soberano y gobernase por él,* como en efecto la puso colocando en cada provincia una Junta, y formando de cada Junta un Congreso para conservar la integridad del Reino..."

Su contrincante le había echado en cara la cita de autores profanos. Padilla rechaza a Tácito, Tomacio y Puffendorf "como piedras muy toscas e indignas de ponerse a la vista en un edificio cristiano", y le promete que "cuando sea tiempo de que aparezcan los muros del edificio, verá el Anónimo maravillas: entonces tendrá el placer de contemplar las bellezas de la doctrina católica, de las decisiones de los Concilios, de las sentencias de los Padres". Así lo hicieron San Agustín y Santo Tomás quienes utilizaron la autoridad de los autores paganos como cimiento de sus grandes obras doctrinarias.

También defiende su estilo socrático, "y se llama así porque Sócrates usaba de él para apurar la verdad y para hacer callar a los vocingleros". En el diálogo que imagina, a manera de ejemplo, entre un regentista y un americano, aflora nuevamente la tesis de la soberanía popular:

"Americano: ¿Es legítimo el Consejo de Regencia?

Regentista: Sí. ¿Y cómo no había de ser, si tiene la Soberanía de España e Indias?

—¿El Rey le confirió esa Soberanía?

—No, porque el Rey está cautivo, ausente de su Reino...

—¿La Nación le confirió sus poderes?

—Tampoco, porque la Nación no se ha congregado en Cortes, ni las Provincias dieron su consentimiento, antes bien lo han reclamado.

—¿Quién pues, dio la autoridad al Consejo de Regencia?

—La Junta Central.

—¿Cuándo?

—Después que el pueblo la disolvió y persiguió en atención a las traiciones y malas versaciones con que lo entregó a los Franceses.

_____

(4) *Aviso al Público,* N. 15. Continuación al N. 15 del *Aviso al Público.*

—Y una Junta disuelta por el pueblo, y veinte vocales de la Junta perseguida y proscrita por la Nación, ¿tenía poderes y autoridad qué comunicar al Consejo de Regencia?

¿Y este Consejo se llama Soberano y legítimo?

—El debe ser obedecido por fuerza.

—Con que entonces diremos de tal Consejo lo que S. Bernardo decía al Papa Eugenio: esto se hace por violencia, pero no porque se deba hacer".

Estaba tan convencido Padilla de las teorías populistas, que dio cabida en su periódico a la Carta del ex-jesuita P. Vizcardo, ya comentada en anteriores capítulos, la cual no es sino versión moderna, en lenguaje político de fines del siglo XVIII, de las más puras tesis suarezianas.

Que la doctrina del fraile agustino tuviera la aceptación del Clero, lo dice él mismo paladinamente, cuando habla de su crédito: "Lo tenemos sí y lo deseamos conservar con las gentes de bien. Estas bendicen nuestra solicitud, los Prelados, las gentes religiosas y sabias nos animan con sus Cartas, y nos provocan con sus conceptos a que no abandonemos lo empezado".

Las numerosas y encendidas proclamas de defender los derechos de la Religión católica que vemos en todas las Actas de la Revolución, en las primeras Constituciones y en los escritos de los ideólogos, no eran simples manifestaciones de piedad o beatería, u oportunistas posturas para ganar a la causa la adhesión del pueblo católico, como podrían creer algunos críticos superficiales. Nó. El peligro de la dominación francesa, con su secuela de impiedades, libertinaje y persecución al Papa y a la Iglesia, les infundía serios motivos de temor y los estimulaba en sus empeños independentistas. Por ello Padilla machacaba con tesonera insistencia sobre este tema, y para alertar a los católicos contra la cizaña francesa, escribía largos y eruditos ensayos de apologética católica.

Habiendo sido la conservación de nuestra sagrada Religión —escribía claramente— el principal objeto de la revolución de este Reino, como hemos dicho muchas veces; habiéndonos precisado a esta gran novedad aún más que el temor de ser presa de la rapacidad francesa, el de exponer estos países a su libertinaje, debemos tener prevenido al Público, no sólo contra las armas de la seducción y artificios de esa gente, sino también contra las de su seducción religiosa. Ay! de nada nos habría servido libertarnos de su dominación tiránica si no supiésemos preservarnos de sus opiniones impías, de sus máximas gentílicas y de su inmoralidad espantosa! (5).

Por ello mismo fustigaba a los regentistas los cuales al pretender "que se reciban a los Jefes que vengan, sean o no del partido de los Franceses, a cambio de que se obedezca la Regencia, pisan la Justicia, la equidad, la razón, el bien común, la Religión; y como consiguiesen este propósito, mirarían con un ojo indiferente la profanación de los templos, la violación de las doncellas, el incendio de las casas, la destrucción del Reino" (6).

Toda Revolución, así sea la más pacífica e incruenta como la del 20 de Julio, necesariamente significa, en cualquier país, y en cualquier momento histórico, un vuelco violento en las instituciones sociales y políticas. Es una reacción de golpe y de salto del organismo jurídico, provocada por una necesidad histórica no prevista a tiempo. Esto conlleva naturalmente cambios bruscos, presiones violentas y reacciones de quienes se han visto afectados en sus intereses. Los usufructuarios del sistema anterior no se resignan fácilmente a la nueva ordenación, y hacen todo lo posible por desacreditarlo. Todo esto y mucho más sucedió con la Junta Suprema, dada la falta de preparación técnica para las faenas del gobierno. Y esto era lo que muchos —entre ellos Caldas— que veían solamente los efectos inmediatos del desorden, no entendían o afectaban no entender.

Padilla, con gran visión política se esforzaba en hacer comprender del pueblo estos fenómenos, y en vez de negar la dura realidad, como lo hacían otros optimistas, con sinceridad democrática reconocía los males dándoles la verdadera explicación:

"Ningún gobierno es perfecto en sus principios. El efecto de una revolución es la desorganización de todas las partes del cuerpo gubernativo. Es fácil destruír, pero es muy difícil edificar. Para construír un palacio se forma el plano y al principio es un borrón que necesita de muchas correcciones... No es pues de admirar que en los principios de la obra de nuestra libertad haya habido algunos defectos: todos los hombres tenemos muy limitados los talentos, y la ciencia del gobierno es muy nueva en América. Pero el deseo de acertar, la continua meditación y las luces de los hombres sabios, van poco a poco corrigiendo los defectos que el fuego del patriotismo, el deseo de seguridad y la multitud de objetos interesantes que se presentaron a un tiempo, produjeron necesariamente en los primeros días de la Revolución. Ya vamos enmendando algunos..." (7).

---

(5) *Aviso al Público*, N. 16 (Sábado 12 de enero de 1811).
(6) Continuación al N. 15 del *Aviso al Público*.
(7) *Aviso al Público*, N. 7, sábado 10 de noviembre de 1810.

*
* *

En 1811 publicó un vigoroso ensayo polémico sobre la tolerancia, de gran riqueza teológica, en el cual hace las necesarias distinciones entre la tolerancia teológica y la civil (8). Por él prolongó en
nuestro medio "la primera polémica, larga, apasionante y erudita,
en momentos en que ni siquiera se había reunido el primer Congreso venezolano y estaba balbuceante aún la naciente nacionalidad",
que suscitó el debatido trabajo del católico irlandés Guillermo
Burke, aparecido en la *Gaceta de Caracas* (9).

El erudito historiador venezolano Carlos Felice Cardot rinde
un cálido homenaje de admiración al fraile agustino quien "demuestra su extensa cultura al traer a colación enseñanzas, críticas e interpretaciones de altos representantes de las letras, desen-
volviéndose, en todo el curso de su escrito, con bastante propiedad y con buen criterio polémico". Observa a la vez la admirable
coincidencia entre el escrito de Padilla, terminado para junio de
1811, con la refutación hecha en Caracas por el doctor Juan Nepomuceno Quintana por aquellos mismos días. Es admirable este
hecho —anota— sobre todo tratándose de personas que escribían
a muchas leguas de distancia y en ciudades separadas por largos y
abruptos caminos (10).

Esta coincidencia revela, efectivamente, el maravilloso fervor por las ideas que caracteriza la época, pero es índice, ante
todo, de la preciosa armonía doctrinaria y del celo de nuestros
eclesiásticos cultos en la defensa del credo católico, amenazado
por interpretaciones peligrosas (11).

Arremete Padilla contra la lectura "de un libro como el
Emilio, las *Cartas Persianas*, las *Cartas Judaicas* y otros escritos
impúdicos e irreligiosos, sediciosos y envenenados... Cualquiera
que con reflexión y sin ánimo prevenido leyere las obras de
Rousseau, de Voltaire y de los demás libertinos, verá si digo la

---

(8) *Diálogo entre un Cura y un Feligrés del pueblo de Bojacá* sobre el párrafo
inserto en la *Gazeta de Caracas*, Tomo I, Nº 20, martes 19 de febrero de 1811,
sobre la Tolerancia. Santafé de Bogotá, año 1811. 29 páginas en 8.. Un ejemplar se
halla en la Bibl. Nal., Fondo Pineda, Sala 1ª, N. 13039, Pieza 6.

(9) Carlos Felice Cardot, *La Libertad de Cultos en Venezuela*, p. 73.

(10) Carlos Felice Cardot, op. cit., p. 74.

(11) Muy juiciosamente observa el autor citado: "No podría afirmarse que todas
las cuestiones planteadas por Burke en materia de fe, están acordes con las doctrinas de la Iglesia. Algunas, sin duda, rozan con la más clara ortodoxia, más
tratándose de un católico nacido en un país que por serlo, había sufrido mil vejaciones y las más duras privaciones políticas; pero es innegable que la intención
que lo guiara era noble". Op. cit. p. 37.

verdad y si se hallan en ellos tantas contradicciones como páginas y tantas calumnias como períodos. Por eso es que Rousseau
pide que sobre estos asuntos no se oiga la voz de los teólogos".

De los grandes males sociales y religiosos, especialmente el
indiferentismo, a que lleva la tolerancia dogmática, estaba libre
la nueva República:

"Nosotros, por la gracia de Dios, estamos a cubierto de estas
desgracias con la Constitución del Estado, que acaba de publicar
el sabio y católico Gobierno que nos rige. Ya has leído en ella que
la Religión Católica, Apostólica Romana es la Religión del Estado; también has leído que no se permitirá otro culto público ni
privado; y que la Provincia Cundinamarquesa no entrará en tratados de paz, amistad ni comercio en que directa o indirectamente quede vulnerada su libertad religiosa. Esta Constitución jurada por el Estado es conforme a la catolicidad de los pueblos los
cuales cuando se dispusieron a sacudir el duro yugo de la servidumbre que los tenía oprimidos, tuvieron por objeto principal
de su empresa la defensa de su religión, por la cual están resueltos a morir, deseando conservarla en toda su pureza. En este
concepto y bajo de esta condición se dice en el Apéndice que se
admitirán en nuestra sociedad todas las naciones del mundo, ase-
gurándolas de nuestra hospitalidad".

Repite luego sus conocidas ideas sobre la Francia revolucionaria, de la cual era aliado Godoy: "Los pueblos con razón temieron que los Franceses acometieran a la América cuando vieron
sojuzgada por ellos a casi toda la España, y ya sabes cómo andan
los Franceses en punto de religión... Desconfiados los pueblos
del sistema antiguo de gobierno, desconfiaron también de las personas que obtenían la autoridad, como que a casi todos los miraba como criaturas de aquel Godoy que adhirió a las ideas de los
Franceses, que arrastró en pos de sí a la mayor parte de la nobleza de España, y que ha causado la ruina de la Península..."

Sobre la tolerancia civil hace un acopio de las enseñanzas
de la Iglesia, especialmente de Santo Tomás, a quien cita más de
treinta veces. Conforme a ella, "sin entrar en la profundidad de
los secretos políticos y sin faltar a la veneración que debemos a
los gobiernos, que tienen a su cuidado la salud y bien general de los pueblos, digo que por su naturaleza es ilícita esta tolerancia... Pero es común sistema de los teólogos con Santo Tomás que así como Dios, siendo sumamente bueno permite algunos
males a fin de que no se sigan mayores, o de que no se impidan
mayores bienes, así los Príncipes le deben imitar y pueden tolerar a los infieles por el mismo fin y habiendo grave causa".

La pureza doctrinaria del teólogo, lejos de ser estorbo, le prestó alas al patriota para defender y exponer el recto sentido de la libertad de imprenta. A este objetivo dedicó los tres últimos números del *Aviso al Público*, en los cuales expone la verdadera doctrina al refutar un escrito impreso en la Isla de León titulado *Reflexiones sobre la libertad de imprenta*, cuyo autor era un español G. F.

Con sagacidad propia de experto sociólogo empieza por apuntar que "la libertad de la imprenta, este baluarte inexpugnable de la libertad política y civil de los pueblos, tiene dos clases de enemigos: los preocupados, y los hombres de mala fe. Los primeros porque no la conocen, y los segundos porque la temen..." (12).

En materias políticas y civiles, propugna "el derecho incontrastable que todos tenemos de hablar sin pedir de antemano licencia a persona alguna, y de consiguiente el de escribir y publicar cuanto queramos, siendo únicamente responsables a la sociedad, con arreglo a las leyes, del abuso de esa facultad.

Es necesario ante todo no confundir la libertad con la licencia, término especioso en que apoyan la mayor parte de sus argumentos los enemigos de la libertad de imprenta, porque aunque es cierto que ésta exige que para que cualquiera pueda comunicar al público sus pensamientos no deba preceder el examen arbitrario de una autoridad, que por serlo puede tener un interés en impedir su publicación, no por eso autoriza el abuso y excluye la responsabilidad a las leyes, remitiéndose únicamente al discernimiento del público".

Atribuye a la falta de libertad de imprenta el origen de los males sufridos por la nación: "¿A qué debe atribuírse la mala educación sino a la falta de luces y al entorpecimiento en que nos tenía sumergidos el Gobierno, estorbando que la nación conociese sus derechos y los proclamase por medio de la prensa? Qué educación podían recibir, ni qué actividad desplegar unos hombres encorvados bajo el yugo del despotismo, que desde el Trono se extendía a todas las autoridades, las cuales también por su parte le ejercían impunemente, confiadas en que ninguno se atrevería ni podría descubrir sus maldades, denunciándolas al tremendo Tribunal de la opinión pública, porque estaba impedida y dependía de ellas la facultad de pensar, hablar e imprimir..."

Los defensores de la libertad de imprenta, convencidos de que ella "es el antemural más sólido de los derechos de los ciu-

_____

(12) *Aviso al Público*, N. 19, Sábado 2 de febrero de 1811.

dadanos y de las buenas costumbres, y aunque no ignoran que el gobierno tiene la autoridad de impedir con el mayor cuidado la publicación de doctrinas erróneas y sediciosas que corrompen las costumbres, siembran la discordia, etc., saben que el medio justo y acertado de hacerlo, no debe ser adoptando uno más perjudicial que el mismo mal e interceptando uno de los más sagrados derechos del hombre, sino castigando el abuso de estos derechos; puesto que de otro modo sería lo mismo que si porque se pueden cometer excesos con el vino, se estorbase el cultivo de viñas; en cuyo caso todo debía prohibirse, sin excluír las cosas de la mayor utilidad, pues ninguna hay de que no pueda abusarse" (13).

Que la verdadera libertad de imprenta sea el mayor freno de la tiranía y de la inmoralidad, lo prueba echando una rápida ojeada a la historia de los últimos años de la monarquía española, y al abatimiento a que redujeron a la nación el despotismo y los extravíos de una larga serie de reyes ineptos.

Los hombres sabios y prudentes, amantes del bien público, "lo que quieren es que cada uno sea libre para manifestar sus ideas, comunicar sus luces, exponer sus opiniones, delatar abusos y proponer medios para extirparlos, sin necesidad de mendigar de antemano un permiso, que las más de las veces no obtendría por ser opuesto a los intereses, o a los principios de quien había de concederle: porque el saber y la rectitud no están exclusivamente vinculados en los que mandan. Si la tiranía de los gobiernos anteriores no hubiese llegado al punto de privarnos del sagrado derecho de exponer con libertad nuestras opiniones acerca de los negocios públicos en que todos tenemos igual interés, quizá nuestra situación no estaría tan apurada..." (14).

Es bien notable la refutación que hace de las ideas del autor español, cuando éste afirmaba que las nociones de libertad, independencia, igualdad y derechos del ciudadano, esparcidas por la imprenta, fueron la causa de la Revolución Francesa, destructora del Trono y de la Religión:

"Según este principio, nosotros que peleamos para adquirir aquella misma libertad, independencia y derechos ciudadanos, nos fraguamos nuestra propia ruina, y más nos valía vivir esclavos y sujetarnos como mansos corderos al despotismo de Bonaparte.

"Si el señor G. F. hubiese leído con reflexión y meditado sobre la Revolución de Francia, se hubiera convencido de que no

---

(13) *Aviso al Público*, N. 20, Sábado 9 de febrero de 1811.

(14) *Aviso al Público*, N. 21, Sábado 16 de febrero de 1811.

fue el haber adoptado los franceses estos principios, lo que les ha acarreado tantos desastres, sino el no haber tenido bastante carácter y virtudes para sostenerlos. La corrupción de costumbres que por falta de libertad de imprenta introdujeron en aquella nación los escandalosos reinados de Luis XIV y Luis XV, tenía tan estragados a los franceses, que ya cuando trataron de restablecer aquellos sagrados principios, se hallaron sin la virtud y entereza necesaria para vencer las pasiones que se oponían a su observancia; y así todo degeneró en ellos, de la misma manera que degenera en veneno la más saludable medicina, cuando siendo la única para la curación del enfermo, carece éste de robustez suficiente para resistirla. El olvido y abandono de estas grandes ideas de independencia, libertad y derechos del ciudadano, mantiene a Bonaparte en el trono y a toda la Europa en la esclavitud. Pluguiera al cielo que volviesen a promoverse! Pero ya el tirano ha acudido al peligro destruyendo la libertad de imprenta".

No hemos hallado en los escritos de la Primera República un polemista más ardoroso en la defensa de la libertad de imprenta que el viejo fraile agustino, el cual disfrutó de ella y la empleó con la moderación, altura de criterio, patriotismo, odio a la tiranía y responsabilidad que él mismo exigía de los escritores públicos.

*

* *

Su carrera política iniciada como Vocal de la Junta Suprema de Gobierno, continuó ejerciéndose en el recinto de los cuerpos colegiados. En 1812 actuó como Vicepresidente del Colegio Revisor y Electoral de la República de Cundinamarca, y en calidad de tal firmó la reforma de la Constitución del año 11, por la cual se declaró que "Cundinamarca es una República, cuyo Gobierno es popular y representativo".

Asistió al Congreso de las Provincias Unidas cuando en 1815 funcionaba ya en Santafé, y alcanzó el honor de ser su Presidente.

Al declinar la República, se constituyó en caudillo de una resistencia civil y armada más enérgica: firmó la ley de contribución extraordinaria de 9 de septiembre de 1815, la de erección de Tribunal de vigilancia de 26 del mismo mes y la de prohibición a los Diputados de alejarse del Congreso. Al cumplirse el aniversario de la instalación del Congreso el 4 de octubre, predicó un encendido sermón en el cual exhortó a defender la República hasta la muerte.

Habiendo emigrado hacia el sur con los restos del Gobierno, firmó en Popayán con don Juan Fernández de Sotomayor y José María Salazar, el acta de la sesión de la Comisión del Congreso, tenida el 22 de junio, en la cual se tomaban las últimas medidas para tratar de contener el desastre de la República agonizante (15).

El 27 de junio asistió como Capellán al combate de la Cuchilla del Tambo, ruinoso para las armas republicanas, y fiel a su carácter valeroso, "reunidos ya los cuerpos y tomadas las disposiciones del caso, el ilustre Padre Padilla, que se hallaba allí emigrado, dirigió a las tropas un elocuente discurso, exhortando a los soldados a tener presente la justicia de la causa que defendían, pero también la clemencia con el enemigo, y que su sacrificio no quedaría sin recompensa" (16).

Pero el enemigo no tuvo clemencia con él. El proceso seguido por Morillo, le acumulaba los cargos de que "él obtuvo representación en la injusta primera Revolución..;. y sus exhortaciones contribuyeron a los designios que quedan expuestos; ha sido el medio de infidelidad, y por su imitación han delinquido muchos..." (17).

La prisión y el destierro a España, a través de varias fortalezas y presidios americanos, fueron el precio doloroso con que pagó su adhesión a la patria independiente.

De regreso a Colombia ocupó el humilde curato de Bojacá en donde llevó a cabo obras de fervoroso apostolado y vivió rodeado del respeto y de la admiración de sus compatriotas. Piadosamente entregó su alma el Señor a los setenta y cinco años de edad, el 9 de abril de 1829.

La Patria y la Iglesia colombianas veneran, como a una de sus más preciadas glorias, a este varón preclaro, en quien se conjugaron armoniosamente las ideas republicanas, la preocupación por el bien común, la ortodoxia de la fe católica, ilustrada y combatiente, y la integridad de una vida moralmente ejemplar.

*
* *

Al terminar el escrutinio del pensamiento político de Padilla, creemos conveniente plantear la cuestión de la paternidad

---

(15) *Congreso de las Provincias Unidas*, o. c., p. 401.

(16) *Memorias de un Abanderado. Recuerdos de la Patria Boba - 1810-1819,,* por José María Espinosa, Bogotá, 1876, p. 143.

(17) *Revista del Colegio Mayor de Nuestra Señora del Rosario*, Año 1931, p. 356 ss.

del tratado de Economía Política que se publicó como adición al Número 1º del *Aviso al Público*.

Nada menos que 46 páginas le dedicó Padilla a este ensayo cuyo título completo es: *Traducción libre del Tratado intitulado Economía Política, hecha por un ciudadano de Santafé, quien la ofrece a los verdaderos amantes de la patria*. Una breve introducción, obra del traductor, precede a la obra que está dividida en cuatro artículos o capítulos. En el primero se demuestra la diferencia entre la economía particular y doméstica, y la política o del Estado. En el segundo se trata de la economía política o general. En el tercero de la educación pública, y el cuarto versa sobre la recolección y administración de las rentas públicas (18).

En el prólogo que ciertamente es de Padilla, se hace un fuerte ataque a los falsos patriotas que quieren "aprovecharse de la mutación de gobierno para vengar resentimientos particulares... Son los más temibles enemigos de la patria, y con sus sarcasmos ridículos, con sus pasquines insultantes, con las cartas que fingen ellos mismos, procuran introducir el fuego de la discordia y desunión entre las provincias, entre los pueblos, entre las familias, entre las personas". Estos tales, violadores del gran precepto de la caridad, no advierten "que no puede ser bueno el establecimiento de una República si no se funda sobre bases sólidas de la verdad y del amor mutuo de los conciudadanos".

En cambio el verdadero patriota es aquel que ayuda a la Patria con sus luces, con sus personas, con sus escritos, "persuadiendo a todos a la unión y fraternidad mutuas, el respeto y obediencia al Gobierno. Todos debemos ayudar al Magistrado en la ardua empresa de su establecimiento".

A estos propósitos obedece la traducción y publicación de la Economía Política, tratado que "estaba oculto en una obra extranjera de que son rarísimos los ejemplares, y los pocos que hay no pueden andar en manos de todos, por eso se ha tomado el trabajo de ponerlo en nuestro propio idioma..."

¿Es realmente el Padre Padilla mero traductor o autor de este ensayo? A primera vista, y teniendo en consideración las inquietudes culturales del erudito agustino, a más de la costumbre de la época de disimular y esconder el verdadero nombre del dueño de un escrito, se podría dar una respuesta afirmativa. Sin

---

(18) El tratadista seguramente era francés por las alusiones constantes que hace al gobierno de Francia, y sobre todo por varios giros galicados que se escaparon a la versión de Padilla. Por dos veces emplea el nombre "sucesos" en el sentido de éxito o buen resultado.

embargo un examen crítico detenido de la obra nos persuade con certeza de que se trata en realidad de una traducción y no d.. una obra original.

El estudio, efectivamente, está empapado de las doctrinas rusonianas, y ya sabemos que Padilla refuta varias veces al filósofo ginebrino, de suerte que no es lógico creer que para componerlo se fuera a inspirar en sus obras. El pacto social de rígido sentido rusoniano, la Voluntad general interpretada según los principios de su escuela, el tránsito del estado de naturaleza al estado civil, el gobierno popular o legítimo, son las ideas inspiradoras de todas las páginas. Las máximas y hasta la técnica formal, el optimismo naturalista, las ideas románticas, los continuos ejemplos de Grecia y de Roma, señalan indiscutiblemente a un aventajado discípulo de Rousseau, quien en materia fiscal y en la concepción rígidamente individualista de la propiedad había sufrido fuertemente la influencia de la escuela liberal y de la corriente fisiocrática.

Un escolástico de los finos quilates de Padilla, no iba a escribir por su cuenta y riesgo esta distinción entre la sociedad familiar y la sociedad política: "El poder paternal pasa con razón por un establecimiento de la naturaleza; pero en una gran familia como es el Estado, cuyos miembros todos son naturalmente iguales, la autoridad política es puramente arbitraria en su institución y por lo mismo no puede fundarse sino en convenciones y pactos, ni el Magistrado puede mandar a los otros sino en fuerza de la ley".

Además, las únicas citas que hace el autor —el Padre Padilla jamás se habría abstenido de traer los nombres de Santo Tomás y de San Agustín— son de Bodin, cuya autoridad se invoca tres veces, de Puffendorff y de Montesquieu, citado una vez en su libro *Espíritu de las Leyes* y otra con el propio nombre.

El individualismo exagerado que en toda la obra se respira, así como la concepción del estado gendarme o liberal, son completamente ajenos a la mentalidad de un escolástico de la formación de Padilla. En cambio sí armoniza admirablemente con sus ideas la doctrina de que el fin del Estado es el de proveer a la conservación del último de sus miembros con tanto cuidado como debe tener de todos los otros. Y al examinar la sentencia de que es bueno que perezca un solo hombre por todos en el sentido de que le sea permitido al gobierno sacrificar un inocente por salvar la multitud, el autor agregaba: "Yo tengo esta máxima por una de las más execrables que nunca ha inventado la tiranía, la más falsa que pueda pensarse, la más dañosa que pueda admitirse y la más directamente opuesta a las leyes fundamentales de la sociedad". Y dígase lo mismo del principio medioeval de que la imposición de tributos exigía el consentimiento del pueblo: "Esta verdad, que los impuestos no pueden ser establecidos sino de consentimiento del pueblo, o de sus representantes, ha sido reconocida generalmente por todos los filósofos y jurisconsultos que han adquirido alguna reputación en las materias de derecho político..."

Sin duda el Padre Padilla se dejó impresionar por estos principios de sabor escolástico, y por la bondad de muchas máximas rebosantes de sano patriotismo, pero no alcanzó a distinguir la sutil infiltración y defensa de postulados de innegable origen rusoniano. Esto prueba que no había leído directamente las obras del escritor que tánto influjo ejerció en los pensadores políticos del siglo XIX. Y es además una palpable demostración de cómo las ideas de la época alacanzaban a meterse hasta en espíritus tan abroquelados por sus conocimientos teológicos como el de fray Diego Padilla.

2. — *Don Fernando Caycedo y Flórez, el primer Arzobispo de la República.*

Este varón eminente por su ciencia y por sus virtudes apostólicas, uno de los Rectores que más lustre dieron al Colegio del Rosario, en donde estrechó amistades invaluables con los próceres del 20 de Julio y contribuyó a su formación científica y moral, sufrió persecuciones por su patriotismo, sereno y prudente, y llegó a ser el primer arzobispo de la patria libre. Sus ideas reflejan muy bien el pensar del clero diocesano de Santa Fé.

Su condición de rosarista lo destacó desde el comienzo de la Revolución entre los sostenedores del nuevo orden de cosas. Como Vice-Presidente del Colegio Constituyente y Electoral firmó la Constitución de Cundinamarca en 1811, y asistió también, por el Cantón del Socorro, a las sesiones de 1812 en que se aprobó la reforma republicana.

Tomó parte en las disputas políticas de Santa Fe, con el seudónimo de Tomás de Montalván y Fonseca en el papel titulado *El Montalván* y en las *Cartas del Sobrino Matías a su tío Tomás de Montalván*, en los cuales polemizaba principalmente con Nariño (19). El estilo de estas publicaciones es jocoso e iró-

---

(19) En la Biblioteca Nal. se encuentran estos escritos en varios ejemplares (Vol. 1270, pieza 3, y Vol. 13041, pieza 2, del Fondo Pineda, Sala 1ª), y aunque algunos historiadores los han atribuído a Padilla, son ciertamente de Caycedo. En el Archivo Histórico de Madrid, en el legajo de los procesos contra los eclesiásticos, se le atribuyen estas publicaciones. Véase *Cuadernos Hispanoamericanos*, N. 118, Madrid, octubre 1959.

nico, con alusiones a hechos y personas de la época que se hacen casi incomprensibles, aunque en la defensa de los eclesiásticos sí toma un tono serio y polémico.

Pero en donde hizo gala de su ciencia canónica y de su habilidad para la controversia fue en un *Manifiesto* dirigido el 8 de enero de 1811 a la Junta Suprema, en defensa de las inmunidades eclesiásticas y en protesta contra las pretensiones del gobierno de cobrar las anualidades de la renta de los Prebendados. El decreto había sido expedido el 3 de enero y a los cinco días salió publicado el folleto de noventa páginas, denso de doctrina teológica y de conocimientos históricos (20).

Iníciase el *Manifiesto* con una vibrante frase que bien podríamos llamar simbólica del nuevo estilo, e indicadora del desprestigio en que había caído, dentro del Clero, la monarquía por las infamias del Ministro Godoy:

"Si ha llegado ya el tiempo en que todo hombre, disueltas las trabas que en el gobierno antiguo se le ponían a su lengua y a su pluma, pueda hablar y escribir con la energía y desahogo correspondiente a poner en claro y manifestar a todo el mundo sus derechos; si cualquier ciudadano es naturalmente acreedor a que se le oiga y administre justicia cuando la reclama, no extrañará V. E. el que los Ministros de la Iglesia levanten también su voz, y pidan se les ayude a romper las cadenas, con que por tanto tiempo han visto oprimida su libertad, y a arrojar de sí la infame carga de tributos con que ha sido hollada y conculcada la inmunidad eclesiástica bajo los pies de un ministro inmoral, tirano, vicioso..."

Con gran prudencia política considera al nuevo Gobierno mal informado cuando tomó la providencia lesiva de los derechos de la Iglesia, pues "estamos persuadidos de la piedad y pensamientos cristianos y religiosos de V. E. no pronunciaría semejante decreto, auncuando no fuera por otra cosa que por no contraer la infame y oprobiosa nota de imitadores de Godoy, cuyo nombre será la execración de todos los siglos". Y con no menor habilidad dialéctica juzga el mencionado decreto "opuesto

---

(20) *Manifiesto en defensa de la Libertad e Inmunidad Eclesiástica*, dispuesto por el D. D. Fernando Caycedo y Flórez, Penitenciario de la Santa Iglesia Metropolitana de Santa Fé de Bogotá, y presentado a la Suprema Junta de Gobierno el 8 de febrero de 1811. Impreso a costa de su autor en Santa Fé, año de 1811. En la Imp. Real de don Bruno Espinosa de los Monteros. 91 páginas en 8°. Bibl. Nal., Fondo Pineda, Sala 1ª, N. 13039, Pieza 14. Hízose el mismo año una segunda edición de 52 páginas en 8°. "Reimpreso a costa de su autor en Cartagena de Indias, Año de 1811. En la Imp. del Real Consulado por Don Diego Espinosa de los Monteros". Bibl. Nal., Vol. N. 4.900, Sala 1ª, Pieza 2.

totalmente al Gobierno liberal, franco y útil a todos los pueblos que V. E. en sus papeles públicos ha ofrecido establecer".

Todo el escrito de Caycedo, más que contra la Junta, es una tremenda requisitoria contra los abusos y exacciones de los gobiernos españoles, en especial el dirigido por el Príncipe de la Paz. Se le podría llamar el memorial de Agravios del Clero. Porque llama poderosamente la atención el que un hombre de la mesura del doctor Fernando Caycedo, desahogue en forma tan virulenta todos los sentimientos que el Clero abrigaba contra el infame favorito. En contraste con los fines que la Santa Sede fijaba a las concesiones económicas hechas a la Corona que eran "la defensa y propagación de la Religión católica", el doctor Caycedo anotaba con amargura:

"Pero, ah! se oprime el corazón católico y hace derramar arroyos de lágrimas la consideración del paradero que tuvieron estos sagrados caudales. Ellos servían como fue público y notorio en Madríd, para edificar palacios magníficos, para comprar costosísimas carrozas, más brillantes que las que usaban las personas reales, todo para que lo gozase el favorito del rey. Para acopiar en las arcas de la Tudó los muchos millones que se le cogieron a ésta cuando se escapaba para Francia. En vez de servir estos caudales para propagación de la fe cristiana, se destinaba el sobrante de las profusiones dichas, para establecer un fondo que había de contribuír con un reloj de oro de repetición, y doce onzas del mismo metal para regalo de cada uno de los sujetos que destinaba la... Pero, Señor, el pudor y modestia del Ministro del Santuario que habla en nombre de los demás, no le deja concluír esta cláusula..." (21).

El reclamo que se elevaba estaba basado en la justicia "cuyo principal atributo, o mejor diré su esencia y la más sagrada obligación del magistrado es mantener a cada ciudadano en la posesión de sus derechos".

Se adelanta a la objeción de falta de patriotismo por parte del Clero, pues "no intentamos sustraernos de la obligación de contribuír para las urgentes necesidades de la Patria: sabemos muy bien la disposición del Concilio Lateranense en estos casos. Pero esto ha de ser calificándose por el Clero y Obispo la necesidad y la utilidad del gasto; ha de ser voluntaria la donación, y no forzada, porque siendo forzada sería más bien tributo o gabela, que donación graciosa..." (22).

_____

(21) *Manifiesto en defensa de la Libertad*, o. c., p. 59.
(22) *Manifiesto*, o. c., p. 77.

Con esta ocasión, el doctor Caycedo sienta en forma diáfana la doctrina tradicional de las relaciones entre la Iglesia y el Estado, de mutuo respeto y colaboración, dentro de los límites de su propia esfera:

"No podemos negar, y lo confesamos abiertamente, que primero hemos sido ciudadanos que eclesiásticos; antes miembros de la sociedad, que sacerdotes y que aunque hayamos sido constituídos en una clase privilegiada, no por eso hemos dejado de ser ciudadanos, ni salido de la sociedad, antes bien nuestro estado es parte esencial de ella, y de las que más la condecoran. El Sacerdocio y el Imperio en nada se oponen. Por el contrario, son dos columnas firmísimas que sostienen este político edificio. Pero ambas deben contenerse en sus límites: la una no debe entrometerse en el oficio de la otra, ni ésta en el de aquélla. Debe haber entre las dos una barrera impenetrable para que no puedan dañarse entre sí, pero muy abierta y patente para ayudarse y sostenerse mutuamente..." (23).

Quien así reclamaba la independencia de la Iglesia en medio de un absorbente y asfixiante Patronato de siglos, y de tal modo señalaba los límites de la autoridad del primer gobierno independiente, debería después llevar esas ideas a la práctica, en condiciones bien difíciles, y no siempre con éxito, como arzobispo de Bogotá, frente a las supremas autoridades de la Gran Colombia.

Para hacer más manifiesta la diferencia de situaciones políticas, la Junta Suprema aceptó los reclamos de Caycedo, y desistió de sus intentos. ¿Cuándo, en los tiempos del gobierno español, podía la Iglesia granadina hacer oír su voz y ser acatada en sus justas protestas?

En 1812 escribió un vigoroso ensayo político, rico de doctrina democrática titulado *Necesidad del Congreso* (24). Se muestra muy optimista sobre el talento de los americanos para gobernarse por sí mismos, pues "el primer año de su independencia ha demostrado que a pesar de los infinitos riesgos y contradicciones que han corrido, han tenido luces y valor para hacerse respetar de las otras partes del globo que se han organizado sabiamente".

Desde el principio determinaba nítidamente las miras de la Revolución:

---

(23) *Manifiesto*, o. c., p. 76.

(24) *Necesidad de El Congreso en Santafé de Bogotá*, en la Imprenta patriótica de don Nicolás Calvo. Año de 1812. 28 páginas en 8º. Lleva la firma de Tomás de Montalbán y Fonseca. Existe en la Biblioteca Nal., Fondo Pineda, Sala 1ª, N. 3283, Pieza 10 (672).

"La América en su revolución no ha tenido otro objeto que independizarse de España, de esa España que por tanto tiempo la ha tiranizado con la crueldad más inhumana. Para conseguir este importantísimo objeto, la América ha hecho todos los esfuerzos que le ha dictado su amor a la libertad y su odio a la tiranía: ha arrojado de su seno a los déspotas antiguos mandatarios, ha juntado sus pueblos para establecer sus juntas representantes, ha dictado muy sabias leyes y constituciones discretas...; ha esparcido de un extremo a otro del continente las luces y conocimientos de los derechos del hombre que con un denso velo les había ocultado el Gobierno sultánico de España, y ha formado por último el espíritu público".

Sin embargo, entre tántas disposiciones y sabias medidas, Caycedo echaba de menos en el Reino "la principal, la más necesaria, la más útil, y sin la cual no pueden subsistir ni tener efecto sus ideas: tal es el Congreso general de todo el Reino, que es la base sobre que debe descansar el coloso de la libertad americana, es el fundamento de su deseada independencia, es la salvaguardia de las Provincias Unidas, es el alma de este gran cuerpo político".

Le daba tánta trascendencia al Congreso, que sin él nada de lo hecho adquiría valor, y sólo tendría el efecto de "deslumbrar y traer encantados a los pueblos con una falsa idea de felicidad, y de soberanía efímera y pasajera que no puede durar y que va a abismarse en el caos de una más dura y permanente esclavitud".

"La naturaleza misma —decía— está dictando esta importante máxima, y de ella la han aprendido los políticos. Un hombre solo no puede defenderse de sus enemigos, ni un pueblo solo puede estar seguro sin asociarse a otros pueblos, y hasta los brutos cuando ruge el león se congregan para resistir sus asaltos". Este argumento lo desarrolla con abundancia de razones, hasta enunciar este axioma: "Sin el Congreso no sois libres, y los que lo resisten solicitan vuestra destrucción".

Con gran sentido realista prueba que ninguna provincia por sí sola puede hacer figura brillante en el concierto de las naciones y ser reconocida en su soberanía por los potentados de Europa, y pretenderlo "es una quimera más ridícula que las que se presentaban a la fantasía del Caballero manchego".

Para demostrar que estas no eran ideas vanas ni puramente especulativas, acude al ejemplo de Norteamérica, y después de ampliarlo largamente, termina: "El Congreso general tuvo allí su origen al empezar la revolución; entre nosotros después de dos años de revolución, aún no se ha formado el Congreso. ¿Seremos libres?"

Hace un impresionante relato de las mutuas desconfianzas, de los celos y rivalidades que dividieron a las provincias granadinas desde el principio del movimiento revolucionario, para concluír que el Congreso sería el único árbitro que pondría fin a esos litigios infinitos. Que el mismo Congreso sería la salvaguardia de la libertad de las provincias contra las pretensiones de los ambiciosos que quisieran perpetuarse en el mando y extender su dominio. Y que la misma entidad velaría por la independencia de todas las partes en el caso de que alguna, olvidada de los principios de libertad, se propusiese miras conquistadoras y prevalida del poder quisiese sujetar a otras provincias.

El doctor Caycedo presentaba a todos estas verdades "sin algún interés personal, y sin otro fin que el de cooperar al bien de la Religión y a la felicidad de mi patria... Cuando se trata del bien de la patria, no debéis sentenciar por la prevención, ni por el espíritu de partido, ni por el bien privado, sino por el dictamen de la verdad, y por la felicidad común".

Llama la atención la claridad de visión del futuro con que el autor termina su patriótico llamamiento a todas las provincias. Los tremendos males que profetiza para la desunión, al correr de pocos años tendrían su ineludible cumplimiento.

Con tales antecedentes, no le iba a perdonar Morillo, y en efecto lo remitió preso a España como "adicto a la independencia, funcionario en la revolución, dando impresos al público que atacan al Soberano..." Y en el informe dado a la Corona por el virrey Sámano, en 1818, decía del eminente eclesiástico: "Fue de los principales autores de la revolución de aquel Reino...; partidario acérrimo del Congreso insurgente; adicto al sistema de independencia y uno de los que más han contribuído a la sublevación de los pueblos..." (25).

Ninguna pluma más autorizada que la de estos dos intransigentes adversarios de la Independencia para exaltar los méritos del ilustre patricio.

---

(25) Véase el *Informe del Virrey Juan Sámano sobre la conducta y otras circunstancias del Clero de Santa Fé en los años de 1810 - 1818*, en *Boletín Cultural y Bibliográfico* de la Biblioteca Luis Angel Arango, agosto de 1961 (Vol. IV, N. 8), p. 698.

3. — *Don Juan Fernández de Sotomayor, Presidente del
Congreso de las Provincias Unidas y Obispo de Cartagena.*

Nacido en Cartagena de Indias, vino a Santa Fé y después
de asistir al curso de filosofía de San Bartolomé, vistió la beca
del Rosario, en donde siguió los cursos de jurisprudencia civil
bajo el magisterio de Camilo Torres, y de derecho canónico con
el doctor Tomás Tenorio. Al regresar a su ciudad natal fue nombrado párroco de Mompox, en cuya independencia tomó parte
muy activa.

Publicó —escribe Pardo Vergara— un catecismo popular que
fue proscrito por la Inquisición de Cartagena. Predicó varios sermones en que sostenía aquella causa: el de la publicación de la
constitución; otro el 19 de octubre de 1813 en Mompox, que se
imprimió; el del 20 de Julio de 1815, en Bogotá, que presentó
al Venerable Capítulo y al Gobierno, único ejemplar tal vez que
se libertó de la hoguera pacificadora, y otro en diciembre del
mismo año, el cual, sin haberse publicado, se prohibió por el
Comisario León, con pena de excomunión (26).

En los primeros días de 1815 vino a la capital como representante al Congreso del cual fue Presidente.

Sus ideas políticas se hallan claramente expuestas en el sermón mencionado del 20 de Julio, elocuente y persuasivo, de frase
ceñida, sin alardes retóricos, en el cual se invoca la doctrina del
derecho natural para justificar la independencia. Es un canto
de júbilo a la libertad y un himno de acción de gracias al Creador "por el inefable beneficio de habernos constituído en sociedad y devuéltonos por un efecto de su gran bondad el derecho
de existir, mantenernos y gobernarnos por nosotros mismos fijando las leyes fundamentales de nuestra asociación, y haciéndo-
nos conocer a un tiempo nuestros derechos y nuestros deberes" (27).

---

(26) *Datos Biográficos de los Canónigos de la Catedral Metropolitana de Santa
Fé de Bogotá,* por el Ilmo. Sr. D. Joaquín Pardo Vergara, p. 101.

(27) *Sermón que en la Solemne Festividad del 20 de Julio, aniversario de la Libertad de la Nueva Granada, predicó en la Santa Iglesia Metropolitana de Santafé,
el Ciudadano Dr. Juan Fernández de Sotomayor,* Representante al Congreso de
las Provincias Unidas por la de Cartagena y en este Obispado Cura Rector y Vicario
Juez Ecco. de la Ciudad Valerosa de Mompox. Santafé, Imp. del C. B. Espinosa,
por el C. Nicomedes Lora, Año de 1815, 3º. En 8º., 35 páginas. En la Biblioteca
Nal., Vol. 3300, Sala 1ª, del Fondo Pineda, Pieza I. Ignoro si es éste el único ejemplar a que hace alusión el Ilmo. Sr. Pardo Vergara.

Perdonándole, en gracia de las ideas de la época y del ardor de la controversia desatada por España, la injusta requisitoria y el apasionado enjuiciamiento que hace de la conquista y de la colonización de América que pinta con los más negros colores y reprueba con los términos más violentos, reconocemos que tenía razón al proclamar la Revolución como un hecho extraordinario, pues "los Reynos principales de América como por un movimiento simultáneo deponían a un tiempo las autoridades españolas, y se reintegraban los pueblos en la soberanía tres siglos usurpada: que no se vio ni se ha oído entre nosotros el desorden que es consiguiente a las revoluciones y trastorno de un sistema tan bien apoyado y sostenido: que en una coyuntura tan favorable a la vindicación de tantos agravios recibidos a cada paso, los sentimientos de la caridad ahogaron los de la venganza, y los tiranos fueron tratados con dulzura y compasión... Es menester no haber saludado la historia y olvidarnos de los acontecimientos de nuestros días para ignorar que ha sido ordinariamente trágico el suceso de las revoluciones. La de América ha sido dirigida por la mano de Dios, y ella ha apartado de nosotros los grandes males que fundadamente se debían recelar..."

Aunque indudablemente entre los realistas opuestos a la república había personas de elevadas miras y honradas convicciones, Fernández de Sotomayor señalaba despiadadamente los sórdidos motivos de la oposición de muchos:

"Acostumbrados a adular a los tiranos, para sobreponerse por un asalto a los empleos al resto de sus conciudadanos, no pueden hoy sufrir el nivel que los ha rebajado para igualarlos. Conocen que la virtud y el mérito que o no tienen, o es inferior al de muchos, deben ser examinados muy de cerca por los gobiernos constituídos entre nosotros mismos, y que no ya un informe arrancado o por el dinero, o por la intriga, o por una falsa ostentación de virtud para las Mitras, Prebendas, los destinos en el ramo de lo civil, y el ascenso en el de la milicia, sino la aptitud conocida, los servicios importantes, la adhesión al sistema, son los que deben graduar las recompensas que antes se daban sin juicio ni discernimiento".

Sus ideas sobre la constitución de la sociedad civil y el origen de la autoridad política están basadas en las doctrinas escolásticas. Nosotros bendecimos —decía— en todo tiempo la mano del Señor que despedazó nuestras cadenas y le entonaremos himnos y cánticos de gracias, porque *nos ha restituído la posesión de los derechos esenciales al hombre:* tal es entre otros, *el de constituír y formar por nuestro consentimiento las autoridades que deban gobernarnos.*

Se extiende en la comprobación de esta tesis, tal como la exponían los Maestros de la Escuela:

"El constitutivo y esencia de la sociedad consiste en este precioso e inestimable derecho. Cuando los hombres se reunieron al principio en sociedad, conocieron que ésta no podía subsistir sin un Jefe o Cabeza que dirigiese la fuerza y la voluntad particular de los asociados hacia el bien común y no habiendo en la multitud reunida un solo hombre con derecho a gobernar a los otros, fue necesario que por todos, y por cada uno en particular se eligiese y designase el primero entre los demás. Mientras los hombres no han pensado dominar a sus semejantes, ellos no se han gobernado de otra manera. Mil ejemplares podría producir de esta verdad tomados así de la historia profana, como de los libros sagrados, si yo creyese que vosotros los ignoráseis. Así no hay ni puede haber jamás caso en que el hombre pierda este derecho, ni menos en que pueda renunciarlo o abdicarlo en favor de una familia a perpetuidad. Nosotros lo hemos recobrado, y su ejercicio nos proporciona las más grandes e incalculables ventajas; pero al mismo tiempo nos impone deberes estrechos cuya omisión sólo bastaría para reducirnos a la anarquía, el mayor y más desesperado de todos los males".

Porque si la suprema autoridad depende inmediatamente del consentimiento de los pueblos, su fuente primera y más noble es Dios: "Nosotros debemos obedecerle, y esto por un principio de conciencia. Los que gobiernan cualquiera que sea su denominación, si su origen es legítimo, son los representantes de Dios en la tierra, y el poder que ejercen es una emanación del poder divino. Así son y deben aplicarse tanto a los gobiernos democráticos como a los demás, la doctrina del Apóstol y los textos que se han creído pertenecer exclusivamente a los Reyes, y en mi concepto a los que menos, pues que los más de ellos han tenido un origen viciado y son los descendientes de un ladrón afortunado o de un conquistador poderoso. El respeto y la obediencia a los que gobiernan es el nervio de toda sociedad bien ordenada; y si él es el que mantiene y conserva el buen orden en las que cuentan una antigüedad respetable, de cuánta exigencia no deberá reputarse en las que apenas nacen y comienzan a formarse?"

En esta materia de primordial importancia para el fortalecimiento de la nueva República, señala especial responsabilidad a los ministros de la Iglesia: "Nuestra omisión nos haría reos de alta traición, no sólo con respecto a Dios, y a su Iglesia, sino también con respecto a los hombres. ¿Cuál no será pues nuestra responsabilidad, si obrásemos favorablemente a sostener las ideas de los enemigos del Gobierno, prostituyendo nuestro carácter sagrado, ya en la predicación, ya en la dirección de las conciencias?... Yo os conjuro por el honor, sostenimiento y extensión de la Religión santa de Jesús, a que hagáis conocer los principios inmutables de la justicia que han decretado irrevocablemente nuestra separación e independencia de España, a que desengáñeis a los incautos, que el Evangelio y su publicación no ha dado ni podido dar a los españoles un derecho legal sobre la América..."

Su amor a la patria libre le inspiraba —lo mismo que a Padilla— fervorosas exhortaciones a defenderla a costa de todos los sacrificios, sin excluír el de la vida:

"Nuestra sangre debe derramarse en los combates: esta guerra nos santificará. ¿Y no será más glorioso para nosotros morir en defensa de nuestra libertad y de nuestros más caros derechos, que el de dar en manos de nuestros implacables enemigos para hacernos probar una muerte cruel?... Redoblemos, pues, nuestros esfuerzos, que a todos nos anime un mismo espíritu y la resolución santa de perecer antes que volver a las cadenas que hemos despedazado..."

En compañía del Padre Padilla y de otros congresistas y miembros del gobierno, emigró Sotomayor a Popayán en 1816. En el Congreso de 1823 y en los siguientes hasta 1826 asistió como representante por Cartagena, habiendo votado la ley del Patronato, después de dejar constancia expresa de su actitud. Canónigo de la Catedral de Bogotá, y luego Vicario General del Arzobispado, fue elegido Obispo titular de Leuca, en 1832, y Vicario Apostólico de Cartagena, a cuya sede fue promovido en 1834.

En 1842 escribió una Pastoral en la cual mandaba publicar las letras Apstólicas de Gregorio XVI con motivo de las necesidades de la Iglesia en España. Se propuso alertar a los católicos sobre los errores de Tamburini, Villanueva y de Juan Antonio Llorente, y de los libros *Libertades de la Iglesia Española* y *Apología de la Constitución del Clero*, los cuales "no tienden a otras miras que a descatolizar a la América y envolverla en torrentes de sangre o para vengarse de su independencia o para que torne a su anterior dominación, fatigada de los horrorosos estragos que experimentara en la lucha de la religión de sus padres, contra el filosofismo y la impiedad" (28).

---

(28) *Letras Apostólicas de Nuestro Santísimo Padre Gregorio Papa XVI, sobre rogativas con jubileo por las necesidades de la Iglesia de España, y Carta Pastoral.* Cartagena, Imp. de Francisco de B. Ruiz, 1842, en la Biblioteca Nal. Fondo Pineda, Vol. N. 3300, Sala 1ª, Pieza 24.

Ante estos peligros doctrinarios que el celoso Prelado refuta con vigor, esperaba muy confiadamente "en la misericordia divina que nunca serán desmentidas ni nuestra fe, ni nuestra obediencia muy respetuosa al Vicario de Jesucristo en la tierra, la visible Cabeza de su Iglesia, y que el Gobierno de la República siempre católico, velará por la conservación de tan preciosos como inestimables bienes". Y haciendo un recuerdo minucioso y gratísimo de las disposiciones legales y constitucionales de la República en favor de la Religión, el patriota de aquellos tiempos no ocultaba su satisfacción:

"Qué glorioso es recordar que desde el año de diez de este siglo, en que se pronunciaron los pueblos de la Nueva Granada por su separación del gobierno español, se mostraron todos animados del más ardoroso celo por la defensa y conservación de la Santa Religión Católica Romana, y en proporción que se empleaba para desalentarlos el arma poderosa de la pérdida de la misma Religión, se les observaba más vigilantes, más empeñados para desmentir tal propósito..."

4. — Doctor Andrés Ordóñez y Cifuentes, Gobernador del obispado de Popayán.

Este preclaro sacerdote fue el líder indiscutible de la Revolución en el Huila, y luchó ardorosamente contra el poderoso partido realista de Popayán. Nacido en 1768 en jurisdicción de Caloto de padres nobles, poseedores de ricas minas, hizo sus estudios en el Seminario de Popayán, y ordenado de sacerdote fue nombrado cura de La Plata. Puso al servicio de la causa patriota su brillante talento, su fervoroso entusiasmo y su dinamismo extraordinario que le impulsó a organizar tropas, las cuales auxiliaron al ejército de las Ciudades confederadas y de Nariño, a quien acompañó como Capellán y Vicario hasta Popayán. Fue además Presidente del Colegio Constituyente de la provincia. El Cabildo eclesiástico de Popayán, al verificarse la caída de Tacón, lo nombró Canónigo Penitenciario y Gobernador de la diócesis.

En el ejercicio de tan alto cargo, dictó el 16 de septiembre de 1814 una Pastoral en la cual adoptó los principios contenidos en la célebre Carta del Arzobispo de Caracas, don Narciso Coll y Prat, de 18 de septiembre de 1813, dada para reconocer el gobierno republicano, y la cual mandó reimprimir.

Se refiere a la Instrucción del prelado caraqueño, el cual "conforme a los principios de la más sana moral, procura inspirar a aquellos pueblos despedazados con la guerra civil la unión y concordia recíproca, al mismo tiempo que la obediencia y sujeción al gobierno venezolano, manifestando la justicia con que se erigió en estado libre e independiente" (29).

El vicario de Popayán aprovecha las enseñanzas del arzobispo para dar expresión a sus antiguos deseos de exponer la misma doctrina, "y que habíamos reprimido porque no se atribuyese a espíritu de novedad y de partido". Ahora en cambio quiere "dar con la mayor sinceridad un testimonio de amor al orden, a la verdad y a la justicia publicando por medio de la prensa la citada Pastoral para que se generalice entre los fieles de este obispado, se lea y se medite atentamente..."

Recomienda, en consecuencia, tan excelentes enseñanzas y espera que todos los párrocos instruyan a sus feligreses en "todos estos principios sanos y saludables; que el venerable Clero secular y regular los tome por modelo, y que los fieles todos los abracen de buena fe, mirándolos como el verdadero antídoto con que debe curarse esta República cristiana que la antigua serpiente va depravando y destruyendo rápidamente, y como la única tabla en que puede arribar felizmente al deseado puerto".

¿Pero cuáles eran estos principios tan encarecidamente recomendados por el canónigo Ordóñez y Cifuentes? Los que legitiman el gobierno republicano proclamado en Venezuela "para recobrar la dignidad natural que el orden de los sucesos había restituído a estos dilatados países, y proveer a la conservación y felicidad de sus habitantes... A todos, pues, toca respetar esta ley y obedecerla, a las órdenes y bajo la dirección del Gobierno, porque el propio Dios que manda obedecer las leyes de los Reyes y Emperadores en los estados monárquicos, ese mismo manda obedecer las de las potestades sublimes e intermedias que bajo diferentes denominaciones presiden o pueden presidir en los estados republicanos".

Efectivamente, desde los primeros momentos de la revolución venezolana, el sabio y prudente prelado catalán, superando las barreras del nacionalismo, y sacrificando sus propias convicciones de obispo nombrado por el patronato español, había reconocido, previa consulta favorable del Clero, el nuevo orden político, con palabras muy semejantes a las que emplearía León

---

(29) Nos, el Pbro. Dr. Andrés Ordóñez y Cifuentes, Canónigo Penitenciario interino de esta Santa Iglesia Catedral, Provisor y Vicario Capitular del Obispado de Popayán, etc. Esta Pastoral, con la del Arzobispo de Caracas, llena diez páginas en 8°, y al final está el pie de imprenta: "Medellín. En la Imprenta del Gobierno. Por el C. Manuel María Villar Calderón. Año de 1815. Tercero de la Independencia". La encontré en la Biblioteca Nacional, Fondo Pineda, Sala 1ª, Vol. 3300, Piezas 27 y 28.

XIII para exponer en numerosos documentos la doctrina de la Iglesia sobre la forma civil de los gobiernos:

"Sin caer en la herejía como Montesquieu, no puede decirse que el catolicismo conviene más a una monarquía y el protestantismo a una república. El Hijo de Dios no se presentó en el mundo para levantar imperios, monarquías ni repúblicas, sino para hacer de todos los pueblos uno solo a quien revelar los secretos de la divinidad y que, a pesar de la diversidad de idiomas, costumbres y gobiernos, tuviese una misma ley y una misma moral; *por esto su Iglesia se acomoda a todas las formas que se quieran dar a un Estado, con tal que su doctrina sea en él respetada, sus cánones guardados, y nadie, sin su intervención altere por sí mismo la disciplina que la tradición, los Padres y los Concilios han mantenido"* (30).

No deja de llamar la atención, en la Pastoral del Vicario de Popayán —hombre enérgico que se movía con decisión en el campo militar y con desembarazo en asambleas civiles—, la extremada cautela con que expone las doctrinas favorables a la revolución. Es cierto que se acoge a la buena sombra del prelado caraqueño, pero de su propia cosecha es muy poco lo que da a la polémica doctrinaria. Diríase que camina con prudencia por terrenos resbaladizos y que el ambiente intelectual y político de Popayán le causaba inhibiciones inadecuadas a su temperamento y a sus ideas. El hecho de que la Pastoral fuera impresa en Medellín, al año siguiente de haber sido expedida, es indicio harto elocuente de las dificultades que se debieron presentar para publicarla.

El doctor Santiago Arroyo, de ordinario tan parco y mesurado en sus juicios laudatorios, en su *Memoria de la Revolución de Papayán,* no escatima en diversas ocasiones sus elogiosos comentarios a las virtudes cívicas y cristianas del ilustre hijo de Caloto.

Vencidos los patriotas en la Cuchilla del Tambo, el **Dr.** Ordóñez y Cifuentes fue entregado a los realistas quienes lo cargaron de grillos y lo trataron cruelmente, motejándolo de apóstata y hereje. A pesar de la orden de Morillo, Sámano no se atrevió a fusilarlo, y fue remitido a España en donde murió de fiebre amarilla en 1819.

---

(30) Pedro de Leturia, S. J., *Relaciones entre la Santa Sede e Hispanoamérica,* Tomo II, p. 78 (Romae-Carcas, 1959).

5. — *Doctores Nicolás Mauricio de Omaña y Pablo Francisco Plata. La soberanía popular en las Novenas de la época.*

Era tan candente la atmósfera intelectual de Santa Fé en las disputas y controversias sobre la legitimidad del nuevo gobierno, que saliendo de los cauces de los libros, periódicos, manifiestos, pastorales, cátedras universitarias y púlpitos, invadieron el vehículo, en apariencia inofensivo, pero de inmensa resonancia y de un poder explosivo tremendo, de las Novenas. Fueron éstas el alimento cuotidiano de la piedad de nuestras gentes que las rezaban en el recinto privado de sus casas o con toda pompa y solemnidad en iglesias y conventos.

Monseñor Mario Germán Romero, apasionado catador de las formas antiguas de cultura religiosa como las Novenas y Catecismos que en forma extraordinaria fomentaron la fé y la devoción de nuestros mayores, nos ha regalado recientemente con un jugoso estudio titulado *Novenas políticas en la Independencia* (31).

Después de historiar brevemente la vida del Pbro. doctor Mariano de Mendoza Bueno, natural de Cartago, Párroco de Pore y furibundo realista que hubo de sufrir persecuciones sin cuento por parte de los gobiernos republicanos, nos manifiesta las picantes alusiones políticas de que está colmada la "Novena en culto del glorioso Arcángel San Rafael. Compuesta por el Presbítero doctor don Mariano de Mendoza Bueno y Fontal. En Santafé, Imprenta del Gobierno, por Nicomedes Lara, 1816".

El hombre poseía una cultura nada común según lo manifiesta en una Representación hecha al Senado de Tunja (Imprenta Espinosa, 1814), escrita con irrebatible lógica para defender sus derechos y su postura ideológica, en la cual cita con gran propiedad las doctrinas de Burke y de Payne, enfrentadas a la conducta de los nuevos gobernantes, de quienes afirmaba que "los tiranos del día son más tiranos que los antiguos". Al comentar uno de los consejos de Tobías a su hijo de guardarse de la soberbia que perdió a los ángeles y a los hombres, explica el autor que la tentación de Luzbel consistió en hacer a los primeros padres esta promesa: "Seréis como dioses si disputáreis a *vuestro Dios la Suprema soberanía, faltando a su obediencia.* Esta misma filosofía es la que hoy ha enseñado a los espíritus fuer-

(31) *Boletín de Historia y Antigüedades.* Vol. XLVII, Números 549-550-551, Julio, Agosto, Septiembre de 1960, p. 476-487.

tes que dominan, y que a pretexto de una tiranía, aunque fantástica, que han hecho concebir en los reyes, pretenden derribarlos del trono en que los colocó la· mano del Altísimo... Huyamos, por Dios, de estas tinieblas luminosas, y vivamos contentos con las santas oscuridades de la fé, que nos manda obedecer en todo al Señor, y por él a los reyes, como a vicarios suyos".

Como se puede ver, se constituye en defensor de las tesis del origen divino de los reyes, las mismas que treinta años atrás había propugnado el padre Joaquín de Finestrad, el célebre capuchino adversario de los Comuneros (32).

Desde el campo democrático contestó con iguales armas el bartolino Pbro. doctor Pablo Francisco Plata, firmante del Acta de la Revolución del 20 de Julio, de la Constitución de Cundinamarca de 1811 y de la reforma de 1812 del Colegio Revisor y Electoral. Este ilustre socorrano, representante de la Escuela Jesuítica, abogado de la Real Audiencia, Catedrático de Instituciones civiles y Rector de San Bartolomé, más tarde Canónigo, Vicario Capitular y Vicario General del Arzobispo Mosquera, es una de las figuras del Clero patriota de mayor prestancia moral e intelectual (33).

La Novena de que se valió para difundir sus ideas fue precisamente la de la Virgen de los Dolores, la devoción tradicional y característica del Claustro Bartolino, como la Virgen del Rosario, la Bordadita, lo era del instituto de Fray Cristóbal.

La censura eclesiástica estuvo a cargo de otro eminente bartolino, el doctor Nicolás Mauricio de Omaña, profesor de derecho canónico y civil y más tarde también Rector del afamado plantel. Ya vimos cómo su ilustre sobrino, Francisco de Paula Santander, lo pone al lado de Gutiérrez de Caviedes y de Emigdio Benítez entre los grandes propagadores, desde la cátedra, de las ideas de libertad. Prestó constantes servicios al gobierno republicano, presidió la Cámara de Representantes de Santafé, y pagó con la muerte en el destierro, ocurrida en 1817, su fervorosa adhesión a la causa de la independencia.

En su concepto, dirigido a los Gobernadores del Arzobispado, aprovecha la ocasión para insistir, por cuenta propia, en la legitimidad del nuevo Estado. La dedicatoria y adiciones "son muy oportunas y acomodadas al presente estado de las cosas para que se entienda que los Gobiernos no se consolidan y los pue-

---

(32) El doctor Bueno y Fontal escribió otra novena, como la de San Rafael, en 1811, publicada en 1816, en honor de San Isidro, también empapada de doctrinas políticas y de referencias punzantes a la situación histórica revolucionaria que no podía tolerar.

(33) Joaquín Pardo Vergara, *Datos Biográficos de los Canónigos*, o. c., p. 95.

blos no son felices sino bajo el yugo de la ley de Dios, con la protección de su Amantísima Madre, que en sus misterios dolorosos lo es de los pecadores. El Gobierno Eclesiástico, y ustedes en su nombre, están comprometidos con juramento público y solemne a reconocer y sostener los gobiernos constituídos: comprometimiento que después han ratificado ofreciendo a la autoridad nacional promover sus créditos y su defensa por todos los medios posibles".

La Dedicatoria a que se refería el doctor Omaña está concebida en los siguientes términos:

"Por grandes pecadores que seamos los habitantes de la República de las Provincias Unidas de la Nueva Granada, nos distinguimos de todos los pueblos del universo en no reconocer otro Señor que a Dios Todopoderoso, ni otra Señora que a tí, Soberana Reina de los cielos y tierra, sobre esta sociedad de hombres libres y cristianos que como sometida a este único señorío, está bajo de su protección. Vos sabéis, Señora, que perdida la libertad del hombre por el pecado, fue extraído de la esclavitud por su Santísimo Hijo a costa de su preciosísima Sangre: no permitáis Virgen Purísima, que ninguno de tus humildes siervos vuelva por sus culpas a la esclavitud del demonio. También sabéis, Señora, *que los hombres no han sido hechos para vivir sometidos al arbitrio y voluntad de sus semejantes, sino que Dios los crió libres para constituírse bajo la forma de gobierno que les parezca convenir mejor a su felicidad.* No permitáis, Madre Amabilísima, que los pueblos de la Nueva Granada pierdan este derecho en manos de los injustos, crueles y obstinados españoles... Hacedlos, Señora... amantes de su libertad e independencia, al mismo tiempo que obedientes a las potestades que ellos mismos han constituído, y observantes de sus constituciones..."

La Novena continúa con la imprecación en latín: "Cristo vive, Cristo reina, Cristo defienda a la cristiana República de la nueva Granada de la fuerza y del dominio de los tiranos".

En las Advertencias, el doctor Plata hace notar que la mayor parte de los dolores que padeció la Virgen provino "de la arbitrariedad de los tiranos y de la adhesión que a éstos tenía un pueblo ciego y obstinado", y "del pueblo judío nos consta que seducido por la envidia de unos y por la vil adulación de otros, clamaba en odio de Jesús y en obsequio de los tiranos: nosotros no tenemos otro rey que el César, a semejanza de los que el día de hoy claman por el gobierno español y por la monarquía de los Borbones". Terminaba entonces con la exhortación a "pedir a la misma Santísima Virgen que por los dolores que la hicieron padecer los tiranos, se compadezca de los pueblos oprimidos, los guíe en la defensa de sus derechos, y sea especial protectora de su libertad e independencia" (34).

No se podía enseñar en forma más explícita que —como advierte con razón Monseñor Romero— si es cierto que todo poder
viene de Dios, los hombres tienen el derecho de escoger quien
los gobierne y la misma forma de gobierno que les parezca convenir mejor a su felicidad. Estos son los principios de Santo Tomás, Suárez, Belarmino y demás escolásticos que alentaron las
conciencias de los padres de la Patria, y que hoy es doctrina de
la Iglesia (35).

A la llegada de Morillo, esta Novena verdaderamente revolucionaria que tan hábilmente acogía en sus páginas las doctrinas escolásticas sobre el origen popular del poder y la resistencia a la tiranía y al despotismo de los reyes, figuró como cabeza
de proceso en la causa seguida contra el doctor Plata, acusado
además de haber jurado la independencia. Desterrado a la Guaira, pudo regresar a Santa Fé en 1819 a continuar prestando sus
servicios a la educación de la juventud, pues ocupó también, en
1827, el cargo de Rector de la Universidad Central.

El 24 de marzo de 1834 tuvo ocasión, desde su puesto de Vicario Capitular del Arzobispado, de exigir la obediencia a los gobiernos legítimos en una enérgica Pastoral en que manifiesta su
dolor porque algunos sacerdotes "han sido sospechados como
cómplices en una de las pasadas conspiraciones contra el gobierno y las instituciones de este país" (36).

Luego de hacer constar que la Religión estaba protegida por
las leyes y autorizada por las instituciones, termina con esta severa admonición:

"Para evitar, pues, tamañas desgracias y con el fin de consolar en algún modo a estos pueblos que hasta estos últimos
tiempos han sido el juguete de las Revoluciones, os amonesto y
mando bajo el precepto de santa obediencia que en vuestros sermones y en vuestras pláticas aconsejéis e inculquéis a vuestros
fieles la obediencia y sumisión a las leyes e instituciones establecidas, el respeto debido a nuestros Magistrados y la obligación

---

(34) *"Novena en memoria y obsequio de los Dolores de la Santísima Virgen María
Nuestra Señora. Con la licencia necesaria.* Santa Fé. Imp. del Estado, por el
C. J. M. Ríos, Año de 1816 - 6º.
(35) Mario Germán Romero, *Novenas Políticas en la Independencia,* o. c., p. 486.
(36) Nos, Pablo Francisco Plata, Provisor, Vicario Capitular y Castrense del Arzobispado de Bogotá, etc. En la Biblioteca Nal., Volumen N. 12.111, Pieza 5, de la
Sala 1ª.

que en Dios y la conciencia tenéis de guardarlas y defenderlas procurando de esta manera conservar la paz y tranquilidad en este suelo para lograr el cumplimiento de nuestros deberes religiosos y la dicha y prosperidad de la República".

Actitud lógica y conducta ejemplar del sacerdote patriota que habiendo hallado razones de justicia para enfrentarse al régimen español y coadyuvar a la creación de un Estado soberano, defendía ahora su estabilidad en nombre de la misma doctrina católica y manifestaba con elocuencia que el Clero había ido a la Revolución no por ánimo levantisco y amigo de novedades, sino estimulado por nobilísimos fines.

Cargado de méritos murió septuagenario el 11 de abril de 1843.

6. — *Doctor Nicolás Cuervo, Vicario Capitular de Bogotá, defensor de sus antiguos maestros los Jesuítas.*

El doctor Cuervo, nacido en 1751, bartolino, graduado en filosofía y teología por la Universidad de Santo Tomás, Vice-Rector y profesor de filosofía en San Bartolomé, firmó el Acta del 20 de Julio, y asistió al Colegio Revisor y Electoral de 1812 como representante por la villa de San Gil, en cuya virtud dio aprobación a la reforma republicana de la Constitución cundinamarquesa.

Nombrado en 1819 Vicario Capitular de la arquidiócesis, a instancias del Vicepresidente Santander escribió su primera Carta Pastoral en el mismo año para reclamar la obediencia al gobierno de la República.

Pero ya para entonces el patriotismo del doctor Cuervo, que era además una persona tímida e irresoluta, estaba inhibido, en no pequeña escala, por la Encíclica legitimista que el Papa Pío VII había dirigido el 30 de enero de 1816 al episcopado americano en favor de los derechos de Fernando VII, y por el entusiasmo del Clero realista, en especial del aguerrido obispo de Popayán.

Aunque es evidente que Cuervo trata de desvirtuar los efectos del Breve Pontificio y de los fervorosos comentarios de los realistas, sin embargo los términos en que excita "a ejemplo de Cristo y de su Vicario a una ciega deferencia y sumisión a las potestades en cuyos Estados nos ha destinado a vivir y habitar la Divina Providencia", y los argumentos en que se apoyaba, eran demasiado débiles para colmar las aspiraciones de Bolívar y de Santander, quienes querían algo más enfático y más fundamentado en la doctrina católica. Mucho menos iban a satisfacer a don

Salvador Jiménez de Enciso, el prelado payanense que en una fuerte Circular de 1820 impugnó sin contemplaciones al humilde Vicario Capitular de Bogotá, a quien llamó "hijo del diablo, separado del rebaño de Jesucristo e indigno del Sacerdocio".

Ante efectos tan contrarios, pero igualmente adversos, el doctor Cuervo se decidió a redactar el 20 de marzo una nueva Pastoral, concebida en forma más explícita y valerosa, la cual al decir del Padre Leturia "ofrece una curiosa amalgama de conceptos bolivarianos sobre la interpretación del Imperio Romano y las ideas republicanas de Aristides y Pericles, con otras de unción y mansedumbre cristianas" (37).

Habla de la "separación de América de la matriz de España, que está ya hecha por los decretos de Dios, por la naturaleza y por el imperio de las circunstancias." Estas últimas se referían a la abdicación de Bayona y a los hechos que la acompañaron. Su aserto para justificar el hecho de la independencia es vago, indeterminado y conciso en demasía: "El Evangelio santo ni condena ni altera estas medidas".

No insiste demasiado en su argumentación, pues halla que las ideas de justicia, bebidas en la doctrina religiosa y los principios elementales que servían de base al movimiento separatista están dotados de un valor objetivo y casi evidente:

"La sencilla vista de vuestra historia desde el año de 10, un simple cotejo de vuestra conducta con la de la Península y su gobierno, os pone a cubierto de toda imputación, aún sin remontaros a los principios elementales que os justifican. *Las ideas de justicia que habéis aprendido en el magisterio mismo de la Religión y al lado de vuestros ilustres compatriotas*, están bien lejos de ser pervertidas por los conatos de vuestros émulos..."

Hay en el párrafo transcrito una hermosa alusión a los postulados del yusnaturalismo y a los próceres de la Revolución, sus amigos y compañeros de profesorado, quienes habían bebido ese amor a la justicia natural en las fuentes cristianas.

Luego apela a la imagen de la emancipación del hijo, que ya había sido expuesta por Fermín de Vargas y por Nariño: "Dios, en la naturaleza, ha marcado sus obras por gradaciones. Nacimiento, infancia y edad provecta. El período señalado emancipa al hombre y no la voluntad paterna. Llegó, pues, para la América este período en que, sin desprenderse del Evangelio, pudo y debió desprenderse de la matriz".

---

(37) Pedro de Leturia, S. J., *Relaciones entre la Santa Sede e Hispanoamérica*, o. c., T. II, p. 142.

Es curiosa la comparación que establece entre el espíritu democrático de las repúblicas, de las cuales hace un elogio que en el concepto moderado y conciso de Cuervo alcanza proporciones desmesuradas, y de la Iglesia: "Nada más favorable al espíritu de libertad e igualdad que el espíritu de los Santos Apóstoles, que es el mismo espíritu de la Iglesia. Sus instituciones y los Ritos de sus Sínodos dieron las primeras formas al gobierno representativo, considerado en nuestros días como el más' alto punto de perfección política a que han llegado los hombres".

No podía faltar el argumento que fue agitado con tánto énfasis por Padilla y demás apologistas de la Independencia: la total desvinculación del Movimiento granadino de toda influencia de la Revolución Francesa: "La Francia en sus conmociones y la América en sus justas reformas, difieren mucho en índole, en intereses, en carácter y la ejecución misma de sus proyectos; y no es de esperar que en el suelo de Colombia toque el espíritu humano a aquel grado de depravación que lo desnaturaliza y envilece".

Finalmente apela a la influencia del Evangelio para modelar la verdadera grandeza del hombre, en contraste con el abuso que de la doctrina religiosa hacía el antiguo régimen, de la cual se valía para mantener la servidumbre:

"Sabéis que las falsas nociones de virtud religiosa han contribuído a formar nuestras cadenas, y que éstas, limitando nuéstras potencias, han sido el más fuerte apoyo de los impostores; que el Evangelio ha introducido en todas partes la antorcha de la ciencia y en todo sentido ha hecho palpar al hombre su verdadera grandeza, y enseñado que sin sus luces ni puede haber religión, ni virtudes públicas" (38).

A pesar de la notoria concisión y humildad de lenguaje del doctor Cuervo, brillan en su Pastoral las sólidas ideas del antiguo profesor de San Bartolomé y amigo de los ideólogos de la Revolución. Y el trato amistoso que en el histórico claustro mantuvo con el doctor Omaña y probablemente con el mismo Santander, como discípulo, contribuyó no poco a que las relaciones de la Iglesia y del Estado, orientadas en los albores de la República de Colombia por los dos ilustres bartolinos, se adelantaran por caminos de comprensión, de respeto y de mutua deferencia.

---

(38) *Carta Pastoral del 17 de marzo de 1820*, en la Biblioteca Nal., Sala 1ª, Pieza N. 5. El Padre Leturia en la obra citada, *Relaciones entre la Santa Sede*, T. II, p. 142, parece no apreciar suficientemente el valor doctrinario de este documento, llamado por él *Proclama Religiosa*.

He hallado un documento del doctor Cuervo que en su timidez, ajena a toda publicidad y a todo espíritu de polémica. adquiere un alto significado. En 1831 dio a la estampa un *Manifiesto* en favor del restablecimiento en Colombia de la Compañía de Jesús, encabezado con la carta que desde Nueva York escribió un ilustre colombiano sobre el aprecio que en los Estados Unidos se tenía por los Hijos de San Ignacio. Las familias más respetables —según su testimonio— les entregaban sus hijos, y el "Presidente Jackson los ama, los venera y los protege con predilección. Un sobrino suyo que ha adoptado por hijo, lo tiene en el Colegio de los Jesuítas".

El doctor Cuervo sostiene que "la experiencia de nuestro propio país debe convencer que sin moral y sin la buena educación que la produce, no puede haber gobierno, libertad, ni dicha". Luego entra a dar expresión a esa antigua protesta contenida durante años, por la arbitrariedad de Carlos III, y al aprecio que sentía por sus antiguos maestros de San Bartolomé:

"El Instituto de la Compañía de Jesús después de más de 50 años de haber sido extinguido por los infames manejos de la impiedad y por los celos de algunos príncipes sobrado crédulos es el que hoy se vuelve a ocupar de la enseñanza pública y del adelantamiento de las luces. Las principales potencias de Europa y el ilustrado gobierno de Norteamérica se apresuran a fomentarlo, poniendo en sus manos el primer elemento del poder y de la felicidad general. Argumento victorioso contra las calumnias e imposturas inventadas por el infierno y propagadas por la maldad! Ojalá que nuestro gobierno, sensible a las necesidades actuales y al clamor de la Religión y de la moral, no sea menos protector que el de los E.U. con una sociedad religiosa que sembró en América las primeras semillas de las ciencias y de las artes, que nos dejó tan buenos monumentos en todos ramos y de quien ni tenemos qué recordar ningún mal hecho a este país, ni mucho menos qué temer e infinitos sí qué esperar de su restablecimiento en esta República, *en la que existen todavía varios de sus discípulos, entre los cuales tengo la honra de contarme*" (39).

Bello rasgo de gratitud del discípulo octogenario y admirable ejemplo de supervivencia de enseñanzas y afectos sembrados más de medio siglo atrás por el sabio Instituto, cuya supresión dejó heridas no curadas en la cultura granadina y abrió enor-

---

(39) *Rasgo Interesante*, por Nicolás Cuervo, Bogotá, 16 de septiembre de 1831. Imp. por Nicomedes Lora, en Biblioteca Nal., Sala 1ª, N. 7460, Pieza 406.

mes grietas en la obediencia y sumisión de los criollos al Monarca, antes acatado sin reservas.

Conocida esta actitud del doctor Cuervo, no se hace difícil creer el curioso episodio narrado por Caicedo Rojas acerca del profeta y patriota que el día de la expulsión de Santa Fé, el 31 de julio de 1767, de los Padres de la Compañía, se enfrentó con temerario coraje al virrey Messia de la Zerda para reprocharle tan infame proceder.

El autor declara haber oído la anécdota de boca de un octogenario, "que era una crónica ambulante", aunque olvidó el nombre del protagonista. Era éste un joven recién casado, perteneciente a nobles familias santafereñas, muy adicto a la Compañía, el cual dirigiéndose al Virrey y a los circunstantes profirió estas amenazadoras palabras:

—La España trata a este Nuevo Reino como madrastra, y esta conducta merece que pierda sus dominios en América, como no tardará mucho tiempo en suceder.

Ante la severa invitación del oidor presente a guardar silencio, el enardecido joven continuó:

—Hijo soy de español, pero, si Dios me concede vida, antes de medio siglo he de tener la dicha de ver la emancipación de mi país... Y si tal cosa sucede, mi espada, y mi brazo, y mis intereses y mis hijos, estarán a su disposiicón...

El virrey toleró estas bravatas advertido por amigos del joven de que estaba trastornado. Pero asegura Caicedo Rojas que ya viejo de 67 años asistió a las Juntas de Santa Fé de septiembre de 1809 y reclamó la creación de un gobierno autónomo, y que después de firmar el acta de Revolución el 20 de Julio, fue miembro integrante de la Junta Suprema (40).

7. — Las tesis democráticas del Padre Francisco Antonio Florido.

Este renombrado hijo de la Religión franciscana de la cual fue Provincial, nacido en Popayán en 1770, había abrazado desde un principio la causa de la independencia con ánimo valeroso, pues acompañó como Capellán a las tropas de Nariño en la acción de Ventaquemada, en el sitio de Santa Fé, y luego en las campañas del Sur.

El Padre Florido, nuestro Capellán —escribe el autor de las *Memorias de un Abanderado*— es hombre de ánimo y de recur-

---

(40) José Caicedo Rojas, *Un Profeta del siglo pasado*, en *El Repertorio Colombiano*, Tomo IV (1880), páginas 142 - 155.

sos aun en las situaciones más difíciles (41). Caído prisionero en la Cuchilla del Tambo, se rescató a costa de una fuerte suma de dinero dada a Morillo.

Su admiración por Bolívar rayaba en idolatría, y precisamente en honor suyo organizó, a principios de 1820, un acto literario o certamen teológico el cual revistió inusitado esplendor. El concurso fue inmenso —anota Groot— por la novedad del acto y por la materia de que se trataba. Asistió todo el claustro universitario y doctores de todas las facultades con sus mucetas y bonetes bordados. Era de ver tanto respetable doctor de casaca, muceta y bonete... El examen fue a estilo ergotista... (42).

El sustentante fue el Padre Francisco Javier Molina, quien actuó bajo la dirección de Fray Florido, y las tesis fueron defendidas e impugnadas en castellano, pero en forma escolástica y con profusión de argumentos. El Padre Medina —observa el historiador citado— se lució completamente, quedando con una fama de talento que no dejó de perjudicarle después.

Las tesis, que se imprimieron en la *Gaceta de Bogotá* y en el *Correo del Orinoco* tuvieron extraordinaria resonancia y acabaron por convencer a los más renuentes de la legitimidad de la República y de su conformidad con la doctrina católica. Su simple enunciado es de por sí bastante elocuente:

"1ª Aun desatendiendo las causas inmediatas de la revolución de América, ésta debía esperar que en algún tiempo llegara el de su emancipación.

"2ª La revolución de América fue oportuna y aun necesaria en los momentos en que sucedió.

"3ª La palabra revolución en la América no designa aquel grado de depravación moral y política que se le atribuye.

"4ª Citar los horrores de la Francia en su anarquía, para hacer odiosa la revolución de América, es, por lo mismo, obra de malignidad.

"5ª La independencia de América en nada se opone a las decisiones de los Concilios ni a la disciplina de la Iglesia.

"6ª La independencia de América en nada se opone a la religión de Jesucristo, y antes en ella se apoya.

"7ª Es un deber en sentido moral y una consecuencia forzosa del orden correlativo de los acontecimientos políticos.

---

(41) José María Espinosa, *Memorias de un Abanderado*, o. c., p. 87.
(42) José Manuel Groot, *Historia Eclesiástica y Civil de Nueva Granada*, Tomo IV, p. 122.

"8ª La España no tiene justicia para reclamar su dominación en América, ni la Europa derecho para intentar someterla al gobierno español.

"9ª La mala fé con que la España nos mira bajo todos los aspectos, y la impudencia con que ha infringido los pactos y capitulaciones más solemnes durante la guerra, ponen al americano en la necesidad de desatender sus promesas, por ventajosas que parezcan.

"10ª La América se halla hoy en la forzosa alternativa de, o sostener su independencia, o someterse a un gobierno de sangre, de fuego y de exterminio.

"11ª Las fuerzas y recursos de la América, sus ventajas naturales y medios de defensa, la aseguran de no poder ser ligada otra vez a España.

"12ª Pensar que en la bula del Papa Alejandro VI se dé a la España un derecho de propiedad sobre los países de América, arguye, o una loca temeridad, o una vergonzosa ignorancia.

"13ª El americano no puede ser dichoso dependiendo de su anticuada matriz, la España.

"14ª La República de Colombia, obra del inmortal Bolívar, establece la felicidad de los pueblos que la forman" (43).

8. — *La soberanía popular en los escritos de los doctores Francisco José Otero y José Antonio de Torres.*

Las tesis populistas afloran en los estudios canónicos del Pbro. Francisco José Otero, Párroco de las Nieves y uno de los más brillantes oradores del Congreso de Cúcuta. En el concepto dado al General Santander, Vice-Presidente de la República, sobre la cuestión del Patronato, el doctor Otero, —como tantos canonistas y civilistas que creían falsamente que el privilegio había sido otorgado por el Papa no a la monarquía y a la familia real sino a la nación española— sostenía el traspaso de tales derechos a la nueva República.

Para resolver con acierto los puntos consultados, establece el siguiente presupuesto jurídico: "Cuando decimos que la República es soberana independiente de España, debe entenderse que ha reasumido ella la soberanía con la espada por las causas legítimas que justifican su procedimiento, haciéndola a la faz del universo ilustrado soberana y no insurgente. Quiero decir: que la

---

(43) José Manuel Groot, *Historia*, o. c., *p. 120.* Leturia Pedro, *Relaciones*, T. II, p. 146.

República no ha usurpado un terreno de España y declarádose soberana, sino que legítimamente ha vuelto a ella la soberanía representada por los monarcas de España" (44).

Más adelante trata de probar cuál es el sucesor de los Reyes de España a la cual fue incorporado el privilegio del Patronato: "La soberanía no es una manada de ovejas que se reparte entre herederos, ella es indivisible, y perdida en el monarca, la pierden sus descendientes y de aquí es que el verdadero sucesor, aun en los términos de la cédula, es el que legítimamente representa esa soberanía. No niego que una vez criada la monarquía, *ni los pueblos pueden destruírla, sin justa causa; pero habiéndola, pueden resistir con las armas, y reasumirla,* y entonces el verdadero sucesor ya no es la familia sino la república que constituyen esos pueblos, la que puede adoptar la forma de gobierno que más le agrade".

La justicia de la causa de la República era proclamada en todos los templos: "Que la causa de la República sea justa, lo grita el mundo ilustrado, y en nuestros templos resuena esta voz en boca de los sacerdotes de mayor nota, y literatura... La República es soberana, ella conoce de sus derechos, y procura sostenerlos con las armas, contra los invasores, y con sus representaciones a los potentados, el reconocimiento de ellos... Si no hubiera causa legítima para reasumir la soberanía, sería la de los pueblos una infame insurrección; pero habiéndola, como está declarado, ella es el legítimo sucesor, diré mejor: ella es el dueño legítimo de esta soberanía".

Pero qué mucho, si estas mismas doctrinas eran invocadas, así fuera ello incidentalmente y en gracia de discusión, por los mismos partidarios del rey que no podían sustraerse a su fuerza dialéctica.

El famoso doctor José Antonio de Torres, Cura de Tabio, cultísimo sacerdote, varias veces ensalzado justamente por el señor Groot, autor de muchos y sólidos ensayos de carácter teológico y jurídico y de las *Memorias sobre la Independencia* que hemos citado repetidamente, realista de tiempo completo, tomó parte en la polémica suscitada con motivo de la fundación del obispado del Socorro hecha por la Junta Suprema de la Provincia. Sabido es que los Gobernadores del Arzobispado los Canónigos Juan Bautista Pey y José Domingo Duquesne reaccionaron pronto y eficazmente contra este grave amago de cisma religioso, y publicaron una célebre

---

(44) *Sobre Patronato*. Bogotá, Imp. de la República, por N. Lora. Año de 1823, opúsculo en 8º de 52 páginas en la Bibl. Nal. Vol. 4900, Sala 1ª.

Pastoral en la cual vindicaron enérgicamente los derechos de la Iglesia (45)

El Licenciado don Manuel Plata, Cura de Bituima, se vino a Santafé a Defender con varios escritos la conducta de la Junta del Socorro, detrás de la cual andaba la inquieta ambición de Rosillo (46).

Pues bien, el doctor Torres y Peña dio a estos Manifiestos una contundente réplica en un escrito "lleno de erudición y de las más sanas doctrinas, aunque un poco fuerte en su lenguaje, tratándose de la persona del doctor Rosillo, a quien él designaba como verdadero autor del *Manifiesto*" (47).

Efectivamente, el folleto, de noventa páginas en 8º es realmente magnífico por el acervo doctrinario, el vigor estilístico y el riguroso método con que abarca el tema controvertido, y a cada página hace evidentes alusiones al canónigo Rosillo, pues habla de sus locas ambiciones, del Pretendiente de la Mitra del Socorro, del *viejo jurista y abogado* del cual hace mofa, del *genio inquieto y revoltoso* (48).

Como el autor del *Manifiesto* se parapetaba detrás de la soberanía popular para tratar de justificar el procedimiento de la Junta del Socorro, el doctor Torres rechaza que el Patronato, un privilegio espiritual, este anexo a la soberanía. Es verdad que su argumentación va principalmente a negar una conclusión absurda, pero parece admitir el principio del origen popular de la autoridad política para las cosas civiles:

"Los pueblos no han hecho otra cosa que nombrar quienes los gobiernen, durante el cautiverio de su rey. Ellos podrán disponer

(45) *Carta Pastoral de los SS. Gobernadores del Arzobispado de Santa Fé al Venerable Clero secular y regular y a todos los fieles de la Diócesis* (sic) *sobre la erección de Obispado y elección de Obispo de la Villa del Socorro.* En la imprenta Patriótica de Santafé de Bogotá, Año de 1811. En 8º, 24 páginas. En la Bibl. Nal., Sala 1ª, Vol. 13041, Pieza 18.

(46) *Manifiesto de los derechos, razones y fundamentos que persuaden hallarse la Suprema Junta y pueblos del Nuevo Reino de Granada con legítima autoridad para usar del patronato respecto de toda la Iglesia, cuidar del culto, proveer toda clase de ministros eclesiásticos y socorrer de todos modos la Iglesia de Jesucristo.* Además el Licenciado Plata publicó ya con su nombre y el del doctor Ignacio de Herrera la "*Apología de la Provincia del Socorro sobre el crimen, de cismática que se le imputa por la erección del Obispado.* En Santa Fé de Bogotá, Año de 1811". (Bibl. Nal., Vol. 13039, Pieza 10), la cual demuestra mayor moderación y menor peligrosidad en las tesis sostenidas.

(47) José Manuel Groot, *Historia Eclesiástica y Civil de Nueva Granada*, Tomo III, p. 120.

(48) Lamentablemente en el ejemplar del opúsculo que hemos consultado en la Bibl. Nal. (Vol. 13039, Sala 1ª), faltan las primeras 16 páginas, y por esta razón ignoramos su título exacto. Al final dice: "En Santafé de Bogotá, Capital de Cundinamarca, en la Imp. Patriótica de don Nicolás Calvo y Quixano. Año 1811".

de las facultades que han recaído en ellos, para depositarlas en sus congresos. Pero como no es parte esencial ni integrante de la soberanía el Patronato... auncuando se quiera conceder que los pueblos se han hallado de repente con toda la soberanía en sus manos, no puede haber recaído en ellos lo que no es parte de esta soberanía, sino un privilegio personal. Si se dice que los pueblos han reasumido sus derechos, éstos solo pueden ser aquellos que competen a una sociedad política y civil; pero no pueden reasumir jamás los derechos que no son pertenecientes a esta misma sociedad, sino una concesión graciosa..."

Más adelante repite la misma doctrina: "Los pueblos habrán depositado en sus Asambleas respectivas lo que tienen, y ha recaído en ellos. Aunque haya caído en sus manos la autoridad soberana, jamás ha recaído ni puede recaer en él la autoridad eclesiástica; y el suponer que ésta se halla en el pueblo o en el común de los fieles, es lo que está condenado por herético en la Bula *Autorem Fidei*, entre las proposiciones del Sínodo de Pistoya",

9. — *El Padre Francisco Margallo.*

Grande fue la autoridad moral e intelectual de este respetabilísimo sacerdote, doctor, pasante y profesor de teología de San Bartolomé, el cual de realista por nacimiento y por convicción, se convirtió en patriota sincero y defensor de la legitimidad del gobierno republicano.

Ya vimos cómo el 29 de julio de 1810 tuvo su primer contacto con la Revolución cuando una Comisión de la Junta Suprema, presidida por Camilo Torres y Gutiérrez de Caviedes, visitó la Universidad de Santo Tomás y expuso ante el claustro de profesores las doctrinas de la soberanía popular y de la resistencia a los tiranos, inspiradoras del movimiento separatista. Los comisionados excitaron al doctor Margallo a exponer su dictamen, y con gran erudición teológica y política manifestó los peligros de la tesis del Padre Mariana sobre el tiranicidio.

El 28 de septiembre de 1813 como catedrático de teología prestó en San Bartolomé el juramento patriótico de sostener con las opiniones, los bienes y la vida la independencia y soberanía del Pueblo de Cundinamarca. Un hombre de su entereza moral y de sus convicciones doctrinarias jamás habría prestado juramento tan solemne de no estar absolutamente seguro de la justicia y bondad de la causa nacionalista.

Triunfantes las armas republicanas en Boyacá, el 19 de septiembre de 1819 se organizó en la catedral una fiesta religiosa de acción de gracias con asistencia del Libertador, de las altas autoridades militares y civiles y de numerosa concurrencia. Fue escogido para pronunciar la oración gratulatoria en tan solemnes circunstancias el doctor Margallo, recientemente ordenado de sacerdote. Conocemos el éxito y las tesis de fondo del sermón a través de la *Gaceta de Santa Fé de Bogotá* que hizo los más elogiosos comentarios:

"Un orador elocuente, bien conocido en la Nueva Granada por sus austeras y sublimes virtudes, el venerable Ministro del Santuario en quien este país ve hoy reproducidos los Ignacios de Loyola y los Crisóstomos, el doctor ciudadano Francisco Margallo, pronunció un discurso expresivo y enérgico, lleno de esas sublimes imágenes, de esas alusiones a la Historia Sagrada que le son tan familiares, en *que persuadió que todos los gobiernos eran una obra del muy Alto, que El nos prescribía su obediencia,* y que éstos serán eternos mientras fuesen celosos protectores de la Santa Religión. Nos exhortó a obedecer al presente, como legítimamente establecido, e hizo al Cielo profundos votos por su felicidad y permanencia" (49).

Es una lástima —comenta justamente su biógrafo Mario Germán Romero— que no se conserve el texto completo de dicho sermón. Porque tales afirmaciones en boca de Margallo, y en la época en que fueron hechas, tienen un valor excepcional, si se recuerda que fue la misma doctrina la expuesta magistralmente a los franceses, setenta y tres años después, por León XIII, primero por medio del Cardenal Lavigerie, y luego en su encíclica *Au milieu des sollicitudes,* de 16 de febrero de 1892 (50).

Esta actitud de Margallo —inflexible defensor de los derechos de la Iglesia y expositor de la sana doctrina— adquiere en verdad un valor simbólico y programático de la más alta calidad, y representa adecuadamente las tesis tradicionales de la Iglesia católica.

10. — *La soberanía popular en la transformación política de don Rafael Lasso de la Vega, Obispo de Mérida.*

a) *Su fidelidad a la Monarquía desde 1810 a 1821.*

Especialísimo interés guarda para la historia de las relaciones de la Gran Colombia con la Silla Apostólica la personalidad del doctor Rafael Lasso de la Vega. El proceso mental a través

(49) *Gaceta de Santafé de Bogotá,* 19 de octubre de 1810, Número 12, pág. 52, citada por Mario Germán Romero, *El Padre Margallo,* p. 64.

(50) Mario Germán Romero, *El Padre Margallo* (Bogotá, 1957), p. 64.

del cual llegó este eminente Prelado, acérrimo defensor de los derechos de Fernando VII, a la convicción de la legitimidad del nuevo gobierno republicano, presenta una estrechísima relación con las tesis populistas.

Nació en Santiago de Veragua, de familias principales de la ciudad de Panamá, y en 1783 vistió la beca del Colegio del Rosario en donde cursó sus estudios, por cierto con más aprovechamiento en la solidez de las ideas que en la lucidez y elegancia de su exposición, como observa atinadamente el Padre Leturia. Luego de regentar el curato de Funza, en 1804 fue promovido a la silla de Canónigo doctoral de Santafé, cargo en el cual lo sorprendió el movimiento revolucionario de Julio, al cual no quiso someterse.

Su carácter enérgico y sus ideas realistas bien arraigadas conformaban una vigorosa personalidad reacia a plegarse a las ideas de los demás mientras no estuviera plenamente convencido de su justicia. El 21 de noviembre de 1810 fue llamado a comparaecer ante la Junta Suprema reunida en pleno para la prestación del juramento de obediencia, a lo cual se negó rotundamente "por haber manifestado ideas contrarias así a dicho gobierno como a la facultad con que lo enalteció el pueblo".

Requerido —escribe el mismo Camilo Torres, su antiguo compañero de aulas— para que deponiendo principios tan infundados y contrarios a la justicia de la causa que sostiene este pueblo, prestase el ya dicho juramento, contestó insistiendo en sus máximas, y aun llevando más adelante sus errores políticos hasta asegurar que no creía seguros en conciencia a los que pensaban de este modo (51).

La sesión debió ser dramática, y todo el poder dialéctico de Torres y de Gutiérrez de Caviedes vino a estrellarse contra la conciencia del Doctoral, por más que aquéllos hicieron notables concesiones a sus tesis:

"Repitiéndole razones capaces de producir el convencimiento más claro; haciéndole ver que nuestra causa es una y la misma de la nación española; que nosotros no nos separábamos de su integridad a que éramos parte esencial; que reconocíamos un mismo soberano, defendíamos una santa religión, hacíamos la guerra al propio enemigo; y por lo demás variando sólo en cuanto a la legitimidad de un gobierno, no creíamos tal respecto a nosotros y reconociendo otro elevado por la voluntad de un pueblo a quien no se podía disponer este derecho en la or-

---

(51) Oficio de 24 de noviembre al Señor Secretario de Estado Don Camilo Torres, en Eduardo Posada, *El 20 de Julio*, o. c., p. 236.

fandad en que nos hallamos por el cautiverio casi sin esperanzas del soberano; ni podía puramente denegarse ningún individuo de nuestra sociedad a someterse al voto general de toda ella, que era aun el de los cuerpos más religiosos y respetables del pueblo; con otras infinitas razones políticas y morales que pudieran y debieran haber tranquilizado aun la conciencia más escrupulosa, por evitar un golpe sensible que la Suprema Junta no se resuelve a dar sino en el último caso de obstinación..."

Mucha importancia social y política debía revestir el doctor Lasso y mucho temor debía inspirar la franqueza con que propagaba sus ideas, cuando la Junta, tan moderada y prudente en sus actuaciones, juzgó necesaria la drástica medida del confinamiento para el rebelde Canónigo. Pues "no habiendo podido convencerle —sigue diciendo Torres— para que prestase el dicho juramento, que el supremo Gobierno no ha querido ni quiere que sea hijo de la violencia sino de la espontánea deliberación, previniéndole que se retirase, acordó: que no pudiendo subsistir en el cuerpo social miembros que directa o indirectamente perjudiquen al todo, y por quienes acaso se llegare a turbar la paz interior que debe residir en él, se intimase al referido doctor don Rafael Lazo de la Vega que saliese de esta capital a una provincia..."

No penetraron las teorías populistas a la conciencia del inflexible Doctoral, el cual prefirió el destierro de la Capital a la aceptación de un orden de cosas que no consideraba justo.

En 1816 Fernando VII lo propuso para una diócesis "irregular y anfibia", Mérida de Maracaibo. La primera ciudad, del interior y perteneciente a la Capitanía de Venezuela, había abrazado la independencia; mientras que la segunda, marítima y vinculada hasta el siglo XVIII a la Nueva Granada, se había declarado partidaria ferviente del Rey. Observa el Padre Leturia, quien destacó admirablemente la acción política del doctor Lasso, que "de haber podido barruntar el papel preeminente, pero dificilísimo, que le reservaba el porvenir en la historia eclesiástica de toda la América española, se hubiera tal vez arredrado de aceptar la mitra..." (52). Aunque conociendo el temple viril de su carácter indomeñable conformado para la lucha, tenemos fundamentos para dudar de aquellos hipotéticos temores.

Desde principios de 1817 en que tomó posesión de su sede, comienza el aguerrido prelado la campaña doctrinaria legitimista en una serie de circulares y pastorales en contra de la

---

(52) Pedro de Leturia, *Relaciones entre la Santa Sede e Hispanoamérica*, T. II, Epoca de Bolívar, p. 129.

Revolución, en las cuales aprovecha al máximo las armas que le ofrecía la Encíclica de Pío VII dada el año anterior. En sus vehementes escritos resuenan unas veces acentos suaves pastorales y otras se dejan oír sonoros clarines de guerra.

La justa causa que defendemos —escribía— se ofende muy mucho, no sólo con la falta de verdad, sino también con exasperarla e irritarla. Aun las mismas guerras justas, dicen los teólogos con el príncipe de las Escuelas, Santo Tomás, justas por sus causas, justas por la legítima autoridad que las decreta, se hacen injustas por la fiereza (53). Nobilísima e intrépida protesta del Prelado en favor de los insurgentes que habían padecido crueldades por parte de los españoles.

Pero en cambio, y exagerando notoriamente el verdadero sentido del Breve Pontificio, lanzaba sus invectivas y agrias represiones contra los insurgentes: "Decid, pues —mandaba a los párrocos— decidlo con todo el celo que exige la divina palabra: la insurrección es pecado, la insurrección es ya obstinada rebelión. No sois vosotros a la verdad los que así habláis cuando de tal modo os expliquéis: ya ha hablado semejantemente el Vicario de Jesucristo".

Esta postura ideológica del doctor Lasso, seguida de enérgicas medidas al excomulgar a los patriotas insurrectos, prohibir a los curas darles la absolución y mandarles que abandonaran las poblaciones conquistadas por las tropas revolucionarias, era naturalmente combatida con virulencia por las Gacetas republicanas que descargaban contra el Prelado todos los tiros de su artillería pesada o ligera: invectivas e ironías que lo dejaban imperturbable.

b) *Su conversión democrática. Las tesis populistas.*

Pero el movimiento revolucionario de Riego y Quiroga en España que en nombre de los derechos del pueblo contra el despotismo se enfrentó al derecho divino de los reyes y le impuso a Fernando VII la Constitución democrática de Cádiz de 1812, tuvo una tremenda repercusión en la mentalidad del señor Lasso, el cual veía proclamar en la Península y aceptar por el monarca unos principios que sólo en América carecían de vigencia. Su confianza en el rey vaciló, y al contrario nació en su ánimo un fuerte sentimiento de fe en la República, orientada victoriosamente por Santander y por Bolívar.

_____

(53) Pedro de Leturia, o. c., p. 130.

El 28 de enero de 1821 se pronunció por la independencia el Ayuntamiento de Maracaibo, y la Junta de Gobierno le prohibió al Obispo, a quien tenía por recalcitrante realista, salir a la calle y hasta asomarse al balcón. Este reunió el Cabildo y ante él declaró que, pues aún existían en su diócesis parroquias y curas realistas, no se declaraba republicano por no ahondar más la división, pero que no se oponía al movimiento de la ciudad, y a todas sus ovejas ofrecía sus oficios pastorales.

Luego se reconcilia con el Libertador, presta el juramento de fidelidad que no le había logrado arrancar Camilo Torres, asiste al Congreso por Maracaibo, y ahí ejerce gran influencia para conciliar los intereses de la Religión y de la República a la cual defenderá en adelante con el mismo ardor y quizás con mayor acopio de razones que las empleadas antes en favor de la monarquía. Su acción ante el Pontificado para reconciliar a la Gran Colombia fue definitiva, y aun llegó a tener resonancia continental, por manera que si su conversión a la causa patriótica fue tardía, quedó compensada con creces por el valor y el número de los servicios prestados a la obra de afianzamiento y consolidación de las instituciones republicanas. Su recia figura se yergue enaltecida por las más austeras virtudes intelectuales y morales, y su acción política y religiosa aparece marcada con el sello de lo providencial (54).

En un denso y sustancioso opúsculo quiso el doctor Lasso explicar la transformación sufrida en su ideario político y las causas y consecuencias de sus campañas en el Congreso. Parece un largo y difícil monólogo consigo mismo, tras del cual se perfila la silueta de un hombre afirmativo, dueño de una conciencia rígida pero permeable a las ideas y a los hechos, angustiada ante el derrumbe lento de los ídolos o ideales en que había creído y ante el nuevo rumbo de los acontecimientos. La forma literaria confusa y oscura refleja una especie de tartamudeo mental y vocal, con los esfuerzos casi visibles para transmitir sus argumentos y darles claridad. Con razón anota el historiador Groot que era pesado y confuso en su modo de expresarse, tanto de palabras como por escrito. Abandona la tesis que viene exponiendo para intercalar digresiones que se le ocurren, las cuales deja incompletas por el afán de no truncar el razonamiento principal. Tras de un forcejeo fatigante al cual

---

(54) El Vice-Presidente Santander escribía a don Estanislao Vergara, Secretario de Relaciones Exteriores, el 9 de octubre de 1821: "El Obispo está más patriota que Bolívar. Ha tenido cuatro conferencias conmigo: es una fortuna loca tenerlo en la República." Véase Groot, *Historia*, Tomo IV, p. 496.

asiste el lector, su inteligencia al fin se abre paso victorioso, y la idea brota finalmente de la frase elaborada como a golpes de martillo.

Luego de explicar su actitud en la sublevación de Maracaibo, describe su ida a Trujillo a visitar al General Urdaneta y su encuentro con Bolívar. Cuenta con qué gozo vio la piedad del Libertador, que edificó al pueblo, cuando se acercó a la Catedral en donde fue recibido con todos los ritos del Pontifical, y luego la visita a la casa en donde "el recibimiento todo fue urbanidad y demostraciones de aprecio y cariño; con todo, como era de desearse, a cortos saludos se tocaron los puntos de Patriotismo, Gobierno e Independencia" (55).

Con la ingenuidad y franqueza que le eran características, expuso el Prelado a Bolívar todo su pensamiento. En cuanto al patriotismo, no le fue difícil manifestar "que siempre me había gozado de haber nacido en la América: y que en dondequiera que había vivido, había demostrado con las obras mi gratitud, prueba poco equívoca del verdadero amor a la Patria".

Su profesión de fe democrática se apoyaba en el fundamento popular de la autoridad y en su firme rechazo a las tesis del origen divino de los reyes: "Que nunca había dejado de juzgar por adulación, hacer de *inmediato origen divino la autoridad de los Reyes, ni eterna ni invariable; siendo cierto que el consentimiento de los Pueblos es al que debe reducirse todo sistema de Gobierno, y a cuya reunión Dios es el que da la Soberanía, o el derecho de vida y muerte*".

En cuanto a la Independencia, reconocía los triunfos de la República, ya adulta en sus instituciones, a la cual auguraba que se habría de orientar por rumbos de justicia, evitando las represalias sangrientas que lo horrorizaban, fomentando las relaciones sociales basadas en la caridad y respetando los fueros de la Religión:

"Añadiendo que no podía dejar de confesar cuánto había adelantado en esta parte la República desde la acción de Boyacá. Y por último, que si era innegable entre otras causas para la Independencia la edad, dirélo así, no de infancia sino de virilidad ya perfecta de la América, los atentados de las Cortes dentro la Iglesia y Religión eran muy graves. Por lo mismo que habiendo medios tan justos, por lo mismo se trabajase por ella: conviniendo no dar lugar a indignas criminalidades que sólo fomentan el odio, destructor por sí mismo aun de los mismos Im-

---

(55) *Conducta del Obispo de Mérida desde la Transformación de Maracaibo en 1821*, 48 páginas en 8°, Bogotá, por Espinosa. Año 1823-13. En la Biblioteca Nal., Sala 1ª, Vol. 4.900, Fondo Pineda, Pieza 10 (778).

perios; fuera de que ni es decente ni conforme al piadoso agradecimiento apagar con brasas contrarias a la Caridad la divina dignación de habernos llamado a la fe por mano de la España".

Era una bella razón de gratitud a España, transmisora de la fe católica, la que debía inspirar al Gobierno republicano sentimientos de clemencia con los españoles vencidos!

Luego de contar su llegada al Congreso de Cúcuta y prestar su juramento de obediencia, se pregunta: "¿Habríame ya mudado? No es cosa indigna del hombre. Y reflexiónese que lo político, aunque se funda en la licitud moral es lo que admite más mudanzas. Entonces el hombre, es cierto, piensa de otra suerte, y puede decirse ya otro. Sin embargo, no es él el que se muda, sino la cosa de que trata, y ésta por haberse antes mudado sus circunstancias".

Difícil le iba a resultar, no obstante este preámbulo muy explicativo de simples actitudes políticas debidas a la realidad cambiante, mostrar cómo los principios teóricos de la soberanía popular, rechazados en 1810, ya cobraban valor para él en 1821. Mucho más que las tesis mismas populistas, lo habían impresionado las ilógicas aplicaciones que de ellas hacía España. Hé aquí la complicada arquitectura de su proceso mental:

"Todo se convencerá, si pregunto: ¿se mudaría la España cuando reconoció la República Francesa? Responder se trata de hechos propios y no de un tercero o de hechos ajenos; y que entre nosotros muchos habíamos jurado el vasallaje; claramente es por no confesar la identidad, no conocer en lo demás la semejanza. Cuando una nación reconoce a otra por soberana, no es quien la hace soberana: pero sin duda aprueba lo ya hecho y de consiguiente hace como suya la obra ajena. Había allí monarquía, se convirtió en Gobierno Republicano; y ¿qué otra cosa entre nosotros? Digásmoslo claro: desde entonces se nos enseñó lo que vale el consentimiento de los Pueblos. Y en cuanto a lo segundo, digo que ninguna es ya la fuerza del vasallaje, supuesto el juramento de la Constitución por el Rey, como que por él, no puede negarse, se devolvió la Soberanía al Pueblo. A todo esto debe en legítimo discurso confesarse retrocedió el juramento del Sr. don Fernando VII. Retrocedió allá luego también para entre nosotros. Y concluyo, siendo ya el consentimiento de nuestros pueblos libre y espontáneo (muy distinto del que al principio no me podía persuadir), o la España hizo mal reconociendo la República Francesa o nosotros hacemos bien declarándonos republicanos. Aquéllo no se niega, ésto es evidente...'

La segunda razón es sacada del Derecho de Gentes que le lleva a negar la donación alejandrina: "Para con la monarquía española jamás hemos tenido pacto, ni de la menor sumisión. Su amistad no somos nosotros los que la hemos negado. Si se nos tiene por enemigos, véase quien a quien se busca o quien acomete. El soberano dominio que Dios dio al hombre para que habitase y poseyese la tierra sin distinción ni límites, si se suspende en particular por la propiedad civil, puede y debe recobrarse cuando media el de gentes; y aunque sea contra otro igual derecho de gentes menos fuerte... ¿Por qué pues no volver a nuestras manos aquella tierra donde la misma Providencia nos ha hecho nacer? Hayan enhorabuena mediado donaciones venerables, ya es fuera del caso alegarlas. Otro tanto digo sobre haber compuesto todos juntos una sola nación, aun olvidando el tratamiento de Colonia..."

El tercer motivo lo basa en el bien de la Religión, atacada por las Cortes españolas y protegida aquí por el Gobierno de Bolívar:

"El catolicismo ha sido la base desde Recaredo hasta nosotros de la subsistencia de la monarquía española, contándose por antonomasia la época de la Conquista de la América por el reinado de los Reyes Católicos... Luego aunque dependiésemos todavía de la España en lo temporal, si obra y nos obliga contra la religión, no debe subsistir su dependencia, sea la que se quiera... Y los decretos de las Cortes de que soy testigo, justifican mi discurso..."

Para corroborar su argumentación, cita un párrafo de la carta escrita al Papa el 20 de octubre de 1820 en la que pinta las diversas etapas de la revolución americana: "Desde el año de 10 del presente siglo esta América trabaja por su independencia contra España. Sediciones al principio, después guerras sangrientas, finalmente tratados por la paz, que todavía se desea... *Sobre todo jurada la Constitución por el Rey católico, la Soberanía volvió a la fuente de que salió, a saber el consentimiento y disposición de los ciudadanos. Volvió a los españoles, ¿por qué no a nosotros?* Fuera de esto, horrorizan los decretos que cada día de allí salen. A la verdad, no aprobados por esta América, ni que los aprobará".

De modo que antes que al Libertador en Trujillo, el Obispo ya había expuesto la doctrina de la soberanía popular, justificativa de la Independencia americana, a nadie menos que al Sumo Pontífice Pío VII, el mismo que había sostenido las aspiraciones legitimistas de Fernando VII, y quien, gracias a la Carta del lejano Pastor de la Iglesia de Mérida iba a dar un vuelco fundamental a su política frente a España y a sus antiguas colonias (56).

Y luego de una digresión sobre la conducta de Bossuet y de la Asamblea eclesiástica de Francia en 1682 y de quienes al imitarlos "tienen a menos someter lo político a la autoridad apostólica", sintetiza la construcción dialéctica de su postura:

"Y así concluyo. Manifiesto el consentimiento de los pueblos, libre y espontáneo, sin engaño ni seducción, general y uniforme: no haciendo nosotros otra cosa que lo que la misma España nos enseñó desde el establecimiento de la República Francesa, y enseña de presente en sus Cortes, aunque sólo se llama moderadora; disuelto el vínculo del vasallaje, o mejor diré suelto por la misma mano que lo ataba; y sin violencia, pues así constantemente se nos ha protestado: y sobretodo compelidos a sostener la Religión, decir debo: *Colombia ha entrado en el rango de Nación: goza del ejercicio de la Soberanía, y ha podido declarar su Independencia.* Estos fundamentos tuve para jurar, como juré, su obediencia".

e) *Ventajas del sistema republicano.*

Una vez que ha aceptado el libre consentimiento popular como causa inmediata de la constitución del Estado soberano, se lanza con un espíritu de lógica incontrastable a la campaña de "asegurar, asegurar y ganar más el consentimiento de los pueblos" por medio del adelantamiento de una sana política, despojada de mentiras, de calumnias y odios que "recordando tiranías sólo lograrán ser causa de otras nuevas" y de una acción oficial traducida en obras y realizaciones palpables en beneficio del pueblo.

La propaganda doctrinaria es otro medio aconsejado por el inteligente prelado, el cual expone sus teorías socio-políticas de una insospechable raíz escolástica. Es muy notable el vigoroso razonamiento con que expone las ventajas del sistema republicano:

"Ojalá de contrario se diese a conocer a los mismos pueblos, con la necesidad de vivir en sociedad, sus grandes bienes;

---

(56) Influían tánto en el pensamiento de Lasso las tesis escolásticas populistas, que más adelante casi repite a la letra las definiciones que daban los Maestros: "Por ellas se convence cuán grande es la diferencia entre la potestad eclesiástica y la civil, cuyos fines, si son distintos, mucho más lo son sus principios. Dios inmediatamente por Jesucristo confiere la eclesiástica; el pueblo es quien comunica a sus Gobernantes políticos la civil..."

lo inviolable de su unión, una vez convenida, y grave crimen de perturbarla; y la preferencia del sistema republicano, con las ventajas particulares del nuestro. Para mí tengo no es elección de la voluntad, sino impulso de la naturaleza haber buscado los hombres la unión de los demás hombres. De consiguiente, que si en particular debe cada uno conservar su vida, pudiendo defenderla contra su agresor; esa misma vida personal es obligación de la naturaleza, y no de las disposiciones civiles, exponerla por defensa de la sociedad. Por tanto, *acercándose el gobierno republicano más a lo individual de cada uno de los ciudadanos, mayor conformación dice con nuestro sér. En efecto, más en particular puede cada uno expresar sus sentimientos; más de cerca se gobierna a sí mismo; más uso hace de su libertad"*.

Para la constitución de la sociedad política no acepta como condición indispensable el pacto expreso pues sólo bastaría el presunto: "El hombre se junta en sociedad —escribía más adelante— a fuerza de las necesidades de su naturaleza; y obra en ello como compelido por su parte animal, a saber, para defenderse de las fieras y también de otros hombres; para proporcionarse el alimento, el vestido y las medicinas, y para con la experiencia de sus mayores conocer más fácilmente el bien y el mal. No es necesario pacto expreso; basta el presunto e interpretativo, como el de los que entran a la herencia de sus padres o el de los que habitan un mismo suelo..."

Sigue desenvolviendo su pensamiento al rededor de la soberanía popular. Al discutirse en el Congreso constituyente de Cúcuta el artículo 2º según el cual "la soberanía reside esencialmente en la nación", adelantándose a muchos tratadistas modernos, y de conformidad con la doctrina escolástica, "me opuse a la palabra *esencialmente* con que se expresa. Ella, decía, no diferencia el Estado Republicano del Monárquico. El uso, el ejercicio mismo de la Soberanía está en el pueblo, si es Republicano. Y acuérdome que cuando por la primera vez leí el juramento que el Ilmo. Sr. Quevedo recibió de las Cortes Españolas, y luego el que éstas extendieron en su sala, me confirmé no ser uno mismo el sujeto de la esencia de las cosas que el que obtenga su uso y ejercicio. Los Pueblos pueden por sí mismo ejercer la Soberanía, y en efecto en los Gobiernos políticos y aristocráticos, y mucho más en el moderado como el nuestro, todos los ciudadanos concurren a las primeras elecciones. "

d) *La justicia en los impuestos.*

En materias económicas propendía porque la República se hiciese respetable por la austeridad y la justicia, para cuyo ejercicio se mostraban más aptas las democracias que las monarquías, según el testimonio del Angélico Doctor:

"Molesto me hacía siempre que se trataba de lo que pudiera serles (a los pueblos) gravoso. Más bien quería que con lo económico contásemos en todo, antes que con la magnificencia, se hiciese visible la República. El artículo tercero siguiente era el norte de mis reflexiones. Libertad, seguridad, propiedad, e igualdad. Ciertamente los pueblos, si tienen oídos, más uso hacen del convencimiento de sus ojos, y aunque callen y sufran, palpan las cosas. ¿De qué les servirá la libertad si no tienen la seguridad? Otro tanto diré de la propiedad. La igualdad es para el premio y castigo o delante de la ley. Cuando convienen los hombres el pacto social no se despojan de su naturaleza; pretenden sí sobrevestirse para conservarla y mejorarla: cediendo en tanto cuanto es necesario". -

Estas consideraciones las sustentaba con la doctrina de Santo Tomás, que aunque está por el sistema monárquico, después que dice, "conviene, pues, que el gobierno sea solo de uno para que sea más fuerte. Pero si se considera el peligro de las injusticias, más conviene que sea de muchos, porque sea más débil y unos y otros se impidan", sigue refiriéndose a lo acontecido en Roma: "Acontece muchas veces, que viviendo los hombres bajo la monarquía, con menos fervor cuidan del bien común, como que consideran que lo que a él contribuyen no es para ellos mismos, sino para aquel para cuyo poder están los bienes comunes. Al contrario, cuando ven que no están bajo el poder de uno solo no lo miran sino como de todos y propio de cada uno. De aquí es que en Roma la plebe se alistaba para la milicia, y contribuía con los sueldos para los soldados; y no bastando el erario común, las riquezas privadas se convertían en usos públicos, en tanto que el mismo Senado nada se reservó de oro sino los anillos y medallas de su dignidad". (Opúsculo 20, De regimine Principum, Lib. 1º, cap. 3º y 4º).

Las virtudes republicanas que proclamaba como indispensables para la prosperidad de la nación, debían estar apoyadas en la Ley eterna, pues "ella es el fundamento de lo político; de ella es aquel axioma, si no todo lo lícito es honesto, ninguna cosa puede ser honesta sin ser lícita".

La tributación debía ser conforme a la Justicia, y siempre fiel a la Escuela, exigía que se tuviese más en cuenta el provecho del pueblo que el engrandecimiento del Estado:

"No, no es arbitrario el gravar a los pueblos. La conservación de la Sociedad es en lo que convienen los hombres con su pacto; el auge y esplendor es cosa muy distinta. Así fue que, aun en cuanto a la instrucción de la juventud (para no distraerme a otros puntos sobre que esta mi reflexión puede valer), conformándome con la substancia, en mucho me aparté de sus modos. ¿Qué cosa más útil? ¿Y será a todos necesaria? Véase si la carga en justicia deba ser común. No nos preocupemos. Conocimientos superiores a la política pide la moral, más delicados, más sagrados. Confieso temí muchas veces dar voto. Objeté. Me acogí a la negativa. En otras ocasiones *por el mismo principio, más bien propendí abiertamente por el procomunal del pueblo que del Estado*".

Era tal su preocupación por el imperio de la justicia en materia tributaria, que aun tratándose de fines tan nobles y necesarios como el de la educación de la juventud, temía que los excesivos gravámenes al pueblo pudieran ser injustos.

e) *La Religión católica en la Constitución de Cúcuta. La tolerancia de cultos.*

En lo que sí no anduvo muy feliz fue en su actitud favorable a la supresión en la Constitución de Cúcuta del artículo referente a la religión católica, reconocida como la de la nación, que venía figurando en todas las Constituciones desde 1811. Como tampoco estuvo acertado en las explicaciones que dio, de las cuales sólo resaltan tanto su buena fe como la del Congreso. "Pero no sólo fue —escribe— por parecerme no necesario, sino porque estoy persuadido es menos glorioso a la misma Religión, y como de ofensa a todos nuestros pueblos. Arguye falta bajo el supuesto de que pueda ser otra, o de que nosotros mismos necesitamos de dichas leyes para no abandonarla".

No fue, pues, por hostilidad a la Iglesia por lo que se omitió esta declaración, sino por sumo respeto a la religión católica. Y el obispo calmaba sus escrúpulos a este respecto considerando que el Congreso dio el 22 de agosto, nueve días antes de la sanción de la Ley constitucional, una "manifestación la más clara y terminante de nuestra fe, y que sirviese de firme protestación de la Religión católica de Colombia, como base de nuestros procedimientos, y que precediese a la Constitución".

Brilló sí su doctrina en la discusión de la libertad de cultos, pues expuso en los debates con rigor teológico el problema ya antes analizado por el Padre Padilla, con la clásica distinción de tolerancia civil y tolerancia dogmática. "Con la doctrina del Angélico doctor Santo Tomás —advierte— puedo decir tuve la suerte de haber acallado el fervor de la disputa... General fue la congratulación. El mismo Excmo. señor Presidente me escribió sobre ello, y mi ánimo tomó nueva constancia, siempre que se ofreció hablar en lo moral o en lo religioso".

Más tarde, en 1826, amplió sus ideas en un *Discurso contra el Tolerantismo*, notable por su erudición aunque carente de la claridad que nunca conocieron los escritos del celoso apologista de la Iglesia (57).

f) *La potestad indirecta de la Iglesia en el orden puramente temporal.*

El doctor Lasso se embarca en seguida en una oscura disertación sobre la separación de los dos poderes, el eclesiástico y el civil, o como se decía entonces con lenguaje medioeval, el Sacerdocio y el Imperio, y acerca de la llamada potestad indirecta de la Iglesia sobre las cosas temporales, expuesta con rígida precisión por el Cardenal Belarmino y enseñada hoy en el Derecho Público Eclesiástico. Concluye con estas proposiciones, ciertamente más claras que las premisas de que se derivan:

"1º El político no puede entrar en sus reflexiones sino supuesta la licitud de las cosas. 2º Esto pertenece a los Ministros de la Palabra, al Sacerdocio, a la Iglesia; y 3º Enhorabuena escoja entre lo lícito lo que le parezca mejor, y forme los proyectos de sus leyes, como más convenga a las circunstancias de la felicidad temporal, pero sepa que nunca podrá traspasar los límites con ofensa de la eterna: porque sería extender la hoz a la mies ajena".

Y aplicando estas normas a la política estatal de Colombia, anota con satisfacción: "Ajenos estamos de hacer materia de ley lo que sea contra la moral cristiana. Y respecto de lo que la Iglesia ha determinado y determinare, como más conducente para nuestra salvación, y aunque sean cosas exteriores, su potestad quedará ilesa, sus mandatos serán obedecidos". Es-

---

(57) *Discurso contra el Tolerantismo que se ha querido introducir en Colombia,* por el Obispo de Mérida, 12 páginas en 8º. Bogotá, Imp. de Espinosa, por **Valentín** Molano. Año de 1826.

ta íntima confianza en las buenas intenciones del Gobierno para con la Iglesia, la comunica al pueblo, "arraigando más y más su consentimiento y aumentándolo por la causa de la República", ya que muchas veces lo había dicho y no cesará de repetir: "Nuestra República en tanto permanecerá en cuanto sea religiosa y eclesiástica".

Termina su Discurso recapitulando sus ideas políticas y recalcando los postulados católicos en que se basó la acción del Congreso Constituyente de Cúcuta, el cual reunió en su seno magníficos expositores de la doctrina tomista pertenecientes a la vieja generación: "Y para decirlo todo de una vez, no se me mostrará letra alguna del mismo Congreso Constituyente, en que con la claridad y términos precisos con que los legisladores deben hablar, se convenza fue ofendida la Iglesia o la Religión. Por las interpretaciones no respondo. Menos por la corrupción del corazón humano".

g) La cuestión del Patronato.

En 1824 lanzó al público otra serie de *Manifiestos* dedicados a inculcar en el pueblo y en las autoridades los principios político-religiosos que consideraba básicos para la organización cristiana del Estado. Su doble condición de Senador y de Obispo —el único que ostentaba las dos investiduras— había creado en su conciencia un altísimo sentido de responsabilidad histórica y le había infundido la convicción de desempeñar un papel estelar y trascendente en la marcha de la nación (58).

El principal problema que hubo de afrontar fue el espinoso y delicado del Patronato, y a fe que lo hizo en el campo teórico con un acierto y lucidez de doctrina y en el pragmático con una flexibilidad y espíritu comprensivo de tales dimensiones que lo destacan a los ojos del historiador y del canonista como al único quizás entre los eclesiásticos que abarcó con objetividad y exactitud una cuestión tan intrincada y difícil.

Ante la multitud de doctores pertenecientes al clero y al laicado que, formados en la escuela del regalismo español, propugnaban con halago y complacencia del Gobierno que el Patronato había venido a ser herencia de la nueva República, se irguió

---

(58) *Trabajos del Obispo de Mérida de Maracaibo en su venida y concurrencia al segundo Congreso Legislativo. Año de 1824*. (Este papel debe servir de continuación al *Manifiesto y Protesta* de los años anteriores. Saldrá por partes y periódicamente), 34 páginas en 8º. Bogotá, Imp. de la Rep., por Nicomedes Lora. Año de 1824. En la Bibl. Nal., Vol. 4.900, Sala 1ª, Pieza 12 (780).

la recia figura del celoso obispo, discípulo de Santo Tomás, para fijar con precisión los términos de la controversia.

En una comunicación al Congreso del 13 de septiembre de 1821 el doctor José María del Castillo y Rada, con su habitual galanura literaria, sostenía que el Patronato le correspondía a la República aun sin especial concesión de la Sede Apostólica, pues "en representación del pueblo lo ejercieron los Reyes de España sin tener los votos de estos mismos pueblos. El Gobierno actual de la República es representativo en el cual los pueblos mismos eligen sus representantes y sus agentes, los cuales lo hacen todo en nombre del pueblo y con su poder, y por una consecuencia forzosa esos mismos agentes deben ejercer el Patronato que corresponde al pueblo y que no podría ejercer por sí mismo". Proponía en consecuencia el antiguo Secretario de Estado y Vice-Presidente del Congreso que mientras se convenía definitivamente un Concordato con el Papa, se hiciera un arreglo provisional con la Iglesia Colombiana "para solo el efecto de calmar escrúpulos, y sin que se entienda que esto envuelve, ni la renuncia del Patronato, ni una confesión de que no lo goza el Gobierno".

La reacción de aquel hombre de principios que era el señor Lasso de la Vega ante una tesis tan extremadamente peligrosa, no podía esperarse, a pesar de la amistad que lo ligaba a su viejo y querido discípulo del Rosario; "Pero yo no pude oír semejante representación sin indignarme, aunque al mismo tiempo con la más grande pena por el amor que desde su niñez he tenido a su autor. Comprendí cuán corrompido se mostraba su discurso, y que acaso su corazón todavía luchaba por sostenerse dando con ello pruebas de que podía acaso estar dispuesto a volver en sí. Le ataqué en su presencia, como poniendo la hacha en la raíz. Díjele era precipitarse al materialismo. Esto mismo le he repetido después y repetiré a todos los que de semejante modo piensen, esto es, con tales principios..."

Toda la lógica de aquel formidable polemista formado en la asidua lectura del Angélico y toda su erudición cayeron sobre las teorías de Castillo y Rada y de sus seguidores, aunque en la seca y dura prosa que sólo podía producir su pluma.

No existe, no existe el Patronato, repetía; esta es mi persuasión, por más que se pongan en ridículo las concesiones apostólicas especiales o protestando las generales.

Hé aquí cómo confunde, luego de traer la doctrina canónica sobre Patronato, su génesis y evolución histórica y su aplicación en Colombia, la argumentación de Castillo:

"Supóngase, pues, que el discurso con que se pretende confundirnos es: que adquiriendo el Patronato cualquiera que erige o dota una capilla, con mayor razón debe tenerlo Colombia, cuyos pueblos son los que han edificado y edificarán sus iglesias; sustentan y sustentarán sus ministros. Para que no falte a ello algo de *tronada*, dice: sería contradicción chocante que los reyes lo hubiesen ejercido sin los votos de los pueblos, y ahora se le niegue a estos mismos pueblos, a cuyo sudor en sus contribuciones es a quien siempre se ha debido como a título legítimo, sin que de España hubiere venido jamás un solo real. Protéstolo ingenuamente: jamás creí que a tanto se extendiese la *tormenta*. La *nube* sí la tenía por la más tenebrosa. Ello es que confunde lo que es motivo para título, con el mismo título, y le llama título aun más legítimo. Desconoce también la obligación que los fieles tienen para mantener a sus pastores; y como si los derechos impuestos por la Iglesia y la misma fábrica de las iglesias parroquiales fuesen donaciones graciosas, quiere que a ellas se deba el Patronato... Léase con atención el papel. Mis reflexiones se exageran; *pero las contendré por exigirlo así el amor de maestro y a que como obispo me veo ya más obligado...*"

La rígida postura ideológica y la conducta política en el Congreso del señor Lasso ante las exigencias y los errores del regalismo republicano, funesta herencia de la monarquía española, no le impidieron su eficacísima correspondencia directa con Pío VII para obtener, de acuerdo con el Gobierno, la restauración de la jerarquía episcopal en la Gran Colombia, a espaldas del Real Patronato. Su acción mediadora ante el Pontífice para alcanzar la bendición apostólica a las nuevas naciones, frutos de la Revolución, le merece uno de los primeros puestos de honor en la historia eclesiástica de Hispanoamérica. Y sus escritos lo señalan como a uno de los más agudos polemistas y fieles paladines de la doctrina católica en el terreno resbaladizo y erizado de obstáculos de las relaciones entre las dos supremas potestades (59).

_____

(59) No podemos pasar por alto la descripción de las causas del Movimiento de 1810, hecha por quien fue su inicial y decidido enemigo, pues refleja admirablemente el ambiente social e ideológico en que se movió la generación de los próceres, y confirma plenamente cuanto hemos sostenido hasta aquí. El 19 de marzo de 1823 escribió el señor Lasso una carta al Papa Pío VII, quien le había pedido mayores detalles sobre la situación política y religiosa de Colombia: "El primer día de la transformación en esta ciudad de Santafé ocurrió el 20 de Julio de 1810, pues ya antes había tenido principio en la Provincia de Venezuela y capital Caracas desde el 19 de abril, una vez extinguidas las cenizas, por así decirlo, del año anterior en la Provincia de Quito. La causa y la voz común fue el

11. — *Juicio crítico final.*

De este bosquejo ideológico resalta el valor de las tesis populistas para impulsar al clero patriota en su conducta política de desconocimiento de las autoridades españolas y de aceptación del nuevo Estado. No aparece en sus escritos la expresión *voluntad general*, de cuño rusoniano, sino *consentimiento del pueblo* o *consenso popular*, de claros timbres escolásticos.

El tipo del abate afrancesado de formación volteriana y de tendencias revolucionarias jacobinas, tan frecuente en la España de la época, la cual nos presenta aquellas pobres figuras de eclesiásticos contagiados de frívolo enciclopedismo, fue desconocido entre nosotros. El clero patriota supo mantener una dignidad moral e intelectual que si a él lo aprestigia, dignifica la causa que defendió no sólo con su autoridad doctrinaria e influencia social sino también con sus bienes y sus sacrificios. Y no le movieron veleidades subversivas o afán de novedades, sino el bien común de la Iglesia y del Estado.

Otra conclusión que se desprende de las páginas anteriores es la superioridad indiscutible del clero patriota sobre el clero realista. Si en las filas de éste hubo figuras muy respetables —en primera línea el doctor José Antonio Torres y Peña—, los elementos más valiosos abrazaron la causa nacionalista y las personalidades más sustantivas ocuparon su sitio dentro de los cuadros directivos de la Revolución.

Definitiva fue su acción para el buen éxito de la causa separatista. Sin incurrir en hipérbole puede aseverarse que sin su intervención favorable a la República, aquella élite intelectual, que constituía el centro tan alto de gravedad cultural de la sociedad granadina, no hubiera calado en el fondo de la masa popular, fiel al rey y ajena a los resentimientos sociales y preocupaciones ideológicas de las clases dirigentes civiles.

¿Cómo habrían sido capaces aquellos jefes —aun con el brillo de su talento e ilustración y la magnanimidad de su carácter— de infundir en el pueblo una generosa noción de patria para

---

temor a Napoleón y la usurpación de su hermano José. Se guardaron, pues, los derechos del Rey Católico y a manera de las Cortes españolas se mantuvo intacta la soberanía en esta capital por todo el Nuevo Reino de Granada. Por doquiera se ponían de manifiesto las maquinaciones del ministro Manuel Godoy y de los demás: las injusticias y acepciones de personas al ser menospreciados los criollos; y la persona del mismo virrey se anunciaba por todas las voces no sólo como creatura del dicho Godoy, sino también como entregada a los pactos secretos". Véase, Leturia, o. c., T. II, p. 243.

lanzarlo a la defensa y construcción de la nueva República, sin el apoyo decidido y fervoroso de sacerdotes y religiosos que estaban en permanente contacto con él? (60).

Y ésto sin mencionar el aporte de ideas motrices filosóficas y de sentimientos morales de elevado patriotismo con que la Iglesia contribuyó a iluminar la mente y caldear el corazón de los próceres. No se limitó, pues, como lo anota, con criterio superficial y ligero, un conocido escritor colombiano, a desligar a los fieles del juramento de fidelidad a la monarquía española. Ella fue la creadora de una atmósfera espiritual de la cual nació y en la cual se desarrolló el Movimiento nacional de Independencia. Ella estuvo íntimamente compenetrada con su pueblo en éste como en los demás momentos estelares de su acontecer histórico.

En forma insuperable proclamó esta verdad el presidente Alberto Lleras: "De igual modo que nos acompaña a cada uno de nosotros desde la cuna hasta el sepulcro consagrando los momentos culminantes de la existencia con sus oraciones y ceremonias, así mismo precede, acompaña y sigue las victorias y desastres de las milicias, los grandes hechos de la vida civil y las tribulaciones y gozos del pueblo entero" (61).

---

(60) Rafael Gómez Hoyos, *La Iglesia en Colombia, Postura religiosa de López de Mesa en el Escrutinio Sociológico de la Historia colombiana.* Ediciones del Instituto Colombiano de Cultura Hispánica, 1955, Bogotá, p. 69. Del mismo autor, *La Santa Sede y la Independencia Colombiana*, en Curso Superior de Historia de Colombia, Tomo III, p. 165-203. José Restrepo Posada, *La Iglesia y la Independencia*, en Curso Superior, o. c., T. II, p. 394.

(61) Alberto Lleras, Saludo al Arzobispo, en *El Primer Gobierno del Frente Nacional*, Tomo I, (mayo de 1958-agosto de 1959), p. 338. Bogotá, Imp. Nal., 1960.

SEPTIMA PARTE

LOS CABILDOS, LAS ACTAS DE INDEPENDENCIA, Y LAS PRIMERAS CONSTITUCIONES REPUBLICANAS

CAPITULO I

EL CABILDO, ORGANO POLITICO E INSTRUMENTO JURIDICO DE LA REVOLUCION

No se ha destacado hasta ahora el papel preponderante de los Cabildos en la gestación y nacimiento de la Revolución de Julio, ni su influencia en la formación de la conciencia democrática de nuestras gentes, pues, como anota Miguel Aguilera, se ha adelantado mucho en el examen de la acción individual, pero poco, muy poco, en el análisis de la masa social (1).

Rafael Uribe intuyó una gran verdad en la crítica histórico-social cuando declaró que "los Cabildos fueron el origen del movimiento emancipador que fue en el fondo y en la forma un movimiento comunal perfectamente caracterizado" (2). E igual adivinación alcanzó a tener don Tomás Rueda Vargas al aseverar su convicción de que "nuestra revolución de independencia tiene un origen netamente español, hondamente fuerista", encauzada a través del Concejo Municipal. Tesis inobjetables que corresponden a la realidad histórica y jurídica, pero que se han quedado en meros enunciados sin alcanzar su plena comprobación.

Ciertamente andan muy equivocados quienes escriben de la quietud incondicional de nuestros ayuntamientos coloniales, pues ellos hicieron germinar la semilla de la libertad política y mantuvieron vivo el ideal democrático de la nación. Encuéntrase en el estudio sociológico de nuestro pasado colonial —es la exacta observación de García Vásquez— un sentido de liberación revolucionaria antes que de sumisión y estancamiento (3).

---

(1) Miguel Aguilera, *Raíces Lejanas de la Independencia*, p. 71.
(2) Rafael Uribe Uribe, *Antecedentes del Cabildo Abierto de 1810*, en *Boletín de Historia y Antigüedades*, Año VI, N. 63, p. 196.
(3) Demetrio García Vásquez, *Revaluaciones Históricas*, T. II, p. 289.

1. — *Origen histórico del Cabildo. Su organización y funcionamiento.*

Surgieron las comunas en la España medioeval de la guerra con el moro. Los reyes otorgaron fueros municipales a las ciudades como premio a conquistas o estímulo para futuras luchas. El pueblo elegía cada año los Alcaldes y éstos, con la asistencia del Concejo, administraban la justicia, dirigían la policía y manejaban las finanzas. El ayuntamiento español tenía jueces foreros y reales, regidores o cabildantes, alférez, alguacil mayor, mayordomos de la hacienda, fieles o policías de mercado, alarifes o inspectores de obras públicas, sayones o pregoneros concejiles, escribanos y cuadrilleros, cargos todos que con ligeras modificaciones pasaron a América.

El fuero viejo de Castilla —la Carta foral más antigua— se dictó como Código municipal para la señorial y heroica Burgos, centro de las hazañas del Cid Campeador, y fue extendiéndose después a las demás ciudades y burgos de Castilla, heredera del genio político y de la vocación jurídica de la Roma imperial. Tan celosas se mostraron las ciudades de su autonomía política, que se confederaron en Comunidades para defender sus fueros de la ambición de los nobles o de la arbitrariedad de los reyes.

Terminada la lucha secular de la Reconquista con la toma de Granada, se consolidó la unidad política del Estado y se afianzó al poder real, pero a expensas de las libertades municipales. Sin embargo, aún así los reyes debieron jurar todavía mantener los fueros, privilegios y costumbres de los pueblos, y sólo así los súbditos juraban fidelidad al monarca, dentro de los límites de los fueros. Era el antiguo pacto entre el pueblo y la autoridad política que inspiró la famosa doctrina medioeval de jurisconsultos y teólogos sobre el origen popular de la soberanía, su naturaleza y sus fines, sus límites y condiciones, y sobre el derecho de resistencia contra los desafueros —qué noble estirpe etimológica guarda la palabra— del tirano que abusaba del poder. Vio entonces el mundo asombrado cómo un poderoso César hubo de abatir su orgullo paseándose de Corte en Corte por Castilla y Aragón, por Valencia y Cataluña, para obtener el reconocimiento de su autoridad con la jura de los fueros de los Reinos. No toleró Carlos V —educado al margen de las tradiciones hispanas— tamaños límites a su espíritu absolutista, y a su ambición de dominio, y por eso menospreció las antiguas Cortes y debilitó las franquicias municipales hasta el punto de que las Comunidades castellanas se lanzaron a la insurrección. En el campo de Villalar fueron derrotados los Comuneros en

1521, don Juan de Padilla subió al cadalso y los fueros municipales fueron abolidos. Muy poco después, bajo Felipe II, don Juan de Lanuza habría de seguir el mismo cruento itinerario por defender los fueros de Aragón.

A los Cabildos antes elegidos por el pueblo, sucedieron los corregidores perpetuos designados por el rey, los Síndicos y Procuradores populares fueron remplazados por oficios venales, y de las viejas libertades municipales quedó un lejano recuerdo en la literatura cuando Calderón de la Barca trazó con líneas inolvidables la silueta heroica del Alcalde de Zalamea (4). Su espíritu, sin embargo, perduró entre el pueblo, al cual no se le pueden arrancar de improviso por simples leyes, hábitos seculares de vida social y política.

Esta tradición de autonomía municipal que sobrevivió en el alma popular española, se habría de proyectar pujante en las tierras de América, descubiertas y pobladas por el heroico esfuerzo de ese mismo pueblo. Las Indias ganadas a los infieles serían el escenario natural de aquellas franquicias y fueros municipales otorgados a las ciudades conquistadas antes a los moros.

Al fundar las nuevas ciudades, todos los conquistadores hispanos tuvieron presentes, por sobre todas cosas, el templo —centro de sus aspiraciones religiosas—, y el ayuntamiento, núcleo aglutinante de su vida social y política.

Solórzano y Pereyra habla del cuidadoso esmero de los reyes "de que en las ciudades, Villas y lugares de españoles que se iban fundando y poblando con suficiente número de vecinos, se fuese introduciendo y disponiendo al mismo paso el gobierno político, prudente y competente que en ellas se requería, y se creasen Cabildos, Regidores y demás Oficios necesarios en tales Repúblicas o poblaciones, los cuales todos los años sacasen y eligiesen de entre los mismos vecinos y ciudadanos sus Jueces o Alcaldes Ordinarios que dentro de sus términos y territorios tuviesen y ejerciesen la jurisdicción civil y criminal ordinaria, y *al modo y forma que se solía hacer y practicar en los Reinos de España antes que se introdujese el uso de los Corregidores...*" (5).

El historiador venezolano Joaquín Gabaldón Márquez, en un reciente y meritorio ensayo de aguda crítica histórica y perspi-

---

(4) Rafael Uribe Uribe, *Antecedentes del Cabildo Abierto*, op. cit., p. 200.

(5) *Política Indiana*, compuesta por el señor don Juan de Solórzono y Pereyra, corregida e ilustrada con notas por Francisco Ramiro de Valenzuela, Tomo II, p. 262.

caces atisbos sociológicos, hace notar cómo el notable jurisconsulto indiano trata de justificar la amplitud de facultades de
que gozaban los Cabildos de América, pues bien se daba cuenta
de que ya no se estilaba lo mismo por tierras de la Península.
Solórzano, en efecto, apela al derecho natural que los moradores de Indias tienen para elegir "sus Magistrados o Alcaldes Ordinarios que así los gobiernen y juzguen siempre que sucediere
morir o faltare por otra cualquiera causa o impedimento el gobernador que el Rey les hubiese enviado", debido a la gran distancia y al peligro de la tardanza mientras se acudía al monarca.

Y en verdad que eran explicaciones de hondo sentido jurídico y social, ya que las circunstancias de América causaban
ineludiblemente un retorno a las instituciones medioevales, cuando aún no se había configurado la plenitud de la autoridad real,
y a la vigencia de normas de derecho natural. Se ve en estas
justificaciones —observa juiciosamente el autor ya menciona-
nado— cómo aparecían en el momento de la colonización, cual
si estuviesen en conflicto, como lo estaban en efecto, el principio
de la soberanía real, ya vigente en su plenitud en este tiempo, en
el Imperio español, y la necesidad de reconocer en ciertos casos el retorno de esa soberanía a su fuente original, que
es el pueblo, cuando se reproducían, por razones de medio,
de distancia o cualesquiera otras, circunstancias que muy claramente recordaban las del período medioeval, cuando el brazo del estado llano recobrara el goce casi ilimitado de su libertad primigenia reconocida en las Cartas-pueblos o Fueros (6).

En las primeras Actas de nuestros Cabildos asistimos al
lento desarrollo de nuestras incipientes ciudades, y en ellas se
refleja con nitidez el espíritu de la tradición castellana. En todas se apela indefectiblemente a los viejos usos y costumbres.
Véanse algunos ejemplos:

"En la ciudad de Pamplona, estando ayuntado en su Cabildo como lo manda por buena costumbre los magníficos señores
Justicia y Regimiento de la dicha ciudad, conviene a saber...
para proveer lo que convenga al servicio de su Majestad y bien
y pro común de la dicha ciudad; y lo que sus mercedes proveye-
ron y ordenaron es lo siguiente..." (7).

---

(6) Joaquín Gabaldón Márquez, *El Municipio, Raíz de la República*, p. 44 y 48. El
autor plantea tesis en absoluto acuerdo con las nuéstras sobre la influencia de
los cabildos en la formación de la conciencia democrática de los venezolanos y
en el movimiento independentista.

(7) *Primer Libro de Actas del Cabildo de la Ciudad de Pamplona en la Nueva
Granada, con un Apéndice sobre la Historia Primitiva de la Provincia*, por Luis
Eduardo Páez Courvel. Dirección, Prólogo, Notas e Indice razonado, por Enrique
Otero D'Costa, p. 2.

Idéntica forma e igual apelación a la costumbre en el cabildo de Santa Fé: "En la Ciudad de Santafé, a trece días del mes de mayo, un año del nacimiento de Nuestro Salvador Jesucristo de mil e quinientos e treinta y nueve años, estando en cabildo e ayuntamiento según lo tienen de uso e de costumbre de se ayuntar, conviene a saber..." (8).

No fue, pues, el rey quien introdujo en América la institución municipal, como quiere Solórzano, siempre atento a encauzarlo todo hacia la majestad real: los mismos conquistadores hicieron revivir acá las corporaciones españolas, tan queridas del alma popular. La Corona entró a reconocer y legalizar la costumbre según su política de estimular la acción individual de los pobladores y organizarla después y encuadrarla dentro de sus ordenamientos jurídicos.

Era obvio que en el período fundacional los cabildos ejercieran un cúmulo de facultades que más tarde serían cercenadas paulatinamente por la Corona. El recuerdo de las franquicias castellanas que algunos conquistadores habían conocido en plena vigencia, y la necesidad de evitar la anarquía en aquellos nebulosos y revueltos tiempos, fueron causa lógica del esplendoroso florecimiento de la institución capitular en América.

Los cabildos, viva encarnación de la autoridad, voz de la tierra y representación genuina de las nuevas repúblicas —como llamaban los conquistadores a sus nuevas poblaciones— eran los llamados a dirimir litigios de competencia, a refrendar poderes, a suplir vacancias, a organizar o autorizar nuevos descubrimientos y pacificaciones, y a dar oportunos consejos a los gobernantes reales.

El 8 de mayo de 1539, antes de salir Gonzalo Jiménez de Quesada para Santa Marta y para España a dar cuenta de sus conquistas, resigna el título y el mando de Gobernador del Nuevo Reino en la persona de su hermano Hernán Pérez de Quesada: "...me desamparo y desapodero del cargo que he tenido del dicho Nuevo Reino de Granada, porque todo lo paso y doy en vos, el dicho Hernán Pérez de Quesada, mi hemano, con todos los casos y cosas que yo he tenido y pudiera tener..." (9).

El nuevo Capitán General y Justicia Mayor del Reino presenta entonces su poder ante el Cabildo recién establecido. El

---

(8) *Cabildos de Santafé de Bogotá, Cabeza del Nuevo Reino de Granada.* Publicación dirigida por Enrique Ortega Ricaurte, p. 6.

(9) Juan Friede, *Documentos Inéditos para la Historia de Colombia*, Vol. V, Doc. Nº 1268, p. 161.

acta contiene expresiones que son bien elocuentes desde el punto de vista de las concepciones jurídicas de los conquistadores:

"En doce días del mes de mayo de mil y quinientos treinta y nueve años se juntaron a cabildo Jerónimo de Inza, alcalde, y Juan de Arévalo, alcalde y el Capitán San Martín, regidor, y el capitán Antonio de Cardoso, regidor, y el capitán Lázaro Fonte, regidor, y Pedro de Colmenares, regidor, y Hernando de Rojas, regidor, estando juntos en su cabildo y ayuntamiento los dichos señores, se presentó el señor Hernán Pérez de Quesada y presentó un poder sustittuído del señor teniente licenciado Jiménez, y presentó asimismo un poder bastante que tiene del señor teniente. Y así presentado luego los dichos alcaldes y regidores dijeron que lo obedecían, en cuanto de derecho ha lugar para cumplir lo en ello contenido..."

Al día siguiente hubo nueva reunión: "En trece días de mayo de mil y quinientos y treinta y nueve años, se juntaron a cabildo... (las mismas personas). Hablaron sobre que ayer, en cabildo, el señor Hernán Pérez de Quesada presentó un poder sustituído del señor teniente licenciado Gonzalo Jiménez... al cual obedeció, como en el dicho cabildo se aclara. Hablando en este dicho cabildo si este poder era bastante para lo que convenía al servicio de Su Majestad y bien de este dicho Nuevo Reino, dijeron que para más abundamiento, no quitando la fuerza de los dichos poderes que presentó en el dicho cabildo, *en nombre de Su Majestad, todos juntos, en cuanto podemos y debemos y de derecho ha lugar,* le nombramos por nuestro capitán y justicia mayor en todo este Nuevo Reino al dicho Hernán Pérez de Quesada, hasta en tanto que Su Majestad provea lo que más convenía... para lo cual le damos todo nuestro poder cumplido, según que de Su Majestad lo habemos y tenemos de derecho, con todas las fuerzas a ello dependientes..." (10).

Nuevamente se reúne el Cabildo el 24 de mayo para cumplir un requisito que habían descuidado. En él "hablaron que en los otros cabildos antes se admitió al señor Hernán Pérez en el cabildo, por virtud de los poderes que presentó del señor teniente y por el poder que en el cabildo le dieron en nombre de Su Majestad, y se les olvidó de hacer una diligencia, que fue tomar la solemnidad de juramento que en tal caso se requiere. Y luego se le tomó juramento en forma debida de derecho y dijo que juraba a Dios y a Santa María que bien y fiel y derechamen-

---

(10) Juan Friede, *Documentos Inéditos para la Historia de Colombia*, V, Documento N. 1269, p. 162-164. El Cabildo del 13 de mayo había sido publicado con algunas variantes en el *B. de H. y A.* N. 52, Año V, 1908, p. 230, y en *Cabildos de Santa Fé de Bogotá*, op. cit., p. 6.

te guardará la justicia y el bien y pro de esta ciudad y del Nuevo Reino de Granada... y que no dejase y desamparase este Nuevo Reino hasta tanto que su Majestad proveyese..." (11).

No aparecen en todas estas formalidades jurídicas las ideas del Licenciado Fundador que no omitía nada que pudiera restarle legalidad a sus actos? Por lo demás, todas estas actitudes revelan a cabalidad los conceptos medioevales de la representación en Cortes y del ejercicio de la soberanía por el pueblo en ausencia del Rey.

Idéntico espaldarazo recibirá en 1541 del Ayuntamiento de Santafé, como cabeza del Nuevo Reino, Gonzalo Suárez Rendón. En ausencia de Hernán Pérez de Quesada que se marchaba a nuevos descubrimientos, se resolvió en el Cabildo del 19 de agosto del año referido "porque conviene al servicio de Dios Nuestro Señor y de su majestad que el dicho Nuevo Reino y la gobernación y mando de él esté debajo de la mano de una persona como la del dicho señor capitán Gonzalo Suárez, porque es persona para lo regir y gobernar, por ende *todos juntos, unánimes y conformes, nemine discrepante, de un acuerdo y consentimiento, le elegía y eligieron por capitán* general y justicia mayor de dicho Nuevo Reino... hasta que su majestad provea..." Y en la misma sesión prestó juramento de cumplir bien su oficio y guardar las ordenanzas y estatutos de la ciudad y del Reino, y presentó "fianzas llanas y abonadas" (12).

Los Ayuntamientos de Santafé y de Tunja sostendrán más adelante la autoridad de Hernán Pérez ante las pretensiones de Jerónimo Lebrón, nuevo Gobernador de Santa Marta. Fray Pedro de Aguado nos da todos los detalles de estos incidentes en que jugaron un papel definitivo los Cabildos. "Hernán Pérez —escribe el historiador— que era Justicia Mayor y Capitán del Reino, electo y nombrado por los Cabildos, dejó concertado que él remitiría el negocio a lo que los cabildos hiciesen". Efectivamente, "se presentó ante ellos (los de Tunja) Jerónimo Lebrón con sus provisiones de Gobernador, las cuales vistas por los del cabildo, le respondieron que el Nuevo Reino no era provincia de Santa Marta... que hasta tanto que de ello hubiesen respuesta y mandato expreso de la persona real, no pensaban recibir ningún gobernador, y así no había lugar de recibirlo a él... Llegados todos a Santafé se presentó Jerónimo Lebrón ante el cabildo con sus provisiones, y le fue respondido lo propio que en

---

(11) Ibídem, p. 164.
(12) *Cabildos de Santa Fé de Bogotá, Cabeza del Nuevo Reino de Granada*, op. cit., p. 8-14.

Tunja, y así se vio de todo punto burlado de la fortuna y perdida la esperanza de gobernar la tierra" (13).

Una vez hecha la fundación de una ciudad, la primera formalidad que seguía era la elección de Alcaldes y Regidores, y más adelante se iban estableciendo, ya con intervención del Rey, los demás oficios concejiles. Al fundar a Santafé, Gonzalo Jiménez de Quesada al decir de Aguado, "hizo sus alcaldes y regidores para la administración de las cosas tocantes a la República, y repartió solares e hizo y nombró otros oficiales que en semejantes nuevas fundaciones de pueblos se suelen hacer" (14).

Al principio se hizo algunas veces la elección por el método de la insaculación. Conforme a las instrucciones dadas en 1531 por Carlos V a García de Lerma, gobernador de Santa Marta, el primer día del año se procedía por un niño de los que pasasen por la calle a hacer la insaculación entre dos nombres propuestos por el gobernador y otros dos por el cabildo. La Audiencia de Santafé tratará de imponer a todo el Reino este mismo sistema. Efectivamente por Acuerdo de 9 de enero de 1556 firmado por los Oidores Briceño y Montaña, se pretendió restringir la libre elección de los cabildos, "atento que por derecho pertenece a Su Majestad el nombrar los Alcaldes Ordinarios de las Ciudades e villas e lugares destos Reinos e los demás oficios de justicia, *e porque hasta agora ha habido costumbre en este Reino que en los cabildos se nombrase al principio de cada año los oficiales de cada Cabildo para aquel año...*"

El procedimiento ordenado fue el siguiente: "Primeramente, que el día de año nuevo en cada un año, se junten los alcaldes y regidores que hubieren en su cabildo según lo han de uso y costumbre, e habiendo, ante todas cosas, oído una misa del Espíritu Santo para el dicho efecto, dejada toda pasión y afición y con juramento, nombren para cada oficio dos personas, cada persona por sí en un papel distintamente, los cuales sean de calidad e ciencia e conciencia, e así nombrados se echen en un cántaro e por escrutinio e suertes, sin tener consideración a que uno tenga más o menos votos, un niño de poca edad saque del dicho cántaro las dichas suertes, una a una, e a los que les cupiere por las dichas suertes, así alcaldes como regidores, e los

---

(13) Fray Pedro Aguado, *Recopilación Historial*, Tomo I, Libro Cuarto, Capítulo IX. Todavía en plena Colonia, a fines del siglo XVII, vemos al Cabildo de Santa Marta nombrar varias veces gobernador, primero en 1699 a Fernández del Valle y luego a Vítores de Velasco, "el que está ejerciendo con común aclamación y gusto de todos". Véase *Carta del Cabildo a S. Majestad del 12 de febrero de 1699*, en Ernesto Restrepo Tirado, *Historia de la Provincia de Santa Marta*, I, 434.

(14) *Recopilación Historial*, Libro III, Capítulo XIV, p. 317, del Tomo I.

demás oficiales de cabildo, usen los dichos oficios aquel año, y éstos, que así salieren por oficiales de aquel año, usándolo, no puedan entrar en suertes, ni ser votados para semejantes oficios por tiempo de dos años, los cuales han de pasar antes que puedan pasar en suertes..." (15).

Esta providencia fue absolutamente inane, pues los cabildos continuaron eligiendo libremente por votación nominal, sistema que terminó por imponerse en las leyes de la Recopilación.

Efectivamente en el Libro IV, Título nueve, de los Cabildos y Concejos, Título diez, de los Oficios concejiles, y Título once, de los Procuradores Generales de las ciudades y poblaciones, se codificaron las primeras disposiciones sobre estas materias, con el debido reconocimiento de algunas franquicias, pues se recomienda e impone la plena libertad de las elecciones. Además la Recopilación dió fuerza legal a las Ordenanzas y Leyes Municipales de las ciudades que no fueren opuestas a la misma Recopilación.

El 1º de enero de cada año se renovaba el cabildo: los cabildantes en ejercicio efectuaban la votación para designar a los alcaldes y ediles que habían de reemplazarlos. El Justicia Mayor —gobernador de la ciudad, con poderes civiles y militares, autoridad suprema del municipio y presidente del ayuntamiento—, hacía el escrutinio y declaraba los nombres de los nuevos elegidos. Las ciudades principales tenían el derecho de elegir doce regidores, y las demás ciudades, villas y pueblos sólo seis.

A los Alcaldes Ordinarios competía la administración de justicia civil y penal, y los Regidores debían hacer cumplir las ordenanzas del cabildo.

El Procurador, elegido igualmente por la córporación, representaba los intereses del pueblo y se entendía de todos los asuntos concernientes al desenvolvimiento de la vida municipal, llevándolos ante el ayuntamiento para que éste los resolviera y les diera cabal ejecución. Más adelante veremos el papel preponderante que desempeñó este funcionario, que también tenía el nombre de Síndico, en el proceso revolucionario de 1810.

El Mayordomo o tesorero manejaba los fondos del municipio. El Alguacil Mayor ejercía la jefatura de policía, y el Receptor de penas de Cámara colectaba las entradas pertenecientes a la Real Hacienda, o sea los bienes de la nación.

El cabildo combinaba el esfuerzo personal de los vecinos sobre la base del impuesto personal y subsidiario, con las ren-

---

(15) *Libro de Acuerdos de la Audiencia Real del Nuevo Reino de Granada...* dirigido por Enrique Ortega Ricaurte, p. 231.

tas de propios, para el arreglo de los caminos públicos, construcción de puentes, sostenimiento de posadas para los viajeros y comerciantes; otorgaba además la patente de vecino, calidad que a éste le daba, con las cargas anejas, importantes privilegios como el de pedir la adjudicación de solares o estancias, o el establecimiento de algún negocio.

En las regiones mineras, el cabildo elaboraba las ordenanzas, que son verdaderos modelos por la técnica y por el sentido de justicia que en ellas se manifiestan (16).

La vida económica del pueblo dependía, por consiguiente, del ayuntamiento, el cual fijaba los aranceles relativos a la molienda del trigo, las tarifas de los herreros, carpinteros, alarifes, etc., y los precios de la carne, del trigo, de la cebada, así como también imponía repartimientos de dinero para enviar procuradores a la Corte y para el servicio militar.

En la época inicial ejercieron también los cabildos importantes funciones de índole militar, pues organizaban campañas así defensivas como ofensivas, o autorizaban nuevos descubrimientos o pacificaciones, o absolvían la consulta que les hacían los capitanes antes de salir a realizar acciones militares. Era la renovación en estas tierras, por efecto de las circunstancias, de las viejas mesnadas concejiles de Castilla, las cuales habían caído en desuso cuando empezó a formarse el ejército integrado por asalariados.

Este cúmulo de facultades políticas, económicas y militares, demuestra, como bien dice Demetrio Ramos, que el municipio, considerado como fundamental en la política de la Corona, es prácticamente la columna vertebral en la acción colonizadora (17). En su articulación legal y en el juego de los acontecimientos, debería contribuír, como el que más, a la formación de una conciencia nacionalista y democrática que al fin hará explosión definitiva en 1810 (18).

_____

(16) En las *Actas del Cabildo de Pamplona*, op. cit., p. 24, 158 y 310 se pueden leer las Ordenanzas hechas por el Cabildo y las diversas reformas que les fueron introducidas, dictadas por la experiencia y el cambio de circunstancias.

(17) Demetrio Ramos, *La Revolución de Coro en 1533 contra los Welser y su importancia para el Régimen Municipal*, en *Boletín Americanista*, Año I, N. 2, Barcelona, 1959.

(18) Creado el Cabildo en la ciudad recién fundada, surgía el Libro de Actas, impuesto por el derecho consuetudinario y por el escrito, en el cual quedaban minuciosamente consignadas las actividades de la corporación. Las viejas ciudades que, como Pamplona, Medellín, Tunja, Pasto, han logrado conservar en todo o en parte estos preciosos libros, salvaron su historia inicial. Pero la mayor parte de las ciudades de Colombia por incuria o debido a lamentables siniestros, han per-

2. — *Su actuación en defensa de los fueros municipales y de los intereses del pueblo. Escenario de luchas entre españoles y criollos, y tribuna parlamentaria.*

Configurados así los cabildos, los rozamientos con los gobernantes reales —gobernadores, audiencias y virreyes— tenían que ser inevitables, porque todos ellos pretendieron intervenir en la vida municipal. Pero los ayuntamientos velaron insomnes por su autarquía, y es de justicia reconocer que la Corona se puso muchas veces de su parte.

Ya desde 1531 la Reina Gobernadora intima a García de Lerma que no se entrometa en los privilegios de los Regidores de Santa Marta, y reitera la amonestación para que se retire del ayuntamiento cuando se discutan asuntos que le afecten personalmente. Estas normas fueron dictadas ante las reiteradas quejas del cabildo de la ciudad, el cual acusó al gobernador de haber nombrado, para tener mayoría en él, más regidores de los creados por Su Majestad. La tirantez de relaciones llegó hasta el punto de que el cabildo pidió residencia para García de Lerma. Este nombró cuatro regidores más, dos de los cuales no llegaban a los veinte años, y mandó a su Secretario, que era regidor, que entrase a cabildo. Reunido éste por su orden, se propuso que se retirase el pedimento de residencia: sólo tres votantes estuvieron a favor de lo propuesto, pues los otros siete restantes, incluyendo dos de los nombrados por el gobernador, dieron su voto porque se sostuviera el pedido de residencia. A cinco de éstos, no obstante que tenían su nombramiento, García de Lerma los mandó apresar y los cargó de grillos y cadenas (19).

Hacia mayo de 1539 los capitanes de la recién fundada Santafé se dirigen al Rey por medio de un interesantísimo memorial en el cual, entre varios capítulos, resaltan los destinados a for-

---

dido sus actas edilicias y con ellas una fuente insustituíble para el estudio documentado de las primeras etapas de su existencia civil. Véase a este respecto a Enrique Otero D'Costa, *Pauciloquium, Prólogo al Primer Libro de Actas del Cabildo de la Ciudad de Pamplona*, op. cit. La publicación ya citada, *Cabildos de Santafé de Bogotá*, aunque no contiene sino algunas Actas, rescató, sin embargo, parte notable de la vida colonial de la institución.

(19) Ernesto Restrepo Tirado, *Historia de la Provincia de Santa Marta*, Tomo I, páginas 89-93. En un memorial al Rey de 1525, escrito por un fraile Francisco, se pone esta queja: "Que el gobernador tiene al Cabildo oprimido, de manera que cuando se quiere juntar para escribir a Su Majestad y hacer su instrucción en algo contra el gobernador, no los deja...". Friede, *Documentos*, op. cit., I, p. 90.

talecer la autarquía municipal, aun con mengua de la autoridad personal de los jefes de la conquista.

La primera súplica es de este tenor: "Item suplican a Su Majestad provea de conveniente número de regidores para ella y otros oficiales y a las otras ciudades de este dicho Nuevo Reino, para que sean bien regidas y gobernadas, como más sea su servicio".

Quieren convertir el cabildo en tribunal de apelación: "Item suplican a S. M. para que puedan apelar del gobernador o teniente para ante el cabildo el pleito que fuere hasta en cantidad de trescientos pesos de oro..."

Piden también que se les aplique el mismo sistema de Santa Marta para la elección de Alcaldes: "Item suplican a S. M. que mande dar su provisión para la elección que se ha de tener de los alcaldes ordinarios de esta ciudad y de las otras de este Nuevo Reino, que se conforme a la que tiene dada en la ciudad de Santa Marta".

Suplican "para que todos los días que sean de cabildo, si enviaren a llamar al gobernador o su teniente para hacer cabildo y no vinieren, lo puedan hacer sin que se les ponga ningún impedimento". Finalmente la independencia del ayuntamiento quedaba asegurada al pedir que "todas las veces que el cabildo de esta ciudad y de las otras de este dicho Nuevo Reino quisieren hablar en algunas cosas tocantes al gobernador, se salga afuera el dicho gobernador o su teniente, hasta que hayan acabado de hablar en lo susodicho", y "que el alguacil mayor de este dicho Nuevo Reino no entre en cabildo ni tenga voto en él, pues S. M. proveerá conveniente número de regidores".

En la anotación marginal correspondiente se halla consignada la voluntad del Rey, en un todo conforme con las solicitudes hechas. La única petición no atendida, se refería a que tanto Santafé como las demás ciudades pudieran ejecutar las penas en que cayesen los que quebrantaren las ordenanzas de las ciudades. La negativa es rotunda: "No ha lugar. Que la justicia eligiere" (20).

En 1582 el gobernador de Popayán don Sancho García del Espinar preside la sesión capitular en Buga y al arrogarse la facultad de nombrar alcaldes y alguacil mayor, provoca las más encendidas protestas del cabildo (21).

_____

(20) Juan Friede, *Documentos Inéditos para la Historia de Colombia*, Vol. V, Doc. N. 1270, p. 171. Para mantener especiales miramientos a la dignidad de los cabildantes, también pedían que "ni a los alcaldes ni regidores de esta ciudad ni de las otras de este dicho Nuevo Reino los puedan tener presos en la cárcel pública que se hiciere en las dichas ciudades, sino que se les dé cárcel honrada".

(21) Tulio Enrique Tascón, *Historia de la Conquista de Buga*, p. 100.

El ayuntamiento de Cali se empeñó como el que más en mantener la autonomía amenazada por las intromisiones abusivas del mismo gobernador de Popayán, y supo amparar sus fueros con el recurso a la Corte de Madrid, hasta obtener de Felipe II el expreso mandato de que fuera respetada su libertad en las elecciones intervenidas por el gobernador, "en lo cual los cabildos de esas ciudades y villas reciben notorio agravio por ir contra la costumbre que han tenido desde que esa Provincia se pobló" (22).

Esta aguerrida defensa se prolonga hasta los finales del siglo XVIII. En 1796 el virrey libró una circular a los cabildos para que hecha la elección de los oficios, remitieran la lista a Popayán a fin de que el gobernador la aprobase, previa formación de una terna. El cabildo de Cali protestó contra la insólita medida y dirigió una carta a los ayuntamientos de Buga y de Cartago, denunciando el abuso cometido contra la ley municipal. El de Buga contestó refiriéndose a la Real Cédula de 1583 que no había cesado de tener vigencia y que "ha tenido este Congreso facultad para elegir y confirmar su presidente". El de Cartago manifestó igualmente que desde la antigua fundación de Robledo, "se había mantenido el privilegio de elegir sin contradicción alguna" (23).

El Cabildo de Tunja, célebre en la historia municipal del Nuevo Reino por la entereza y dignidad con que supo mantener sus fueros al abrigo de ajenas intromisiones, protagonizó un sonado incidente que, como el de la resistencia a las alcabalas, revistió caracteres de inusitada gravedad. Con toda energía se opuso a admitir por Corregidor a don Gonzalo de Ledesma, nombrado por el Presidente del Nuevo Reino Venero de Leyva. El 25 de enero de 1564 la ciudad "estando juntos en nuestro Cabildo e Ayuntamiento según que lo avemos de uso y de costumbre para tratar e platicar en las cosas e casos tocantes e convenientes al servicio de Nuestro Señor y de Su Majestad e bien desta República", otorgó poderes al Alcalde Ordinario don Diego de Paredes y al Regidor Perpetuo Pedro Vásquez, "para que se paguen y restituyan los agravios, condenaciones, molestias y prisiones y preeminencias que a este cabildo e ciudad se le han quitado y llevado..."

La Audiencia, ante la negativa del Concejo a acatar el nombramiento, aprisionó a los regidores por haber arrojado al nuevo corregidor escaleras abajo, colocar libelos contra las perso-

---

(22) Demetrio García Vásquez, *Revaluaciones Históricas*, op. cit., II, p. 301.
(23) Demetrio García Vásquez, *Revaluaciones Históricas*, Tomo II, p. 321.

nas principales y por el enorme delito de decir que allí no había "más rey que ellos y otros decían viva el rey, daca la capa, todas palabras tan escandalosas y peligrosas en aquellas partes".

El Cabildo arguyó que "no hubo delito ni desobediencia alguna en no recibir al dicho Gonzalo Rodríguez de Ledesma al dicho oficio de corregidor, pues se hizo muy pacíficamente y con gran moderación. E si algún bullicio en ello hubo, fue causado de la mucha gente que el dicho Ledesma llevó en su compañía, pretendiendo compeler y forzar dicho cabildo a que lo recibiesen contra su voluntad al uso del dicho oficio" (24).

Era tal el peso de la herencia castellana que gravitaba sobre el espíritu de los pobladores de estas tierras, que llegaron a realizar serios intentos de revivir la vieja institución de las Cortes, ya desaparecidas en España por la política absolutista de los Habsburgos. Elías de Tejada ha puesto de relieve este propósito de dar vigencia al derecho parlamentario de Castilla por medio de asambleas de representantes de las ciudades y de los cabildos para la solución de asuntos de excepcional importancia que afectaban al bien común de todo el Reino.

Los casos ocurridos a mediados y fines del siglo XVI son tan numersos como elocuentes.

El primer ensayo de prolongar aquí la vieja institución nacional tuvo lugar en 1545 cuando el obispo fray Martín de Catalayud tuvo qué trasladarse a Lima para recibir la consagración, siendo así que carecía de la importante suma que el viaje requería. La necesidad era general, pues la nueva cristiandad exigía apremiantemente la acción pontifical del prelado, y para resolver ese problema típico de Cortes, el de allegar fondos, se reunieron los representantes de Santafé, Vélez, Tunja y Tocaima.

El segundo ejemplo es todavía más expresivo, y corresponde a la general y espontánea reacción de los cabildos ante la amenaza de la rebelión de Alvaro de Oyón, en 1553. Sin previa convocatoria, cada concejo se fue reuniendo separadamente, movido por la situación de peligro en que vivía el Reino. Los cabildos nombran procuradores que se reúnen en Santafé para organizar la defensa común. Ahí están los representanes de la capital, de Vélez, Tunja, Tocaima y San Sebastián de Mariquita.

La Información que en el Archivo de Indias pudo consultar Tejada, está de acuerdo con las Actas de la Real Audiencia de

---

(24) Descubrió estos importantes documentos en el Archivo de Indias Francisco Elías de Tejada, quien estudió con tánto acierto las ideas de los conquistadores del Nuevo Reino, en su obra varias veces citada, *El Pensamiento Político de los Fundadores de Nueva Granada*, p. 68.

Santafé, en las cuales aparece la consulta llevada a cabo en una asamblea extraordinaria el domingo 22 de octubre de 1553. Una vez relatados los informes sobre los avances y progresos de la rebelión, "y porque los susodichos son costas de gobernación e de guerra, e porque en caso tan arduo convenía tomar consejo, los dichos señores mandaron parecer en el dicho Acuerdo para consultar sobre lo susodicho y escoger el mejor y más sano parecer y en que más se sirva a Dios e Su Majestad, las personas siguientes..."

Estuvieron presentes en la sesión el obispo fray Juan de los Barrios, el antiguo gobernador Díez de Armendáriz, los anteriores Oidores Galarza y Góngora y los capitanes de Santafé, Tunja, Vélez y Tocaima, "todos los cuales, de suso contenidos, habiendo visto e entendido la relación de suso contenida y entendida la gravedad del negocio, ser tan pesado e de tanta importancia, dando e tomando el negocio, después de habello comunicado desde ayer y esta mañana e hoy, acordaron que para que este negocio mejor se acierte debe ir uno de los dichos señores oidores a la gobernación de Popayán y tomar la autoridad de la dicha gobernación por su Majestad..." (25).

Esta actitud de los Ayuntamientos en tal difícil coyuntura de celebrar una asamblea representativa, eco de las cortes castellanas, asumida espontáneamente y sin formalidades de previa convocatoria, "denota más todavía lo arraigado que estaba el sentir de la libertad institucional, mal acallado apenas en la Nueva Granada del siglo XVI" (26).

Otro amago de Cortes neogranadinas nos lo ha descrito minuciosamente el Padre Aguado. En 1557, mientras gobernaban el Nuevo reino los Oidores de la Real Audiencia, licenciados Montaño y Briceño, comenzó a cobrar fuerza una rebelión promovida contra las ciudades de Tocaima, Mariquita e Ibagué por los indios panches. Los muiscas de Santafé, Vélez y Tunja, alentados por el ejemplo de aquéllos, empezaron también a conspirar contra las ciudades mencionadas, valiéndose del descuido de los Oidores, quienes "no proveían de remedio, diciendo que era menos el daño que de despoblarse las ciudades de españoles se podía seguir que los que en la pacificación de los rebeldes se habían de hacer".

Las ciudades amenazadas por los moscas resolvieron entonces enviar procuradores a la Real Audiencia "y llegaron a tiem-

(25) *Libro de Acuerdos de la Audiencia Real del Nuevo Reino de Granada...* Publicación del Archivo Nal., dirigida por Enrique Ortega Ricaurte, p. 104.

(26) Francisco Elías de Tejada, *El Pensamiento Político...* op. cit., p. 71.

po que así habían llegado a la propia Audiencia procuradores de las ciudades de Tocaima, Mariquita e Ibagué, que venían a pedir que la Audiencia los socorriera..."

Las expresiones que usa el historiador franciscano son bien elocuentes: "Congregáronse todos estos pueblos y procuradores de ellos, que es todo el Reino, y de conformidad significaron a los oidores el riesgo en que generalmente estaba toda la provincia y región... Pidiéronles estos procuradores a la Audiencia que les diesen un capitán que pudiera hacer gente en todo el Reino y constreñirla a ir a la pacificación de los naturales rebeldes, dándoles alguna ayuda a costa de la caja del rey y ayudando los pueblos y vecinos con otra parte de dineros..." (27).

La Audiencia actúa de conformidad con lo pedido por los cabildos, los cuales al decir de Aguado representan la totalidad del Reino, y asumen una actitud política muy semejante a la de los pueblos castellanos de los siglos XIV y XV.

En 1558 encontramos registrado en las Actas del Cabildo de Pamplona el propósito de los ayuntamientos del Nuevo Reino de reunirse en asamblea especial en Chocontá para tratar asuntos de conveniencia general:

"En este cabildo se presentó una carta de los señores del cabildo de la ciudad de Santafé en que dice que de esta ciudad se enviasen dos personas con poder de esta ciudad a Chocontá, para que allí se juntasen con los procuradores de las ciudades de este Reino para tratar muchas cosas que convienen a este Reino, especialmente sobre enviar un procurador para hacer lo que conviene a este Reino, especialmente sobre el perpetuar los indios; y así mesmo se escribió otras cosas como más largamente se contiene en la dicha carta" (28).

En 1564 el Oidor y Visitador licenciado Villafañe estaba empeñado en la empresa de decretar una nueva moderación y retasa de los tributos de los indios, conforme a las órdenes reales. Con esta ocasión se reunieron en la capital los vecinos y procuradores del Reino para oponerse a estas medidas. El primer Presidente Venero de Leyva —de tan feliz recordación en los anales de la Colonia— recién posesionado de su alto cargo, convocó una *Junta* o *Congregación*, como la llama Aguado, "de personas doctas y de calidad, y vecinos principales y procuradores de las ciudades en la iglesia mayor", en la cual "visto todo y oídas las partes, se proveería de conformidad lo que más útil

---

(27) Fray Pedro Aguado, *Recopilación Historial*, Tomo II, Libro Décimo, Cap. Primero, p. 8.

(28) *Primer Libro de Actas de la Ciudad de Pamplona*, op. cit., p. 250.

fuese al procomún, de tal manera que las repúblicas españolas se sustentasen y las de los naturales no se disminuyesen, ni lo que el rey mandase se dejase de cumplir" (29).

Las finalidades de esta junta, inspiradas en el deseo de conciliar los intereses de los encomenderos con el buen tratamiento de los indios, ya habían provocado desde 1542, con motivo de la promulgación de las Nuevas Leyes de Carlos V, otros movimientos de reacción por parte de los cabildos, si bien con tendencias más egoístas de los conquistadores (30).

El último ensayo de Cortes fue realizado por el presidente Lope Díez Aux de Armendáriz. En carta de 28 de marzo de 1579 al Rey, firmada por el presidente y los tres oidores Rodríguez de Mora, Cetina y Cortés de Mesa, se manifiesta muy claramente el propósito y la naturaleza de la asamblea propiciada por el nuevo gobernante.

Después de que falleció el licenciado Briceño —decía la carta—, y llegado el presidente don Lope, luego hizo una congregación de los vecinos principales del reino y con ellos y el arzobispo y estado eclesiástico y prelados de la órdenes, trató de todo lo tocante al buen gobierno deste reino y de la reformación de muchos abusos que se habían de remediar y cosas en que se requería dar nueva orden para mejor establecer y encaminar lo que convenía a la conversión y policía destos naturales (31).

No obstante la diversidad que presentan estas dos últimas reuniones, por haber sido convocadas por la primera autoridad del reino y estar integradas por los distintos estamentos sociales, indican, sin embargo, la perduración hasta muy avanzado el siglo XVI, de hábitos políticos vigentes en la península antes de la conquista de América.

En 1808, ante el derrumbe de la monarquía, revivió entre nuestros juristas la idea de reunir las Cortes para poner coto

---

(29) Fray Pedro Aguado, *Recopilación Historial*, Libro IV, Cap. 21, p. 429.

(30) Cuando Belalcázar recibió en Popayán el texto de las Nuevas Leyes con una carta de Felipe II en que le pedía su cumplida ejecución, todos los vecinos manifestaron su encendida protesta. Belalcázar los aplacó y manifestó su idea de acatar lo mandado, "e mandó que en todas las cibdades e villas de la provincia se juntasen procuradores para ver lo que se podía hacer sobre lo tocante a las ordenanzas... Los procuradores, como vieron que quería ejecutarlas, reclamaron, y en nombre de toda la provincia le pidieron que otorgase la suplicación, y ansí fue hecho, y se dejaron de ejecutar..." Véase Cieza de León, *La Guerra de Quito*, XXIX, p. 103 (Madrid, 1877). Y cuando López de Armendáriz en 1547 promulgó en Tunja las Nuevas Leyes, "pidióme el cabildo que suspendise la ejecución hasta que en esta ciudad de Santafé se juntasen con los demás procuradores a platicar en ello..." Carta al Rey, en el Arch. de Indias, Audiencia de Santafé, 16.

(31) Francisco Elías de Tejada, op. cit., p. 72.

al despotismo de los ministros reales y buscar un remedio legal a la situación política que se había planteado con la prisión de los reyes en Bayona.

Por el renacimiento de esta democrática institución que había abolido el absolutismo de Austrias y Borbones, clamaron los políticos de España y los jurisconsultos de América. Camilo Torres, Ignacio de Herrera, Manuel Santiago Vallecilla y José Gregorio Gutiérrez, apelaron a las Cortes como un antemural del despotismo. Este último protestaba contra el abuso de que se hubiera depositado en los ministros toda la autoridad soberana "ejercida tiránica y despóticamente en agravio de nuestras antiguas leyes constitucionales que lo prohiben", y pedía "que las Cortes deben quedar permanentemente establecidas con el objeto ya indicado".

He querido insistir en estas ideas con el fin de probar que no sólo los movimientos políticos del ochocientos europeo, los cuales erigieron la constitución como un baluarte contra el capricho despótico de los monarcas, sino también y principalmente las fuerzas vivas de la tradición en que estaba firmemente anclada la conciencia de los criollos neogranadinos, los impulsaron a la actitud insurgente y al rechazo de unas formas políticas que contrariaban el antiguo sistema constitucional.

Por lo demás, es evidente que estas doctrinas por sí solas no tenían la eficacia suficiente para promover un cambio político, pero las circunstancias históricas les dieron la fuerza vital que las tornaría operantes.

A pesar de las reformas que en los siglos posteriores introdujo en el régimen municipal la monarquía borbónica, las cuales consistieron en la venta hecha por el rey de los oficios concejiles, con toda su secuela de abusos, banderías y desidias, el cabildo continuó siendo el eje vital de la estructura social y política de las Indias. Sintió siempre representar la autonomía vecinal y se creyó investido de la personería del pueblo, a tal punto que nunca perdió la conciencia de esta representación.

Ya vimos en el capítulo de los Comuneros cómo los cabildos de Santafé y de Tunja iniciaron la lucha contra las alcabalas por ir contra el derecho de las ciudades, encarnado en los ayuntamientos a falta de cortes, de no pagar sino los impuestos libremente consentidos, y cómo el de Vélez se opuso en 1740 a los nuevos tributos por las mismas razones. Y la revolución comunera se hizo al rededor de 66 cabildos, los cuales promovieron y representaron los reclamos del pueblo sublevado: su mismo nombre indicaba sin lugar a dudas el origen municipal y su inspiración en el levantamiento de las Comunidades castellanas.

A veces, ante situaciones económicas difíciles, los cabildos asumían posiciones directivas para el bien de la población, aun contrariando superiores órdenes. En 1765 el monopolio oficial del aguardiente provocó en el valle del Cauca una peligrosa crisis, pues el cultivo de las pequeñas parcelas de caña y la industria azucarera quedaron gravemente afectados. El cabildo de Cali, dándose cuenta "de la suma pobreza de estos pueblos, producida por el estanco y el monopolio del aguardiente," asumió la plenitud de sus fueros edilicios, y suprimió el estanco y restableció la libertad de elaboración y de consumo (32). En las Actas del Cabildo de Bogotá se pueden apreciar las medidas enérgicas tomadas varias veces por el ayuntamiento para controlar los precios de los víveres, evitar el acaparamiento hecho por los especuladores e intermediarios, y aun organizar almacenes públicos que mantuvieran un nivel de precios favorable a los consumidores.

En la evolución histórica de los cabildos, no podemos omitir un aspecto del más alto interés sociológico. Esta democrática institución, verdadero corazón del pueblo, fue el teatro en donde se incubó y se mantuvo el fermento de la lucha social entre criollos y chapetones que había de desembocar en la autonomía política. En su seno se perfilaron y definieron las tendencias raciales y sociales que alcanzaron a culminar en verdaderas pugnas —ora abiertas, ora latentes— entre los elementos nativos que aspiraban a representar exclusivamente los intereses de su región, y los españoles, anhelosos también de controlar una corporación de tanta trascendencia económica para la buena marcha de sus prósperos negocios. El pueblo, que seguía con el más vivo interés los avatares de este antagonismo, llegó a tomar parte en él, a veces con caracteres de verdadera asonada, para asumir el partido de quienes estaban más vinculados a la tierra y a sus intereses.

En 1743 se había definido abiertamente en Cali la rivalidad entre el grupo criollo de la familia Caycedo y el grupo español

---

(32) Demetrio García Vásquez, *Revaluaciones Históricas*, Tomo II, p. 318. Unos días antes de esta atrevida resolución, el Teniente de Gobernación y los Alcaldes habían recibido un amenazante memorial suscrito por varios vecinos, el cual pone de manifiesto la rebeldía del pueblo contra las medidas económicas que más le afectaban, el proceder orgulloso de los españoles y la conducta de las autoridades: "Ante V. M. parecemos y se pide por éste que el estanco de aguardiente se nos quite, y juntamente la carnicería se nos ponga a tres reales la arroba, así mesmo que los señores nativos de España se lleven bien con todos los vecinos, y así mesmo los señores jueces conserven en paz la República, viendo con lástima a los pobres, y si no lo hacen así, cuidado, pues bien saben Quito alzado, Popayán alborotado, Cartago lo mesmo, y esta ciudad será lo propio, pues es muy de razón todo lo que se pide".

encabezado por don Gaspar de Soto y Zorrilla, el cual logró imponer aquel año su hegemonía en el cabildo. El pueblo caleño se sintió herido con la derrota de la corriente criolla, y el 20 de febrero penetró en el propio recinto del ayuntamiento mientras éste sesionaba. Los acuerdos de gobierno fueron rasgados y se oyeron gritos amenazantes contra los españoles: "Mueran estos perros chapetones y vivan los señores Caycedos".

Inútil sería recalcar la gravedad de aquel acontecimiento, señal evidente de un estado de violencia en el alma popular, el cual estallaba explosivamente en épocas de acendrado respeto al Rey, a las instituciones, y a los vasallos predilectos de la Corona (33).

"La fracción de los Caycedos —decía la acusación entablada por Zorrilla— levantándose de mano armada, y de hecho pensado contra la Real Justicia, y vístose profanado el soberano respeto de la Majestad en sus Reales Ministros... escandalizada la ciudad, escalando la cárcel, sustraídos los reos de graves delitos; picada la horca con hachas y derribada en tierra...; profanados con ignominia los autos de buen gobierno que los señores jueces habían fijado...; vituperados los señores Alcaldes por los levantados, con improperios; solicitadas sus muertes con grandes instancias y acometimientos, tirando con barras a derribar las puertas del señor don Gaspar de Soto y Zorrilla, Teniente actual y Alcalde Ordinario a la sazón donde se habían refugiado para salvar sus vidas..." (34).

Se comenzaba a sentir —escribe acertadamente García Vásquez— la ebullición ciudadana de los futuros cabildos abiertos que engendraron en su propio seno los primeros anhelos de nuestra emancipación nacional. La simiente autóctona de nuestra libertad civil germinaba al calor vivificante del criollismo indohispano, cuya integración sociológica habíase operado muchísimo tiempo antes que la flamante Revolución francesa (35).

En Santa Fé fué muy sonado y comentado el litigio suscitado en 1768 entre el Alférez Real don Jorge Miguel Lozano de Peralta y el Regidor don José Groot de Vargas, natural de Sevilla. En una sesión del Cabildo Groot echó en cara a Lozano, "que tenía *mancha de la tierra*, que era enemigo de los chapetones, y que no tenía fe de bautismo", y se lanzó contra él espada en ma-

(33) Alfonso Zawadzky C., *Las Ciudades Confederadas del Valle del Cauca en 1811. Historia, Actas, Documentos*, p. 15.

(34) Alfonso Zawadzky, *Las Ciudades Confederadas*, op. cit. p. 17.

(35) Demetrio García Vásquez, *Revaluaciones Históricas*, Tomo II, p. 289.

no, habiendo tenido que intervenir los demás Regidores para calmar a los enfurecidos contrincantes.

Y los incidentes ya narrados en la semblanza ideológica de don Ignacio de Herrera, ocurridos en el Cabildo de Santa Fe en abril de 1810, los cuales revistieron inusitada gravedad y prepararon al pueblo para las futuras jornadas de julio, no son sino episodios culminantes de aquella larga pugna por el predominio político que tuvo por escenario principal el recinto de los ayuntamientos coloniales.

Los criollos, alejados sistemáticamente de los altos cargos públicos, tuvieron además en los cabildos la mejor y la única tribuna de oratoria parlamentaria, escuela de administración pública, palenque de luchas en favor del procomún, y academia política en donde conocieron y ejercieron en algún modo la representación popular. En ellos se encarnó el espíritu de justicia, a ellos acudió el pueblo en demanda de servicios públicos y de sus derechos diarios, y ellos a su vez elevaron su voz ante los altos poderes con una dignidad y una independencia que los honra ante la historia.

Del seno del cabildo de Santa Fe surgieron protestas enérgicas y actitudes valientes contra los Presidentes, Virreyes y Oidores en defensa de los derechos ciudadanos. En los larguísimos infolios de los procesos contra Nariño, su defensor Ricaurte y demás precursores del año 94, encontramos la pugna entre la corporación edilicia y las autoridades peninsulares; y los ilustres prisioneros, solitarios e inermes, en medio de su desamparo no tuvieron en su favor más que el concejo de la ciudad, que trataba de aliviar sus penalidades, protestaba contra los arbitrarios procedimientos de los jueces y elevaba enérgicas representaciones ante la Corte.

Como prueba de que nuestros cabildos no asistieron impasibles a la acción política de la Corona que tendía a menoscabar sus fueros, quedan en anteriores páginas las altivas protestas de los prohombres de la Revolución de 1810 contra el sistema de la venta de los oficios concejiles y contra las violaciones de las franquicias municipales cometidas por los virreyes. La imposición en el cabildo santafereño de seis regidores —llamados los intrusos— por Amar y Borbón, cómo encendió la ira de los criollos y cómo arrancó de su pluma elocuentes reclamos!

Hé aquí por qué los dirigentes de la Revolución pedían que los representantes a la Junta Central fueran elegidos por el pueblo, "pues —decían— los cabildos son sólo una imagen muy desfigurada porque no los ha formado el voto público, sino la herencia, la renuncia o la compra de unos oficios venales".

Empero, a pesar de esta desfiguración sufrida por la primitiva institución capitular, gracias a los caracteres democráticos que aún conservaba, cuando sonó la hora propicia, las aspiraciones revolucionarias de los ideólogos cristalizaron en el cabildo, que había sido el cauce legal de las libertades populares y que se convirtió en eje principal, en órgano jurídico y en instrumento de la Revolución.

Entonces revivió prodigiosamente algo que estaba en la entraña misma de la tradición americana: el cabildo abierto.

3. — *La institución americana del cabildo abierto.*

¿Qué era el cabildo abierto? Una institución impuesta en América por derecho consuetudinario desde los comienzos de la conquista, y reconocida por las Leyes de Indias que la mencionan, pero sin definirla expresamente. Bovadilla en su "Política para corregidores" enseña lo siguiente:

"Algún caso tan grave e importante se podría ofrecer en que conviniese, para mejor acierto, llamar algunas personas de buen celo, parecer y experiencia, de fuera del ayuntamiento, al trato y conferencia de negocios; y en tal caso no es cosa ajena de razón y de utilidad llamarlos y que den su voto y parecer, y aunque ésto se usa pocas veces, yo lo he visto y proveído alguna, de voluntad y gusto de los regidores".

Era, pues, la deliberación directa del pueblo con los cabildantes para decidir los negocios de mayor trascendencia en situaciones urgentes. Las circunstancias específicas y peculiares de la conquista habían introducido en Las Indias, —como explica muy bien Ricardo Levene— un derecho consuetudinario propio, resultado de las peculiaridades del medio, de las necesidades y codicia de los hombres, de los caracteres de una raza, de la ignorancia y abuso de las leyes (36). El mismo historiador argentino advierte que en Buenos Aires tuvo lugar varias veces el cabildo abierto, al ser convocado el vecindario para la consulta de graves negocios económicos y políticos.

En la Recopilación de Leyes de Indias de 1680 que dio fuerza legal a tantas costumbres introducidas por los conquistadores, se hace expresa mención del cabildo abierto como de una institución suficientemente conocida y practicada. La ley 22 del Título 11 del Libro 4, reza así:

---

(36) Ricardo Levene, *Ensayo Historial sobre la Revolución de Mayo y Mariano Moreno*, p. 258.

"Que la elección de Procuradores sea por votos de los Regidores y no por Cabildo abierto. Permitimos que la elección de Procurador de la Ciudad se haga solamente por votos de los Regidores, como se practica en los demás oficios anales, y no por Cabildo abierto". Como fuente se cita la Real Cédula de don Felipe IV de 23 de noviembre de 1623.

Esta disposición prohibitiva indica que en varios lugares se había establecido la práctica democrática de la elección del Procurador —representante inmediato del pueblo— por medio de un cabildo abierto en el cual la intervención de los vecinos era más directa. Costumbre que fue reprobada por el monarca aludido, continuador de la política absolutista que tendía cada vez más a recortar los derechos del pueblo.

Según el erudito historiador colombiano don Eduardo Posada nuestros cronistas no registran la celebración de un cabildo abierto, "y si acaso hubo alguno, su constancia estaría en el archivo municipal. Quemado éste, desapareció aquí todo recuerdo, y sólo quizás podrá existir en algún viejo legajo del archivo de Indias" (37).

Esta observación es apenas parcialmente verdadera, pues Castellanos y Simón relatan en sus obras la celebración de cabildo abierto; pero recientes documentos del Archivo de Indias confirman las sospechas del meritorio investigador de nuestro pasado histórico.

Efectivamente, relata fray Pedro Simón cómo Gonzalo Suárez Rendón fué elegido gobernador de Tunja en 1541 "en cabildo abierto a voz de todos" (38).

Juan de Castellanos es más explícito al relatarnos las apremiantes circunstancias en que se celebró un cabildo abierto, dándonos a la vez una definición muy exacta de la institución. En 1571 la Gobernación de Santa Marta hallábase complicada en la pacificación de los indios de Bonda cuando

"*A los de Santa Marta vino nueva*
Cómo venían naves de franceses,
De que se recibió grande congoja
Considerada su defensa floja".

---

(37) Eduardo Posada, *Apostillas*, p. 258.
(38) Fray Pedro Simón, *Noticias Historiales de las Conquistas de Tierra Firme en las Indias Occidentales* (Bogotá, 1953), III, p. 127.

En tan afanosa coyuntura se pensó en la consulta general para arbitrar los mejores recursos en la defensa, y además interesarlos a todos en el común empeño:

> *"Y para dar el orden y concierto*
> *a semejante trance conviniente,*
> cabildo se mandó hacer abierto,
> *a donde se juntó toda la gente*
> *de los que residían en el puerto,*
> *do diga cada uno lo que siente:*
> *y del seso común de la consulta*
> *es esta la sentencia que resulta:"* (39).

De la reciente publicación de documentos inéditos, sacados del Archivo de Indias, resulta la frecuencia con que los conquistadores apelaron a este recurso extraordinario.

Fray Tomás Ortiz en su calidad de Protector de indios escribió al Rey una larga epístola fechada en Santa Marta el 21 de enero de 1531, en la cual le da minuciosa cuenta del proceder del Gobernador García de Lerma y de los españoles en relación con los indios. Se queja de la crueldad de aquél y de su conducta que no admitía consejos ni del Protector, ni de los conquistadores. Después de una dolorosa derrota que le fue propinada por los indios, realizó un cabildo abierto, pero al cual le quiso imponer su voluntad:

"Y por enmendar el aviso del yerro en que había caído, cayó en otro mayor de esta manera: que estando en la cama de ciertas picadurillas que los indios le hicieron, hizo juntar la principal gente de la ciudad para les pedir parecer de palabra y no de obra, como suele él, en lo que se debía hacer para el castigo de aquel pueblo. Después que todos se juntaron, al tiempo que les pedía parecer, pasó un papel de lo que él tenía acordado y leyóle en público, y como todos conocían su condición, ninguno le osó contradecir porque sabían que era excusado. Todos aprobaron con él que fue volviesen a la carnicería, y la gente salida iban de tan mala gana y con tanto miedo, lo que antes no solían tener, que los que en Santa Marta estaban eran como leones sin ningún temor..." (40).

En Cartagena tuvo lugar la celebración de un cabildo abierto con todas las solemnidades del caso, y con óptimos resultados.

---

(39) Juan de Castellanos, *Elegías de Varones Ilustres de Indias*, Tomo II, p. 568 (Bogotá, 1955).

(40) Juan Friede, *Documentos...* II, p. 177-188, Doc. N. 262.

La sesión está relatada con tan minuciosos detalles que nos ahorran todo comentario:

"En la ciudad de Cartagena, veinte tres días del mes de noviembre de mil y quinientos y treinta y cinco años, estando en el cabildo y ayuntamiento de esta ciudad, según lo han de uso y de costumbre, conviene a saber, el muy magnífico Pedro de Heredia, gobernador en esta provincia, el muy noble señor bachiller Pedro Maldonado, teniente de gobernador, y los señores Alonso Méndez y Alonso de Begines, alcaldes, y Rodrigo Durán, contador, y Juan Velásquez, veedor, tesorero público de S. M., fue por ellos *platicado y por todos acordado* que se *llamase al procurador de San Sebastián de Buenavista y a todos los vecinos y moradores estantes y habitantes en esta dicha ciudad de Cartagena a campana repicada,* y llamados, según dicho es, vino al dicho cabildo el dicho procurador de San Sebastián, y el procurador de esta dicha ciudad y todos los más vecinos y moradores y estantes y habitantes en esta dicha ciudad, y estando congregados en el dicho ayuntamiento, el dicho señor gobernador propuso y dijo a todo el dicho ayuntamiento y vecinos de esta ciudad..."

El problema consistía en que la Real Audiencia de Santo Domingo había enviado un Juez de residencia para juzgar a Heredia sobre los problemas de Urabá, pero la nave naufragó frente al río Magdalena, y el Juez se ahogó. Heredia advierte que no puede dirigir la expedición descubridora que se proyectaba, porque en obedecimiento al Rey y en guarda de sus derechos, debía ir a Santo Domingo a pedir un Juez. La *entrada* a Urabá se había preparado para un mes después, y era tenida por todos como indispensable, a tal punto que de no llevarse a cabo "la dicha tierra queda perdida y despoblada de los vecinos y conquistadores de ella e irán perdidos y las rentas de S. M. vendrán en disminución". Así lo argumentaron "los dichos señores justicia y regimiento, los cuales, en la mejor vía y forma que podían y de derecho debían, pedían al dicho señor gobernador que siga y haga la dicha entrada por su persona, y envíe al dicho su hermano a la ciudad de San Sebastián de Buena Vista a donde tiene su ejército que está listo para la dicha entrada... etc."

El Cabildo requiere, pues, a don Pedro de Heredia para que deje sus escrúpulos y se ponga al frente de la campaña, y le promete que escribirá al Rey exponiéndole la necesidad de semejante conducta. Más aún, el Cabildo lo apremió en tal forma que, "si su señoría lo contrario hiciere, protestó el dicho cabildo y justicia y el dicho Alonso de Montalbán, en nombre de la dicha ciudad, de se quejar a S. M. y de cobrar de su hacienda cien mil castellanos".

La respuesta de Heredia fue a pesar de todo negativa, pues "él no puede salir de esta ciudad hasta que Su Majestad le envíe a pedir cuenta, como ahora vino a su noticia que enviaba, que en esta gobernación habrá personas que lo hagan...; y esto dijo que daba y dio por respuesta, no consintiendo en sus protestaciones ni en alguna de ellas, y si testimonio quisieren alzar, no les sea dado con esta su respuesta..."

Los cabildantes no se dan por vencidos: renuevan sus protestaciones y requerimientos, insisten en sus razones, hasta que Heredia "dijo que lo oía y que responderá en su término".

Tres días después, el 26 de noviembre, se reunió nuevamente el Cabildo en sesión ordinaria para escuchar el resultado de la comisión confiada al contador Rodrigo Durán y Alonso de Montalbán, en el sentido de que convencieran al gobernador de la legitimidad y necesidad de la empresa. Estos "fueron y venidos dijeron que el dicho señor gobernador les respondió que él estaba presto de hacer aquello que al dicho regimiento les pareciere en servicio de Su Majestad y utilidad de la tierra".

Que don Pedro de Heredia no quería sino tener el respaldo y la autoridad del Cabildo para realizar lo que él tenía proyectado, a pesar de sus protestas, lo prueba el final del Acta. Los comisionados propusieron en nombre del Cabildo el plan de operaciones, consistente en que el mismo Heredia fuese a la provincia de Urabá a pacificarla y su hermano don Alonso pasase al Pueblo Grande y al Cenú; y dijeron "que les respondió que él será contento y le parecía que será muy bien acordado, y que él así lo tenía pensado de hacer" (41).

El Cabildo cumplió lo acordado de referir al Rey las razones de la campaña emprendida por Heredia a pesar de quedar pendiente el juicio de residencia, y el mismo día 26 de noviembre escribió una larga epístola en la cual se hace una minuciosa relación de las resoluciones tomadas en la asamblea "por el dicho cabildo y por todos los vecinos de esta ciudad que se juntaron a campana tañida..." (42).

Al año siguiente se complica la situación en Urabá debido a las incursiones hechas por Julián Gutiérrez, el cual procedía por encargo de Barrionuevo, gobernador de Panamá, Nombre de Dios y Acla. Cartagena envió dos procuradores a la villa de Acla a hacer requerimiento a los invasores para que no hubiese guerra entre los españoles, "sino que fuesen dos personas, un

---

(41) Juan Friede, *Documentos Inéditos para la Historia de Colombia*, III, p. 335-340, Doc. Nº 772.

(42) Juan Friede, *Documentos*, IV, p. 11-15, Doc. N. 774.

procurador por esta provincia y otro por el dicho Barrionuevo a seguir su justicia a la Real Audiencia". En esta ocasión se llevó a efecto un nuevo cabildo abierto en la villa de Acla:

"Y para ello fuimos nombrados el contador y el veedor, y fuimos en un barco de Acla, y no se halló al dicho Julián Gutiérrez salvo la gente, y se hicieron las diligencias con el cabildo y con ellos: y con tiempos contrarios de brisas no pudimos ir al Nombre de Dios, y volvimos a esta ciudad..." (43).

En 1536 se realiza nuevamente en Cartagena un cabildo abierto precedido de una asamblea popular durante la gobernación del Juez de residencia Juan de Santa Cruz.

La primera reunión tuvo por objeto la entrada a la tierra de Urute:

"En dos días del mes de diciembre del dicho año de mil y quinientos y treinta y ocho años, el magnífico señor licenciado Juan de Santa Cruz, dijo que visto lo que todos los que en esta ciudad estaban, gente de guerra, le dijeron que era cosa muy provechosa la ida de Urute para el servicio de Su Majestad y para el bien de esta provincia, por tener mejor *acuerdo en lo que se debiese hacer, un domingo después de misa hizo juntar toda la gente del pueblo y lo comunicó con todos* y de más de esta información particular *les pidió parecer a todos*, y muy muchos le vinieron a decir que en todo caso debía de hacer esta entrada de Urute. Y viendo esto nombró por capitán a Luis Bernal..." (44).

Estando ya todo preparado para la expedición, llegó un barco de Urabá con las noticias de los apuros en que se hallaba el licenciado Vadillo, el cual pedía pronto socorro. Ante estas circunstancias, Santa Cruz convocó un cabildo abierto integrado por Pedro de Heredia, los alcaldes, el alguacil, el tesorero, y los capitanes principales. "Les hizo un razonamiento de palabra, dándoles cuenta de todo lo susodicho y de otras cosas, y les pidió le den su parecer en todo lo susodicho, de lo que más convenga al servicio de Dios y de Su Majestad y bien de la república. Y oído lo que les dijo, platicaron mucho en ello y pusieron muchos inconvenientes en lo uno y en lo otro y visto por ellos, cada uno dió el parecer siguiente..."

Seguramente a medida que se vayan publicando los documentos referentes a la conquista y pacificación de nuestro territorio, se pondrá en evidencia cómo el cabildo abierto fue una institución viva y actuante entre nosotros. Los hechos hasta aquí relatados ya lo revelan con suficiente elocuencia.

---

(43) Juan Friede, *Documentos*, IV, p. 93, Doc. N. 847.

(44) Juan Friede, *Documentos*... V, p. 52-55, Doc. N. 1163.

Lo cierto es que esta vieja institución surge nuevamente al cabo de los siglos al conjuro de una voz patricia en la misma Cartagena primero, luego en el Socorro y finalmente en Santa Fé el 20 de Julio, para convocar al pueblo a reasumir sus derechos originarios. Y esa voz convocatoria se escucha en las demás ciudades del país que ve cerrar el círculo de la revolución en el recinto democrático de los ayuntamientos.

4. — *El Cabildo abierto en el movimiento revolucionario de Cartagena de 1810.*

A Cartagena llegó el 8 de mayo de 1810 el Comisionado Regio don Antonio Villavicencio, quien se enteró de que ya desde abril se había proyectado la constitución de una Junta de Gobierno. El primer paso que dio el diligente político fue dirigirse al ayuntamiento en solicitud del reconocimiento y jura del Consejo de Regencia.

El 12 de mayo se celebró Cabildo extraordinario, con la presencia pedida expresamente por el regidor José María Castillo y Rada, y de los dos Alcaldes Ordinarios. El primero de éstos, don José María García de Toledo, tuvo una habilísima intervención oratoria en la cual expuso los pasos que había dado para la celebración de un cabildo extraordinario "en donde al mismo tiempo se tratase sobre el establecimiento de la Junta Superior de Gobierno, cuyos motivos de conveniencia y de necesidad se trataron en el cabildo celebrado el doce del pasado, exhibiendo al efecto al señor Gobernador el Manifiesto del establecimiento de la de Cádiz, a fin de persuadirlo, porque *este Cuerpo, establecido legalmente y por los sufragios del público, era el más competente para entender y deliberar en las ocurrencias del día...*"

Negándose astutamente al reconocimiento del Consejo de Regencia mientras no se proclamara la Junta de Gobierno, termina proponiendo que "para que este Ilustre Cabildo obre con la circunspección que le es característica, se trate ante todas cosas en *Cabildo abierto*, así sobre la deseada Junta como sobre el reconocimiento del Supremo Consejo de Regencia, para que de un modo más solemne se conozca la voluntad del pueblo y se acredite la inviolable lealtad de las clases que lo componen, que si han pretendido la Junta no es para deprimir a ninguna autoridad, sino uniformarse en todo con los sentimientos de nuestros hermanos los españoles..."

El otro Alcalde don Miguel Díaz Granados se mostró en todo acorde con el parecer de su colega, e insistió en la necesidad de proclamar la Junta de Gobierno como requisito indispensable para la jura del Consejo de Regencia. En idéntico sentido se pronunciaron los Regidores Castillo y Rada, Gutiérrez de Piñeres y don Juan Salvador Narváez, el cual llegó a proponer que se hiciera la citación del Cabildo abierto para el lunes siguiente. Los cabildantes Tomás Andrés de Torres, José Antonio Amador y Manuel Antonio de Vega fueron partidarios del reconocimiento del gobierno español en esa misma sesión, dejando para un próximo *Cabildo pleno* la proclamación de la Junta de Gobierno, a ejemplo de la de Cádiz.

Los señores que pidieron el Cabildo abierto —termina el acta de aquella memorable sesión— expusieron que se conforman con el extraordinario pleno que preceda a aquél, y se verifique el miércoles diez y seis del corriente, llamándose para su celebración a los señores Regidores ausentes... (45).

De este interesantísimo relato se deduce la diversa postura de los Regidores pertenecientes a las dos corrientes políticas, la criolla y la española, y cómo los patriotas lanzan la idea del Cabildo abierto con el fin de apoyarse en la fuerza popular en sus propósitos de formación de un gobierno autónomo. Ante la resistencia de los realistas, cedieron hábilmente, contentándose con Cabildo extraordinario pleno, a sabiendas de que los acontecimientos serían incontenibles.

El Regidor don Tomás Andrés de Torres propuso que el Síndico Procurador, doctor Antonio José de Ayos, "haciendo un esfuerzo con su notorio celo, presentase sus pensamientos e ideas, que puedan servir de regla al Cabildo", lo cual fue aprobado.

El Procurador, consciente de sus responsabilidades como representante del pueblo, procedió a dar su voto en un escrito de gran importancia política y de notable valor jurídico, conceptuoso y valiente, aunque redactado en estilo pesado, farragoso y oscuro (46).

Después de relatar la peligrosa situación en que se hallaba la península ante el avance victorioso de las tropas de Napoleón,

---

(45) Manuel Ezequiel Corrales, *Documentos para la Historia de la Provincia de Cartagena de Indias*, Tomo I, páginas 53 a 63.

(46) Este importantísimo documento había permanecido hasta ahora inédito en el Archivo Histórico de Antioquia, a cuyo Cabildo fue enviado por el de Cartagena, la cual lo perdió cuando el gobernador español don Gabriel de Torres se llevó en 1821 todos los archivos existentes en la ciudad. Fue presentado al III Congreso Hispanoamericano de Historia celebrado en Cartagena en noviembre de 1961, y su Presidente, don Gabriel Porras Troconis ha prometido insertarlo en su totalidad en uno de los volúmenes dedicados a recoger los trabajos del Congreso. En un artículo publicado en *El Tiempo* de Bogotá, en 1962, el referido historiador se adelantó a darnos un resumen del Informe del doctor Ayos, del cual cita varios párrafos suficientes para que podamos apreciar su valor.

la cual se reflejaba en las colonias americanas, reclama "medidas activas y eficaces, bastantes a prevenir los furores del desorden y de la anarquía", y que "obrando de acuerdo los gobernantes y los gobernados, se depongan el interés personal, el orgullo y la ambición de mandar, por el sagrado amor a la patria, entendiéndose que este bien solo puede consistir en la elección y establecimiento de las reglas más adecuadas a formar el orden y concierto que hayan de mantener a las posesiones en la más perfecta tranquilidad, unión y seguridad".

Luego se refiere a las circunstancias específicas de Cartagena, desprovista de defensa por la incuria del Gobernador Montes, y proclama la necesidad de la unión patriótica, advirtiendo que "todos deben pensar y deliberar sobre tan importante asunto... y se desprendan de las engañosas afecciones del amor propio, se separen de todo pensamiento de ambición... y en caso renunciar a sus presentes funciones en los casos y en los modos que lo pidan el bien de la patria, en que consiste la suprema ley y está fundado el soberano poder".

Al exigir nuevas leyes para las nuevas circunstancias, el abogado trae esta máxima jurídica que por sí sola contiene ya un poder explosivo: "Las leyes, como obra de los hombres, por santas que hayan sido al tiempo de su formación, no pueden ser eternamente justas, y por su misma naturaleza están expuestas a caducar y perder su vigor y el derecho de ser ejecutadas".

Se hace eco de todas las voces españolas y americanas que lamentaban los infinitos males de la política española: "En la América, distintamente sobre el terrible de su antigua constitución rigurosamente colonial, subsisten hasta ahora casi todas las leyes aflictivas del desgobierno de los últimos veinte años, sin que hayamos experimentado alguno de los beneficios que se nos ofrecieron con la nueva constitución; pues también han subsistido y casi subsisten los principales ejecutores de las mismas leyes, o muchas veces sus voluntades e intolerables caprichos; insinuación que no es el Síndico quien se toma la libertad de proponer, sino que ha salido a una voz en el grito de los americanos por toda la tierra, que han reconocido y publicado por justo nuestros hermanos europeos, y que han calificado abierta y solemnemente todas las autoridades supremas establecidas en España, incluso el Consejo de Regencia..." Muy fácil le quedó comprobar tales asertos con la cita minuciosa de las proclamas provenientes del Gobierno español.

El ejemplo que para nosotros se seguía de la revolución española y el fundamento legal que aquí teníamos para proceder a semejanza del pueblo de Cádiz, son puestos de relieve por Ayos en un párrafo de extraordinario vigor dialéctico:

"Nosotros tenemos en las Américas por nuestras leyes constitucionales más terminantes, conocidas en nuestros cabildos, cuantas facultades podrían considerarse semejantes al de Cádiz... pues por la Ley II, Título 7º, Libro IV de las municipales, está prevenido que los corregidores, juntamente con los regimientos, tengan la administración de la república, y si esta ley ha sido de las que tres siglos de desgobierno han alterado, es también la primera que la nación a una voz ha resucitado, y puesto por cimiento de su regeneración, proclamando y sancionando los derechos del pueblo a intervenir eficazmente en su gobierno, de que es uno de los mejores documentos la real orden de 30 de julio de 1809. Contra esto no puede decirse que las Américas no se han hallado en el caso en que estuvieron los pueblos de España y últimamente el cabildo de Cádiz por la cercanía de los enemigos. Lo uno, porque no es conforme a las reglas de la prudencia esperar tan próximo el mal para precaverlo, pues de lo contrario nos expondremos a las mismas consecuencias por donde España se halla en el día al borde de su ruina, y lo otro, porque la misma experiencia nos ha manifestado los males que hemos sufrido, ya por esta lentitud en los medios de asegurar nuestra tranquilidad, felicidad y seguridad, de que son funestos ejemplos los sucesos de las provincias de Quito, la ciudad o provincia de La Paz, la de Caracas, y las convulsiones que se han dado en otras partes, que cada vez pueden ser más generales y terribles, si no se tratan de precaver inmediatamente, haciéndose que los pueblos gocen y saboreen de los bienes que no se les presentan más que en ofrecimientos, diseños y esperanzas".

El Síndico Procurador expone al Cabildo estas consideraciones, "persuadido de la consternación que padece el pueblo, cuyos derechos tiene a su cargo, de que existen grandes peligros en no preparar un pronto, oportuno y suave remedio por las agitaciones en que se hallan los espíritus, a virtud de los males y temores indicados, creyendo que estas agitaciones llegan a tal estado de fermentación que pueden tener un cercano rompimiento..."

Toda esta agitación de los espíritus la hace derivar el informante del temor a la influencia francesa en tierras de América y del estado miserable del pueblo causado por la mala administración: "Debe también declarar (el Síndico) hallarse en la firme inteligencia de que todas estas sensaciones dependen principalmente en este pueblo, del estado de abatimiento y miseria bajo el que gimen sus habitantes, provenido tanto de las leyes arbitrarias ya insinuadas, como de otros abusos cometidos a su razón de no ver cercano el término de estas calamidades y de considerar que en tal conflicto están expuestos a ser víctimas de la tiranía francesa, sin que para tales angustias concurra de modo alguno ninguna especie de desafección entre los españoles europeos y americanos, cuya totalidad, asegura el Síndico, está poseída de los más íntimos sentimientos de hermandad y resignación en sacrificarse por la gloriosa defensa de nuestra causa y sostener los principios justos de la constitución que la nación ha resuelto establecerse".

Como había personas interesadas en sembrar la desconfianza del pueblo en sus dirigentes, desprestigiando su autoridad, el Síndico juzga necesario salir a la defensa de los cabildantes, dedicados "a servir a su patria con sacrificio de sus comodidades y de los arbitrios de su subsistencia, con la generosidad característica de sus ministerios, y sin el estímulo de los sueldos, salarios y demás clases de aprovechamientos cuyo logro hace declinar muchas veces a los hombres de la pureza e integridad a que más especialmente los obligan sus deberes al rey y a la patria..."

Propone luego una especie de programa, reducido a la elección de una Junta integrada por diez y ocho personas, presidida por el gobernador y dividida en secciones para el despacho de las diversas tareas del gobierno. El punto octavo coincide con las ideas reformistas de José Ignacio de Pombo en materias económicas, tendientes a elevar el nivel de vida del pueblo:

"Una de las más efectivas atenciones a que ha de consagrar la Junta todos sus desvelos, y aun la más principal, es la de dar a la agricultura, la industria y el comercio de esta provincia, un reglamento provisional que contribuya a sus esenciales objetos, los modos de verificar la subsistencia de los habitantes y los vecinos, de que tanto necesita la plaza para el mantenimiento de las tropas de su guarnición y las obras de su defensa, teniendo para ello en consideración la Junta el estado en que se halla la península, casi de absoluta impotencia de concurrir con su comercio a tan grave y suprema atención, y, finalmente, lo que perjudica a los mismos objetos, los crecidos derechos que sobre ellos hay establecidos, para que no se inutilicen por la vía del contrabando los ingresos de la real hacienda, y para que nuestros frutos puedan tener salida y nuestros mantenimientos las entradas que le son tan necesarias".

No se verificó el cabildo proyectado para el 16 de mayo, y el Gobernador Montes, renuente a perder su autoridad con la nueva Junta de Gobierno, procedió a jurar el Consejo de Regencia a espaldas y con menosprecio del Ayuntamiento, "que es el que primero debe hacerlo, como que es quien representa todas las clases del pueblo", según la protesta elevada ante el Gobernador por los Alcaldes ordinarios.

Pero en cambio, el 22 de mayo se dio por el Cabildo el paso más avanzado hacia la revolución al aprobar el Acuerdo en virtud del cual mientras se podía organizar la Junta Superior, se entraría a dar puntual observancia a la Ley 2ª, Título 7, Libro IV de la Recopilación, citada precisamente en el Informe de Ayos, la cual atribuía la administración de la república a los gobernantes en unión de los ayuntamientos. Todos procedieron a jurar el cumplimiento de "esta nueva forma de gobierno acomodada en cuanto es posible a la necesidad y a las leyes".

Muy significativa es la forma como los Regidores relatan el histórico Acuerdo, tomado en plena conformidad con el voto del Síndico Procurador:

"El M. I. Cabildo de esta ciudad, a instancia y expreso pedimento del Síndico Procurador General, Personero del Común, teniendo presente y habiendo meditado detenida y profundamente cuanto le ha expuesto en razón de las causas, razones y saludables fines que convencen la necesidad indispensable de establecer en esta plaza una Junta Superior de Gobierno, por el modelo que propone la de Cádiz... ha determinado que mientras se pueda organizar dicho establecimiento, supla interinamente por él la rigurosa y puntual observancia de la Ley 2ª, Título 7º, Libro IV de Indias..." (47).

En la sesión histórica del 14 de junio el Cabildo consumó el movimiento al deponer finalmente al Gobernador Montes de la parte del mando civil y militar que se le había dejado, en vista de graves razones de orden público, y después de haberse asegurado el apoyo o neutralidad de las fuerzas armadas. Luego siguió tomando medidas para preservar la tranquilidad social en edictos y acuerdos en los cuales se trasparenta la perfecta identidad de intereses entre el cuerpo político y el pueblo por él representado.

Esta actitud del Cabildo de Cartagena, estimulada por los patriotas de Santa Fé que habían enviado como elemento de enlace al doctor Castillo y Rada, y que coloca a la ciudad heroica a la vanguardia de la transformación política de la Nueva Granada, dejaba ya despejado el camino para el golpe de Estado definitivo de la capital del Reino. La conducta de los caudillos de Santa Fé era calificada por un escritor anónimo cartagenero, testigo de los acontecimientos, de prudentísima, "pues no hay duda de que si se hubiesen adelantado a cualquiera innovación política, el Virrey quedaba seguro en su retirada, y en aptitud de re-

_____

(47) Manuel Ezequiel Corrales, *Documentos*... Tomo I, p. 70.

gresar reforzado, o en cualquier otro acontecimiento siempre el Gobernador de Cartagena hubiera hecho marchar fuerzas de la plaza a restablecer el gobierno de la capital" (48).

5. — *Motín de Pamplona y destitución del Gobernador.*

Frustrado el movimiento popular dirigido por el Cabildo de Mompox para el reconocimiento del nuevo gobierno de Cartagena, por la acción enérgica del jefe militar Talledo, el 4 de julio se llevó a cabo el pronunciamiento de la ciudad de Pamplona contra el Gobernador español don Juan Bastús y Falla, el mismo oscuro, inepto y arbitrario gobernante que había reemplazado a don Joaquín Camacho. El pueblo amotinado lo destituyó y depositó el gobierno en una Junta integrada por el Cabildo y por algunos ciudadanos, nombrados Diputados.

El Acta que se hizo el 31 de julio dice que "habiéndose reunido en *Cabildo abierto* los señores... individuos del ilustre Cabildo de esta ciudad, que por la deposición del Corregidor don Juan Bastús, había reasumido la autoridad provincial, los Reverendos Prelados de los Conventos, el venerable Clero, los Jefes y demás oficiales de las milicias que se acaba de establecer en esta plaza y todo el pueblo, a efecto de tratar del importante objeto de la salvación de la Patria...", designó la Junta Provincial, quedando encargado de la presidencia el Vicario eclesiástico doctor Domingo Tomás de Burgos y de la secretaría el doctor Francisco Soto, abogado de la Real Audiencia. El pueblo prestó el juramento de obediencia a la Junta durante la misma sesión, y el Acta se hizo circular por todos los Cabildos de la Provincia.

El mismo doctor Francisco Soto, junto con los miembros de la Junta Provincial, en comunicación firmada el 2 de agosto, explican que los temores de ser acometidos a un mismo tiempo por los Gobernadores de Tunja, Socorro y Maracaibo contuvieron al pueblo de Pamplona en la noche del 4 de julio y le impidieron erigir la Junta Provincial que apetecía. Aconsejados por la prudencia, continuaron buscando el apoyo de los Cabildos y lugares de la Provincia, cuando "se tuvo la lisonjera noticia de los acontecimientos de la inmortal villa del Socorro; y éste fue uno de los primeros apoyos con que ya se prevenía para resistir a toda agresión extraña y acometer en caso necesario a los enemigos de la libertad americana".

---

(48) J. D. Monsalve, *Antonio de Villavicencio y la Revolución de Independencia,* Tomo I, p. 119. Gabriel Porras Troconis, *Documental concerniente a los antecedentes de la Declaración de la Independencia absoluta de la Provincia de Cartagena de Indias,* p. 32.

Ya se había reunido el pueblo con el Cabildo el 31 de julio, cuando "se recibió el expreso que nos participó las novedades ocurridas en la capital de Santafé. Entonces sin oposición, sin violencia, reunido un innumerable concurso de gentes de todas clases y condiciones se instaló a presencia de la respetable imagen de nuestro Legítimo Soberano, dicho Supremo Congreso".

6. — Pronunciamiento del Cabildo de Cali.

El día anterior al motín de Pamplona, el 3 de julio, ocurrió el pronunciamiento del Cabildo de Cali en forma más pacífica porque no iba contra determinado gobernante aborrecido por sus procedimientos arbitrarios, sino contra el régimen colonial español.

El Acta de la sesión del Ayuntamiento que ha desaparecido, fue enviada a Santa Fé, y de ella hemos tenido noticia por haberse descubierto en el archivo de Cartago la respuesta del Vice-Presidente doctor Pey, firmada el 6 de agosto. Decía así la nota:

"La Junta Suprema de Gobierno de este Reino que ha recibido el Acta de Usía de 3 de julio, cuando ya se había instalado este centro de la común unión, que era uno de los más vivos deseos de ese ilustre Ayuntamiento, ha tenido la complacencia de ver en ella tan perfecta unanimidad de sentimientos con los de esta capital. Cali tendrá el honor de decir en la posteridad, que se anticipó a manifestarlos, y correr los riesgos a que la exponía su declaración, y la capital que ha contado en el número de sus atletas más vigorosos en la terrible lucha que ha tenido que sostener, a un hijo de esa ilustre ciudad, registrará en las primeras líneas de sus fastos el suelo que lo supo producir..." (49).

Del tenor de esta respuesta resulta que el Acta del Cabildo debía estar redactada en forma clara y precisa. El justo elogio que se hace del doctor Ignacio de Herrera, indica, además de su nutrida correspondencia con el doctor Vallecilla, que Herrera fue el elemento de enlace entre los dirigentes de Santa Fé y los de su ciudad natal, así como para Pamplona habían actuado los doctores Camacho y Gutiérrez de Caviedes.

Además, el 13 de julio el mismo Cabildo de Cali, presidido por el ilustre prócer doctor Joaquín Caycedo y Cuero, se dirigió al Comisionado Regio Villavicencio, remitiéndole igualmente el Acta del 3. En el documento se habla del clamor de todo el Reino en favor "del establecimiento de Juntas, a semejanza de las que se erigieron en las Provincias de España, y últimamente en la

---

(49) Alfonso Zawadzky, *Las Ciudades Confederadas del Valle del Cauca*, o. c., p. 25.

ciudad de Cádiz cuando lo exigió la más imperiosa necesidad por haber ocupado los enemigos el reino de Andalucía". En consecuencia con estas ideas, "este Ilustre Cabildo a pesar de existir en un punto distante y arrinconado ha creído que, sin faltar a las esenciales y delicadas obligaciones de su instituto, *no podía ni debía prescindir de las modificaciones que manifiesta el Acta* que en testimonio acompaña a Vuestra Señoría..." Y termina el oficio de los Cabildantes caleños con los votos por la formación en Santa Fé de una Junta Suprema, "pensamiento conforme a las ideas de los españoles en la Península y que aquí se ha mirado como arriesgado, haciendo no poca injuria a la fidelidad acendrada de los americanos y a la representación nacional", y dando la seguridad de que en su acuerdo no se ha propuesto "otro objeto que el de conservar la pureza de nuestra sagrada religión, la fidelidad debida a nuestro desgraciado Fernando y la seguridad y tranquilidad de la patria, que a poca vigilancia podemos libertar de las garras del monstruo que quiere hacerse señor de toda la tierra" (50).

7. — *La Revolución del Socorro y el Cabildo abierto.*

No podía quedar ausente de ese anillo revolucionario que iba envolviendo en sincronizados movimientos a la capital del virreinato, la ciudad de los Comuneros. El ardimiento de sus ánimos templados en la lucha, y la circunstancia de un gobernante arbitrario y belicoso, necesariamente desembocaban en conflictos armados que una vez más templaron el valor de los socorranos. Y al merecimiento de su heroísmo en la lucha se agrega el de la doctrina, pues el Cabildo hizo alarde, tal como en el caso de la *Instrucción al Diputado del Reino,* de un acervo ideológico digno de verdadero aprecio.

Estoy seguro —escribía Acevedo y Gómez el 29 de junio a Villavicencio— de que aquella provincia sólo aspira a que se la quite el odioso Corregidor que la manda, don José Valdés, hechura muy antigua de Godoy, y que se apareció aquí después de la Revolución de España a despojar al propietario doctor don José Joaquín Camacho, hijo benemérito de la Patria, y tan distinguido por su virtud y literatura (51).

Los valientes socorranos estaban apoyados desde la capital del Reino en sus propósitos revolucionarios por sus compatriotas Rosillo, Azuero, Benítez, Luis Caicedo, Acevedo y Gómez, Fran-

---

(50) J. D. Monsalve, *Antonio de Villavicencio y la Revolución,* T. I, p. 361.

(51) J. D. Monsalve, *Antonio de Villavicencio y la Revolución,* T. I, p. 138.

cisco Javier Gómez (alias Panela). Con el propósito de sofocar todo conato levantisco fue nombrado Corregidor el Licenciado don José Valdés, hombre enérgico y valeroso, el cual empezó por dictar providencias de vigilancia y represión contra los más connotados patricios. Muy pronto se estableció una abierta pugna entre el Gobernador y el Cabildo, el cual pasó de las simples notas de protesta y representaciones al Virrey, a medidas defensivas de manifiesta beligerancia. Los Cabildantes organizaron una resistencia desigual, oponiendo a las tropas dispuestas a hacer fuego, la concentración de numeroso pueblo, presidido por ellos y resuelto a hacerse matar. El 9 de julio por la noche perdieron la vida ocho hombres de entre las turbas que iban armados de sólo piedras. Todo el resto de la noche —escribieron los Cabildantes en el célebre Memorial al Virrey— pasamos en vela aguardando en la plaza a que el Corregidor nos acometiese con su gente; y al amanecer del día 10 salió precipitadamente con la tropa y se retiró al Convento de Padres Capuchinos, donde se les abrieron las puertas fijando en la Torre banderas de guerra, a que correspondieron los Alcaldes con igual ceremonia y entonces les pusimos sitio formal quitándoles el agua y demás (52).

La muerte de dos paisanos por los disparos hechos desde el convento enfureció al pueblo que se aprestó a tomarlo por asalto, a no ser por la mediación de los Alcaldes que intimaron rendición a los sitiados, dándoles seguridad de sus vidas. La muchedumbre de los asaltantes llegaba a la increíble cantidad de ocho mil personas. Los Jefes militares se rindieron a discreción a los dirigentes del pueblo que los trasladaron a la Administración de Aguardiente a los gritos de: *"Viva la Religión, viva Fernando VII, viva la justa causa de la Nación"*. Víctores que guardan perfecta semejanza con los del Movimiento comunero. El Corregidor debió ser conducido, para poder preservar su vida, a una de las piezas del mismo ayuntamiento, en un noble gesto de aquellos patricios que habían sido vejados y amenazados en sus vidas y haciendas por el mismo que ahora recibía su protección.

---

(52) Horacio Rodríguez Plata, *Andrés María Rosillo y Meruelo*, Memorial del Cabildo al Virrey, firmado el 16 de julio de 1810 por los siguientes miembros del Ayuntamiento: José Lorenzo Plata, Juan Francisco Ardila, Marcelo José Ramírez y González, Ignacio Magno, Joaquín de Vargas, Isidoro Josef Estévez, Pedro Ignacio Fernández, Josef Ignacio Plata, Miguel Tadeo Gómez, Ignacio Carrizosa, Acisclo Josef Martín Moreno, Francisco Javier Bonafort. Estos fueron los mismos que firmaron el Acta de la Revolución del 11 de Julio. Véase libro citado, páginas 167-179.

Idéntica conducta de humanidad hemos registrado en Santa Fé por parte de los dirigentes que ahogaron todo sentimiento de venganza personal ante la necesidad de mantener el orden público y procurar el bien común de la nueva patria. Observaban los del Socorro que les había sido imposible superar la despótica dominación de las autoridades peninsulares "con el cariño, con la sumisión, ni con el enlace de los matrimonios ni con el tierno recuerdo que en medio de nuestros padecimientos no hemos dejado de hacerles de que nuestros padres respiraron con ellos el aire de la Europa, que allí vieron por la primera vez la luz, tenemos una mismas leyes, usos y costumbres, finalmente que la moral del Evangelio une a los hombres con el estrecho vínculo de amor que no podrá romper el impío sin sentir, como ya sienten algunos, el brazo del Todopoderoso".

Para que constara que no se trataba de un incidente repentino o de un gesto político improvisado, los Cabildantes terminaban conminando al Virrey a que permitiera al Cabildo santafereño formar su Junta para organizar el gobierno y tratar con ellos "sobre objetos tan interesantes a la Patria y consiguientemente a la nación, de cuya causa jamás nos separaremos". No les amedrentaba la peligrosa situación que habían creado y se mostraban dispuestos a afrontarla: "Todo lo hemos previsto antes de manifestar que somos hombres dotados de razón, y consiguientemente acreedores a no ser tratados como bestias. Nuestra moderación ha sido tanta que hasta la fecha no hemos tocado los caudales públicos para los gastos en preparativos de nuestra justa defensa; pero como tememos con sobrados fundamentos que nos hemos de ver en la necesidad de repeler la fuerza con la fuerza, o tal vez en la de atacar primero, para lograr nuestra seguridad, lo hacemos presente así..."

La multitud que se había amotinado se componía de los habitantes del Socorro y de Simácota, Valle, Confines, Palmas, Barichara y Cabrera, capitaneados por sus Curas. Además del doctor Miguel Tadeo Gómez, alma del movimiento, arengó al pueblo, con frases encendidas de amor a la libertad el presbítero Pedro Ignacio Fernández.

El pueblo —decían los Cabildantes al Virrey— ha depositado el gobierno en el Cabildo asociándole seis sujetos más que lo ayuden. Efectivamente, el 11 se reunión el *Cabildo abierto* y constituída la Junta de Gobierno, se extendió y firmó el Acta de la Revolución, que, como la de Santa Fé, contiene un relato fiel y minucioso de los hechos ocurridos. Restituído el pueblo —reza el Acta— a los derechos sagrados e imprescriptibles del hombre por la serie de sucesos referida, ha depositado provisionalmente el Gobierno en el muy Ilustre Cabildo a que se han asociado seis individuos.

Se determinó remitir el Acta a los Cabildos de San Gil y de Vélez con la invitación a enviar sus diputados, lo cual fue aceptado. También se despachó a Santa Fé a donde llegó precisamente el 19 de julio y produjo el doble efecto de atemorizar a las autoridades y estimular a los dirigentes a dar el golpe definitivo. Hé aquí cómo termina el Acta:

"Ya respiramos con libertad habiéndose restituído la confianza pública; ya sabemos que podemos conservar nuestra sagrada religión y esta Provincia a su legítimo soberano el señor Don Fernando VII, sin peligro de que los favoritos de Godoy y los emisarios de Bonaparte, nos esclavicen dividiéndonos".

Con toda justicia observa el historiador Horacio Rodríguez Plata, al comentar el valiente reto lanzado al Virrey en el Memorial del Cabildo que comentamos, que sólo el famoso Memorial de Agravios de don Camilo Torres puede compararse al altivo documento de los patriotas socorranos, y le da relieve nacional al heroico movimiento de la fecunda ciudad, cuna de los Comuneros.

8. — El Cabildo de Santa Fé y la Revolución de 1810.

Aquel derecho latente del Cabildo abierto —puesto en marcha por los juristas de Cartagena y del Socorro— irrumpe en el movimiento de Santa Fé el 20 de Julio, y se convierte en chispa incendiaria en la garganta del pueblo, amonestado por sus caudillos políticos. Amar y Borbón, que tras vacilaciones y negativas había autorizado solamente Cabildo extraordinario, vio surgir, aterrado, un Cabildo abierto en el cual el pueblo eligió directamente y proclamó sus Diputados para la Junta Suprema de Gobierno, la cual quedó constituída por éstos y por los miembros legítimos del Ayuntamiento. La voluntaria exclusión de los Cabildantes intrusos, algunos de los cuales eran varones integérrimos, fue un nuevo acto —el último— de protesta contra la arbitrariedad del Virrey, una justa retaliación para con los que habían osado aceptar el desafuero, y un alarde de legalismo en plena actuación revolucionaria.

"El pueblo se trasladó en masa a las casas consistoriales —escriben los redactores del Diario Político, Caldas y Camacho—; reunió a los Alcaldes y Regidores; entraron los vecinos, y se comenzó, a pesar del Virrey, el Cabildo abierto".

Aquella noche memorable el pueblo reasumió sus derechos, como reza el Acta, y los transfirió a la Junta Suprema, depositaria de la soberanía popular. Las doctrinas españolas del siglo XVI sobre el origen del poder y su reversibilidad al pueblo, habían arraigado en las tierras de América, y los Cabildos de vieja cepa castellana, con las modalidades democráticas adquiridas en el nuevo mundo, fueron el cauce por donde fluyó la corriente de la libertad política. El centro de gravedad de la Revolución fue el Cabildo.

Sintetizan admirablemente estas verdades las frases de Rafael Uribe, pronunciadas en el primer centenario de la Revolución de Julio: "Los españoles habían transmitido la noción del derecho a sus descendientes y súbditos americanos, y éstos, armados con la conciencia de su propio valer, se volvieron contra sus maestros el día en que ellos mismos olvidaron la lección. Esa fue la Independencia" (53).

El prócer don Ignacio de Herrera que estaba dotado de tan fino sentido histórico como aguda visión política, dirigió el 8 de noviembre de 1810, como Procurador General, un *Memorial* al Cabildo de Santa Fé en la primera sesión tenida después de la Revolución. Este Cuerpo —comenzaba— ha vuelto a reunirse después de haber dado la libertad a todo el Reino. Sí: su amor a la Patria, los peligros a que mil veces se expuso por salvarla, la energía con que representó los derechos del pueblo, y la vigilancia en defenderlos, son unos datos constantes en el archivo de este Ayuntamiento que deben grabarse en bronce para que las edades futuras los recomienden a sus hijos, y los nuestros tengan lecciones que no les permitan separarse de los caminos del honor (54).

Luego de relatar los hechos más notorios que giraron al rededor del cuerpo municipal, observa que "en los muchos papeles que se han dado a la prensa se recomiendan los servicios de personas particulares, y hasta ahora no se ha hecho el elogio debido al Cabildo de la capital. Sus actos no se publican ni se instruye al pueblo, ni al Reino de los grandes servicios que hizo por nuestra libertad. Nuestros hijos se quejarán contra nosotros porque no les dejamos monumentos que les sirvan..." Terminaba exigiendo que el "Cabildo mande se forme un manifiesto o relación por un letrado entregándosele al efecto las actas y representaciones de la materia existentes en el archivo".

Hágase en todo —fue la resolución del Ayuntamiento— como pide el Señor Síndico Procurador, para que, como lo dice el mismo Procurador, los hijos de estos dignos representantes

---

(53) Rafael Uribe Uribe, *Antecedentes del Cabildo Abierto*, o. c., p. 204.
(54) *Documentos sobre el 20 de Julio de 1810*, por Enrique Ortega Ricaurte, p. 130.

del pueblo lleven adelante los sentimientos de religión y patriotismo. El Alcalde Mayor Provincial don José María Domínguez, fue el encargado, pero no cumplió la comisión. Y los votos justísimos de Herrera, que ha debido ser el letrado elegido, no se realizaron, de tal manera que debieron pasar muchos años antes de que fuera apareciendo en lentas publicaciones la parte principalísima que aquel ilustre Cabildo tuvo en la gesta de nuestra liberación.

Pero el Cabildo quiso ir más lejos en la preservación de esa libertad que había conquistado. En 1815 envía una Representación al Congreso en la cual "solicita desaparezcan las horcas y los banquillos para que los ciudadanos puedan vivir en paz y tranquilidad, sin distingos de partidos políticos". Firman los Regidores de aquel año: Mariano Tobar, Carlos Ortega, Juan Granado, Gabriel Sánchez, Luis Otero, Joaquín Pardo, Antonio Leyva, Manuel José de Moya, Esteban Quijano, Manuel Camacho, Ignacio de Herrera, Gregorio Nariño. A través del escrito circulan las ideas bien conocidas del antiguo Procurador Herrera en su fogoso estilo inconfundible.

El ilustre Cabildo de Santa Fé —se lee inicialmente— fue el primero que comenzó a cultivar la semilla de la libertad y el que aplicó la hoz al árbol robusto de las antiguas autoridades. Arrebatado de su trono Fernando VII por el tirano de Europa, acéfala España, trató de reasumir su soberanía, siguiendo los pasos de cada una de las Provincias de Iberia. Esta conducta es digna de un pueblo libre que no había prestado juramento de vasallaje a otro que a su Rey... (55).

Ahora, a los cinco años de verificada la transformación política, el Cabildo va a hablar a las autoridades republicanas con la misma altivez de antes: "La misma energía con que entonces sostuvo los derechos de su pueblo manifestará ahora y en cualesquiera otras circunstancias, aun más apuradas. La virtud no se intimida por el riesgo, y los padres conscriptos de Santa Fé que impusieron a los Amares y a los Albas, conservan aquella firmeza que los ha caracterizado en todo tiempo..." Recuerda la feliz unión de todos los corazones y de todas las voluntades el 20 de Julio en que "no vimos correr ni una sola gota de sangre". Empero, "la semilla ha bastardeado. El valor, la caridad, y todo ese complejo de virtudes que iban a servir de base a un gobierno democrático, o a un república de hombres moderados, han desaparecido".

---

(55) El largo y enjundioso Memorial, firmado el 2 de octubre de 1815, fue publicado por primera vez por Enrique Ortega Ricaurte, *Documentos sobre el 20 de Julio*, p. 147-154.

El Procurador General del año 10 —es un nuevo dato que nos proporciona sobre el pasado heroico de Herrera— dijo al último Fiscal don Diego Frías, siendo Personero de Santa Fé, que preparara al verdugo, que si era necesario que fuese la víctima estaba resignado con tal que los derechos de este pueblo se respetasen. El ilustre Cabildo ahora repite lo mismo...

El antiguo aliado político de Nariño, calificado por nosotros de izquierdista, ya protestaba contra los desmanes e injusticias de *"los chisperos, que son la peste de la República",* los cuales hacían invivible la ciudad con sus falsas acusaciones y "llamaban Regentistas y pedían su decapitación, a los enemigos verdaderos del sistema".

El Ayuntamiento clama contra las injusticias y el desorden, pero sostiene la causa de la legitimidad y apoya al Gobierno. "Las continuas revoluciones —dice sensatamente— en un pueblo lo inducen a la anarquía, que siempre es presagio de su ruina. Eso nos lo enseña la historia de todos los siglos; y confesamos de buena fe que miramos con odio las alteraciones políticas". Y termina con este patriótico llamamiento al Congreso:

"El Ilustre Cabildo de Santa Fé no pretende constituírse padrino de la impunidad pero sí suplica encarecidamente a V. E. que se levante el azote, que desaparezcan las horcas y banquillos, que las familias descansen en seguridad en el asilo de sus casas, y que los ciudadanos queden, en lo venidero, a cubierto de esas sátiras amargas, con que los *chisperos* van agriando más los ánimos, con perjuicio de la opinión pública. Fenezca desde hoy el espíritu de partido; no haya más que una sola opinión, y que esta sea la salvación de la Patria y el amor al Gobierno, para que en lo sucesivo sólo se arme contra los enemigos de nuestra felicidad".

Al iniciarse, en 1816 la triste época del Terror, el Cabildo estuvo nuevamente con el pueblo para tratar de salvar los restos del naufragio republicano, y en 1819 a la caída de Sámano por el empuje de las tropas libertadoras de Boyacá, volvió a convocar a los vecinos para establecer un gobierno provisional que evitara la anarquía. Siempre se mantuvo a la altura de su destino histórico.

CAPITULO II

LA SOBERANIA POPULAR Y LA DEFENSA DE LA RELIGION CATOLICA EN LAS ACTAS DE LA REVOLUCION Y EN LAS PRIMERAS CONSTITUCIONES.

Dos notas inseparables armónicas resuenan, como *leit motiv* imprescindible, en las Actas revolucionarios de los Cabildos y en las Constituciones de la primera república: la titularidad de la soberanía radicada en el consenso popular, como elemento condicionante de los movimientos autonomistas, y la preservación de la Religión católica, como una de las causas finales más sustantivas inspiradoras de los propósitos libertadores.

Ambas justificaban ante la conciencia cristiana de los caudillos y del pueblo aquella conducta insólita en un pueblo tradicionalmente sumiso a la autoridad monárquica, cuya dominación sacudía. Esta preocupación de índole religiosa no sólo buscaba tranquilizar los espíritus respecto de las tendencias del nuevo Estado, sino que era la manifestación sincera de convicciones que se sentían amenazadas por el peligro de un posible predominio de la Francia napoleónica en las colonias americanas.

1. — *Las Actas de Revolución de los Cabildos.*

Ya vimos la forma persistente y explícita como Acevedo y Gómez, Ignacio de Herrera y los demás oradores santafereños consignaron en el Acta del 20 de Julio la reasunción de los derechos de la soberanía por el pueblo amotinado. La Nueva Granada —decía el Acta— protesta no abdicar los derechos imprescriptibles de la soberanía del pueblo a otra persona que a la de su augusto y desgraciado monarca don Fernando VII, siempre que venga a reinar entre nosotros.

Los Vocales de la Junta Suprema prestaron el juramento "a presencia del M.I.C. y en manos del señor Regidor primer Diputado del pueblo, don José Acevedo y Gómez: juramos por el Dios que existe en el cielo, cumplir religiosamente la Constitución y voluntad del pueblo expresada en esta Acta; derramar hasta la última gota de nuestra sangre por defender nuestra sagrada Religión Católica, Apostólica y Romana, nuestro amado monarca Fernando VII y la libertad de la patria".

También transcribimos idénticas declaraciones del Acta de la Revolución del Socorro del 11 de Julio. El 15 de agosto de 1810 se constituyó el nuevo Gobierno de la provincia, compuesto de los diputados del Socorro, San Gil y Vélez, y empezó por enunciar el siguiente principio. "Es incontestable que a cada pueblo compete por derecho natural determinar la clase de gobierno que más le acomode; también lo es que nadie debe oponerse al ejercicio de este Derecho sin violar el más sagrado que es el de la libertad".

En seguida la Junta puso por bases fundamentales de su Constitución catorce cánones que son un reflejo exacto de aquellos puntos expuestos al Diputado del Reino a las Cortes y de los postulados defendidos años atrás por los Comuneros. Ejemplo maravilloso de la continuidad de una doctrina que había encarnado en las gentes socorranas. La primera base es "la Religión cristiana que uniendo a los hombres por la caridad los hace dichosos sobre la tierra, y los consuela con la esperanza de una eterna felicidad".

Al proclamar la igualdad de las provincias frente a las demás de la América "que detestan como nosotros el despotismo y que, reunidas en igualdad van a formar un imperio", se hacía conciliar esta igualdad con "la moral sublime del Evangelio cuya creencia es el amor que une a los hombres entre sí".

No habiendo reconocido el Cabildo del Socorro al Consejo de Regencia —sigue diciendo el Acta— hallándose ausente su legítimo soberano el señor don Fernando VII, y no habiéndose formado todavía Congreso nacional, reasume por ahora todos estos derechos. Cuando se haya restituído a su trono el Soberano, o cuando se haya formado el Congreso nacional, entonces este pueblo depositará en aquel Cuerpo la parte de derechos que puede sacrificar sin perjuicio de la libertad que tiene para gobernarse dentro de los límites de su territorio sin la intervención de otro Gobierno (1).

En el Acta del Cabildo abierto de Pamplona de 31 de julio sí se reconoce al Consejo de Regencia, pero el pueblo reasume la soberanía: "El pueblo todo, reasumiendo la autoridad que resi-

---

(1) Horacio Rodríguez Plata, *Andrés María Rosillo y Meruelo*, o. c., p. 180-184.

día en nuestro legítimo Soberano el señor don Fernando VII, y por su ausencia en el mismo pueblo que se le confió, dijo, etc."

La Junta prestó juramento "principalmente sobre la conservación de nuestra santa Religión, obediencia a nuestro legítimo monarca, adhesión a la justa causa de toda la nación y absoluta independencia de esta parte de las Américas, de todo yugo extranjero". A su vez "el pueblo añadió el mismo solemne juramento y prestó la más ilimitada subordinación a la Junta que acaba de erigir".

La 1º de febrero de 1811 se verificó en Cali la instalación de la Junta Provisional de Gobierno de las Ciudades Conferadas del Valle del Cauca, con el fin de tomar las providencias más necesarias para su defensa y seguridad frente a las maquinaciones del Gobernador Tacón, "que no conociendo las justas miras de estos pueblos, y la necesidad de su independencia, la de librarse del yugo francés, y conservarle estos dominios a nuestro legítimo soberano el señor don Fernando VII, sacrifica la patria común a miras individuales" (2).

Los Cabildos, en representación del pueblo y con su concurso, "acordaron de común consentimiento y de su libre y espontánea voluntad, formalizar un Consejo que concertase en un punto la autoridad y pudiese obrar legalmente en todos los pueblos con la energía y serenidad que demandan las circunstancias".

El juramento era una formalidad esencial: "En cuya virtud, puestos de rodillas los señores Vocales... prestaron juramento... ofreciendo cumplir bien, fiel y legalmente sus respectivas diputaciones, y ratificando la defensa de nuestra Santa Religión, sin permitir otra, fidelidad y vasallaje al señor don Fernando VII, y conservar estos lugares para él mismo, sacrificándose gloriosamente por la patria".

Al día siguiente, la Junta nombró a la Virgen de las Mercedes por su titular y patrona, "eligiéndola al mismo tiempo por capitana de nuestras tropas". El 3 de febrero la misma Junta, —integrada por los ilustres patricios José María Cabal, Joaquín Fernández de Soto, Fray José Joaquín Escobar, José María de Cuero, Joaquín de Cayzedo y Cuero y Fray José Joaquín Meléndez—, resolvió designar a don Antonio Baraya, Comandante General y Vocal de la Junta de Santa Fé, Presidente honorario, "por sus relevantes méritos contraídos en la presente época de la libertad e independencia americana", y en testimonio de respeto y agradecimiento al Supremo Gobierno del Reino por el envío de auxilios

---

(2) Alfonso Zawadzky C., *Las Ciudades Confederadas del Valle del Cauca en 1811,* o. c., p. 99.

para defenderse de don Miguel Tacón Gobernador de Popayán, el cual pretendía "oprimir a estos pueblos que han desconocido su autoridad y la del Consejo de Regencia de Cádiz, que ha pretendido usurparse la soberanía del señor don Fernando VII y la que tienen todos los pueblos libres para elegir la forma de su gobierno en las circunstancias en que se halla la nación..."

El 28 de febrero de 1811 se instaló en Santa Fé el Colegio Representativo, Constituyente y Electoral de la Provincia de Santa Fé de Bogotá, el cual asumió el supremo Gobierno y declaró que había cesado la representación y autoridad de la Junta Suprema creada el 20 de Julio. Todos los miembros prestaron el juramento, "obligándose por sus votos y los de los pueblos que representan a defender y sostener nuestra santa religión hasta derramar la última gota de sangre por la conservación, exaltación y esplendor de la fe cristiana que enseña, tiene y confiesa nuestra Santa Madre Iglesia Católica, Apostólica y romana; los derechos que corresponden al señor don Fernando VII...; la libertad del pueblo entero de la Provincia independiente del titulado Consejo de Regencia y de las Cortes..."

Una vez prestado el juramento, el Acta no podía menos de referirse a la soberanía: "Instalado así el Colegio Constituyente y Electoral de la Provincia, declaró haber reasumido los derechos de la soberanía de ella, como imprescindibles del objeto a que previa y principalmente son destinados los representantes de los pueblos..."

La misma doctrina de la titularidad de la soberanía política por necesaria lógica impulsaría a dar el último paso en ese recorrido histórico que con prudente cautela habían hecho nuestros dirigentes hacía la meta final de la independencia absoluta. Los principios invocados tenían que llegar hasta sus últimas consecuencias, y la marcha de los acontecimientos era incontenible.

La dinámica histórica exigía que tras de las declaraciones de desobediencia al Consejo de Regencia y a las Cortes españolas y de sujeción a la soberanía conservada provisionalmente en la persona de Fernando VII, se llegara al desconocimiento absoluto de la misma autoridad del monarca, ya que ni podía ni quería ejercerla en estos dominios de América.

Cartagena, la primera que se había atrevido a sacudir el yugo del Gobernador Montes, también sería la llamada a iniciar la serie de Provincias autónomas con absoluta independencia del poder español. El movimiento popular más revolucionario se llevó a cabo en la mañana del 11 de noviembre de 1811.

El acta de Independencia es un documento sereno y elevado en la concepción de las ideas jurídicas y políticas, en la narración de los hechos históricos que le sirven de apoyo y en la sobria y correcta expresión literaria.

Estoy en pleno acuerdo con la opinión de Porras Troconis quien con muy buenos argumentos atribuye la redacción del Acta al culto escritor e inspirado poeta don José Fernández Madrid. En efecto, en ninguno de los escritos políticos anteriores "se encuentra un estilo de tan alto valor literario como en aquel documento memorable que acusa la pluma de un escritor de señaladas prendas y dominio de la lengua española". Además, el cuidadoso cotejo del Acta con los escritos en prosa, especialmente la *Exposición sobre su conducta política*, señala una identidad de giros idiomáticos, voces castizas y pensamientos histórico-políticos que no deja duda alguna de que tales escritos son hijos de un padre común. Finalmente el hecho de que Fernández Madrid hubiera firmado de último, inmediatamente antes del Secretario, es un indicio harto elocuente en favor de la tesis sostenida (3).

Comienza por declarar que desde la renuncia de Fernando VII al trono de España *"se rompieran los vínculos que unían al Rey con sus pueblos, quedaron éstos en el pleno goce de su soberanía y autorizados para darse la forma de gobierno que más les acomodase"*. Consecuencia de esta facultad fue la creación de innumerables Juntas de Gobierno establecidas por el pueblo en España. Estos organismos *"que debían su poder al verdadero origen de él que es el pueblo"*, quisieron voluntariamente jurar de nuevo y reconocer a Fernando VII, bien por compasión hacia él o bien por afecto a la forma monárquica. Luego se hace el relato de las vicisitudes sufridas por la orgullosa Junta de Sevilla, reconocida de hecho por Cartagena a pesar de las vejaciones e injurias hechas por sus Enviados al ilustre Cabildo, y por la Junta Central instalada en Aranjuez, la cual "abortó un gobierno monstruoso conocido con el nombre de Regencia".

A pesar del temor de ser envueltos en las ruinas que amenazaban a España, "y de caer en las asechanzas de Napoleón", y del conocimiento exacto de los derechos que se sabía no serían reconocidos, "nunca rompimos la integridad de la Monarquía ni nos separamos de la causa de la nación".

El rígido sentido de la honra que tenían nuestros próceres les hacía precaverse del peligro de ser tachados de desleales a la causa nacional. Y bien demostraron con hechos evidentes que

---

(3) Gabriel Porras Troconis, *El Humanismo en José Fernández Madrid*, en *Lecturas Dominicales* de *El Tiempo*, domingo 15 de julio de 1962.

durante los años de 1808 a 1810 fueron leales a la madre patria y a su rey, y extremaron su fidelidad hasta los límites que el mismo honor les señalaba.

Luego se instalan las Cortes las cuales modificaron el panorama político de España: "Declarada la soberanía de la nación, la división de los poderes, la igualdad de derechos entre europeos y americanos, la libertad de imprenta y otros derechos del pueblo, nada más nos quedaba qué desear sino verlo todo realizado". Vanas esperanzas, pues "fue un espectáculo verdaderamente singular e inconcebible ver que al paso que la España europea con una mano derribaba el trono del despotismo y derramaba su sangre por defender la libertad, con la otra echase nuevas cadenas a la España americana y amenazase con el látigo levantado a los que no quisiesen soportarlas".

En estas circunstancias, "y porque reclamamos sumisamente los derechos que la naturaleza antes que España nos había concedido, nos llaman rebeldes, insurgentes y traidores, no dignándose contestar nuestras solicitudes el Gobierno mismo de la nación".

Las conclusiones de estas premisas eran de una evidencia meridiana. Si aun el ilustrado y liberal gobierno de las Cortes desconocía los derechos americanos "y no corresponde a los fines para que han sido instituídos los gobiernos, que es el bien y la felicidad de los miembros de la sociedad civil, el deseo de nuestra propia conservación y de proveer a nuestra subsistencia política, nos obliga a poner en uso los derechos imprescriptibles que recobramos con las renuncias de Bayona, y la facultad que tiene todo pueblo de separarse de un Gobierno que lo hace desgraciado".

Repásense todas las tesis escolásticas que al principio de la obra expusimos profusamente sobre el origen inmediato del poder, la constitución de la sociedad política y los fines del gobierno civil, para ver que tienen cumplida aplicación en estos párrafos, escritos sin elocuencia altisonante, con prosa limpia y diáfana.

Basados en estas razones de justicia, y de las naturales y políticas que convencen de la necesidad de la separación, terminan los próceres por declarar solemnemente "que la Provincia de Cartagena de Indias es desde hoy de hecho y de derecho Estado libre, soberano e independiente; que se halla absuelta de toda sumisión, vasallaje, obediencia y de todo otro vínculo de cualquiera clase y naturaleza que fuese, que anteriormente la ligase con la Corona y Gobierno de España" (4).

La mayor parte de los varones ilustres que firmaron la valerosa Declaración de Independencia, entre los cuales descuellan José María García de Toledo, José María del Real, José María de Castillo y Rada, Manuel Rodríguez Torices, José Fernández de Madrid, Germán Gutiérrez de Piñeres, Eusebio María Canabal, habían cursado sus estudios en el Colegio del Rosario y habían sido amigos o discípulos de Camilo Torres y Joaquín Camacho, y se habían nutrido de sus enseñanzas filosóficas y jurídicas.

Dos años después, el 16 de julio de 1813, el Colegio Electoral y Revisor de Cundinamarca, presidido por don Manuel Bernardo Alvarez, decretó la declaración de independencia absoluta que fue sancionada y publicada por el Presidente Nariño el 19 del mismo mes.

Las circunstancias históricas y las motivaciones políticas y jurídicas están expresadas con una nitidez que no se pueden prestar a tergiversación alguna. Hablan los firmantes de "la emancipación en que naturalmente hemos quedado después de los acontecimientos y disolución de la Península y gobierno de que dependíamos, habiendo tenido largas y maduras discusiones en que se trajeron a colación las antiguas obligaciones que por solemnes juramentos nos unían a la madre patria..." Después de relatar suscintamente los acontecimientos de Bayona y de la ocupación de la Península por las tropas francesas, "en atención también al peligro que corre nuestra santa y adorable religión si permanecemos más tiempo en este estado, tanto por el riesgo que al finalizarse la conquista de España por los franceses nos quisieran éstos obligar a reconocer la dependencia del Rey José Bonaparte, o la de trasladarnos a América al Rey Fernando, imbuído ya en sus máximas, y quizás rodeado de ministros y tropas francesas, como por la falta bien sensible que en el día se nota de pastores eclesiásticos..."

Las razones de filosofía políticas eran las mismas alegadas por los próceres de Cartagena: "En consecuencia de todo esto, y en atención, finalmente, al derecho incontestable e imprescriptible que tienen todos los pueblos de la tierra de proveer a su seguridad y de darse la forma de gobierno que crean más con-

---

(4) Manuel Antonio Pombo y José Joaquín Guerra, *Constituciones de Colombia* (*Biblioteca Popular de Cultura Colombiana*, Bogotá, 1951), Tomo II, páginas 75-83. *Boletín de Historia y Antigüedades*, Vol VII, páginas 321-322. Gabriel Porras Troconis, *Documental...*, p. 77.

veniente a labrar su felicidad... declaramos que de hoy en adelante Cundinamarca es un Estado libre e independiente que queda separado para siempre de la Corona y Gobierno de España, y de toda otra autoridad que no emane inmediatamente del pueblo..." (5).

Muchos de los firmantes del Acta del 20 de Julio repiten aquí sus firmas y entre éstas sobresalen las de los eclesiásticos don Fernando Caicedo, don Juan Bautista Pey y el doctor Pablo Francisco Plata, además de varios religiosos.

En las subsiguientes declaraciones de independencia se hace expresa o implícita referencia a los manifiestos públicos de Cartagena y de Cundinamarca. La de Antioquia, decretada por el Presidente Dictador don Juan del Corral y sus dos Secretarios José María Ortiz y José Manuel Restrepo, el 11 de agosto de 1813, alude a los motivos alegados por dichos Estados, haciendo constar que "la mayor parte de los hombres han conocido y abrazado este don del cielo y la naturaleza (la libertad) para ser gobernados en sociedad, bajo la forma y mano que ellos mismos quieran y señalen". Estando, pues, resueltos y ansiosos por llegar al culmen de la dignidad —continúa el Acta— el ciudadano Dictador de la República, revestido con ese carácter por la unánime voluntad de la representación nacional, declara que el Estado de Antioquia desconoce por su rey a Fernando VII, y a toda otra autoridad que no emane inmediatamente del pueblo o sus representantes, rompiendo enteramente la unión política de dependencia con la Metrópoli, y quedando separado para siempre de la Corona y Gobierno de España (6).

En iguales términos están concebidas las proclamaciones de Neiva, hecha por el Colegio Revisor Electoral el 8 de febrero de 1814, y de Mariquita, decretada por su Gobernador José León Armero el 26 de diciembre del mismo año. Idéntico fenómeno de mutuas influencias se podrá observar en la redacción y adaptación de las Cartas Constitucionales de los diversos Estados (7).

---

(5) Manuel Antonio Pombo y José Joaquín Guerra, *Constituciones de Colombia,* Tomo I, p. 204-207. Admira leer entre los que suscribieron el Acta el nombre del recalcitrante realista el presbítero doctor José Antonio de Torres y Peña, pero es un error de los ilustres recopiladores. En el impreso hecho por Juan Bta. Estévez en Santafé de Bogotá, año de 1813, 1º de la Independencia, figura es el nombre de José Antonio Alvarez y Peña. Véase también *Boletín de Historia y Antigüedades,* Vol. I, páginas 179-183.

(6) *Boletín de Historia y Antigüedades,* N. 99, agosto de 1913, página 129.

(7) *Boletín de Historia y Antigüedades,* N. 106, 1915, páginas 600, 602.

2. — *Las primeras Constituciones republicanas.*

a) *Carta Constitucional monárquico-republicana de Cundinamarca. (Marzo 3 de 1811).*

En el proceso político de nuestra libertad, —lo hemos dicho y repetido— asistimos a lentas y prudentes graduaciones, efecto de la dirección que habían trazado en sus planes los caudillos e ideólogos de la Revolución, y de los opuestos intereses que era menester conciliar. Las primeras etapas correspondieron al Acta del 20 de Julio y a la declaración de desconocimiento del Consejo de Regencia del 26 del mismo mes. Luego vino la Constitución dada para Cundinamarca el 3 de marzo de 1811 por el Serenísimo Colegio Constituyente y Electoral, y sancionada el 4 de abril por el Presidente Jorge Tadeo Lozano. En su estructuración debían mezclarse elementos monárquicos, pues aún estaba en vigencia el reconocimiento de la autoridad de Fernando VII, con las aspiraciones republicanas.

El artículo 1º del Título I emplea los principios escolásticos de la soberanía popular, de la resistencia al despotismo y del pacto entre pueblo y autoridades: "La Representación, libre y legítimamente constituída por elección y consentimiento del pueblo de esta provincia que con su libertad ha recuperado su primitivo y original nombre de Cundinamarca, convencida y cierta de que el pueblo a quien representa ha reasumido su soberanía, recobrado la plenitud de sus derechos, lo mismo que todos los que son parte de la Monarquía española, desde el momento en que fue cautivado por los franceses el señor don Fernando VII... necesita de darse una Constitución, que siendo una barrera contra el despotismo, sea al mismo tiempo la mejor garante de los derechos imprescriptibles del hombre y del ciudadano, estableciendo el trono de la justicia... manda observar la presente a todos los funcionarios que sean elegidos, bajo cuya precisa condición serán respetados, obedecidos y sostenidos por todos los ciudadanos, y de lo contrario, tratados como infractores del pacto más sagrado, como verdaderos tiranos, como indignos de nuestra sociedad y como reos de lesa Patria".

Luego de este preámbulo histórico y doctrinario, establece en el artículo 2º el reconocimiento de Fernando VII bajo los principios hasta ahora recibidos, y en el 3º "reconoce y profesa la Religión Católica, Apostólica, Romana como la única verdadera".

En el Título II, De la Religión, se enuncia la misma declaración, además de que no se permitirá otro culto público ni privado. Se expresa la voluntad de establecer correspondencia directa con la Silla Apostólica con el objeto de negociar un concordato, aunque se fijan algunas normas propias del regalismo imperante.

El juramento que debía prestar el Rey o en su lugar el Presidente de la Representación Nacional estaba calcado sobre los antiguos juramentos de los reyes españoles ante las Cortes, con el pacto explícito de "ser despojado de esta Corona y de sus Estados siempre que en cosa sustancial falte a este juramento". El objeto de éste era el mantenimiento de la Constitución, la conservación de la Religión Católica, la defensa del territorio y el gobierno de todos los habitantes según las leyes legítimamente establecidas (8).

En la declaración de los derechos del hombre y del ciudadano, aunque aparecen huellas manifiestas de la influencia francesa, pues se hacen consistir en la igualdad y libertad legales, la seguridad y la propiedad, sin embargo en la explicación de estos conceptos, principalmente en el de libertad, priman todavía las nociones escolásticas. El artículo 2º del Título XII reza así: "La libertad ha sido concedida al hombre, no para obrar indistintamente el bien o el mal, sino para obrar el bien por elección". Y el artículo 3º: "La libertad es la facultad que el hombre tiene de hacer todo lo que no sea en daño de tercero o en perjuicio de la sociedad".

A estos derechos se contraponen los correlativos deberes que según el art. 2º del Título XIII "están encerrados en la pureza de la Religión y de las costumbres, en la observancia de la Constitución y el sometimiento a las leyes". Y con la ingenuidad característica de la época, en pleno acuerdo con las doctrinas expuestas en el *Diario Político* por don Joaquín Camacho, se hace la declaración de que "no es buen ciudadano el que no es buen hijo, buen padre, buen hermano, buen amigo, buen esposo".

Esta curiosa fusión de monarquía y república con la tripartición de poderes, de principios medievales y escolásticos como el juramento, el pacto social, la reasunción de la soberanía, el con-

---

(8) Manuel Antonio Pombo y José Joaquín Guerra, op. cit., T. 1, páginas 126 y sts. Hé aquí cómo comentaba este artículo don José Gregorio Gutiérrez Moreno: "La fórmula del juramento del Rey es muy semejante al que se prestaba antiguamente por el Justicia de Aragón. Lo hace a su ingreso al trono, en manos del Presidente, y en él se sujeta a ser despojado de la Corona de Cundinamarca, cuando se casa sin consentimiento de la Provincia; cuando contrae alianzas perjudiciales a ella, etc., en cuyos casos se reserva la Provincia el derecho de darse la forma de gobierno que más le acomode; y lo mismo es si ya ha sucedido alguno de estos casos, *para evitar el que Bonaparte nos quiera sorprender casando a Fernando VII (si existe) con alguna de su familia*". (Carta a su hermano don Agustín, de 9 de marzo de 1811, en *Vida de Don Ignacio Gutiérrez Vergara*, op. cit. p. 71).

cepto de libertad, con postulados emanados de la Constitución de Filadelfia y de la Asamblea francesa y enseñados por Montesquieu, Tocqueville y Rousseau, nos da la dimensión exacta de las ideas y de la mentalidad de nuestros próceres, influídos por diversas corrientes. En mayor o menor proporción, en las siguientes Constituciones advertiremos el mismo fenómeno, explicado además por un proceso de mutuas imitaciones.

b) *Acta de Federación de las Provincias Unidas de la Nueva Granada. (27 de noviembre de 1811).*

Esta Constitución, redactada por Camilo Torres, y aprobada por los diputados de las provincias de Antioquia, Cartagena, Neiva, Pamplona y Tunja el 27 de noviembre de 1811, dio forma legal a la confederación de las provincias, aspiración consignada en el Acta del 20 de Julio y que estaba, según vimos, en la entraña misma de las instituciones coloniales. Si juristas y políticos como Torres, Camacho, Pombo, Padilla, etc., acudían a las instituciones norteamericanas, no era por prurito de imitación, sino para dar más sólidas bases a su argumentación con el ejemplo de aquel pueblo moderado y progresista, y porque era el único modelo de una república federal que funcionaba en el continente americano. Queremos, pues, insistir en la idea de que el federalismo no fue un caso de importación de sistemas foráneos, sino un fenómeno de típicos caracteres nacionales.

El preámbulo del Acta entraña el mismo contenido doctrinario propio de los documentos anteriormente analizados. Considerando los firmantes la larga serie de sucesos ocurridos en España, desde la ocupación napoleónica, "las nuevas y varias formas de gobierno que entre tanto y rápidamente se han sucedido, sin que ninguna de ellas haya sido capaz de salvar la nación; y últimamente los derechos indisputables que tiene el gran pueblo de estas provincias, como todos los demás del universo para mirar por su propia conservación, y darse para ella la forma de gobierno que más le acomode..." han acordado el pacto de federación siguiente (9).

La Confederación proclamaba una independencia absoluta de España, y es este un mérito no suficientemente relevado, pues ello ocurrió a los pocos días de la Declaración de Cartagena.

---

(9) *Congreso de las Provincias Unidas* o. c., p. 1-19. Pombo y Guerra, *Constituciones de Colombia*, T. II, p. 208-237.

El artículo 5º, efectivamente, declara que los Estados confederados desconocen expresamente la Regencia de España, las Cortes de Cádiz y cualquiera otra autoridad subrogada o sustituída por las actuales o por los pueblos de la Península, "pues las dichas provincias sólo reconocen por legítimas a las que sus respectivos pueblos hayan constituído".

El Acta en sus 78 artículos se libró de caer en el peligro de declaraciones de principios teóricos, y se concretó con admirable espíritu realista a definir las facultades del Gobierno general y las de los Estados federados y a fijar sus mutuas relaciones jurídicas. Significó un avance muy notable en el desarrollo de nuestras instituciones políticas, ya que la forma monárquica quedó abolida, debiendo el gobierno de las provincias ser popular y representativo. De esta manera el régimen republicano hacía su aparición sin recortes ni velos que ya se consideraban inútiles.

c) *Constitución de la República de Tunja. (Diciembre 9 de 1811).*

Esta Carta aprobada por el Colegio Electoral de Tunja el 9 de diciembre de 1811 se inspira en muchos aspectos en la de Cundinamarca, si bien se aparta abiertametne de ella, siguiendo las líneas del Acta Federal, en la imposición del régimen democrático y republicano. En sólo 18 días fue aprobada, señal evidente de la unanimidad de las voluntades que la votaron.

La teoría del pacto social de tipo suareziano también se manifiesta al principio, pues se fijan las ideas de gobierno, "persuadidos de la disolución y aniquilación de los pactos sociales con que la América del Sur se hallaba ligada con aquella parte de la nación, ya por la cautividad del rey, ya por los demás funestos acontecimientos en toda la Península" (10).

Los conceptos escolásticos sobre la libertad son los mismos del estatuto cundinamarqués, y se declara expresamente que "la soberanía reside originaria y esencialmente en el pueblo". No se pueden establecer contribuciones sino para la utilidad general, y se proclaman los principios tradicionales sobre el fin del gobierno y el derecho del pueblo a instituírlo o quitarlo si no cumple con sus fines:

"Todo gobierno —reza el art. 26 del Capítulo I— se ha establecido para el bien común, para la protección, seguridad y

---

(10) Pombo y Guerra, o. c., T. I, p. 245.

felicidad del pueblo, y no para el provecho, honor e interés particular de ningún hombre, familia o clase de hombres; así el pueblo sólo tiene un incontestable, innegable e imprescriptible derecho para establecer su gobierno, para reformarle, alterarle o absolutamente variarle, cuando lo exija su defensa, su seguridad, propiedad y felicidad. Una generación no puede sujetar a sus leyes la voluntad esencialmente libre de las generaciones futuras".

No teme la Carta tunjana aplicar con estricta lógica estas teorías populistas al mismo régimen monárquico, para el cual es igualmente valedera la doctrina pactista:

"Todos los reyes son iguales a los demás hombres, y han sido puestos sobre el trono por la voluntad de los pueblos para que los mantengan en paz, les administren justicia y los hagan felices. Por tanto, siempre que no cumplan este sagrado pacto, que su reinado sea incompatible con la felicidad de los pueblos, o que así lo quiera la voluntad general, éstos tienen derecho para elegir otro, o para mudar absolutamente la forma de su gobierno, extinguiendo la monarquía".

El contenido de este artículo no es acaso un eco clarísimo de toda la tradición doctrinaria que hemos expuesto en capítulos anteriores?

La resistencia al tirano es otro punto que preocupó a los constituyentes de Tunja. El Gobernador debía jurar "no abusar de la autoridad que se me ha conferido". Por ello se consigna la deposición del mismo Gobernador o del Teniente Gobernador, por la Representación Provincial si "se manejan despóticamente quebrantando la constitución o leyes".

Los deberes del ciudadano "se hallan encerrados en la pureza de la Religión y de las costumbres", y al hablar de la legislatura se dice que "su primer y sublime objeto será mantener por medio de las leyes sabias, la Santa Religión Católica, Apostólica, Romana, en toda su pureza e integridad".

Aunque también se alude al principio rusoniano de que la ley es la expresión de la voluntad general, se contrapone en cambio el concepto tomista de que "todas ellas deben ser reglas, cuyos objetos sean universales, y que no miren a un hombre como individuo, o una acción determinada".

En resumen, la Constitución de Tunja, comparada con la de Cundinamarca de 1811, ofrece la curiosa paradoja de que siendo más avanzada en la concepción republicana del Estado, registra sin embargo un fondo escolástico e hispanista de mayores dimensiones.

d) *Constitución de la República de Cundinamarca. (17 de abril de 1812).*

No podía durar mucho tiempo la Carta monárquico-republicana de 1811, sea que fuera una mera ficción jurídica o simple fruto de transitorias transacciones, por el poder e influjo que en la capital tenía el partido adicto a la realeza. Con la subida al gobierno de Nariño era menester que desapareciera toda huella de monarquía y que se proclamara con nitidez que la provincia principal del Nuevo Reino, asiento de los autores de la Revolución de Julio, se enrumbaba definitivamente por los derroteros democráticos.

El 17 de abril de 1812 se firmó por el Colegio Revisor y Electoral la Constitución de la República de Cundinamarca.

Al revés de las anteriores, en las cuales los derechos y deberes del hombre y del ciudadano se hallaban consignados al final, en la reformada los títulos se hacen preceder de treinta artículos bajo el epígrafe: "De los derechos del hombre y sus deberes". Son una transcripción, casi literal, de los Derechos del Hombre traducidos por Nariño, y es evidente que gracias a la influencia de éste operó la reforma.

En el Título II se enuncian los claros postulados republicanos: "El Estado de Cundinamarca es una República cuyo Gobierno es popular representativo".

El Título I de la Religión, señala una notable diferencia, pues se suprimen las intervenciones de tipo regalista del gobierno en materias eclesiásticas, y se hacen declaraciones más enfáticas respecto a los derechos de la Iglesia:

"Art. 1º La Religión Católica, Apostólica, Romana, es la única Religión de este Estado.

"Art. 2º El Estado de Cundinamarca protesta permanecer siempre en esta Santa Religión, fuera de la cual no hay esperanzas de salud eterna; confiesa y promete defender con todo su poder las infalibles verdades que ella enseña, dictadas por Dios; detesta y anatematiza todas las herejías que ella condena y reprueba.

"Art. 3º Reconoce al Sumo Pontífice de Roma por Vicario de Jesucristo y Suprema Cabeza visible de la Iglesia universal.

"Art. 4º En este Estado no se permite otro culto público ni privado" (11).

---

(11) Pombo y Guerra, *Constituciones de Colombia*, o. c., T. II, p. 9.

El artículo sexto, admirablemente concebido, más parece arrancado de un moderno Concordato que un precepto constitucional de una República recién nacida del Patronato y del regalismo de la época, pues regula las relaciones de la Iglesia y del Estado sobre bases de igualdad, de respeto y de mutua ayuda: "La potestad civil no se entrometerá en materias eclesiásticas, ni la eclesiástica se mezclará en materias civiles; pero se auxiliarán mutuamente en sus casos, conforme a los sagrados cánones y a las leyes".

El juramento primitivo quedaba sustituído por éste: "¿Juráis a Dios Nuestro Señor, por la señal de la Cruz, guardar y defender la Religión Católica, procurar y sostener la libertad de la República, guardar fielmente esta Constitución y cumplir con exactitud los deberes de vuestro empleo?"

Aunque tan candorosa y empedrada de principios morales, como la primitiva, de la cual copia textualmente varias disposiciones, la Constitución de 1812 está más bien articulada y guarda una más lógica coherencia en la estructura fundamental del Estado.

f) *Constitución del Estado de Antioquia. (Marzo 21 de 1812).*

La provincia de Antioquia se dio su propia norma constitucional sancionada por el Serenísimo Colegio Constituyente y Electoral, reunido en la ciudad de Rionegro, el 21 de marzo de 1812, y aceptada por el pueblo el 3 de mayo del mismo año.

En los preliminares no podían faltar las motivaciones de orden histórico provenientes de la abdicación de la familia reinante y de la disolución del gobierno, en virtud de las cuales "todos los pueblos de la nación y entre ellos el de la Provincia de Antioquia, reasumieron la soberanía y recobraron sus derechos". Persuadidos de "que los gobiernos de España por su estado actual y por su inmensa distancia es imposible que nos liberten de la tiranía y del despotismo, ni que cumplan con las condiciones esenciales de nuestra asociación". Por eso los representantes del pueblo han venido a usar de los derechos naturales para constituír "un gobierno sabio, liberal y doméstico" (12).

Después de este párrafo se establece el artículo 1º: "El pueblo de la Provincia de Antioquia y sus representantes reconocen y profesan la Religión Católica, Apostólica, Romana como la única verdadera: ella será la religión del Estado".

---

(12) Pombo y Guerra, *Constituciones de Colombia*, T. I, p. 293.

E inmediatamente en el artículo 2º, considerando que el olvido de los derechos del hombre es la causa primaria y el origen del despotismo, de la tiranía y de la corrupción de los gobiernos, se proclaman los derechos del hombre y los deberes del ciudadano, sacados literalmente de la Constitución de Tunja. Solamente se incluye de más la libertad de imprenta "como el más firme apoyo de un gobierno sabio y liberal".

En cuanto a la formación del Gobierno, los Constituyentes de Antioquia se separaron de los tunjanos al declarar la independencia absoluta, pues el pueblo se constituye en Estado libre, independiente y soberano "sin reconocer otra autoridad suprema si no es aquella que expresamente delegare en el Congreso General de la Nueva Granada o en el de las Provincias Unidas". La Provincia de Tunja se declaraba independiente de España o de cualquiera otra nación, "pero sujetándose sobre este punto a lo que se determine por las dos terceras partes de las Provincias del Nuevo Reino de Granada que legítimamente se reúnan por medio de sus diputados en el Congreso General del Nuevo Reino o de sus Provincias Unidas". También se apartan en la concepción del poder legislativo, bicameral, cuyos representantes serán nombrados directamente por los padres de familia, en la clasificación de los otros poderes públicos y en la deposición del Presidente del Estado, que no es .contemplada, por abuso de autoridad.

En cambio, son muchos los artículos de la Carta de Tunja que a la letra se insertan en el código constitucional de Antioquia. Habiendo sufrido, pues, la influencia de Tunja y de Cundinamarca, supera a sus modelos en la técnica, porque está mejor estructurada, más concisa en los preceptos, menos reglamentaria y menos declarativa de principios morales.

No deja de llamar la atención el que aquella provincia, gobernada pacíficamente en la colonia, que estuvo alejada en su vivir tranquilo de las graves convulsiones sociales y económicas que perturbaron a los demás pueblos, que no se sintió agitada por controversias ideológicas, y que llegó a su propia independencia sin mayores traumatismos, al final de la Constitución celebra el fausto acontecimiento "como la época más memorable de su historia política, en que el bueno y virtuoso pueblo del Estado de Antioquia, después de tántos años de la más bárbara tiranía y despotismo ha entrado en el pleno goce de todos sus derechos, adquiriendo la facultad de gobernarse por sí mismo". Evidentemente el ácido lenguaje revolucionario había contagiado también al calmado pueblo de Antioquia que así se incorporaba a la candente literatura política de la época (13).

g) *Constitución del Estado de Cartagena de Indias. (Junio 14 de 1812).*

Cartagena se dio su propia Constitución el 14 de junio para conmemorar el segundo aniversario del hecho definitivo de la deposición del Gobernador Montes, a raíz del cual la Junta autónoma asumió el gobierno de la provincia. La Convención general aprobó el proyecto elaborado por un eclesiástico, el doctor Manuel Benito Revollo, a pesar de la oposición de varios diputados entre ellos Rodríguez Torices y Gutiérrez de Piñeres, por hallarlo inadecuado a un gobierno fuerte que era el requerido por circunstancias difíciles.

Pecaba, en efecto, el proyecto de demasiado idealismo, muy complicado en el mecanismo funcional del gobierno, y recargado de minuciosas reglamentaciones. Es quizás ésta la Constitución más íntegramente vaciada en moldes franceses, y abusa tánto de las normas declarativas morales que cada artículo normativo está precedido de la correspondiente justificación doctrinal. Ahí se insiste en que el Gobierno del Estado sea un gobierno de Leyes y no de hombres, y constantemente se incluyen dentro del mismo articulado las motivaciones históricas o jurídicas de la independencia.

En el Título de la Religión se consagran rezagos del viejo regalismo, pues se mantienen los llamados recursos de fuerza. Al declarar la Religión católica como la del Estado y establecer el culto católico como el único permitido, se agrega una tolerancia que estaba ausente de las demás Constituciones: "Pero ningún extranjero será molestado por el mero motivo de su creencia".

El artículo 3º nos da la idea de la forma en que estaba redactada aquella Constitución: "No pudiendo haber felicidad sin libertad civil, ni libertad sin moralidad, ni moralidad sin religión, el Gobierno ha de mirar la religión como el vínculo más fuerte de la sociedad, su interés más precioso y la prime-

---

(13) El 4 de julio de 1815 la Convención constituyente revisora, reunida en Envigado y presidida por don Félix de Restrepo, reformó la Constitución de 1812. Va precedida de la misma declaración de los derechos del ciudadano, con la adición del contrato social rusoniano que se erige en canon constitucional: "El contrato social es el más sagrado de todos los contratos y obliga mutuamente a los súbditos y superiores no sólo delante de los hombres, más también delante de Dios". Es una reforma que simplifica más el mecanismo del gobierno, por estar basada en tres años de experiencia.

ra ley del Estado, y aplicará grande atención a sostenerla y hacerla respetar con su ejemplo y con su autoridad" (14).

Los legisladores de la ciudad heroica —al igual que los de Tunja, Cundinamarca y Antioquia— tuvieron presente el fomento de la instrucción pública y a ella dedicaron un capítulo, pues "la difusión de las luces y de los conocimientos útiles por todas las clases del Estado es uno de los primeros elementos de su consistencia y felicidad". El artículo 4º del Título XII es un verdadero tratado sobre la utilidad de la instrucción. Se prescribe el establecimiento de escuelas de primeras letras en todos los pueblos, "debiendo ser los objetos de su enseñanza la doctrina cristiana, los derechos y deberes del ciudadano, leer, escribir, dibujar y los primeros elementos de la geometría". Y finalmente se reprueba enérgicamente la vagancia de la juventud, "aquella edad interesante a la sociedad en que debería plantarse en sus almas, con la instrucción conveniente, el amor de la virtud y la aplicación al trabajo. . ."

Se requería la amarga experiencia de las guerras civiles y de la época del Terror para que nuestros constitucionalistas bajaran del cielo de la utopía en que su buena fe y su ingenuidad los habían mantenido, y tocaran el áspero suelo de la realidad. Y sólo en la Constitución de Cúcuta se obtendría un estatuto constitucional libre de ampulosas teorías, redactado en forma breve y precisa, con claras influencias de la doctrina tomista y del realismo español (15).

3. — Influencia hispano-católica en la Revolución, y fuentes franco-americanas en la estructura jurídica de las Constituciones.

Del cotejo de las diversas Cartas Constitucionales de la primera República y de su breve comentario exegético, no podemos menos de deducir la real influencia de los constitucionalistas americanos y de las doctrinas políticas francesas en nuestro primitivo derecho constitucional.

De aquí surge indudablemente la extraña paradoja de que nuestros intelectuales, nutridos en la savia de doctrinas hispánicas y de contenido escolástico —según lo hemos demostrado plenamente— en las cuales se apoyaban apodícticamente para justificar su actitud insurgente, en el momento de dar forma ju-

---

(14) Pombo y Guerra, *Constituciones de Colombia*, o. c., T. II, p. 108.
(15) Leopoldo Uprimny, *El Pensamiento Filosófico del Congreso de Cúcuta*, en *Universitas*, N. 9, p. 256. N. 10 (1956), p. 315, N. 13, p. 317

rídica a los nuevos Estados se apartaran de ellas para acudir a las fuentes francesas que temían en la intimidad de sus espíritus.

Por ello se explica que en la exposición de aquellos principios impulsores de la Revolución por estar entrañablemente arraigados en su espíritu, los próceres se extiendan en amplísimas, eruditas y elocuentes disertaciones, mientras que los postulados jurídicos adoptados en las Constituciones, se quedan huérfanos de comentarios e interpretaciones exegéticas, porque pisaban un terreno desconocido por el cual no se aventuraban a transitar con paso firme.

Al repudiar, al menos en gran parte, la tradición española —que era la suya propia, y más suya todavía— y de la cual se sentían los patricios muy orgullosos, optaron por mirarse en el espejo de constituciones americanas y francesas, y levantar sobre esos cimientos la arquitectura jurídica de la independencia. Pero esos materiales foráneos, inadecuados el terreno, no podían dar garantías de solidez y duración. De ahí las frecuentes reformas y la permanente contradicción entre el derecho y los hechos sociales, que con el correr de los años fue corrigiéndose y eliminándose en procesos evolutivos a los cuales contribuyeron en no escasa medida las luchas sangrientas de los partidos. Esa ruptura con el pasado en el derecho constitucional y político fue nefasta para el progreso de las instituciones nacionales, y constituyó el origen de nuestra permanente inestabilidad, como lo anotó agudamente, hace más de un siglo, el doctor Ospina Rodríguez.

Sin embargo, esta postura de nuestros fundadores en el campo constitucional —pues en las demás formas de la cultura permanecieron inquebrantablemente fieles al espíritu de la tradición nacional— se halla justificada por las circunstancias históricas en que les correspondió vivir y actuar. Con ligeras excepciones toda Europa había caído en el absolutismo, y España— a pesar de un pasado grávido de libertades políticas— era la nación que menos ocultaba los excesos del régimen despótico. Y precisamente contra esos excesos reaccionó América y levantó las banderas de la revolución. Por eso nuestros dirigentes no podían volver sus miradas a España en busca de antecedentes inmediatos que les orientaran en su tarea legislativa, y la adaptación del antiguo sistema democrático anterior a los Austrias y Borbones a las nuevas situaciones creadas por la Revolución, era obra gigantesca que excedía los límites y la capacidad de una generación agobiada por las duras exigencias de la organización del nuevo Estado.

Por lo demás, observan los sociólogos modernos que en todas las sociedades existe una laguna entre la ideología formal y la manera como los hombres conducen sus quehaceres cuotidianamente. La tarea de las generaciones posteriores consiste en aspirar a que esa laguna se estreche cada día más, y a que el divorcio entre el derecho y el hecho social llegue a desaparecer completamente. Ideal que es eterno acicate y estímulo constante en el devenir histórico de la humanidad.

Pretender que los hombres de 1810, en su fugaz tránsito por el escenario político, hubieran realizado la adecuación de la realidad jurídica del Estado a la realidad sociológica de la nación, equivale a exigirles injustamente un imposible. Aquella adecuación, tras de innumerables ensayos y tanteos, de luchas ideológicas y de guerras civiles, de peligrosos desequilibrios, apenas sí ha venido lográndose en centuria y media con la Constitución de 1886 y las reformas políticas subsiguientes que la han perfeccionado.

Ni tampoco debemos perder de vista que aquella generación revolucionaria respiraba la atmósfera de los sistemas constitucionales y de las ideas políticas de los autores que se habían impuesto a todos los espíritus en los finales del siglo XVIII, como efecto de la lucha entablada contra la arbitrariedad de los gobiernos despóticos de Europa. Era, pues, natural que acudiera a extraer del fondo de las ideas universales contemporáneas los materiales con que pretendía levantar la arquitectura del nuevo Estado, fruto de la revolución.

El acercamiento a Norteamérica, más bien que a Francia, se explica igualmente por la concordancia y encuentro en una doctrina común de origen medioeval, y por las características morales que configuraron su independencia. El desarrollo de esa revolución, exenta de violencias y de venganzas, de depredaciones y persecuciones, se conformaba más a la educación, costumbres y sicología de nuestros dirigentes.

Sólo cuando España, desorientada y mal aconsejada, pretendió ahogar en sangre los movimientos separatistas que se dirigían por vías estrictamente legales y con las mejores disposiciones de ánimo para con la que sinceramente era llamada Madre Patria, nuestros caudillos fueron heroicamente a la guerra despiadada, y se vieron forzados a aceptar la *dialéctica jacobina*, tan extraña a su índole y a su formación cultural.

EPILOGO

REFLEXIONES FINALES

He delineado los perfiles de una época crucial en los derroteros de la historia patria, y tallado la figura espiritual de una generación que realizó una empresa y desempeñó un papel cuya trascendencia nunca podrá desconocerse o abandonarse al olvido. Es ella la floración de un largo proceso colonial, y el fruto feliz de una cultura que culmina en auténticos valores, los cuales a su vez se proyectan con firmes caracteres hacia el porvenir, e inician una etapa republicana a la cual imprimen un sello inconfundible e indeleble.

Fin y principio de épocas distintas por las realidades políticas y estatales que entrañan, aunque unidas por idénticos vínculos espirituales, aquella generación es ángulo histórico al cual han de converger necesariamente así las luces como las sombras del pasado y del futuro.

He tratado de rescatar el alma de esa generación con su cultura, con su espíritu, con sus motivaciones y creaciones, con su atmósfera vital, con sus pasiones y sentimientos, con sus sueños y realizaciones. He seguido el curso de los afluentes que ensancharon los cauces del pensar colonial, y ahondado las raíces que nutrieron la mente de los fundadores de la República.

Por lo complejo del proceso humano en la integración y formación de las razas y por las características de la administración española, la independencia hispanoamericana tenía que ser especialmente difícil, y exigía larga preparación intelectual. En este sentido no cabe paralelismo alguno con la independencia de la América anglosajona. La ruptura con España no fue precipitada, sino al contrario, madurada lentamente, motivada en profundas razones ideológicas, pensadas y pesadas con excesiva meticulosidad. Y a pesar de todo ello, fue audaz y valiente por la previsión clara de los peligros y sacrificios que conllevaba a sus promotores.

Todas las fases de nuestra Revolución están caracterizadas por un intensísimo fermento intelectual.

Destácase así del panorama que ha sido dibujado con plena fidelidad a las fuentes documentales, una verdad luminosa que es la constante en la historia colombiana: la Revolución de 1810 —y no podría decirse otra cosa de la Comunera— es una lucha de ideas y de ideales. Los dirigentes se movían a impulsos de ideas y caminaban en pos de altos ideales.

A esta lucha ideológica siguió la militar, y ésta tenía que ser dura, implacable, invencible a pesar de la inferioridad en armas materiales, porque el alma nacional estaba ya abroquelada por la fuerza de la justicia e iluminada por la luz de la verdad.

Se ha establecido la identidad del ideario entre las dos Revoluciones de 1781 y 1810. Las mismas doctrinas yusnaturalistas y el mismo sentido de justicia que animan a las gentes comuneras, inspiraron a los prohombres de la primera República. Esta Revolución no es sino la culminación de aquélla, y sólo se diferencian en que la de 1810 —gracias a su equipo directivo— está empapada de principios más sistematizados y expuestos con mayor brillo dialéctico, si bien aparece menos dotada del calor popular y de los sentimientos humanos que caldearon el movimiento comunero.

En efecto, el sentido de la justicia palpita entrañablemente en el alma colectiva del pueblo y en el espíritu de sus dirigentes políticos. La justicia fue el camino a través del cual llegaron a la libertad, y ésta a su vez no se concibió sino como medio y requisito esenciales para obtener la anhelada equidad. La búsqueda ansiosa de la justicia y de un derecho que la represente adecuadamente, es sin duda el propósito nacional que el Presidente Alberto Lleras echaba de menos en el quehacer histórico colombiano.

Y porque ello es así, hay otra verdad que brilla con luz propia: el espíritu civil es lo que irradia la historia de Colombia. Mientras más se hunde el crítico en los meandros del pasado, más diáfanamente se descubre la imagen de un país y de un Estado que nació, creció y se adelanta hacia el futuro bajo el signo de altísimas categorías morales, una nación apasionada por las cosas de la inteligencia y por los afanes del espíritu.

*
* *

¿Por qué la Justicia configuró tan nítidamente el alma y señaló los rumbos de la acción de los caudillos revolucionarios? Aquellas normas y doctrinas yusnaturalistas que durante la conquista y la colonia se agitaron y discutieron tan vivamente en el suelo español y americano —grávidas de insospechadas consecuencias— se proyectan en nuestro escenario social y político como una fuerza actuante en la vida de la comunidad. Es indudable que el yusnaturalismo tuvo una inmensa irradiación en la conciencia pública.

Pero a la vez esa pasión por la justicia de jefes y de pueblo, se origina de aquel formidable contraste establecido entre las estructuras sociales y políticas de la conquista y la colonización y las doctrinas éticas que se les enfrentaban por parte de la Iglesia con sus misioneros y teólogos, aspirantes a establecer un orden dirigido y regulado por la ley moral. Aspiraciones que a su vez se reflejaron en un acervo de leyes civiles, las cuales presidieron y dirigieron el nacimiento y el desarrollo de nuestra sociedad. Ese choque irritante entre el derecho y el hecho, entre el quehacer y la norma, debía producir ineludiblemente en el alma criolla un instintivo rechazo —así lo demuestre a veces pasionalmente y con violenta ardentía— de toda sombra de injusticia (1).

La generación de 1810 —de perfiles legendarios— hizo tránsito del reposado vivir colonial al doloroso y fecundo crear de un nuevo Estado. E hízolo con noble derroche de ideas generadoras en lo político, en lo institucional, en lo social —en cuanto ello fue posible—, pero con pensamientos teñidos de emoción y determinados por hondos sentimientos. Sintió con pasión inmensa la patria, la libertad, el derecho.

Sus objetivos centrales eran y tenían que ser primordialmente políticos, pero aun en el apremio de las circunstancias, el pensamiento directivo no fue insensible —si bien limitado, en gran parte a la especulación teórica por la angustia del tiempo—, a un ordenamiento social y económico en el que las diferencias de clases quedaran atenuadas, la propiedad agraria se distribuyera con más equidad entre los indios, y la libertad económica pudiera garantizar más efectivamente la libertad civil.

*
* *

(1) Reconoce esta verdad el fino espíritu crítico de Carlos Lozano y Lozano: "La colonización española había tenido muchos aspectos condenables. Pero no puede negarse que las instituciones jurídicas que fundó entre nosotros estaban inspiradas en un alto espíritu de respetabilidad y de justicia. Los teólogos al servicio de la Corona habían impregnado de nociones morales y religiosas el sistema de gobierno. Entre la teoría y la práctica hubo siempre un abismo. Pero de todas maneras España nos dio una legalidad y una trama civilizada de normas de convivencia social". Véase *Francisco de Paula Santander*, en *Curso Superior de Historia de Colombia*, III, p. 22.

La iniciativa y el ímpetu impulsor, en la Revolución de Julio, vinieron de los individuos —los héroes—, según la concepción de Carlyle, renovada recientemente por Max Scheller. La minoría de estos modelos y jefes, imperante en la masa amorfa y desarticulada de la población granadina, determinó, en última instancia, el nacimiento del Estado en su proceso histórico. Modelos y jefes que —como en la teoría schelleriana— se distinguen por caracteres opuestos, con actitudes personales contradictorias, o sin actuar constantemente en el mismo plano político. Pero siempre aparecen sobre la línea de un claro destino histórico, a la búsqueda de la libertad y del derecho, y con miras a la creación de una patria nueva, albergue de aquellas virtudes imprescindibles en la vida personal o colectiva.

¡Qué diferencia entre el temperamento romántico de Nariño —jefe del centralismo, el cual pisaba paradojalmente el terreno de la realidad—, y el carácter senequista de Torres, el ideólogo de la Revolución y caudillo del federalismo! Pero a la vez ¡qué concordancia tan perfecta en la pasión de ambos por la libertad de una patria autónoma, regida por normas de igualdad y de justicia!

Y en el mismo estilo literarito qué distintos! El luminoso y matizado de Fermín de Vargas, o el exaltado, dulce y humorístico de Nariño, o el severo de perfiles clásicos de Torres y de Félix de Restrepo, el incisivo y breve de Ignacio de Herrera, son cauces por donde fluyen, con diversas armonías, las aguas vivas de un mismo pensamiento creador.

Todos los caudillos de la Revolución de Julio provenían de las diversas comarcas del país, y aportaron a ella sus características raciales y sociales y sus diferentes matices ideológicos. Por manera que fue un Movimiento genuinamente nacional.

*

* *

Quedan en las páginas de esta obra bien determinados los elementos condicionantes de la génesis de la Independencia y los elementos meramente ocasionales.

La circunstancia histórica de la renuncia de Carlos IV y de la prisión en Bayona de Fernando VII por Napoleón, hizo revivir en nuestros grupos intelectuales la vieja tesis española, con que se habían amamantado en Universidades y Colegios, de que la titularidad de la soberanía radicaba en el consenso del pueblo. Estas enseñanzas democráticas, injertadas en las formas culturales propias del siglo XVIII, enfrentaron la España americana, sumergida en el subsuelo de la tradición de libertades y de fueros, a la España europea, desviada de los canales democráticos y contagiada del despotismo borbónico francés.

Si el Padre Joaquín de Finestrad, el teólogo y predicador adversario de los Comuneros, demostró una total incomprensión del espíritu de aquel noble movimiento y de los principios que lo guiaban, no podría esperarse otra actitud del virrey Amar y Borbón, quien a su formación en la escuela del Despotismo ilustrado unía la condición de militar. No es de sorprender, por consiguiente, que el 13 de enero de 1813 el gobernante depuesto dirigiera al Presidente del Consejo de Regencia una amarga epístola que así enfocaba el Movimiento y valoraba las tesis populistas:

"Todo fue fraguado por el desenfreno de aquellos naturales que, revestidos por sí mismos con los nombres de patriotas y patriotismo para sacar de sus quicios las legítimas autoridades, con sólo el bullicio de haber reasumido el pueblo sus derechos parciales, nombraron Vocales de una Junta de Gobierno que cargó con las atribuciones de la Soberanía" (2).

Es esto lo que justamente presta ese inmenso valor dialéctico a los alegatos jurídicos de nuestros letrados, los cuales no acudían a razonamientos deducidos de la Enciclopedia, sino a motivaciones derivadas de las viejas costumbres, de las Leyes de Indias y de las antiguas instituciones castellanas.

La sólida formación jurídica de nuestros abogados, de raíces medioevales y jugos del Siglo de Oro, matizada de principios liberales del Dieciocho, los llevó a la Revolución inspirándoles la concepción y el deseo de un Estado de derecho, libre de caprichosos despotismos, exento de tiránica arbitrariedad y regido por normas democráticas.

*

* *

---

(2) Expulsión del Virrey Amar, en *Boletín Historial de Cartagena*, Vol. II, páginas 88-93. Qué iba a entender el sentido de aquellas teorías, si él aplicaba con toda energía las disposiciones reales de 19 de mayo de 1801 sobre la censura de la enseñanza universitaria: "No permitirá se defienda o enseñe doctrina alguna contraria a la autoridad y regalía de la Corona... No consentirá se sostenga disputa, cuestión o doctrina favorable al tiranicidio o regicidio, ni otras semejantes de moral laxa y perniciosa". (Cfr. *Boletín de H. y A.*, Vol. VII, p. 704-706). Y él mismo había dado un Bando en 1809 contra "las proclamas que se han difundido con motivo de las ocurrencias de Quito, llenas de preocupaciones, suposiciones, arbitrarios y perniciosos principios, pretendiéndole cubrir con el velo de una santa Religión que profanan..."

Resulta así fijada en sus exactas proporciones la tan decantada influencia del filosofismo y del racionalismo naturalista de la
Enciclopedia en el ideario de nuestros próceres, los cuales conser-
varon su pensamiento íntegramente cristiano, limpio de toda mácula heterodoxa. A la luz de esta obra adquiere, pues, rigurosa
exactitud histórica el aserto solemne del señor Cardenal Luis Con-
cha Córdoba, Arzobispo de Bogotá, en la Alocución del 20 de Julio
de 1960, conmemorativa del sesquicentenario de la Independencia:

"Sería históricamente un error equiparar la Revolución del 20
de Julio de 1810 a la Revolución Francesa. En ella ni se inspiró,
ni con ella tuvo nexos. Los próceres del 20 de Julio eran profundamente cristianos. Nuestro país tuvo su cuna al amparo de los principios cristianos..."

Esta función vertebral de la doctrina católica, siempre antigua y siempre nueva, ha sido igualmente puesta de relieve en poé-
tica expresión por el actual Pontífice Juan XXIII: "La Iglesia católica no es un museo de cosas antiguas. Es la vieja fuente del lugar que da agua a las generaciones de hoy, como lo hizo con las del
pasado .."

Corren por anteriores páginas multitud de testimonios deslumbrantes sobre el franco rechazo, por parte de nuestros ideólogos, de las doctrinas y prácticas de la Revolución Francesa.

En dicho mes de agosto de 1811 —escribe el inteligente autor de
la *Carta de un Americano al Español*— los Suplentes de Santafé
(hoy Cundinamarca como antiguamente), presentaron de su orden
a las Cortes su nueva Constitución; y viendo los europeos escapár-
seles unas tras otras las Provincias de Ultramar, exclamaron que
ya era indispensable oír a los americanos. Sin demora los americanos leyeron en el día siguiente una elocuente Memoria en que
probaban con documentos ostensibles que lejos de haber en las
Américas francesismo, el temor de que lo hubiera las había sublevado a todas, porque los europeos les decían con palabras y con
obras que habían de seguir atados al carro de la Península, aunque
lo montase Napoleón (3).

Fui gratamente sorprendido por un interesantísimo documento descubierto en los archivos de la Biblioteca Nacional de Bogotá. Trátase del comienzo de un ambicioso libro —naturalmente en
manuscrito— iniciado en 1800, con el sugestivo nombre de "Disertación sobre las causas de la Revolución Francesa por una señorita

---

(3) Fray Servando Teresa de Mier, *Carta de un Americano al Español*, o. c., p. 16.

distinguida", en cuyo breve prólogo se anuncian veinticuatro capítulos con sus respectivos títulos. El autor, que no he podido identificar y que se esconde tras el anónimo de una supuesta señorita, conforme a costumbre muy generalizada en la época, dio principio a la obra con esta breve y significativa introducción:

"Esta Revolución tan extraña como repentina de que jamás la historia había dado igual concepto, concretada por el general levantamiento de todo el pueblo de este Reino, en el mes de Julio de 1789, se había ido preparando por encadenadas circunstancias, de que su principal autor M. Necker ha sabido aprovecharse con toda la sutileza, ardid y artificio de un hombre el más diestro para seducir y atraer con sus acechanzas, sobre todo por las causas de que vamos a hacer enumeración, cada cual de las cuales servirá de materia a los capítulos que compondrán esta pequeña obra, cuales son..."

Sólo alcanzó a desarrollar el capítulo primero y enunciar el contenido del segundo, pero por las ideas expuestas se maravilla úno del equilibrio mental del autor, de su magnífica formación cultural y de lo bien documentado que se hallaba sobre las causas generadoras del tremendo ciclón revolucionario. Después de analizar con agudo espíritu crítico "la confusión de las diversas clases de ciudadanos en el orden social y político", termina con este luminoso pasaje cuyo alto significado sería inútil destacar:

"La nueva Filosofía (que así quiere llamarse) de tal suerte había pervertido a la nación francesa y destruído en ella toda especie de principios de Religión, de honor, de delicadeza y de subordinación, que la mayor parte de los franceses se permitían cuanto sus sentidos y pasiones podían dejarles obrar impunemente, imaginándose al mismo tiempo que no podía haber entre los hombres diferencia alguna, que fuese legítima. Los escritos de Voltaire, de Juan Jacobo Rousseau, de Marmontel y de otros autores semejantes son tan conocidos que no hay para qué enumerar aquí sus principios abominables, sugeridos y dictados por el demonio. Solamente observaremos que las sátiras de Boileau en que tánto se ridiculizaron las ceremonias augustas de nuestra santa Religión y los Ministros del Altar, é igualmente la nobleza, fueron las primeras semillas de irreligión, de insubordinación, de independencia y de pretensiones de igualdad, tan ajenas de razón como opuestas a la Constitución; y sin la impunidad de tan pernicioso ejemplo, jamás Voltaire, ni los demás autores de su línea, se hubieran atrevido a dar a la prensa y hacer que circularan en Francia sus escritos, tan peligrosos para la Religión y para la autoridad de los Soberanos, como para la buena policía de un Estado, y buen orden de la sociedad" (4).

Nuestras gentes abominaron todos los excesos impíos y crueles en que abundó la Revolución Francesa, e inspirados por ese temor, los caudillos realizaron los máximos esfuerzos para orientar el movimiento libertador por caminos legales y por medios de convivencia cristiana.

Valorada nuestra Revolución a la luz de una justicia que los próceres reclamaban angustiosamente para sí mismos, tenía que aparecer —como lo fue en realidad— generosa y noble con los enemigos, ajena a violencias de sangre y a vindictas y depredaciones odiosas.

Si nos preguntamos cuáles fueron los autores de las corrientes culturales de fines del dieciocho que proyectaron más fuertemente su influencia sobre nuestros intelectuales, es conveniente establecer las debidas distinciones.

En el plano de la historia, el protestante Guillermo Robertson con su *Historia de América*, y el Abate Raynal con su *Histoire philosophique et politique des établissements et du commerce des Européens dan les deux Indes*, frecuentemente citadas, contribuyeron poderosamente a enturbiar en los criollos la visión de la Conquista y de la Colonización americanas, a hacerles concebir resentimientos para con España, y a proyectarles el panorama de las riquezas e inmensas posibilidades que guardaba el Continente.

En materias políticas, el escritor de influencia más notoria en la concepción de la estructura constitucional del nuevo Estado, fue evidentemente el barón de Montesquieu. Nariño, Camilo Torres, Ignacio de Herrera, Joaquín Camacho, Frutos Joaquín Gutiérrez y Miguel de Pombo apelan expresamente al sistema de la división tripartita del poder público, excogitado por el célebre expositor francés que tan hondos surcos abrió en el derecho constitucional moderno.

_____

(4) Manuscritos de la Colonia, Miscelánea. Siglo XIX. 1800-1810. Sala de libros raros y curiosos de la Biblioteca Nacional. El documento completo fue publicado en el *Boletín de Historia y Antigüedades*, Vol. XLIX (1962, Nos. 567, 568 y 569). Rafael Gómez Hoyos, *Disertación sobre las causas de la Revolución de Francia por una distinguida señorita*. El autor de la *Carta de un Americano al Español* abunda en las mismas ideas, aunque expuestas con más énfasis y mayor elegancia formal: "No ha sido la Revolución de Francia con sus bellas teorías la causa de tánta sangre y crímenes que han terminado con la esclavitud: ha sido la desmoralización del pueblo, obra de sus filósofos. Y qué, ¿atacaban éstos la moral? Nó: se habrían hecho detestables. Mil elogios les debió la moral del Evangelio; Voltaire derrama moral hasta en sus comedias: pero atacaban el dogma, y con él cayó la moral. Faltó la religión, sin la cual, decía con razón Tácito, es tan imposible una república como una ciudad en los aires". Op. cit., p. 33. Nota XIV.

Las doctrinas liberales del Contrato Social no fueron conocidas en sus fuentes originales sino por Fermín de Vargas, Nariño, Pombo, y quizás Torres, los cuales no las captaron sino muy superficialmente. Los demás ignoraban la obra francesa de Rousseau, y la versión española falsamente atribuída a Jovellanos que circuló en limitados ejemplares por España y algunos países de América, no llegó hasta nosotros. Si las teorías del pacto social y de la soberanía popular calaron tan hondamente en la mentalidad de nuestros juristas, el fenómeno se explica por el profundo conocimiento que acá se tenía de las tesis escolásticas de sentido suareziano.

Por lo demás, las tesis contractualistas rusonianas de nada iban a servir para desligar a los granadinos de las obligaciones que los ataban a la Monarquía, ya que, según vimos, el filósofo ginebrino niega toda posibilidad de vínculo como resultado de pactos entre súbditos y autoridades. Fuera de que tan complicadas doctrinas, sabidas apenas de oídas o por precipitadas lecturas, difícilmente iban a ser asimiladas por nuestros dirigentes. Hasta ellos sólo alcanzó a llegar el eco de unas teorías políticas muy en boga en la sociedad europea de entonces, pero cuyo cabal contenido no estaban en capacidad de penetrar.

Si un escritor de tan sutil inteligencia y habituado al trato y discusión de los sistemas políticos en la tribuna parlamentaria, en la cátedra universitaria y en la prensa, como Florentino González, confesaba con admirable honradez su incapacidad para enteder el contrato social de Rousseau, ¿qué pensar de quienes apenas sí captaban frases o ideas sueltas, de las cuales estaba impregnado el ambiente político de la época?

Decía así el célebre polemista liberal:

"Hace cuarenta años que estoy trabajando por entender el contrato social de J. J. Rousseau, y aseguro a usted que o él es ininteligible, o mis facultades mentales son tan limitadas que no alcanzan a comprender tan elevada teoría, que ha servido de base a los trabajos de la mayor parte de los que han escrito sobre ciencia constitucional. Ese pueblo soberano mandando y obedeciendo, me ha parecido el ingenioso producto de la imaginación de un poeta disgustado del orden social de su época; pero no una cosa que pueda ponerse en práctica para bien de la humanidad" (5).

_____

(5) Carta a don J. M. Torres Caicedo, fechada en Valparaíso el 1º de septiembre de 1863, en *Boletín Cultural Bibliográfico* de la Biblioteca Luis Angel Arango, Vol. IV, N. 4 (1961, Bogotá).

Las actuales críticas de la filosofía del derecho no están muy alejadas del juicio pesimista del inquieto político colombiano, aunque no dejan de reconocer la trascendencia histórica del pensamiento del filósofo de Ginebra en quien, al decir de Jorge del Vecchio, latía "una conciencia vivísima de la discrepancia entre el ser y el deber ser, una especie de nostalgia de aquello que el hombre debería ser, a diferencia de lo que es".

Tenemos que llegar a 1820 para encontrar las doctrinas rusonianas enseñadas explícitamente en el Colegio de San Bartolomé. El 17 de julio de dicho año se defendieron públicamente en la iglesia de San Carlos, hoy de San Ignacio, doce cuestiones de ciencia política por el alumno José A. La Lastra, apadrinado por su catedrático el doctor José Ignacio de Márquez, el futuro presidente de la república.

Las tesis, que iban dedicadas con encomiásticos elogios al doctor Nicolás Mauricio de Omaña, prócer de la libertad, "víctima de la ferocidad española", no dejan duda alguna sobre su estirpe rusoniana. La primera reza así: "La soberanía reside esencialmente en el Pueblo. Ella es única, indivisible, e inajenable". La sexta se desliga del pacto suarezista: "El establecimiento del gobierno no es un contrato entre el que manda y el pueblo que obedece; es, sí, una comisión que la soberanía confiere a uno o a algunos individuos..." (6).

En cambio la ola romántica desatada en Europa por el autor del *Emilio*, sí iba a afectar profundamente la imaginación y la sensibilidad de nuestras clases letradas, las cuales sentirían que las viejas doctrinas filosóficas y políticas se animaban y revivían al conjuro de los valores que el movimiento romántico exaltaba: sentido profundo de libertad, ambición de gloria, sentimiento de solidaridad humana, amor apasionado de la patria, imitación de los varones ilustres de las repúblicas griega y romana.

En el campo de las cuestiones económicas, la escuela de los fisiócratas influyó decisivamente en la cultura de los granadinos de la época, tanto en su contenido filosófico como en sus postulados propiamente económicos.

En lo filosófico, proclamaban los fisiócratas —como es sabido— la libertad individual como el primero de los bienes y la fuente fecunda del orden y de la prosperidad; la necesidad de acercarse lo más posible al estado de naturaleza y someter-

---

(6) Pueden leerse todas las tesis, aplicadas a la independencia nacional, en la obra *El Colegio de San Bartolomé*, por el P. Daniel Restrepo y los hermanos Guillermo y Alfonso Hernández de Alba (Bogotá, 1928), p. 132.

se a las leyes naturales, cuya acción es siempre bienhechora; la tolerancia del poder del Estado como un mal necesario que solo se justifica teóricamente por el consentimiento de los ciudadanos. La supresión de los reglamentos y del monopolio, así como la legislación aduanera y la instauración de un régimen de libertad y de concurrencia, eran la aplicación de estas ideas en el terreno práctico. Además, como lógico corolario, la fisiocracia insistía en la producción de la riqueza y en la importancia de la agricultura, considerada como la más benéfica para la prosperidad de las naciones. La libertad de la producción y de la circulación era otro de los principales dogmas de la política económica preconizada por Adam Smith.

Estos principios tenían que impresionar necesariamente a nuestros hombres de empresas comerciales como José Ignacio de Pombo, y a los teóricos de la ciencia como Vargas, Camacho, Herrera, Nariño, acostumbrados como estaban a sufrir un régimen de monopolios, estancos y trabas que paralizaban la industria, el comercio y la misma agricultura. La libertad económica por la cual luchaban nuestras gentes desde los tiempos de los Comuneros, tenía que fundamentarse en las libertades políticas, de tal manera que todas aquellas teorías económicas del setecientos europeo llevaban el germen de la revolución.

Finalmente, a lo largo de este libro ha cobrado relieve el magisterio científico de Mutis a través de su cátedra en el Colegio del Rosario y en las tareas de la Expedición botánica. Por medio de esas enseñanzas y experiencias, un mundo real —distinto del de los entes metafísicos— se ofreció a la visión de los hombres de estudio, los cuales entraron a describir y comprobar experimentalmente las riquezas y tesoros hasta entonces escondidos del país. Esa toma de conciencia del propio valer, el interés por la cosa pública y el espíritu crítico para juzgar la acción política de los gobernantes, era ya un paso avanzado a la conquista de la autonomía y a la conducción de los propios destinos. A la luz de este criterio, queda históricamente justificado el título de protoprócer que se le ha otorgado a José Celestino Mutis, el mentor y maestro indiscutible de la generación de 1810.

*
* *

El ejemplo y estímulo a la independencia vinieron remotamente de Filadelfia y de Francia, pero la incitación más próxima y decisiva llegó ciertamente de la misma España de donde habían procedido doctrinas y herencias de libertad política, franquicias y fueros municipales, dignidad y altivez ante los déspotas, aprecio y estima del honor. Ya vimos el coraje de los Comuneros y el lenguaje de sus caudillos, vivamente impregnado del sentido hispánico de la honra. Idénticas actitudes y semejantes expresiones se pueden observar en los hechos y escritos de los hombres de 1810. Mi honor lo amo más que mi vida, escribió Nariño a menudo, con hondo acento de sinceridad.

La reacción popular española ante la política dolosa de Napoleón y la invasión de la Península por sus tropas, la inmediata constitución de Juntas de Gobierno, y el lenguaje revolucionario de los políticos y de los mismos gobernantes, contagiaron el alma americana y dieron vigencia a las tradiciones nacionales.

El revolucionarismo de España tiene una trabazón necesaria con el de América. La misma federación de acá siguió fielmente los pasos de la de España, porque estaba en el alma de la raza y en la entraña misma de las instituciones antiguas. Idénticas son las luchas y rivalidades de las provincias y semejantes los empeños de los caudillos para mantener el centro de unión. Desde 1808 la acción de los criollos tendió al establecimiento de Juntas al ejemplo de las de España, como repetían con singular constancia. El temor a Napoleón y el odio a los antiguos funcionarios de Godoy, del partido afrancesado, fueron más violentos en estas tierras por ser más impermeables a la influencia antirreligiosa, pero también en España tuvieron ruidosas expresiones.

Las tesis populistas se agitaron en la Península, si bien aquí tuvieron mayor eco y más elocuentes y tenaces expositores, gracias a que los claustros universitarios habían mantenido con mayor vigor y lozanía las doctrinas de los autores de la Escuela política del siglo XVI. Esta circunstancia paradojal de que el Nuevo Reino hubiera estado inmerso en la más pura tradición hispánica y a la vez tuviera mayores ímpetus juveniles para la revolución, determinó una mayor fuerza e influencia de las tesis políticas de la soberanía popular y del pacto social. Porque —como observa muy sagazmente el sabio autor de la *Carta de un Americano a El Español* —el vino de la soberanía tiene tan diversos efectos como el licor de Baco. En los Noés ancianos produce una tranquila embriaguez cuyos descuidos puede cubrir el amor de sus hijos. Pero no hay capa que baste a tapar a un Noé de pocos años durante la impresión de los humos del licor recién exprimido.

El mismo lenguaje usado por las Juntas de Gobierno de España, esmaltado de candente brillo revolucionario, debía también ser imitado por nuestros escritores políticos. Ya el señor

Caro observaba inteligentemente que "los tres siglos de servidumbre", frase feliz en la pluma de nuestros caudillos, había sido empleada por Quintana desde 1806, por Martínez de la Rosa y por los demás liberales de la Metrópoli.

El contenido de los Mensajes de aquellas Juntas Supremas hará valedera esta afirmación.

*
* *

La Junta de Sevilla publicó el 17 de junio de 1808 su "Manifiesto o Declaración de los principales hechos que han motivado la erección de esta Junta Suprema de Sevilla, que en nombre del señor Fernando VII gobierna los Reinos de Sevilla, Córdoba, etc., y demás que vayan sacudiendo el yugo del emperador de los franceses".

En el recuento histórico de los acontecimientos que conmovieron a España, hace esta ingrata referencia al Gobierno de Godoy: "Entre tanto dominaba sobre la España con dominio absoluto y despótico el perverso Godoy, que abusando de la excesiva bondad de nuestro rey Carlos IV, se apropió en 18 años de favor, los bienes de la corona, los intereses de los particulares, los empleos públicos, que distribuía infamemente, todos los títulos, los honores y hasta el tratamiento de alteza, con las dignidades de generalísimo y almirante..."

Después de relatar minuciosamente los hechos de Bayona, declara que "ha sido, pues, de toda necesidad el que se haya creado la Junta a instancia del pueblo y que en uso de sus facultades se haya declarado independiente, haya desobedecido al Consejo (de Castilla) y Junta Superior, haya cortado toda comunicación con Madrid...", y hace constar que "las provincias de España van reconociendo en esta Suprema Junta el fiel depósito de la real autoridad y el centro de la unión sin el cual nos expondríamos a guerras interiores o civiles que arruinarían del todo nuestra santa causa".

Al final viene el llamamiento al pueblo americano, excitado por el amor común a su rey, a sus leyes, a su patria y a su religión, y avivado por la advertencia del peligro común:

"Amenazan además a las Américas si no se reúnen, los mismos males que ha sufrido la Europa, la destrucción de la monarquía, el trastorno de su gobierno y de sus leyes, la licencia horrible de las costumbres, los robos, asesinatos, la persecución de los sacerdotes, la violación de los templos, de las vírgenes consagradas a Dios, la extinción casi total del culto y de la religión; en suma, la esclavitud más bárbara y vergonzosa..."

Inmediatamente apela a los donativos patrióticos de los cuerpos y comunidades, de los prelados y particulares, y hace votos porque la América ha de sostener a España "con cuanto abunda su fértil suelo tan privilegiado por la naturaleza" (7).

*
* *

Más explícito aún será el Manifiesto de 26 de octubre del mismo año de 1808 de la Suprema Junta Gubernativa del Reino a la nación española, el cual circuló profusamente por todas las Colonias. Empieza por calificarse "depositaria interina de la autoridad suprema". A renglón seguido irrumpe en este violento exabrupto: "Una tiranía de veinte años, ejercida por las manos más ineptas que jamás se conocieron, había puesto a nuestra patria a la orilla del precipicio".

El valor de los pueblos de España y sus sacrificios exigían la constitución de una Junta: "Era preciso dar una dirección a la fuerza pública, que correspondiese a la voluntad y a los sacrificios del pueblo; y esta necesidad creó las Juntas Supremas en las Provincias *que reasumieron en sí toda la autoridad,* para alejar el peligro repeliendo al enemigo y para conservar la tranquilidad interior".

Al anunciar la Suprema Junta un nuevo orden de cosas para la prosperidad pública, no omite propinar denuestos contra el gobierno anterior:

"Volved los ojos al tiempo en que vejados, opresos, y envilecidos, desconociendo vuestra propia fuerza, y no hallando asilo contra vuestros males ni en las instituciones ni en las leyes, teníais por menos odiosa la dominación extranjera que la arbitrariedad mortífera que interiormente os consumía. Bastante ha durado en España, por desgracia nuestra, el imperio de una voluntad siempre caprichosa y las más veces injusta; bastante se ha abusado de vuestra paciencia, de vuestro amor al orden y de vuestra lealtad generosa; tiempo es ya que empiece a mandar la voz sola de la ley fundada en la utilidad general..."

Cómo no habían de tener resonancia en los oídos americanos estas bellas promesas! Qué música tan suave debía ser para ellos aquello de que "la patria no debe ser ya un nombre vano y vago para vosotros: debe significar en vuestros oídos y en

---

(7) Este Manifiesto existe en diversos ejemplares en el Fondo Pineda de la Biblioteca Nacional, Sala 1ª, *Gobierno Colonial,* Nº 12837. Se trata de diversas ediciones hechas en Buenos Aires y en Lima.

vuestro corazón el santuario de las leyes y de las costumbres, el campo de los talentos, y la recompensa de las virtudes"!

En el orden institucional se ofrecían maravillas: "leyes fundamentales benéficas, amigas del orden, enfrentadoras del poder arbitrario". Leyes basadas en la tradición e inspiradas en las nuevas circunstancias: "Conocimiento y dilucidación de nuestras antiguas leyes constitutivas, alteraciones que deban sufrir en su restablecimiento por la diferencia de las circunstancias, reformas que hayan de hacerse en los códigos civil, criminal y mercantil; proyectos para mejorar la educación pública..."

Y para que nada faltara, hace un elocuente y persuasivo parangón entre la Revolución española y la francesa, para repeler todos los excesos y desbordamientos que ésta produjo: "La Revolución española tendrá de este modo caracteres enteramente diversos de los que se han visto en la francesa..." (8).

*
* *

El año de 1809 la Suprema Junta continúa avanzando en el camino de los principios revolucionarios que trazaba para el recorrido de los americanos. La Proclama del 28 de octubre comienza por decir a los españoles que en semejante crisis ha querido la Providencia "que no diéseis un paso hacia la independencia sin darle también hacia la libertad".

Ante las pretensiones de los franceses que presentaban su tiranía bajo formas halagüeñas, prometiendo reformas de administración y anunciando el imperio de las leyes en una nueva constitución, "el pueblo español, en cuyo seno se habían conocido primero que en otro alguno de los modernos los verdaderos principios del equilibrio social, *aquel pueblo que gozó antes que nadie las prerrogativas y ventajas de la libertad civil,* y supo oponer *a la arbitrariedad la valla eterna que le ha señalado la justicia,* no debía mendigar de otro ninguno máximas de prudencia y previsión política, y pudo contestar a estos impudentes legisladores que para él no eran leyes los artificios de los intrigantes ni los mandatos de los tiranos".

La Junta Central tuvo por primer cuidado cortar "los abusos agolpados para la ruina del pueblo por el poder arbitrario", y por ello "hizo resonar en vuestros oídos el nombre de vuestras Cortes que para nosotros ha sido siempre el antemural de la li-

---

(8) El Manifiesto se puede leer en el mismo Tomo *Gobierno Colonial* N. 12837, Pieza 14.

bertad civil y el trono de la majestad nacional. Nombre pronunciado antes con misterio por los eruditos, con recelo por los políticos, con horror por los tiranos". Todo ello es un premio a la valentía indomable del pueblo español: "Pueblo tan magnánimo y generoso no debe ya ser gobernado sino por verdaderas leyes, aquellas que llevan consigo el gran carácter del consentimiento público y de la utilidad común, carácter que solo puede darles el ser dimanadas de la augusta asamblea que ya se os ha anunciado".

No es acaso el reencuentro de la nación con sus antiguos sistemas constitucionales, protectores de las libertades civiles, y con sus viejos postulados democráticos que exigían el consentimiento popular manifestado en Cortes para la expedición de las leyes? Por eso se habla de la necesidad de "establecer bases sólidas y permanentes de buen gobierno", de "las máximas que dieron impulso a nuestra Revolución" y de que "la hidra del federalismo osa levantar sus cabezas ponzoñosas y pretende arrebatarnos a la disolución de la anarquía".

Finalmente se hacen los augurios de que "el pueblo español por medio de sus representantes vote y decrete los recursos extraordinarios que una nación tiene en su seno para salvarse y sea ejemplo del uso justo y moderado que va a hacer de esta honrosa libertad en que se le constituye". Para el día feliz de la reunión de las Cortes, la Junta resignará en ellas el mando recibido del pueblo y les dirá:

"Ya estáis reunidos, o padres de la Patria, *y reintegrados en toda la plenitud de vuestros derechos, al cabo de tres siglos que el despotismo y la arbitrariedad os disolvieron* para derramar sobre esta nación todos los raudales del infortunio y todas las plagas de la servidumbre" (9).

*
* *

El golpe final en este proceso revolucionario español que marchaba en sincronismo perfecto y en plena armonía con el americano, lo dará el Consejo de Regencia en su Proclama a los Americanos Españoles del 14 de febrero de 1810. El nuevo organismo que "recibió del Gobierno que ha cesado la autoridad que estaba depositada en sus manos", vuelve su pensamiento a la América, y quiere hablar con la sinceridad y la franqueza que debe caracterizar a las almas españolas de los dos mundos.

---

(9) Véase la Proclama en el Tomo citado, *Gobierno Colonial*, N. 12837, Pieza 23.

Relatadas las vicisitudes de la guerra y de la Junta Suprema, la cual resignó en el Consejo "el depósito de su soberanía que ella legítimamente tenía y que ella sola en la situación presente podía legítimamente transferir", resume la situación en estas significativas cláusulas:

"Tales han sido las causas de la Revolución que acaba de suceder en el Gobierno español: revolución hecha sin sangre, sin violencia, sin conspiración, sin intriga; producida por la fuerza de las cosas mismas, anhelada por los buenos, y capaz de restaurar la patria si todos los españoles de uno y otro mundo concurren enérgicamente a la generosa empresa".

En seguida viene aquella tardía declaración de querer restituír las cosas de América al pensamiento primitivo de los Reyes Católicos, haciendo tabla rasa de cuanto habían hecho Austrias y Borbones:

"Desde el principio de la revolución declaró la Patria esos dominios parte integrante y esencial de la Monarquía española. Como tal le corresponden los mismos derechos y prerrogativas que a la Metrópoli. Siguiendo este principio de eterna equidad y justicia, fueron llamados esos naturales a tomar parte en el Gobierno representativo..."

Y la arenga final que vale por todos los tratados de Rousseau y de Montesquieu, por todos los libros de Las Casas y de Raynal, y por las Declaraciones de los Derechos del Hombre de Filadelfia y de París:

"Desde este momento, españoles americanos, os veis elevados a la dignidad de hombres libres; no sois ya los mismos que antes encorvados bajo un yugo mucho más duro mientras más distantes estábais del centro del poder; mirados con indiferencia, vejados por la codicia y destruídos por la ignorancia. Tened presente que al pronunciar o al escribir el nombre del que ha de venir a representaros en el Congreso Nacional, vuestros destinos ya no dependen ni de los ministros, ni de los virreyes, ni de los gobernadores: están en vuestras manos" (10).

_____

(10) El Consejo de Regencia de España e Indias, a los Americanos Españoles, en el Tomo citado, Pieza N. 30. Al día siguiente de la expedición de esta Proclama se dio el Real Decreto de convocatoria a Cortes, y se mandó a los Gobernantes de Indias una Circular "muy reservada" en que se solicitan informes fidedignos sobre la probidad de los funcionarios, pues el Consejo estaba resuelto a cambiar de política en la provisión de empleos, ya que "el favor, la intriga y la inmoralidad, al mismo tiempo que han tenido cerrada la puerta, de veinte años a esta parte, para toda clase de empleos a los sujetos de luces, patriotismo y verdadero mérito, la han franqueado a una porción de personas depravadas, ineptas e inmorales, cuando menos con notable perjuicio para la causa pública". ¡Qué tardías reacciones!

No existe entre esta literatura oficial española y el estilo de los escritos de nuestros dirigentes un perfecto paralelismo? La misma técnica formal usada para redactar los Manifiestos patriotas que hemos examinado atrás, no desmuetra una impresionante similitud con la empleada en las Proclamas españolas? El mismo título, idéntico relato de los hechos, iguales expresiones, están comprobando la absoluta identidad de las dos Revoluciones. Sólo que nuestros ideólogos esgrimían los argumentos de los liberales de la Península para reclamar su propia autonomía, exigida con tanta mayor acerbía cuanta más flagrante era la contradicción entre las lisonjeras promesas de los Gobiernos que se iban sucediendo y los hechos producidos.

Hemos verificado que en muchos de sus alegatos jurídicos nuestros letrados citan expresamente los Manifiestos de los Gobiernos de la Península y apelan constantemente al ejemplo del pueblo español que en la crisis política de la Monarquía constituyó sus propias Juntas.

El agudo espíritu del realista Torres y Peña había captado admirablemente la fuerza revolucionaria de las Proclamas españolas, y con intensa amargura se lamentaba de tan perniciosos ejemplos:

"En una proclama de Sevilla que trajo el mismo comisionado señor Sanllorente, se exhortaba al pueblo para que asesinase a sus jefes si trataban de entregarlos a los franceses; y como éste era el pretexto que los originarios revoltosos tomaban para conmover los ánimos contra el gobierno, ya se ve el peligro a que éste se exponía si trataba de contenerlos. Ni fue esta sola la proclama sediciosa que se dirigió a las Américas. Otras no menos peligrosas, y entre ellas una de Cádiz, en que se les decía: Ya sois libres, ya vuestra suerte no depende de los virreyes o gobernadores, sino de los representantes nombrados por vosotros mismos, con otros aditamentos, como que no estarían oprimidos por la ignorancia, etc.; todo esto acababa de completar las disposiciones que apetecía la perfidia de los revoltosos para realizar sus planes" (11).

Si además de estas actitudes coincidentes de españoles y americanos en la afirmación de principios tradicionales comunes, proclamados con sentido antifrancés, se suma la reacción de los Cabildos —cauce abierto de las libertades populares—, los cuales plasmaron la conciencia democrática de los dirigentes, he-

---

(11) José Antonio de Torres y Peña, *Memorias sobre los orígenes de la Independencia Nacional*, p. 86.

mos de concluír con evidencia suma que nuestra Revolución fue un fenómeno típicamente hispánico.

El paralelismo entre las dos Independencias, por más que presente disimilitudes marcadas, nacidas de la compleja estructura social de las provincias ultramarinas y de la metrópoli, demuestra, sin embargo, con luz meridiana, que el movimiento separatista brotó del mismo subsuelo del alma nacional. Comenzó por ser una reacción tradicionalista que muy pronto —en virtud de las paradojas que conlleva la dinámica revolucionaria—, tenía qué desembocar en una violenta ruptura con el pasado político.

*
* *

Dentro de los esquemas trazados en esta obra, resulta indiscutible que las directrices políticas, socio económicas y filosóficas que rezuman los escritos de los caudillos revolucionarios, derivan en su máxima parte de fuentes hispano católicas, aunque renovadas por las corrientes liberales del ochocientos europeo.

La estructura institucional, en cambio, por los motivos señalados antes, se vació en moldes americanos y franceses. Fueron constituciones escritas, inertes, sin vida, sin arraigo en la realidad nacional, a la cual pretendían adaptarse en inútiles esfuerzos. Por manera que permanecieron huérfanas de comentaristas y expositores, por la sencilla razón de que nuestros juristas no se sentían preparados para explicarlas y defenderlas. Su persistente silencio es bien significativo, y equivale a una confesión implícita de que se enfrentaban a sistemas foráneos, ajenos a la índole y a las costumbres de la nación.

Tal antinomia no podía escapar a la inteligencia analítica y realista de Nariño, quien ya en 1814 invitaba a levantar, en materia constitucional, "un edificio sencillo y bello como nuestras costumbres; aprovechemos los materiales que nos han quedado; dejémonos de proyectos quiméricos y de ese bello ideal que en ninguna parte es más impracticable que en América. Y consultando con madurez nuestras costumbres, nuestras fuerzas efectivas y nuestros recursos, fijemos nuestra opinión y nuestras voluntades sobre la forma de gobierno que más nos convenga".

*
* *

En el aspecto moral, los gobernantes y políticos de 1810 escalaron cumbres de impoluta blancura. Fray Diego Padilla pudo escribir orgullosamente, sin riesgo de sufrir contradicciones, refiriéndose a los detractores de los dirigentes de Santa Fé; "Sabe todo el mundo que los Vocales de esta Junta no exigen sueldo alguno y que sirven a la patria sin otro interés que el de distinguirse en su servicio..." Y reconociéndoles a otras provincias preeminencias de diversa índole, aseguraba que en Santa Fé "hay más deseo de libertad, menos miedo a los peligros y a la muerte, menos amor a los intereses privados, y si podemos decirlo, más heroísmo y más valor" (12).

Eduardo Santos, quien ha sido un enamorado panegirista de la primera República, dijo en ocasión solemnísima, con justicia y con verdad, que "había en ella innegablemente grandeza de tipo antiguo, arrogante gallardía, manos siempre puras, corazones siempre generosos e idealistas. La primera República, y casi todos los hombres del 20 de Julio, perecieron heroicamente, y hasta las heces bebieron la copa del sacrificio y del martirio" (13).

La República recién nacida, sin preparación política de sus gobernantes, se fue a estrellar en los abruptos escollos del genio de la raza, amiga de contrastes, individualista, y con una invencible tendencia a radicalizarse en posturas extremas. Tras de aquella anarquía inicial, gráficamente criticada por Gutiérrez de Caviedes cuando apuntaba que "cada individuo es un sistema", sobrevino la pugna inevitable entre federalistas y centralistas.

El nuevo Estado, obra de intelectuales —y específicamente de abogados, que también se interesaban en las labores científicas de la Expedición Botánica—, fue así mismo presidido por ellos, a tal punto que los hacendados y terratenientes tuvieron mínima participación en el manejo de la cosa pública.

Sus errores —no he pretendido elevarlos a la categoría de héroes míticos— fueron el fruto de diversas concepciones intelectuales en el plano de la organzación estatal y de la inexperiencia en el gobierno, pero nunca se originaron en intereses bastardos. Enjuiciarlos por carencia de sensibilidad social y por no haber llevado a cabo las reformas pertinentes, en la compleja problemática económico social, no deja de ser un tremendo anacronismo histórico y un palmario ejemplo de crítica desproporcionada e injusta.

---

(12) *Aviso al Público*, N. 5, Sábado 27 de octubre de 1810.

(13) *Significación del 20 de Julio en la Independencia*, Discurso del doctor Eduardo Santos, Presidente de la Academia Colombiana de Historia, en la sesión solemne de la corporación dedicada a conmemorar el Sexquicentenario de la Independencia de Colombia, el día 19 de julio de 1960. En *Homenaje a los Próceres* (Bogotá, 1961), p. 11-20.

Esta obra recoge y exalta, con la objetividad que brota de los documentos aducidos, el valioso patrimonio ideológico que nos legó aquel admirable grupo de juristas los cuales en su lucha de perfiles heroicos, por las circunstancias en que fue realizada, en favor de la justicia y la libertad, enfrentaron al despotismo un sistema coherente y homogéneo de ideas que aun hoy alumbran los derroteros de la patria.

Al indagar su trayectoria cultural, encontramos que la biografía de las ideas en la nación granadina —como en el resto de América— no es sino la historia de las ideas que tomó prestadas y que adaptó maravillosamente a su circunstancia. Lo original, lo propio —observa justamente Leopoldo Zea— están en esta adaptación. Y así tenía que ser, y no podía ser de otra suerte. Porque América es parte de la gran cultura occidental, es hija suya (14).

Cuando Camilo Torres —figura humana de dimensión universal— pide que el enemigo sea tratado con equidad, que sea respetada *la dignidad del hombre, de ese sér augusto, la obra maestra de la creación, que lleva en su frente, en su actitud, en su marcha, rasgos expresos de la Divinidad y que no sea violada su sagrada persona*, a la vez que enuncia este áureo epifonema social: *"Sin costumbres privadas no hay costumbres públicas, y sin éstas no puede llegar la sociedad al estado perfecto que es la libertad"*. Y cuando Félix de Restrepo —arquetipo de valores éticos— resume su magisterio y su acción vital en esta nobilísima máxima: *"No debe cometerse una injusticia aunque el universo se desplome"*, no podemos menos de celebrar con infinito alborozo la forma como esa cultura cristiana de Occidente germinó y floreció en las mentes excelsas y en los corazones generosos de los creadores del Estado colombiano.

---

(14) Leopoldo Zea, *Dos etapas del pensamiento en Hispanoamérica*, en *Revista de las Indias*, Tomo XXIX (Bogotá, julio de 1946).

BIBLIOGRAFIA GENERAL

A

Acevedo y Gómez José, *Relación de lo que executó el M. I. Cabildo, Justicia y Regimiento de la M. N. y M. I. Ciudad de Santafé de Bogotá, Santafé, 1808.* En 8º, 48 páginas.
— *Carta al doctor Tadeo Gómez* de 21 de julio de 1810, en *El Tribuno del Pueblo* por Adolfo León Gómez.
— *Carta a don José María del Real* de 29 de julio de 1810. Ibídem.
— *Carta a don Carlos Montúfar* de 5 de agosto de 1810, en Boletín de Historia y Antigüedades, Bogotá, Vol. XX.

Aguado Pedro, Fray, *Recopilación Historial.* Con introducción, notas y comentarios de Juan Friede. Bogotá, 1956. 4 volúmenes.

Aguilera Miguel, *Raíces lejanas de la Independencia.* Bogotá, 1960

Alvarez Manuel Bernardo, *Manifiesto de los motivos que obligaron al representante de Cundinamarca a su detención en firmar la acta de federación y sus pactos...* Santafé de Bogotá, Imp. de don B. Espinosa de los Monteros, año de 1812.

Anónimo, *Disertación sobre las causas de la Revolución de Francia por una Señorita distinguida.* Manuscrito del año de 1800, publicado por Rafael Gómez Hoyos en el Boletín de Historia y Antigüedades, Vol. XLIX (1962), Nos. 567, 568 y 569.

Anónimo, *Relación verdadera de los hechos ocurridos en la sublevación de los pueblos, ciudades y villas el año de 1781,* escrita por autor anónimo en Santafé, el 31 de Agosto de 1781, en *Colección de Documentos inéditos* de A. B. Cuervo.

Arboleda Sergio, *La República en la América Española.* Bogotá, 1951.

Arroyo Santiago, *Memoria para la historia de la Revolución de Popayán*, escrita en 1824 y publicada por la Biblioteca Popular, Bogotá, 1892.

Azpilcuetae Martini Doctoris Navarro, *Opera*. Coloniae Agrippinae, 1616.

B

Bañez Dominici, *De Fide, Spe et Charitate, Scholastica Commentaria in Secunda Secundae Angelici Doctoris partes*. Salmanticae, 1586.

Bataglia Felice, *Societá civile ed Autoritá nel pensiero di Francesco Suárez*, en *Actas del IV Centenario del Nacimiento de F. Suárez*. Burgos, 1950.

Bateman Alfredo, *Francisco José de Caldas, el Hombre y el Sabio*. Imp. oficial del Depto. de Caldas, 1959.

Becerra Ricardo, *Ensayo Histórico de la Vida de don Francisco Miranda*. Caracas, 1896.

Bolívar y de la Redonda don Pedro de, *Memorial Informe y Discurso legal, histórico y político al Rey Nuestro Señor en su Real Consejo de las Indias, en favor de los españoles que en ellas nacen estudian y sirven, para que sean preferidos en todas las provisiones eclesiásticas y seculares que para aquellas partes se hicieren*, por don Pedro de Bolívar y de la Redonda, natural de la ciudad de Cartagena, Reyno de Tierra Firme, Licenciado y Doctor en Cánones por la insigne y Real Universidad de San Marcos, Abogado de la Real Cancillería, etc., de la Ciudad de los Reyes de Lima. Impresa en Madrid, por Mateo Espinosa, año de 1667.

Bonilla Manuel Antonio, *Caro y su obra*. Bogotá, 1948.

Bravo Francisco J., *Colección de documentos relativos a la expulsión de los jesuítas*. Madrid, 1872.

Briceño Manuel, *Los Comuneros*. Bogotá, 1880.

C

Caballero y Góngora Antonio, *Relación de Mando de 20 de febrero de 1789*, en *Relaciones de Mando* de Eduardo Posada.

Caballero José María, *Particularidades de Santafé. Un Diario de José M. Caballero*. Biblioteca popular de cultura colombiana. Bogotá, 1946.

Caldas Francisco José de, *El Semanario del Nuevo Reino de Granada*. Santafé de Bogotá, años de 1808, 1809, 1810.
— *Cartas de Caldas*, recopiladas por E. Posada.
— *Diario Político de Santa Fé de Bogotá*. 42 Números, 1810-1811, en colaboración con D. Joaquín Camacho. Publicado en Boletín de Historia y Antigüedades, y en *Periodismo en la Nueva Granada*, preparado por Luis Martínez Delgado y Sergio Elías Ortiz. Bogotá, 1960.

Camacho José Joaquín, *Relación territorial de la Provincia de Pamplona*, en El Semanario del Nuevo Reino de Granada, Nos. 13, 14 y 15. Santafé, 1808.
— *Memoria 2ª sobre las causas y curación de los cotos*, en Continuación del Semanario del N. R. de Granada. Santafé, año de 1810.
— *Instrucción del Cabildo del Socorro al Diputado del Reino a la Junta Suprema*, de 20 de octubre de 1809, en Boletín de Historia y Antigüedades, vol. XXVIII.
— *Diario Político de Santa Fé de Bogotá*, editado en compañía de F. J. de Caldas.
— *Discurso del 5 de octubre de 1810 ante la Junta Suprema*, en Diario Político.

Canals Vidal Francisco, *Cristianismo y Revolución*. Barcelona, 1957.

Cárdenas José María, *Noticia biográfica y literaria de don Camilo Torres*. Bogotá, 1832.

Cárdenas Acosta Pablo E., *Del vasallaje a la insurrección de los Comuneros*, (La Provincia de Tunja en el Virreinato). Tunja, 1947.
— *El Movimiento Comunal de 1781 en el Nuevo Reino de Granada*. Bogotá, 1960, 2 tomos.

Cardot Carlos Felice, *La libertad de cultos en Venezuela*. Madrid. 1959.

Caro Miguel Antonio, *La Conquista*, Introducción a la nueva edición de la Historia de Piedrahita. Bogotá, 1881.
— *Historia Novelesca*, en *Artículos y Discursos*. Bogotá, 1888.
— *Centenario de Bello*, en *Artículos y Discursos*.
— *Americanismo en el lenguaje*, en Repertorio Colombiano, Tomo I, Bogotá, 1878.
— *Estudios de crítica literaria y gramatical*, Tomo II, Bogotá, 1955.
— *El 20 de Julio*, en *Artículos y Discursos*.

— *El pensamiento de los Próceres*, en El Tradicionalista, Bogotá, 1872, 1876.

Carlyle A. J., *La Libertad política*. México, 1942.

Carrasquilla Rafael María, *Estudios y Discursos*. Bogotá, 1952.
— *Sermones y Discursos*. Bogotá, 1953.

Carreño T. Manuel, *Estudio sobre la índole de la insurrección de los Comuneros del Socorro*, en B. de H. y A., Vol. VI.

Casariego J. E., *Jovellanos o el equilibrio*. Madrid, 1943.

Castro Alfonsus a, *De Potestate legis poenalis*. Matriti, 1773.

Castellanos Joan de, *Elegías de varones ilustres de Indias*, Prólogo de Miguel Antonio Caro. 4 tomos. Bogotá, 1955.

Caycedo Bernardo J., *Grandezas y miserias de dos victorias*. Bogotá, 1951.

Caycedo y Flórez Fernando, *Manifiesto en defensa de la libertad e Inmunidad eclesiástica*... Santafé, año de 1811, en la Imp. Real de Bruno Espinosa de los Monteros, 91 páginas, en 8°.
— *Necesidad de El Congreso*, en Santafé de Bogotá, Imprenta Patriótica de don Nicolás Calvo, Año de 1812, 28 páginas en 8°.

Corrales Manuel Ezequiel, *Documentos para la Historia de la Provincia de Cartagena de Indias*. Bogotá, 1883, 2 tomos.

Corts Grau José, *Curso de Derecho Natural*. Madrid, 1953.

Covarrubias Didaci a Leyva Toletani, Episcopi Segobiensis, *Opera*. Genevae, 1724.

Cuervo Antonio B., *Colección de Documentos inéditos sobre la Geografía y la Historia de Colombia*, Tomo IV. Bogotá, 1894.

Cuervo Luis Augusto, *Notas Históricas*. Bogotá, 1929.
— *Ensayos Históricos*. Bogotá, 1947.

Cuervo Nicolás, *Carta Pastoral* del 17 de marzo de 1820. Bogotá, 1820.
— *Rasgo interesante*. Bogotá, 1831, Imp. por N. Lora.

CH

Charmont J., *La Rennaissance du Droit Naturel*. París, 1927.

Chevallier Jean Jacques, *Los grandes textos políticos desde Maquiavelo a nuestros días*. Trad. del francés, Madrid 1955.

D

Delgado Jaime, *La Independencia hispanoamericana*. Madrid, 1960.

Díaz Sánchez Ramón, *Libro de Actas del Supremo Congreso de Venezuela*, con un *Estudio preliminar*. Caracas, 1959.

E

Echandía Darío, *Humanismo y técnica en la formación espiritual*, en Revista de Indias, N. 72, Bogotá, 1944.

Espinosa José María, *Memorias de un Abanderado. Recuerdos de la Patria Boba, 1810-1819*. Bogotá, 1876.

F

Fraga Iribarne Manuel, *Don Diego de Saavedra y Fajardo y la Diplomacia de su época*. Madrid, 1956.

Franck Adolfo, *Les publicistes du XVIII siécle. L'Ecole de la resistence: Suárez*. Comptes rendus de la Academia de Ciencias Morales y Políticas de París. Tomos 53 y 54.

Frankl Víctor, *Espíritu y Camino de Hispanoamérica*. Bogotá, 1953.

— *La Filosofía social tomista del Arzobispo-Virrey Caballero y Góngora y la de los Comuneros colombianos*, en Revista Bolívar, N. 14. Bogotá, 1952.

Feijoo Benito Jerónimo Fray, *Teatro Crítico Universal y Cartas Eruditas*. Selección, Estudio Preliminar y Notas de Luis Sánchez Agesta. Madrid, 1947.

— *Obras Escogidas del P. Fray Benito Jerónimo de Feijoo y Montenegro*, en Biblioteca de Autores Españoles, Tomo LVI.

Fernández de Navarrete Pedro, *Conservación de Monarquías y Discursos Políticos sobre la gran consulta que el Consejo hizo al Rey Don Felipe III*, en Biblioteca de Autores Españoles, Tomo XV.

Fernández de Sotomayor Juan, *Sermón que en la Solemne Festividad del 20 de Julio, aniversario de la libertad de la N. Granada*, predicó en la Iglesia Metropolitana... Santafé, Imp. del C. B. Espinosa, por el C. N. Lora, Año de 1815. 35 páginas en 8º.

Ferrer del Río Antonio, *Obras del Conde de Floridablanca*. Madrid.

Finestrad Joaquín de, *El vasallo instruido*, en *Los Comuneros*, Biblioteca de Historia Nacional, Vol. IV. Bogotá, 1905.

Forero Manuel José, *Camilo Torres*, Bogotá, 1960.
— *Derechos del Hombre y del Ciudadano*, en Boletín de Historia y Antigüedades, Vol. XXXII, Bogotá, 1945, y en Boletín del Instituto Caro y Cuervo, I, 1945.

Franco Quijano J. F., *Suárez el Eximio en Colombia*, en Revista del Colegio de Nuestra Señora del Rosario, XIII, Bogotá.

Friede Juan, *Documentos Inéditos para la Historia de Colombia*, I, II, III, IV y V. Bogotá, 1955-1957.

Furlong Guillermo S. J., *Nacimiento y Desarrollo de la Filosofía en el Río de la Plata*. Buenos Aires, 1952.

G

Gabaldón Márquez Joaquín, *El Municipio, raíz de la República*. Caracas, 1961.

Galán Angel María, *José Antonio Galán. Su vida, sus hechos, su muerte*, en *Los Comuneros*, Bibl. de Historia Nal. Vol. IV, Bogotá, 1905.

García Bacca Juan David, *Antología del Pensamiento Filosófico en Colombia (de 1647 a 1731)*. Bogotá, 1955.

García Chuecos Héctor, *Don Pedro Fermín de Vargas*, en Boletín de Historia y Antigüedades, XXV, Bogotá, 1938.

García del Río Juan, *Revista del estado anterior y actual de la instrucción pública en la América antes española*, en El Repertorio Americano, Tomo I. Londres, 1826.
— *Meditaciones Colombianas*. Bogotá, 1945.

García Vásquez Demetrio, *Revaluaciones Históricas para la ciudad de Santiago de Cali*. Tomo II, Cali, 1951.
— *Revaluaciones Históricas para la Ciudad de Santiago de Cali*. Tomo III, Cali, 1960.

García Samudio Nicolás, *Don José Ignacio de Pombo, Prócer de la Ciencia*, en Conferencias dictadas en la Academia Colombiana de Historia con motivo de los festejos patrios en 1936. Bogotá, MCMXXXVII. Editorial Selecta.

Giménez Fernández Manuel, *Las doctrinas populistas en la Independencia de Hispanoamérica*. Sevilla, 1947.

Gómez Hoyos Rafael, *La Santa Sede y la Independencia Colombiana*, en Curso Superior de Historia de Colombia. Tomo II, Bogotá, 1950.

— *La Iglesia en Colombia. Postura religiosa de López de Mesa en el Escrutinio Sociológico de la Historia Colombiana.* Bogotá, 1955.

— *La Iglesia de América en las Leyes de Indias.* Madrid, 1961.

González Florentino, *Carta a don J. M. Torres Caicedo,* fechada en Valparaíso el 1º de septiembre de 1863, en Boletín Cultural y Bibliográfico de la Biblioteca Luis Angel Arango. Bogotá, 1961, Vol. IV.

Grases Pedro, *Derechos del Hombre y del Ciudadano, Estudio Preliminar* por Pablo Ruggel Parra. *Estudio histórico-crítico sobre los Derechos del Hombre y del Ciudadano* por Pedro Grases. Caracas, 1959.

Grisanti Angel, *El Precursor Neogranadino Vargas. Una vida real que es la más apasionante novela de aventuras.* Bogotá, 1951.

Groot José Manuel, *Historia Eclesiástica y Civil de la Nueva Granada.* Biblioteca de Autores Colombianos. Bogotá, 1953.

Grotius Hugo, *De Iure Belli ac Pacis, Libri tres, cum annotatis auctoris, eiusdemque dissertatione de Mari Libero.* Amstelaedami, Apud Jannssonio-Waesbergios, 1720.

Gutiérrez de Caviedes Frutos Joaquín, *Discurso sobre los Obispados,* en el Semanario del Nuevo Reino de Granada, Nos. 42-53, 100 páginas, 1808-1809.

— *Discurso del 13 de octubre de 1810 ante la Junta Suprema,* impreso en Santafé.

— *Bando de 1º de febrero de 1811,* en la Gaceta de Caracas de 5 de abril del mismo año.

— *Al Pueblo Soberano de Cundinamarca, Santafé,* 26 de septiembre de 1811.

— *Manifiesto sobre los motivos que han obligado a la Nueva Granada para reasumir los derechos de la Soberanía y deponer las autoridades españolas* Santafé, 1811. 135 páginas en 12º

— *Informe sobre diezmos o Declaración del Gobierno de las Provincias Unidas mandada executar por su Gobierno general, sobre las cantidades de diezmos remisibles de dichas provincias a la de Cundinamarca...* Santafé de Bogotá, en la Imp. del C. Bruno Espinosa, por el C. N. Lora, año de 1815, 31 páginas en 4º.

Gutiérrez José Fulgencio, *Galán y los Comuneros.* Bucaramanga, 1939.

Gutiérrez Moreno José Gregorio, *Voto del Procurador General del Cabildo de Santafé de Bogotá, ante el Virrey y Audiencia del Nuevo Reino de Granada sobre la independencia política proclamada en Quito en 1809*, dado el 9 de septiembre de 1809. En la *Biografía de José Gregorio Gutiérrez* por Estanislao Vergara, publicada en Revista de Bogotá, Tomo I, Año de 1879.

— *Dictamen o Instrucciones para el Diputado del Reino que presentó al Cabildo el 9 de octubre de 1809*. Publicado por Estanislao Vergara en Revista de Bogotá. El manuscrito en la Biblioteca Nal., Copiador 6, N. 12100, Sala 1ª.

Gutiérrez Ponce Ignacio, *Vida de don Ignacio Gutiérrez Vergara y Episodios Históricos de su tiempo*. Londres, 1908.

H

Hernández de Alba Guillermo, *Vida y Escritos del doctor José Félix de Restrepo*. Bogotá, 1935.

— *Crónica del Muy Ilustre Colegio Mayor de Nuestra Señora del Rosario en Santafé de Bogotá*. Bogotá, 1938-1940. 2 volúmenes.

— *El Proceso de Nariño a la luz de documentos inéditos*. Bogotá, 1958.

Herrera y Vergara Ignacio de, *Reflexiones de un Americano imparcial sobre la legislación de las colonias españolas, 1810, o Instrucción al Diputado del Reino*. En *Colección de Documentos* por A. B. Cuervo, Tomo IV, Bogotá, 1894.

— *Dictamen o Discurso de 22 de septiembre de 1810*, en Santafé, año de 1810.

— *Memorial del Síndico Procurador al M. I. Cabildo de 8 de noviembre de 1810*, en *Documentos sobre el 20 de Julio* por Enrique Ortega Ricaurte.

— *Voto sobre la admisión en el Congreso del representante de Sogamoso*. Cuaderno N. 2 publicado por el Congreso en 1811. Santafé. 63 páginas en 8º.

— *Manifiesto sobre la conducta del Congreso*. Cundinamarca, 1811. 24 páginas en 16º.

— *Verdadera vindicación de la Ciudad de Bogotá y su Cabildo en la persona del Procurador General y Padre de Menores en el año de 816*. Bogotá, sin fecha ni pie de imprenta.

— *Representación dada al Excmo. Sr. Presidente Liberta-dor*... Bogotá, 10 de noviembre de 1828. Sin pie de imprenta.

— *Causa célebre de la separación del Presidente de la Cá-mara de Representantes Dr. Ignacio Herrera* en el año de 1824. Bogotá, 1824.

— *Voto sobre el Patronato*, Imp. de N. Lora, año de 1823.

— *Memorial del doctor Ignacio de Herrera al Secretario de Estado y del Despacho de Hacienda*, junio de 1831. En *Notas Históricas* por Luis Augusto Cuervo.

— *Tesis de Derecho internacional sostenidas en el Colegio del Rosario*. Bogotá, 1834.

Hobbes Thomas, *Leviatán. Traducción española de Manuel Sán-chez Sarto*. Fondo de Cultura Económica. México,1940.

Holguín Andrés, *Camilo Torres*, en Revista de las Indias, Tomo XIX, Bogotá, 1946.

I

Ibáñez Pedro María, *Crónicas de Bogotá*, Bogotá, 1915, dos volúmenes.

Izaga Luis S. J., *Elementos de Derecho Político*. Madrid, 1945.

J

Jaramillo Uribe Jaime, *La Filosofía en Colombia*, *en* Revista Ideas y Valores, Nos. 9-10. Bogotá, 1954.

Jovellanos Gaspar Melchor de, *Obras escogidas*. Espasa Calpe. Madrid, 2 volúmenes.

K

Konetzke Richard, *La condición legal de los criollos y las causas de la Independencia*, edición separada de Estudios Americanos, Sevilla, 1950.

L

Lasso de la Vega Rafael, *Conducta del Obispo de Mérida desde la Transformación de Maracaibo en 1821*. Bogotá, por Espinosa. Año de 1823-13. 48 páginas en 8º.

— *Discurso contra el Tolerantismo que se ha querido intro-ducir en Colombia*, por el Obispo de Mérida. Bogotá,

Imp. de Espinosa, por Valentín Molano. Año de 1826. 12 páginas en 8º.

— *Trabajos del Obispo de Mérida de Maracaybo en su venida y concurrencia al Segundo Congreso Legislativo. Año de 1824*, Imp. de la República, por N. Lora. Año de 1824.

León Gómez Adolfo, *El Tribuno del Pueblo*, Bogotá, 1910.

León Antonio, *Discurso político-moral sobre la obediencia debida a los reyes y males infinitos de la insurrección de los pueblos*. N. Lora, año de 1810.

Leturia Pedro de, S. J., *Relaciones entre la Santa Sede e Hispanoamérica*. Tomo II. Romae-Caracas, 1959.

Levene Ricardo, *Ensayo historial sobre la Revolución de Mayo y Mariano Moreno*. Buenos Aires, 1921.

Liévano Aguirre Indalecio, *Los grandes conflictos sociales y económicos de nuestra historia*. 4 volúmenes. Ediciones Nueva Prensa. Sin fecha, pero apareció en 1962.

Locke Jhon, *Segundo Ensayo sobre el Gobierno civil*. Traducción y Prefacio de José Carner. México, Fondo de Cultura Económica, 1941.

López de Mesa Luis, *Elogio de Camilo Torres. Discurso leído el 20 de julio de 1960 al inaugurarse la estatua del prócer en Bogotá*. En *Homenaje a los Próceres*, Bogotá, 1961.

Lozano y Lozano Carlos, *Francisco de Paula Santander*, en *Curso Superior de Historia de Colombia*, Tomo III. Bogotá, 1950.

Lozano y Lozano Fabio, *Novela de amor de un Prócer*, publicada en el Libro *Camilo Torres* por Manuel José Forero.

Lozano Jorge Tadeo, *Documentos importantes sobre las Negociaciones que tiene pendiente el Estado de Cundinamarca para que se divida el Reyno en Departamentos*. Santafé de Bogotá, en la Imp. Real de Don Bruno Espinosa de los Monteros. Año de 1811.

M

Mancini Jules, *Bolívar y la emancipación de las colonias españolas, desde los orígenes hasta 1815*. Traducción de Carlos Docteur. París, 1923.

Margallo Francisco, *El Perro de Santo Domingo*. Imp. de Espinosa, Santafé, 1823.

Mariana Juan de, S. J., *Historia General de España*, en *Biblioteca de Autores Españoles*, Vol. XXX. Madrid, 1950.

— *Del Rey y de la Institución real*, en *Biblioteca de Autores Españoles*, Vol. XXXI, Madrid, 1950.

Maritain Jacques, *Los derechos del Hombre y la Ley Natural*. Buenos Aires, 1943.

Martínez Delgado Luis, *Noticia Biográfica del Prócer Joaquín Camacho. Documentos*. Bogotá, 1954.

— *Periodismo en la Nueva Granada*, preparado en asocio de Sergio Elías Ortiz. Bogotá, 1960.

Martínez Briceño Rafael y G. Hernández de Alba, *Una Biblioteca de Santa Fé de Bogotá en el siglo XVII*. Instituto Caro y Cuervo, Bogotá, 1960.

Medina José Toribio, *La Imprenta en Bogotá y la Inquisición en Cartagena de Indias*. Bogotá, 1952.

Materón Paz Enrique, *El Deán Funes*. Córdoba, 1950.

Mendoza Diego, *Expedición Botánica de José Celestino Mutis al Nuevo Reino de Granada*. Madrid, 1909.

— *Cartas inéditas de José Ignacio de Pombo a Don José Celestino Mutis, copiadas del archivo de la Expedición Botánica*, precedidas de un breve exordio, en *Lecturas Populares*, Suplemento Literario de El Tiempo, dirigido por Eduardo Santos, Nos. 56 y 57, Serie V, Bogotá, 1912.

Menéndez y Pelayo Marcelino, *Historia de los Heterodoxos españoles*. Tomo V. Santander, 1947.

Mercado Pedro de, S. J., *Historia de la Provincia del Nuevo Reino y Quito de la Compañía de Jesús*. Bogotá, 1957.

Mesa Carlos E., C.M.F., *Debates concepcionistas en Santa Fé de Bogotá*, en Revista Bolívar, N. 44, Bogotá, 1955.

Mier y Noriega Servado Teresa O. P., *Carta de un Americano al Español y Contestación a una Segunda Carta del mismo Americano por el Español*. Impreso en Londres en 1811. Reimpreso en Cartagena de Indias. Año de 1813. Notas Interesantes. En 8º, 65 páginas.

Miramón Alberto, *Nariño, una conciencia criolla contra la tiranía*. Bogotá, 1960.

Molinae Ludovici, *De Iustitia et Iure, Opera Omnia*. Venetiis, 1614.

Monsalve José Domingo, *Antonio de Villavicencio y la Revolución de Independencia*. Bogotá, 1920. 2 tomos.

Mutis José Celestino, *Oración en el Colegio del Rosario el 15 de marzo de 1762*, en *Crónicas del Colegio de Ntra. Sra. del Rosario* por G. Hernández de Alba.

— *Discurso sobre el Sistema Copernicano pronunciado en el Colegio de San Bartolomé*. Ibídem.

N

Nariño Antonio, *Defensa en la causa por la impresión de los Derechos del Hombre, escrita el 26 de julio de 1795*, en *El Precursor* de E. Posada y en *Causas Célebres a los Precursores*, de J. M. Pérez Sarmiento, Tomo II.

— *Ensayo sobre un nuevo Plan de Administración en el Nuevo Reino de Granada, de 16 de noviembre de 1797.* En J. M. Vergara, *Vida y Escritos del Jeneral Nariño*.

— *Reflexiones al Manifiesto de la Junta Gubernativa de Cartagena sobre el proyecto de establecer el Congreso Supremo en la Villa de Medellín.* En la Imp. Real de Santafé de Bogotá, octubre 20 de 1810. 29 páginas en 8°.

— *Declaración de los Derechos del Hombre y del Ciudadano.* Traducción del tomo 3° de la Asamblea Constituyente. Santafé, 1811.

— *La Bagatela*, 38 Números del 14 de julio de 1811 al 12 de abril de 1812. Reimpresa en el Tomo 114 de la Biblioteca Popular de Cultura Colombiana. Bogotá, 1947, y en la obra de Carlos Restrepo Canal, *Nariño Periodista*. Bogotá, 1960.

— *Manifiesto al Público de Cundinamarca de 4 de junio de 1812*, reproducido en *El Precursor* de E. Posada.

— *Discurso para la apertura del Colegio Electoral de junio de 1813*, ibídem.

— *Discurso de instalación del Congreso de Cúcuta en 1821.* Ibídem.

Núñez Rafael, *Sociología* (1881) en *La Reforma Política en Colombia*, Biblioteca Popular de Cultura Colombiana. Tomo I, Bogotá, 1945.

— *El 20 de Julio* (1882). Ibídem.

— *El 11 de Noviembre* (1884). Ibídem.

O

Ordóñez y Cifuentes Andrés, *Carta Pastoral*. Medellín, en la Imp. del Gobierno. Por el C. Manuel María Viller Calderón. Año de 1815.

Ortega Ricaurte Enrique, *Libro de Acuerdos de la Audiencia Real del Nuevo Reino de Granada.* Tomo I (1551-1556). Publicación del Archivo Nal. Bogotá, 1947.

— *Cabildos de Santafé de Bogotá, Cabeza del Nuevo Reino de Granada.* Publicación del Archivo Nacional. Bogotá, 1957.

— *Documentos sobre el 20 de Julio de 1810.* Bogotá, 1960.

Ortiz Sergio Elías, *Franceses en la Independencia de la Gran Colombia.* Bogotá, 1949.

— *Génesis de la Revolución del 20 de Julio de 1810.* Bogotá, 1960.

— *El Periodismo en la Nueva Granada,* en colaboración con L. Martínez Delgado. Bogotá, 1960.

Ospina Rodríguez Mariano, *Artículos Escogidos,* coleccionados por Juan José Molina. Medellín, 1884.

— *Estado político de Nueva Granada, Discurso pronunciado ante el Congreso Nacional,* en Gaceta Oficial de Bogotá, N. 2106.

— *Biografía del doctor José Félix de Restrepo.* Medellín, Imprenta de la Libertad, 1888.

Otero D'Costa Enrique, *Levantamiento en Vélez,* en Boletín de Historia y Antigüedades, Vol. XV. Bogotá.

— *Pauciloquium,* Prólogo al *Primer Libro de Actas del Cabildo de la Ciudad de Pamplona* por L. E. Páez Cuorvel. Bogotá, 1950.

Otero Francisco José, *Voto sobre el Patronato.* Bogotá, Imp. de la República, por N. Lora, Año de 1823.

P

Padilla Diego Fray, *Aviso al Público.* 21 Números desde el 28 de septiembre de 1810, al 16 de febrero de 1811. Reproducido en *El Periodismo en la Nueva Granada* de L. Martínez Delgado y S. Elías Ortiz.

— *Diálogo entre un Cura y un Feligrés del pueblo de Bojacá sobre el Párrafo inserto en la Gazeta de Caracas, sobre la Tolerancia.* Santafé de Bogotá, Año de 1811. 29 páginas en 8º.

Pacheco Juan Manuel S. J., *Los Jesuitas en Colombia, Tomo I* (1567-1654). Bogotá, 1951.

— *Un amigo de Descartes en el Nuevo Mundo*, en Revista Javeriana. Tomo LI, 1959.

Páez Courvel Luis Eduardo, *Primer Libro de Actas del Cabildo de la Ciudad de Pamplona en la Nueva Granada* (1552-1561), con un Apéndice sobre la Historia Primitiva de la Provincia. Bogotá, 1950.

Paine Thomas, *Rights of Man*. London, 1883.
— *Dissertations on Government*. London 1786.

Palacio Atard Vicente, *Feijoo y los Americanos*, en Estudios Americanos, N. 69. Sevilla.

Pardo y Vergara Joaquín, *Datos biográficos de los Canónigos de la Catedral Metropolitana de Santa Fé de Bogotá*. Imprenta de Antonio María Silvestre. Bogotá, 1892.

Pérez Ayala José Manuel, *Antonio Caballero y Góngora, Virrey y Arzobispo de Santa Fé*. Bogotá, 1951.

Pérez Sarmiento José Manuel, *Causas célebres a los Precursores*. Bogotá, 1939. 2 tomos.

Pey José Miguel, *Decreto de 12 de septiembre de 1810*, en *El 20 de Julio* de E. Posada.
— *Oficio al Gobernador de Popayán don Miguel Tacón de 21 de noviembre de 1810*. Ibídem.
- *Carta de 21 de noviembre de 1810 al señor Obispo de Cuenca*, en el Diario Político de Santa Fé de Bogotá.
— *Memorial al Congreso en 1833*, en *Documentos interesantes relativos al ex-general doctor José Miguel Pey, publicados por orden de la H. Cámara del Senado bajo la inspección de su Secretario*. Año de 1833, Impresa en Bogotá por J. A. Cualla.

Pey Juan Bautista y Duquesne Domingo, *Carta Pastoral sobre la erección de obispado y elección de obispo en la villa del Socorro*. Imprenta Patriótica de Santafé de Bogotá. Año de 1811. 24 páginas en 8º.

Plata Francisco, *Novena en memoria y obsequio de los Dolores de la Santísima Virgen María Nuestra Señora*. Con la licencia necesaria. Santafé, Imp. del Estado por el C. J. M. Ríos. Año de 1816.
— *Carta Pastoral*. Bogotá, 1834

Plata Manuel, Licenciado, *Apología de la Provincia del Socorro*. En Santafé de Bogotá, Año de 1811.

Pombo José Ignacio de, *Informe al Consulado de Cartagena sobre asuntos económicos y fiscales. Del archivo histórico de Diego Mendoza.* En Boletín de Historia y Antigüedades, Año XIII, N. 154, noviembre de 1921.

— *Informe del Real Consulado de Cartagena de Indias a la Suprema Junta Provincial de la misma, sobre el arreglo de las contribuciones en las producciones naturales, en la navegación y en comercio; sobre el fomento de la industria por medio de establecimientos de enseñanza y fábricas de efectos de primera necesidad que se proponen; y sobre los nuevos cultivos y poblaciones que son necesarios para la prosperidad y seguridad de la Provincia.* En la Imprenta del Real Consulado. Por Don Diego Espinosa de los Monteros. Año MDCCCX. De orden del Gobierno. 156 páginas en 8º.

— *Noticias varias sobre las Quinas Oficinales, sus especies, virtudes, usos, comercio, cultivo, acopios de sus extractos y su descripción botánica.* Cartagena de Indias, en la Imprenta del Gobierno a cargo de Manuel González Pujol, 1814. 155 páginas en 8º.

Pombo Lino de, *Memoria histórica sobre la vida, carácter, trabajos científicos y literarios y servicios políticos de D. Francisco José de Caldas,* en Revista de Bogotá (1871), p. 285 y siguientes.

Pombo Manuel Antonio y Guerra José Joaquín, *Constituciones de Colombia.* Bogotá, 1951, 4 volúmenes.

Pombo Manuel de, *Carta a D. José María Blanco, residente en Londres, satisfaciendo a los principios sobre que impugna la independencia absoluta de Venezuela...* Santa Fé, año de 1812. Reeditada en la Biblioteca Popular en 1898.

Pombo Miguel de, *Discurso Político en que se manifiesta la necesidad e importancia de la extinción de los estancos de tabaco y aguardiente y la abolición de los tributos de indios, con los arbitrios que por ahora pueden adoptarse,* leído en la Junta Suprema el 10 de septiembre de 1810. Reproducido en *El 20 de Julio de* E. Posada.

— *Constitución de los Estados Unidos de América... precedida de las Actas de Independencia y Federación. Traducidas del inglés al español por el C. Miguel de Pombo, e ilustrada con notas, y un Discurso preliminar sobre el Sistema Federativo.* En Santafé de Bogotá, en la Imp. Patriótica de don Nicolás Calvo. Año de 1811.

Posada Eduardo, *El Precursor, Documentos sobre la vida pública y privada del General Antonio Nariño.* Bogotá, Imp. Nacional, 1903.

— *Relaciones de Mando. Memorias presentadas por los go-bernantes del N. Reino de Granada,* con la colaboración del doctor Pedro María Ibáñez. Bogotá, 1910.

— *Bibliografía Bogotana.* Bogotá, Imp. Nal., 2 tomos. 1917-1924.

— *Cartas de Caldas.* Bogotá, Imp. Nal. 1917.

— *Congreso de las Provincias Unidas. Leyes, Actas y Notas.* Bogotá, Imp. Nal., 1924.

— *Apostillas.* Bogotá, Imp. Nal., 1926.

Porras Troconis Gabriel, *Documental concerniente a los antece-dentes de la Declaración de la Independencia absoluta de la Provincia de Cartagena de Indias.* Cartagena, 1961.

Price Jorge W., *Biografías de dos ilustres Próceres y Mártires de la Independencia.* Bogotá, 1916.

Q

Quevedo y Villegas Francisco de, *Política de Dios y Gobierno de Cristo Nuestro Señor,* en *Biblioteca de Autores Españo-les,* T. XXIII.

— *Primera parte de la Vida de Marco Bruto.* Ibídem.

R

Ramos Demetrio, *Las sublevaciones en favor de la legalidad y las seudo-rebeliones en las huestes de la Conquista,* en Estudios Americanos, Tomo 78-79. Sevilla.

— *La Revolución de Coro de 1533 contra los Welser y su importancia para el régimen municipal,* en Boletín Ame-ricanista, Año 1º, Nº 2. Barcelona, 1959.

Recasens Siches Luis, *La Filosofía del Derecho de Francisco Suá-rez. Con estudio previo sobre sus antecedentes en la pa-trística y en la escolástica.* 2ª edición. México, 1947.

— *Vida Humana, Sociedad y Derecho.* México, 1940.

Restrepo Canal Carlos, *La Libertad de los esclavos en Colombia, o Leyes de Manumisión.* Bogotá, 1933.

— *Nariño Periodista.* Bogotá, 1960.

Restrepo Daniel S .J., *El Colegio de San Bartolomé. Su influjo en la historia de Colombia,* en colaboración con Guiller-mo y Alfonso Hernández de Alba. Bogotá, 1928.

Restrepo José Félix de, *Oración de Estudios de 1791*, en G. Hernández de Alba, *Vida y Escritos del Dr. José Félix de Restrepo*.

— *Lecciones de Lógica para el Curso de Filosofía del Colegio Mayor Seminario de San Bartolomé, en el año de 1822*. Imp. de Espinosa. Bogotá, 1923-13.

— *Lecciones de Física, para los jóvenes del Colegio Mayor Seminario de San Bartolomé. Por el señor don José Félix de Restrepo.* Bogotá, Impreso por F. M. Stockes. Plazuela de San Francisco. 1825. 390 páginas.

— *Tratado de Metafísica*, Manuscrito de la Biblioteca Nacional de Bogotá, Fondo Pineda, Vol. N. 6253, Pieza N. 11.

— *Exposición dirigida a la H. Cámara de Representantes por los Ministros de la Alta Corte de Justicia Marcial.* Bogotá, 1825.

Restrepo Posada José, *La Iglesia y la Independencia*, en *Curso Superior de Historia de Colombia*, III. Bogotá, 1950.

Restrepo Tirado Ernesto, *Historia de la Provincia de Santa Marta*, Tomo I, Bogotá, 1953.

Ribadeneyra Pedro de, S. J., *Tratado de la Religión y Virtudes que debe tener el Príncipe Cristiano*. Madrid, 1957.

Rivas Sacconi José Manuel, *Tratados Didácticos de las Universidades Novogranatenses*. Bogotá, 1946.

Rivas Raimundo, *El Andante Caballero don Antonio Nariño*. Bogotá, 1938.

Rodríguez Piñeres Eduardo, *La Vida de Castillo y Rada*. Bogotá, 1949.

Rodríguez Plata Horacio, *Don Andrés Rosillo y Meruelo*. Bogotá, 1944.

— *Los Comuneros*, en *Curso Superior de Historia de Colombia*, Tomo I, Bogotá, 1950.

Romero Mario Germán, *El Padre Margallo*. Bogotá, 1957.

— *Novenas Políticas en la Independencia*, en Boletín de Historia y Antigüedades, Vol. XLVII, Bogotá, 1960.

— *Fray Diego Francisco Padilla*, en *Próceres 1810*, Edición del Banco de la República. Bogotá, 1960.

Rousseau Jean Jacques, *Emile ou de l'education*. París. Pierre Didot. 1808.

— *Contrato Social. Traducción de Fernando de los Ríos.* Madrid, Espasa Calpe, 1934.

— *Discurso sobre el origen de la desigualdad entre los hombres. Traducción de Angel de Pumarega.* Madrid, Espasa Calpe, 1923.

Rueda Vargas Tomás, *Prólogo al libro de Raimundo Rivas, El Andante Caballero don Antonio Nariño.*

Ruggeri Parra Pablo, *Derechos del Hombre y del Ciudadano, Estudio Preliminar.* Caracas, 1959.

Ruiz del Castillo, *Las relaciones entre los derechos del hombre y el derecho internacional según las inspiraciones de Francisco de Vitoria.* Madrid, 1949.

S

Saavedra Fajardo Diego de, *Idea de un Príncipe Político Cristiano, Biblioteca de Autores Españoles*, Tomo XXV, Madrid, 1947.
— *Introducciones a la Política y Razón de Estado*, Ibídem.

Salazar José Abel, *Los Estudios Eclesiásticos Superiores en el Nuevo Reino de Granada.* Madrid, 1946.

Salazar José María, *Camilo Torres*, en Revista de Bogotá, (1871), Tomo I.
— *Manuel Rodríguez Torices*, Ibídem.

Samper José María, *Ensayo sobre las Revoluciones políticas y la condición social de las repúblicas colombianas.* Bogotá, Biblioteca Popular de Cultura Colombiana.

Sánchez Juan María, *Memoria al Cabildo de Santafé de 6 de septiembre de 1809*, en F. J. Vergara y Velasco, *Capítulos de una Historia Civil y Militar de Colombia.*

Sánchez Agesta Luis, *La definición de derechos naturales del hombre y el descubrimiento de América*, en Estudios Americanos, Nos. 94 y 95, Sevilla, 1959.
— *Estudio Preliminar y Notas a la Selección del Teatro Crítico Universal y Cartas Eruditas de Feijoo.* Madrid, 1947.

Sandoval Alonso, S. J., *De instauranda Aetiopum Salute*, con Prólogo del Padre Angel Valtierra S. J. Bogotá, 1956.

Santander Francisco de Paula, *Apuntamientos para las Memorias sobre Colombia y la Nueva Granada*, por el General Santander. Bogotá, Imp. de Lleras, 1937.

Santos Eduardo, *Significación del 20 de Julio de 1810 en la Independencia*, en *Homenaje a los Próceres*, Bogotá, 1961.

Scarpetta M. Leonidas y Saturnino Vergara, *Diccionario Biográfico de los Campeones de la libertad.* Bogotá, 1879.

Scheller Max, *El resentimiento en la moral.* Buenos Aires, 1932.

Silvestre Francisco, *Descripción del Reyno de Santa Fé de Bogota,* Copia del original, por Ricardo S. Pereira (1887). Bogotá, 1950.

Solórzano y Pereyra Juan de, *Política Indiana, corregida e ilustrada con notas por Francisco Ramiro de Valenzuela.* En Madrid, en la Imp. Real de Gazeta. Año de 1776.

Soto Dominici, *De Iustitia et Iure Libri Decem. Salmanticae,* 1553.

Suárez Francisco S. J., *Opera omnia, V, VI,* De Legibus. Parisiis, 1856.

— *XX De Fide, Spe et Charitate,* Parisiis, 1858.

T

Tejada Francisco Elías de, *El Pensamiento Político de los Fundadores de Nueva Granada.* Sevilla, 1955.

— *Trayectoria del pensamiento político colombiano,* en Revista del Colegio Mayor de Nuestra Señora del Rosario, Vol. 47, 1951.

Thomae Aquinatiss Divi, *Summa Theologica,* Taurini, 1937.

— *De Regimine Principum,* Taurini, 1932.

Thomae de Vio Caietani Cardinalis, *In Secunda Secundae S. ac P. doctoris Thomae Aquinatis Commentaria celeberrima.* Paris, Claudio Chevallon, 1519.

Torres Camilo, *Representación del Cabildo de Bogotá, a la Suprema Junta Central de España en el año de 1809, escrita por el señor doctor don José Camilo de Torres, encargado de extenderla como asesor y director de aquel cuerpo.* Imp. de N. Lora, año de 1832.

— *Carta Política a don Ignacio Tenorio de 29 de mayo de 1810,* en *Documentos Históricos por don Camilo Torres,* Biblioteca Popular. Bogotá, 1893. Y en Boletín de Historia y Antigüedades, N. 29 (1905).

— *Proclama del 18 de septiembre de 1810.* Santafé, 1810.

— *Mensaje del Congreso General del Reino al Gobernador y Cabildo de Santa Marta de 9 de octubre de 1811.* Santafé, 1811.

— *Comunicación de Camilo Torres, Presidente del Congreso al Teniente General don Toribio Montes* (9 de julio *de 1814)*, en *Congreso de las Provincias Unidas* por E. Posada.

— *Voto de Camilo Torres sobre la admisión en el Congreso del Representante de Sogamoso.* Cuaderno N. 2 publicado por el Congreso en 1811. Santafé. 63 páginas en 8º.

— *Alocución de Camilo Torres, Presidente de las Provincias Unidas, el 20 de noviembre de 1815,* en Alvarez Bonilla, *Los Tres Torres.*

Torres y Peña José Antonio de, *Réplica a dos Manifiestos.* En Santafé de Bogotá, en la Imp. Patriótica de don N. Calvo y Quixano, Año de 1811.

— *Memorias sobre los orígenes de la Independencia Nacional,* con Prólogo y Notas de G. Hernández de Alba. Bogotá, 1960.

U

Uribe Uribe Rafael, *Antecedentes del Cabildo abierto de 1810,* en Boletín de Historia y Antigüedades, Año VI, N. 63, Julio de 1910.

Uprimny Leopoldo, *Capitalismo calvinita o Romanticismo semi-escolástico de los próceres de la Independencia colombiana,* en Revista UNIVERSITAS, Nos. 3, 4, 5 (1952-1953), Bogotá.

— *El Pensamiento filosófico y político del Congreso de Cúcuta,* en UNIVERSITAS, Nos. 9 (1955), 10 y 11 (1956), 13 (1957) y 15 (1958).

V

Vargas Pedro Fermín de, *Notas relativas a la revolución política,* Manuscrito de 1791, perteneciente al archivo particular de Guillermo Hernández de Alba.

— *Pensamientos Políticos sobre la Agricultura, Comercio y Minas del Virreynato de Santafé de Bogotá.* Tomo 53 de la Biblioteca Popular de Cultura Colombiana, edición preparada por Manuel José Forero. Bogotá, 1946. Reeditada por el Banco de la República. Bogotá, 1953.

— *Memoria sobre la población del Nuevo Reino de Granada.* Ibídem.

— *Plan de las Constituciones que se presentan al Excmo. Sr. Virrey del Reino para el Hospital Real de San Pe-*

dro de la Parroquia de Zipaquirá. En la edición del Banco de la República.

— *De la falta de albergues y posadas.* Ibídem.

— *De la policía y decoro en las construcciones.* Ibídem.

— *Estudio sobre el Guaco, contra el veneno de la culebra,* en Papel Periódico de Santafé, Nos. 34 y 35, año de 1791.

— *Representación al Gabinete inglés el 20 de noviembre de 1799,* en Angel Grisanti, *El Precursor Neogranadino Vargas.*

— *Relación suscinta del estado actual de las Colonias españolas en la América Meridional, Memorial presentado en 1805 al Gobierno inglés,* en Archivo del General Miranda, Tomo XXI.

Vargas Ugarte Rubén, S. J., *La Carta a los Españoles Americanos de don José Pablo Vizcardo y Guzmán.* Lima, 1954.

Vásquez de Menchaca Ferdinandi, *Controversirum Illustrium Libri III.* Valladolid, 1932.

Vecchio Giorgio del, *Su la teoria del Contrato Sociale.* Bologna, 1906.

— *Filosofía del Derecho,* Barcelona, 1953.

Vega José de la, *La Federación en Colombia.* Bogotá, 1952.

Vélez Sáenz Jaime, *El contenido del bien común de la ciudad según Aristóteles y Santo Tomás,* en Revista Ideas y Valores, N. 1º, Bogotá, 1951.

Vejarano Jorge Ricardo, *Nariño, su vida, sus infortunios, su talla histórica.* Bogotá, 1951.

Vergara Estanislao, *José Gregorio Gutiérrez,* en Revista de Bogotá, Tomo I, (1871).

Vergara y Velasco F. J., *Capítulos de una Historia Civil y Militar de Colombia.* Bogotá, 1905.

Vergara y Vergara José María, *Vida y Escritos del Jeneral Antonio Nariño.* 2ª edición, Biblioteca de Cultura Colombiana, Bogotá, 1946.

Vitoria Francisco de, O. P., *Relectiones Theologicae.* Lugduni, 1557.

Z

Zavala Silvio, *Servidumbre natural y libertad cristiana, según los tratadistas españoles del s. XVI y XVII.* Buenos Aires, 1944.

Zawadsky C. Alfonso, *Las Ciudades Confederadas del Valle del Cauca en 1811. Historia, Actas, Documentos.* Cali, 1943.

Zea Leopoldo, *Dos etapas del pensamiento en Hispanoamérica,* en Revista de las Indias, Tomo XXIX, 1946.

INDICE

QUINTA PARTE

CAP. I. — CAMILO TORRES, LA CONCIENCIA JURIDICA DE LA RE-
VOLUCION.

CAP. II. — JOAQUIN CAMACHO, TEORICO DEL DERECHO PUBLICO
Y DE LA ECONOMIA.

CAP. III. — FRUTOS JOAQUIN GUTIERREZ, EL CANONISTA DEL GO-
BIERNO REPUBLICANO.

Índice

Índice

Índice

SEPTIMA PARTE

CAP. I. — EL CABILDO, ORGANO POLITICO E INSTRUMENTO JURI-
CO DE LA REVOLUCION.

CAP. II. — LA SOBERANIA POPULAR Y LA RELIGION CATOLICA EN
LAS ACTAS DE LA REVOLUCION Y EN LAS PRIMERAS
CONSTITUCIONES.

EPILOGO